le Guide du **routard**

Directeur de collection et auteur
Philippe GLOAGUEN

Cofondateurs
Philippe GLOAGUEN et Michel DUVAL

Rédacteur en chef
Pierre JOSSE

Rédacteurs en chef adjoints
Amanda KERAVEL et Benoît LUCCHINI

Directrice de la coordination
Florence CHARMETANT

Rédaction
Olivier PAGE, Véronique de CHARDON,
Isabelle AL SUBAIHI, Anne-Caroline DUMAS,
Carole BORDES, André PONCELET,
Marie BURIN des ROZIERS, Thierry BROUARD,
Géraldine LEMAUF-BEAUVOIS,
Anne POINSOT, Mathilde de BOISGROLLIER,
Alain PALLIER, Gavin's CLEMENTE-RUÏZ
et Fiona DEBRABANDER

GUADELOUPE

Les Saintes, Marie-Galante, La Désirade, Saint-Martin, Saint-Barthélemy

2008

Ha

D0544550

Avis aux hôteliers et aux restaurateurs

Les enquêteurs du *Guide du routard* travaillent dans le plus strict anonymat. Aucune réduction, aucun avantage quelconque, aucune rétribution n'est jamais demandé en contrepartie. Face aux aigrefins, la loi autorise les hôteliers et restaurateurs à porter plainte.

Hors-d'œuvre

Le *Guide du routard*, ce n'est pas comme le bon vin, il vieillit mal. On ne veut pas pousser à la consommation, mais évitez de partir avec une édition ancienne. Les modifications sont souvent importantes.

ON EN EST FIERS : www.routard.com

● *routard.com* ● Vous avez votre *Routard* en poche, mais vous êtes un inconditionnel de la petite souris. Sur routard.com, vous trouverez tout pour préparer votre voyage : fiches pratiques sur les régions françaises, itinéraires, météo, agenda culturel... Mais aussi des services comme la réservation d'hôtels et de campings, et la possibilité de trouver sa location, de partager ses photos et de découvrir des milliers de clichés, d'échanger ses bons plans dans les forums... Le site indispensable pour bien voyager.

Petits restos des grands chefs

Ce qui est bon, n'est pas forcément cher ! Partout en France, nous avons dégoté de fameuses petites tables de grands chefs aux prix aussi raisonnables que la cuisine est fameuse. Évidemment, tous les grands chefs n'ont pas été retenus : certains font payer cher leur nom pour une petite table qu'ils ne fréquentent guère. Au total, plus de 700 adresses réactualisées, retenues pour le plaisir des papilles, sans pour autant ruiner voire portefeuille. À proximité des restaurants sélectionnés, 280 hôtels de charme pour prolonger la fête.

Nos meilleurs campings en France

Se réveiller au milieu des prés, dormir au bord de l'eau ou dans une hutte, voici nos 1 700 meilleures adresses, en pleine nature. Du camping à la ferme aux équipements les plus sophistiqués, nous avons sélectionné les plus beaux emplacements : mer, montagne, campagne ou lac. Sans oublier les balades à proximité, les jeux pour enfants... Des centaines de réductions pour nos lecteurs.

Avis aux lecteurs

Les réductions accordées à nos lecteurs ne sont jamais demandées par nos rédacteurs afin de préserver leur indépendance. Les hôteliers et restaurateurs sont sollicités par une société de mailing, totalement indépendante de la rédaction, qui reste donc libre de ses choix. De même pour les autocollants et plaques émaillées.

Pour que votre pub voyage autant que nos lecteurs,
contactez nos régies publicitaires :
● fbrunel@hachette-livre.fr ●
● veronique@routard.com ●

Le contenu des annonces publicitaires insérées dans ce guide n'engage en rien la responsabilité de l'éditeur.

Mille excuses, on ne peut plus répondre individuellement aux centaines de CV reçus chaque année.

TABLE DES MATIÈRES

COMMENT ALLER AUX ANTILLES ?

LA GUADELOUPE

GÉNÉRALITÉS

LA GRANDE-TERRE

LA BASSE-TERRE

LES ÎLES DE LA GUADELOUPE

LES SAINTES

MARIE-GALANTE

LA DÉSIRADE

SAINT-MARTIN

SAINT-BARTHÉLEMY

Recommandation à nos lecteurs qui souhaitent profiter des réductions et avantages proposés dans le *Guide du routard* par les hôteliers et les restaurants : à l'hôtel, prenez la précaution de les réclamer **à l'arrivée** et, au restaurant, **au moment** de la commande (pour les apéritifs) et surtout **avant** l'établissement de l'addition. Poser votre *Guide du routard* sur la table ne suffit pas : le personnel de salle n'est pas toujours au courant et une fois le ticket de caisse imprimé, il est difficile pour votre hôte d'en modifier le contenu. En cas de doute, montrez la notice relative à l'établissement dans le guide et ne manquez pas de nous faire part de toute difficulté rencontrée.

SPÉCIAL DÉFENSE DU CONSOMMATEUR

Un routard informé en vaut dix ! Pour éviter les arnaques en tout genre, il est bon de les connaître. Voici un petit vade-mecum destiné à parer aux coûts et aux coups les plus redoutables.

Affichage des prix : les hôtels et les restos sont tenus d'informer les clients de leurs prix, à l'aide d'une affichette, d'un panneau extérieur ou de tout autre moyen. Vous ne pouvez donc contester des prix exorbitants que s'ils ne sont pas clairement affichés.

HÔTELS

1 - Arrhes ou acompte ? : au moment de réserver votre chambre par téléphone – par précaution, toujours confirmer par écrit – ou directement par écrit, il n'est pas rare que l'hôtelier vous demande de verser à l'avance une certaine somme, celle-ci faisant office de garantie. Il est d'usage de parler d'arrhes et non d'acompte (en fait, la loi dispose que « sauf stipulation contraire du contrat, les sommes versées d'avance sont des arrhes »). Légalement, aucune règle n'en précise le montant. Toutefois, ne versez que des arrhes raisonnables : 25 à 30 % du prix total, sachant qu'il s'agit d'un engagement définitif sur la réservation de la chambre. Cette somme ne pourra donc être remboursée en cas d'annulation de la réservation, sauf cas de force majeure (maladie ou accident) ou en accord avec l'hôtelier si l'annulation est faite dans des délais raisonnables. Si, au contraire, l'annulation est le fait de l'hôtelier, il doit vous rembourser le double des arrhes versées. À l'inverse, l'acompte engage définitivement client et hôtelier.

2 - Subordination de vente : comme les restaurateurs, les hôteliers ont interdiction de pratiquer la subordination de vente. C'est-à-dire qu'ils ne peuvent pas vous obliger à réserver plusieurs nuits d'hôtel si vous n'en souhaitez qu'une. Dans le même ordre d'idée, on ne peut vous obliger à prendre votre petit déjeuner ou vos repas dans l'hôtel ; ce principe, illégal, est néanmoins répandu dans la profession, toléré en pratique... Bien se renseigner avant de prendre la chambre dans les hôtels-restaurants. Si vous dormez en compagnie de votre enfant, il peut vous être demandé un supplément.

3 - Responsabilité en cas de vol : un hôtelier ne peut en aucun cas dégager sa responsabilité pour des objets qui auraient été volés dans la chambre d'un de ses clients, même si ces objets n'ont pas été mis au coffre. En d'autres termes, les éventuels panonceaux dégageant la responsabilité de l'hôtelier n'ont aucun fondement juridique.

RESTOS

1 - Menus : très souvent, les premiers menus (les moins chers) ne sont servis qu'en semaine et avant certaines heures (12h30 et 20h30 généralement). Cela doit être clairement indiqué sur le panneau extérieur : à vous de vérifier.

2 - Commande insuffisante : il arrive que certains restos refusent de servir une commande jugée insuffisante. Sachez, toutefois, qu'il est illégal de pousser le client à la consommation.

3 - Eau : une banale carafe d'eau du robinet est gratuite – à condition qu'elle accompagne un repas – sauf si son prix est affiché. La bouteille d'eau minérale quant à elle doit, comme le vin, être ouverte devant vous.

4 - Vins : les cartes des vins ne sont pas toujours très claires. Exemple : vous commandez un bourgogne à 16 € la bouteille. On vous la facture 32 €. En vérifiant sur la carte, vous découvrez que 16 € correspondent au prix d'une demi-bouteille. Mais c'était écrit en petits caractères illisibles.
Par ailleurs, la bouteille doit être obligatoirement débouchée devant le client.

5 - Couvert enfant : le restaurateur peut tout à fait compter un couvert par enfant, même s'il ne consomme pas, à condition que ce soit spécifié sur la carte.

6 - Repas pour une personne seule : le restaurateur ne peut vous refuser l'accès à son établissement, même si celui-ci est bondé ; vous devrez en revanche vous satisfaire de la table qui vous est proposée.

7 - Sous-marin : après le coup de bambou et le coup de fusil, celui du sous-marin. Le procédé consiste à rendre la monnaie en plaçant dans la soucoupe (de bas en haut) : les pièces, l'addition puis les billets. Si l'on est pressé, on récupère les billets en oubliant les pièces cachées sous l'addition.

LES GUIDES DU ROUTARD
2008-2009

(dates de parution sur **www.routard.com**)

France

Nationaux

- Nos meilleures chambres d'hôtes
  en France
- Nos meilleurs campings en France
- Nos meilleurs hôtels et restos
  en France
- Petits restos des grands chefs
- Tables à la ferme et boutiques du terroir

Régions françaises

- Alpes
- Alsace
- Aquitaine
- Ardèche, Drôme
- Auvergne, Limousin
- Bourgogne
- Bretagne Nord
- Bretagne Sud
- Châteaux de la Loire
- Corse
- Côte d'Azur
- Franche-Comté
- Île-de-France
- Languedoc-Roussillon
- Lorraine
- Lot, Aveyron, Tarn
- Nord-Pas-de-Calais
- Normandie
- Pays basque (France, Espagne), Béarn

- Pays-de-la-Loire
- Poitou-Charentes
- Provence
- Pyrénées, Gascogne

Villes françaises

- Bordeaux
- Lille
- Lyon
- Marseille
- Montpellier
- Nice
- Strasbourg
- Toulouse

Paris

- Junior à Paris et ses environs
- Paris
- Paris balades
- Paris exotique
- Paris la nuit
- Paris sportif
- Paris à vélo
- Paris zen
- Restos et bistrots de Paris
- Le Routard des amoureux à Paris
- Week-ends autour de Paris

Europe

Pays européens

- Allemagne
- Andalousie
- Angleterre, Pays de Galles
- Autriche
- Baléares
- Belgique
- Castille, Madrid (Aragon et Estrémadure)
- Catalogne, Andorre
- Crète
- Croatie
- Écosse
- Espagne du Nord-Ouest (Galice,
  Asturies, Cantabrie)
- Finlande
- Grèce continentale
- Hongrie, République tchèque, Slovaquie

- Îles grecques et Athènes
- Irlande
- Islande
- Italie du Nord
- Italie du Sud
- Lacs italiens
- Malte
- **Norvège (avril 2008)**
- Pologne et capitales baltes
- Portugal
- Roumanie, Bulgarie
- Sicile
- **Suède, Danemark (avril 2008)**
- Suisse
- Toscane, Ombrie

LES GUIDES DU ROUTARD
2008-2009 (suite)

(dates de parution sur **www.routard.com**)

Villes européennes

- Amsterdam
- Barcelone
- Berlin
- Florence
- Lisbonne

- Londres
- Moscou, Saint-Pétersbourg
- Prague
- Rome
- Venise

Amériques

- Argentine
- Brésil
- Californie
- Canada Ouest et Ontario
- Chili et île de Pâques
- Cuba
- Équateur
- États-Unis, côte Est
- **Floride (novembre 2007)**
- Guadeloupe, Saint-Martin, Saint-Barth
- Guatemala, Yucatán

- **Louisiane (novembre 2007)**
- Martinique, Dominique, Sainte-Lucie
- Mexique
- New York
- Parcs nationaux de l'Ouest américain et Las Vegas
- Pérou, Bolivie
- Québec et Provinces maritimes
- République dominicaine (Saint-Domingue)

Asie

- Bali, Lombok
- Birmanie
- Cambodge, Laos
- Chine (Sud, Pékin, Yunnan)
- Inde du Nord
- Inde du Sud
- Indonésie (voir Bali, Lombok)
- Istanbul

- Jordanie, Syrie
- Malaisie, Singapour
- Népal, Tibet
- Sri Lanka (Ceylan)
- Thaïlande
- **Tokyo-Kyoto (mai 2008)**
- Turquie
- Vietnam

Afrique

- Afrique de l'Ouest
- Afrique du Sud
- Égypte
- Île Maurice, Rodrigues
- Kenya, Tanzanie et Zanzibar
- Madagascar

- Maroc
- Marrakech
- Réunion
- Sénégal, Gambie
- Tunisie

Guides de conversation

- Allemand
- Anglais
- Arabe du Maghreb
- Arabe du Proche-Orient
- Chinois
- Croate

- Espagnol
- Grec
- Italien
- **Japonais (mars 2008)**
- Portugais
- Russe

Et aussi...

- Le Guide de l'humanitaire

Nous tenons à remercier tout particulièrement Loup-Maëlle Besançon, Thierry Bessou, Gérard Bouchu, François Chauvin, Grégory Dalex, Fabrice de Lestang, Cédric Fischer, Carole Fouque, Michelle Georget, David Giason, Lucien Jedwab, Emmanuel Juste, Florent Lamontagne, Philippe Martineau, Jean-Sébastien Petitdemange, Laurence Pinsard, Thomas Rivallain, Déborah Rudetzki, Claudio Tombari et Solange Vivier pour leur collaboration régulière.

Et pour cette nouvelle collection, nous remercions aussi :

David Alon et Andréa Valouchova
Bénédicte Bazaille
Jean-Jacques Bordier-Chêne
Nathalie Capiez
Louise Carcopino
Florence Cavé
Raymond Chabaud
Alain Chaplais
Bénédicte Charmetant
Cécile Chavent
Stéphanie Condis
Agnès Debiage
Tovi et Ahmet Diler
Céline Druont
Nicolas Dubost
Clélie Dudon
Aurélie Dugelay
Sophie Duval
Alain Fisch
Aurélie Gaillot
Alice Gissinger
Adrien et Clément Gloaguen
Romuald Goujon
Stéphane Gourmelen
Claudine de Gubernatis
Xavier Haudiquet
Claude Hervé-Bazin
Bernard Hilaire
Sébastien Jauffret

François et Sylvie Jouffa
Hélène Labriet
Lionel Lambert
Francis Lecompte
Jacques Lemoine
Sacha Lenormand
Valérie Loth
Philippe Melul
Delphine Ménage
Kristell Menez
Delphine Meudic
Éric Milet
Jacques Muller
Alain Nierga et Cécile Fischer
Hélène Odoux
Caroline Ollion
Nicolas Pallier
Martine Partrat
Odile Paugam et Didier Jehanno
Xavier Ramon
Dominique Roland et Stéphanie Déro
Corinne Russo
Caroline Sabljak
Prakit Saiporn
Jean-Luc et Antigone Schilling
Laurent Villate
Julien Vitry
Fabian Zegowitz

Direction : Nathalie Pujo
Contrôle de gestion : Joséphine Veyres et Céline Déléris
Responsable éditoriale : Catherine Julhe
Édition : Matthieu Devaux, Magali Vidal, Marine Barbier-Blin, Géraldine Péron, Jean Tiffon, Olga Krokhina, Virginie Decosta, Caroline Lepeu et Delphine Ménage
Secrétariat : Catherine Maîtrepierre
Préparation-lecture : Agnès Petit
Cartographie : Frédéric Clémençon et Aurélie Huot
Fabrication : Nathalie Lautout et Audrey Detournay
Couverture : Seenk
Direction marketing : Dominique Nouvel, Lydie Firmin et Juliette Caillaud
Responsable partenariats : André Magniez
Édition partenariats : Juliette Neveux et Raphaële Wauquiez
Informatique éditoriale : Lionel Barth
Relations presse France : COM'PROD, Fred Papet ☎ 01-56-43-36-38 ● info@com prod.fr ●
Relations presse : Martine Levens (Belgique) et Maureen Browne (Suisse)
Régie publicitaire : Florence Brunel

ALORS, MARTINIQUE OU GUADELOUPE ?

Beaucoup de voyageurs pensent que les Antilles françaises ont à peu près le même charme. Rien n'est plus faux ! Voici quelques éléments qui permettront de mieux choisir. Encore une fois, on ne va pas se faire que des amis, mais seul l'intérêt de nos lecteurs compte !

	Martinique	Guadeloupe
Points forts	– Très grande diversité des paysages (végétation luxuriante dans le Nord et belles plages dans le Sud). – Habitat traditionnel encore bien préservé. – Hôtellerie et locations de bon niveau. – Retour à la cuisine créole. – Riche patrimoine historique et nombreuses visites possibles (jardins, musées, distilleries). – Route de la Trace toujours magique. – Amélioration très nette du réseau routier par rapport aux îles voisines.	– Petites îles proches et pleines de charme : les Saintes, La Désirade, Marie-Galante. – Parc national de la Basse-Terre : randonnées dans la forêt tropicale et sur le volcan de la Soufrière. – Plongées organisées et fonds marins exceptionnels accessibles à tous. – Réseau routier en bon état. – Écosystèmes à découvrir (forêt, mangrove). – Dans le Sud, une nature authentique et omniprésente.
Points faibles	– Éternels bouchons autour de Fort-de-France. – Susceptibilité et vitesse des Martiniquais au volant. – Végétation sèche dans le Sud, mais, attention, ce n'est pas un désert pour autant ! – Fort-de-France : en pleine mutation, la capitale de la Martinique est toujours en travaux. Soyez patient !	– Grande-Terre : hormis la Pointe-des-Châteaux et la Pointe de la Grande-Vigie, paysage sans grande surprise. – Habitat plus bétonné qu'en Martinique. – Des comportements parfois inhospitaliers et agressifs, surtout face aux comportements hautains ou arrogants de certains touristes. – Grèves soudaines qui peuvent tout paralyser.
Points forts communs aux deux îles	– On parle français. – Des médecins et des CHU d'excellente qualité, en particulier pour les enfants. – On paie en euros. – Contrôles d'hygiène dans les restos.	

LES QUESTIONS QU'ON SE POSE LE PLUS SOUVENT

➤ **Quels sont les papiers indispensables pour y aller ?**
La carte d'identité, puisque c'est un département d'outre-mer.

➤ **Quel est le temps de vol ?**
Environ 8h.

➤ **Quel est le décalage horaire ?**
Quand il est 12h à Paris, il est 7h en Guadeloupe en hiver et 6h en été.

➤ **Quels sont les vaccins indispensables ?**
Aucun vaccin obligatoire. Être à jour dans ses vaccins traditionnels. Aucun risque de palu non plus.

➤ **Quel est le coût de la vie ?**
Un peu plus cher qu'en métropole, sauf pour les produits locaux, bon marché. En se faisant soi-même la cuisine dans les gîtes ou en mangeant sur le pouce ou dans les petits *lolos*, on s'en tire pour pas trop cher. Attention, sur les îles de Saint-Martin et de Saint-Barthélemy, le coût de la vie est bien plus élevé.

➤ **Quel est le climat ?**
La saison sèche, entre décembre et avril, est la période idéale pour des vacances. La température de l'air oscille autour de 27 °C, et celle de l'eau ne descend pas en dessous de 24 °C.

➤ **Quel est le mode de séjour le plus pratique ?**
Il y a peu de petits hôtels mais plutôt des hôtels-clubs adaptés aux couples et aux familles. La solution la plus courante, pour des routards, consiste à louer un bungalow ou un gîte rural, équipé d'une cuisine, et d'y séjourner à la semaine.

➤ **Quel est le mode de déplacement le plus pratique ?**
Dur-dur de voyager en bus jusqu'à présent, mais le réseau de transports en commun devrait être repris en main par les autorités locales. Cela pourrait donc évoluer. L'idéal, si vos moyens vous le permettent, est la voiture de location, surtout si vous êtes en famille.

➤ **Peut-on faire des randonnées et de la plongée sous-marine ?**
Oui, bien sûr. Les plus belles « traces » (sentiers de randonnée) se trouvent dans les montagnes boisées de la Basse-Terre. Pour les plongeurs, la Guadeloupe est un petit paradis, et les sites nombreux et variés. L'île compte une multitude de clubs de plongée homologués.

➤ **Est-ce une destination pour les enfants ?**
Oui, la Guadeloupe offre de nombreuses activités pour les enfants : plongée en bord de mer, découverte de la faune et de la flore, visite de fermes-musées... En cas de pépin, d'excellents soins sont assurés à l'hôpital, la sécurité médicale étant maximale, en particulier pour les enfants.

➤ **L'île est-elle sûre ?**
Oui, bien qu'on signale chaque année quelques cas d'agressions contre des touristes, dans certains quartiers de Pointe-à-Pitre la nuit et, à certaines heures, sur les plages de Sainte-Anne et de Saint-François.

➤ **Les Guadeloupéens sont-ils accueillants ?**
Les visiteurs sont bien accueillis, à condition de toujours se montrer naturels et polis, et d'éviter tout comportement hautain ou arrogant. Les Guadeloupéens ne supportent pas la prétention de certains touristes de métropole, et on peut les comprendre quand on connaît l'histoire des Antilles. Donc, restez courtois.

COMMENT ALLER AUX ANTILLES ?

LES LIGNES RÉGULIÈRES

▲ AIR FRANCE

Rens et résa au ☎ 36-54 (0,34 €/mn ; tlj 24h/24), sur ● airfrance.fr ●, dans les agences Air France et dans ttes les agences de voyages. Fermé le dim.
Au départ d'Orly Ouest, 2 vols par jour en moyenne, à destination de Pointe-à-Pitre. Pour le même prix, vous pouvez vous rendre à Pointe-à-Pitre et revenir par Fort-de-France. Air France propose une gamme de tarifs accessibles à tous : du *Tempo 1* (le plus souple) au *Tempo 5* (le moins cher) selon les destinations. Pour les moins de 25 ans, Air France offre des tarifs très attractifs *Tempo Jeunes*, ainsi qu'une carte de fidélité *(Fréquence Jeune)* gratuite et valable sur l'ensemble des compagnies membres de *Skyteam*. Cette carte permet de cumuler des *miles*.
Tous les mercredis dès 0h, sur ● airfrance.fr ●, Air France propose les tarifs « Coup de cœur », une sélection de destinations en France pour des départs de dernière minute.
Sur Internet, possibilité de consulter les meilleurs tarifs du moment, rubrique « Offres spéciales », « Promotions ».

▲ CORSAIRFLY

Central de résa : ☎ 0820-042-042 (0,12 €/mn), et dans ttes les agences de voyages. ● corsairfly.com ● *(achat en ligne, paiement sécurisé).*
➢ Relie une à deux fois par semaine Paris-Orly Sud à Pointe-à-Pitre.
La carte de fidélité « Grand Large » permet à ses détenteurs de bénéficier d'une remise de 20 % sur le plein tarif de sa classe supérieure.

▲ AIR CARAÏBES

– *Paris : 4, rue de la Croix-Nivert, 75015.* ☎ *0820-835-835 (prix d'un appel local).* ● Ⓜ *Cambronne.*
➢ Relie une à deux fois par jour Paris-Orly Sud à Pointe-à-Pitre. Nombreuses liaisons inter-îles.
La carte « Préférence » d'Air Caraïbes permet de cumuler des *miles* à chaque voyage et de bénéficier ensuite d'avantages ou de réducs (billets prime, surclassements et excédents de bagages non taxés).

LES ORGANISMES DE VOYAGES

– Ne pas croire que les vols à tarif réduit sont tous au même prix pour une même destination à une même époque : loin de là. On a déjà vu, dans un même avion partagé par deux organismes, des passagers qui avaient payé 40 % plus cher que les autres... Authentique ! De plus, une agence bon marché ne l'est pas forcément toute l'année (elle peut n'être compétitive qu'à certaines dates bien précises). Donc, contactez tous les organismes et jugez vous-même.
– Les organismes cités sont classés par ordre alphabétique, pour éviter les jalousies et les grincements de dents.

EN FRANCE

▲ BOURSE DES VOLS / BOURSE DES VOYAGES

Pour connaître les derniers « Bons Plans » de la Bourse des Vols / Bourse des Voyages, par téléphone, appelez le ☎ *0892-888-949 (0,34 €/mn) ou rendez-vous sur le site* ● bdv.fr ●, *lun-sam 8h-22h.*

Agence de voyages en ligne, bdv.fr propose une vaste sélection de vols secs, séjours et circuits à réserver en ligne ou par téléphone. Pour bénéficier des meilleurs tarifs aériens, même à la dernière minute, le service de Bourse des Vols référence en temps réel un large panel de vols réguliers, charters et dégriffés au départ de Paris et de nombreuses villes de province à destination du monde entier ! Référence les offres d'une trentaine de tour-opérateurs spécialistes.

▲ COMPTOIRS DU MONDE (LES)

– Paris : 22, rue Saint-Paul, 75004. ☎ *01-44-54-84-54.* ● *cdm@comptoirsdumonde.fr* ● Ⓜ *Saint-Paul. Lun-ven 10h-19h ; sam 11h-18h.*

C'est en plein cœur du Marais, dans une atmosphère chaleureuse, que l'équipe des Comptoirs du Monde traitera personnellement tous vos désirs d'évasion : vols à prix réduits mais aussi circuits et prestations à la carte pour tous les budgets sur toute l'Asie, le Proche-Orient, les Amériques, les Antilles, Madagascar et maintenant l'Italie. Vous pouvez aussi réserver par téléphone et régler par carte de paiement, sans vous déplacer.

▲ EXPEDIA.FR

☎ *0892-301-300 (0,34 €/mn).* ● *expedia.fr* ● *Lun-ven 8h-20h ; sam 9h-19h.*

Expedia.fr permet de composer son voyage sur mesure en choisissant ses billets d'avion, hôtels et location de voitures à des prix très intéressants. Possibilité de comparer les prix de six grands loueurs de voitures et de profiter de tarifs négociés sur 20 000 hôtels de 1 à 5 étoiles dans le monde entier. Également la possibilité de réserver à l'avance et en même temps que son voyage des billets pour des spectacles ou musées aux dates souhaitées.

▲ FRAM

– Paris : 4, rue Perrault, 75001. ☎ *01-42-86-55-55. Fax : 01-42-86-56-88.* Ⓜ *Châtelet ou Louvre-Rivoli. Lun-ven 9h-19h ; sam 9h30-13h, 14h-18h30.*
– Toulouse : 1, rue Lapeyrouse, 31008. ☎ *05-62-15-18-00. Fax : 05-62-15-17-17. Mar-ven 9h-19h ; lun et sam 9h-18h30.*
● *fram.fr*

FRAM programme 60 destinations et 14 formules de vacances. Au choix : des *autotours,* des vols secs, des circuits, des week-ends et courts séjours et des séjours en club *Framissima.*

▲ ILES-RESA.COM

Téléphoner pour connaître leur nouvelle adresse ☎ *01-56-69-25-25.* ● *Iles-resa.com* ● *Téléphoner pour connaître leur nouvelle adresse.*

Ce tour-opérateur en ligne, spécialiste des îles, permet de réserver son voyage sur mesure dans toutes les îles de la Méditerranée, de l'océan Indien, des Caraïbes ou de l'océan Pacifique. Iles-resa.com propose des formules de séjour dans toutes les catégories, de la maison d'hôtes à l'hôtellerie de grand luxe, selon son budget et parmi plus de 2 500 hôtels insulaires référencés dans plus de 100 îles du monde. Chaque île ou archipel est décliné dans un sous-site qui présente la destination dans le moindre détail : séjours hôteliers, locations, croisières, itinéraires et promotions.

Consultation des offres, des disponibilités, des tarifs, réservation en ligne, avec paiement sécurisé, ou par téléphone auprès du bureau parisien.

▲ JET TOURS

La brochure « Les voyages à la carte » est disponible dans ttes les agences de voyages. Rens au ☎ *0825-302-010 (0,15 €/mn) et sur* ● *jettours.com* ●

Les voyages à la carte Jet tours permettent de voyager en toute liberté sans souci de réservation, soit en choisissant des itinéraires suggérés (itinéraires au volant avec ou sans chauffeur, randonnées, excursions, escapades et sorties), soit en composant soi-même son voyage (vols secs, voiture de location, hébergements à la carte).

Jet tours propose aussi des hébergements authentiques, des adresses de charme, des maisons d'hôtes, des hôtels design...

Avec les voyages à la carte de Jet tours, vous pourrez découvrir de nombreuses destinations comme les Açores (en été), les Baléares (en été), Chypre (en été), la Crète (en été), l'Espagne, la Grèce (en été), Madère, le Portugal (en été), la Sicile (en été), le Maroc, le Mexique, l'île Maurice, La Réunion, l'Afrique du Sud (en hiver), Cuba (en hiver), l'Inde (en hiver), la Thaïlande (en hiver), le Canada (en été) et les États-Unis.

▲ LASTMINUTE.COM

Leurs offres sont accessibles au ☎ 0899-785-000 (1,34 € l'appel TTC puis 0,34 €/mn), sur ● lastminute.com ●, et dans 9 agences de voyages situées à Paris, Nice, Toulouse, Bordeaux, Montpellier, Aix-en-Provence et Lyon.

Lastminute.com propose une vaste palette de voyages et de loisirs : billets d'avion, séjours sur mesure ou clé en main, week-ends, hôtels, locations en France, location de voitures, spectacles, restaurants... pour penser ses vacances selon ses envies et ses disponibilités.

▲ LOOK VOYAGES

Les brochures sont disponibles dans toutes les agences de voyages. Infos et résa : ● look-voyages.fr ●

Ce tour-opérateur propose une grande variété de produits et de destinations pour tous les budgets : séjours en club *Lookéa*, séjours classiques en hôtels, des circuits « découverte », des autotours et des croisières.

▲ NOUVELLES ANTILLES

Deux adresses : Saint-François en Guadeloupe et Paris 10ᵉ.
☎ 0820-850-000 (0,12 €/mn). ● nouvellesantilles.com ● Lun-sam 9h-24h.

Nouvelles Antilles, à la fois tour-opérateur et agence de voyages dédiée aux Antilles, propose en direct et depuis les Antilles plus de 260 solutions d'hébergements, des séjours packagés et toujours la possibilité de composer ses vacances sur mesure. On y trouve également des croisières, des billets d'avion, des locations de voitures, ou encore des offres originales de vacances « actives » incluant des activités sportives ou de découverte. L'ambition de leur équipe, professionnelle, conviviale et 100 % antillaise, est de faire découvrir et aimer les Antilles.

▲ NOUVELLES FRONTIÈRES

– Rens et résa dans toute la France : ☎ 0825-000-825 (0,15 €/mn).
● nouvelles-frontieres.fr ●

Les 13 brochures Nouvelles Frontières sont disponibles gratuitement dans les 210 agences du réseau, par téléphone et sur Internet. Plus de 30 ans d'existence, 1 400 000 clients par an, 250 destinations, une chaîne d'hôtels-clubs *Paladien* et une compagnie aérienne, *Corsairfly*. Pas étonnant que Nouvelles Frontières soit devenu une référence incontournable, notamment en matière de tarifs. Le fait de réduire au maximum les intermédiaires permet d'offrir des prix « super-serrés ». Un choix illimité de formules vous est proposé : des vols sur la compagnie aérienne de Nouvelles Frontières au départ de Paris et de province, en classe Horizon ou Grand Large, et sur toutes les compagnies aériennes régulières, avec une gamme de tarifs selon votre budget. Sont également proposés toutes sortes de circuits, aventure ou organisés ; des séjours en hôtels, en hôtels-clubs et en résidences ; des week-ends, des formules à la carte (vol, nuits d'hôtel, excursions, location de voitures...), des séjours neige.

Avant le départ, des réunions d'information sont organisées. Intéressant : des brochures thématiques (plongée, rando, trek, thalasso).

▲ PARTIRSEUL.COM

– Le Perreux-sur-Marne : 71, quai de l'Artois, 94170. ☎ 0871-773-994.
● partirseul.com ●

Partirseul.com est un concept de voyage original qui s'adresse à toute personne seule désirant voyager collectivement dans un cadre amical. Ces voyages ne sont pas réservés qu'aux célibataires, mais à tous ceux qui se retrouvent dans l'impossibilité d'être accompagné. Des voyages en petits groupes, avec un guide depuis la France, à la découverte d'un pays de façon ludique, sportive ou plus traditionnelle. À noter, pas de supplément chambre individuelle. Catalogue sur Internet exclusivement.

▲ TROPICALEMENT VÔTRE

– *Paris : 43-45, rue Basfroi, 75011.* ☎ *01-43-70-99-55.* ● *info@tropicalement-votre.com* ● *tropicalement-votre.com* ● Ⓜ *Voltaire ou Bastille. Lun-ven 10h-19h ; sam 9h-18h.*
Tropicalement Vôtre est une référence en matière de séjours à la carte aux Antilles françaises. Leur site propose des séjours en hôtels de charme, location de villas ou de bungalows. Plusieurs formules au choix :
– séjours balnéaires et autotours ;
– thématiques : randonnée, plongée, voyage de noces... Combinés inter-îles avec les Saintes, Marie-Galante, Saint-Martin, Saint-Barthélemy et Anguilla. Vente directe au public à des prix raisonnables.

▲ UCPA (Union nationale des Centres sportifs de plein air)

– *Informations et résas :* ☎ *0892-680-599 (0,34 €/mn).* ● *ucpa.com* ●
– *Bureaux de vente à Paris, Lyon, Marseille, Nantes, Strasbourg et Bruxelles.*
Voilà près de 40 ans que 8 millions de personnes ont fait confiance à l'UCPA pour réussir leurs vacances sportives. Et ce, grâce à une association dynamique, qui propose une approche souple et conviviale de plus de 60 activités sportives, en France et à l'international, en formule tout compris (moniteurs professionnels, pension complète, matériel, animations, assurance et transport) à des prix serrés. Vous pouvez choisir parmi plusieurs formules sportives (plein temps, mi-temps ou à la carte) ou de découverte d'une région ou d'un pays. Plus de 100 centres en France, dans les DOM et à l'international (Canaries, Crète, Cuba, Égypte, Espagne, Maroc, Tunisie, Turquie, Thaïlande), auxquels s'ajoutent près de 300 programmes itinérants pour voyager à pied, à cheval, en VTT, en catamaran, etc., dans plus de 50 pays.

▲ VOYAGES-SNCF.COM

Voyages-sncf.com, première agence de voyages sur Internet, propose des billets de train, d'avion, des chambres d'hôtel, des locations de voitures et des séjours clés en main ou Alacarte® sur plus de 600 destinations dans le monde et à des tarifs avantageux.
Leur site ● voyages-sncf.com ● permet d'accéder tous les jours 24h/24 à plusieurs services : envoi gratuit des billets à domicile, Alerte Résa pour être informé de l'ouverture des réservations et profiter du plus grand choix, calendrier des meilleurs tarifs (TTC), mais aussi des offres de dernière minute et des promotions...
Et grâce à l'Éco-comparateur, en exclusivité sur ● voyages-sncf.com ●, possibilité de comparer le prix, le temps de trajet et l'indice de pollution pour un même trajet en train, en avion ou en voiture.

▲ VOYAGEURS DANS LES ÎLES

Le grand spécialiste du voyage en individuel sur mesure. ● *vdm.com* ●
– *Paris : La Cité des Voyageurs, 55, rue Sainte-Anne, 75002.* ☎ *0892-235-656 (0,34 €/mn). Fax : 01-42-86-17-88.* Ⓜ *Opéra ou Pyramides. Lun-sam 9h30-19h.*
– *Bordeaux : 28, rue Mably, 33000.* ☎ *0892-234-834 (0,34 €/mn).*
– *Grenoble : 16, bd Gambetta, 38000.* ☎ *0892-233-533 (0,34 €/mn).*
– *Lille : 147, bd de la Liberté, 59000.* ☎ *0892-234-634 (0,34 €/mn). Fax : 03-20-06-76-31.*
– *Lyon : 5, quai Jules-Courmont, 69002.* ☎ *0892-231-261 (0,34 €/mn). Fax : 04-72-56-94-55.*

– *Marseille : 25, rue Fort-Notre-Dame (angle cours d'Estienne-d'Orves), 13001.* ☎ *0892-233-633 (0,34 €/mn). Fax : 04-96-17-89-18.*
– *Montpellier : 7, rue de Verdun, 34000. Ouverture prévue en 2007.*
– *Nantes : 22, rue Crébillon, 44000.* ☎ *0892-230-830 (0,34 €/mn). Fax : 02-40-20-64-38.*
– *Nice : 4, rue du Maréchal-Joffre (angle rue de Longchamp), 06000.* ☎ *0892-232-732 (0,34 €/mn). Fax : 04-97-03-64-60.*
– *Rennes : 31, rue de la Parcheminerie, 35102.* ☎ *0892-230-530 (0,34 €/mn). Fax : 02-99-79-10-00.*
– *Rouen : 17-19, rue de la Vicomté, 76000.* ☎ *0892-237-837 (0,34 €/mn). Fax : 02-32-10-82-58.*
– *Toulouse : 26, rue des Marchands, 31000.* ☎ *0892-232-632 (0,34 €/mn). Fax : 05-34-31-72-73.* Ⓜ *Esquirol.*

Sur les conseils d'un spécialiste de chaque pays, chacun peut construire un voyage à sa mesure...
Pour partir à la découverte de plus de 120 pays, 100 conseillers-voyageurs, de près de 30 nationalités et grands spécialistes des destinations, donnent des conseils, étape par étape et à travers une collection de 25 brochures, pour élaborer son propre voyage en individuel.
Voyageurs du Monde propose également une large gamme de circuits accompagnés (Famille, Aventure, Routard...). Voyageurs du Monde a développé une politique de « vente directe » à ses clients, sans intermédiaire.
Dans chacune des *Cités des Voyageurs,* tout rappelle le voyage : librairies spécialisées, boutiques d'accessoires de voyage, restaurant des cuisines du monde, *lounge*-bar, expositions-ventes d'artisanat ou encore dîners et cocktails-conférences. Toute l'actualité de VDM à consulter sur leur site internet.

EN BELGIQUE

▲ NOUVELLES FRONTIÈRES
– *Bruxelles (siège) : bd Lemonnier, 2, 1000.* ☎ *02-547-44-22.* ● *mailbe@nou velles-frontieres.be* ● *nouvelles-frontieres.be* ●
– *Également d'autres agences à Bruxelles, Charleroi, Liège, Mons, Namur, Waterloo, Wavre et au Luxembourg.*

Plus de 30 ans d'existence, 250 destinations, une chaîne d'hôtels-clubs et de résidences *Paladien*. Pas étonnant que Nouvelles Frontières soit devenu une référence incontournable, notamment en matière de tarifs. Le fait de réduire au maximum les intermédiaires permet d'offrir des prix « super-serrés ».

▲ SERVICE VOYAGES ULB
– *Bruxelles : campus ULB, av. Paul-Héger, 22, CP 166, 1000.* ☎ *02-648-96-58.*
– *Bruxelles : rue Abbé-de-l'Épée, 1, Woluwe, 1200.* ☎ *02-742-28-80.*
– *Bruxelles : hôpital universitaire Érasme, route de Lennik, 808, 1070.* ☎ *02-555-38-49.*
– *Bruxelles : chaussée d'Alsemberg, 815, 1180.* ☎ *02-332-29-60.*
– *Ciney : rue du Centre, 46, 5590.* ☎ *083-216-711.*
– *Marche : av. de la Toison-d'Or, 4, 6900.* ☎ *084-31-40-33.*
– *Wepion : chaussée de Dinant, 1137, 5100.* ☎ *081-46-14-37.* ● *servicevo yages.be* ● *Lun-ven 9h-17h.*

Services Voyages ULB, c'est le voyage à l'université. L'accueil est donc très sympa. Billets d'avion sur vols charters et sur compagnies régulières à des prix hyper-compétitifs.

EN SUISSE

▲ NOUVELLES FRONTIÈRES
– *Genève : 10, rue Chantepoulet, 1201.* ☎ *022-906-80-80. Fax : 022-906-80-90.*

– *Lausanne : 19, bd de Grancy, 1006.* ☎ *021-616-88-91. Fax : 021-616-88-01.* (Voir texte dans la partie « En France ».)

▲ STA TRAVEL

– *Bienne : General Dufourstrasse 4, 2502.* ☎ *058-450-47-50. Fax : 058-450-47-58.*
– *Fribourg : 24, rue de Lausanne, 1701.* ☎ *058-450-49-80. Fax : 058-450-49-88.*
– *Genève : 3, rue Vignier, 1205.* ☎ *058-450-48-30. Fax : 058-450-48-38.*
– *Lausanne : 26, rue de Bourg, 1003.* ☎ *058-450-48-70. Fax : 058-450-48-78.*
– *Lausanne : à l'université, bâtiment BFSH2, 1015.* ☎ *058-450-49-20. Fax : 058-450-49-28.*
– *Montreux : 25, av. des Alpes, 1820.* ☎ *058-450-49-30. Fax : 058-450-49-38.*
– *Neuchâtel : Grand-Rue 2, 2000.* ☎ *058-450-49-70. Fax : 058-450-49-78.*
– *Nyon : 17, rue de la Gare, 1260.* ☎ *058-450-49-00. Fax : 058-450-49-18.*
Agences spécialisées notamment dans les voyages pour jeunes et étudiants. Gros avantage en cas de problème : 150 bureaux STA et plus de 700 agents du même groupe répartis dans le monde entier sont là pour donner un coup de main *(Travel Help).*
STA propose des voyages très avantageux : vols secs *(Skybreaker),* billets Euro Train, hôtels, écoles de langues, voitures de location, etc. Délivre les cartes internationales d'étudiants et les cartes Jeunes Go 25.
STA est membre du fonds de garantie de la branche suisse du voyage ; les montants versés par les clients pour les voyages forfaitaires sont assurés.

AU QUÉBEC

▲ VACANCES AIR CANADA
Vacances Air Canada propose des forfaits loisirs (golf, croisières et excursions diverses) flexibles vers les destinations les plus populaires des Antilles, de l'Amérique centrale et du Sud, de l'Asie et des États-Unis. Vaste sélection de forfaits incluant vol aller-retour, hébergement. Également des forfaits vol + hôtel ou vol + voiture. Pour en savoir plus : ● vacancesaircanada.com ●

▲ VACANCES TOURS MONT-ROYAL
● toursmont-royal.com ● Le voyagiste propose une offre complète sur les destinations et les styles de voyages suivants : Europe, destinations soleil d'hiver et d'été, forfaits tout compris, circuits accompagnés ou en liberté. Au programme Europe, tout ce qu'il faut pour les voyageurs indépendants : locations de voitures, cartes de train, bonne sélection d'hôtels, excursions à la carte, forfaits à Paris, etc. À signaler : l'option achat/rachat de voiture (17 jours minimum, avec prise en France et remise en France ou ailleurs en Europe). Également des vols entre Montréal et les villes de province françaises avec Air Transat ; les vols à destination de Paris sont assurés par la compagnie *Corsairfly* au départ de Montréal et de Moncton (Nouveau-Brunswick).

LES LIAISONS INTER-ÎLES (AVION OU BATEAU)

EN AVION

▲ AIR ANTILLES EXPRESS
● airantilles.com ●
Plusieurs liaisons quotidiennes entre Fort-de-France, Pointe-à-Pitre, Saint-Martin et Saint-Barthélemy.

▲ AIR CARAÏBES

– *Rens et résa :* ☎ *0820-835-835 (prix d'un appel local).* ● *aircaraibes.com* ●
– *À Paris : 4, rue de la Croix-Nivert, 75015.* Ⓜ *Cambronne.*

Air Caraïbes assure plusieurs lignes quotidiennes reliant Fort-de-France,
Pointe-à-Pitre, les Saintes, Marie-Galante, La Désirade, Saint-Martin (Grand-
Case), Saint-Barthélemy et Sainte-Lucie.

▲ AIR FRANCE

– *Rens et résa :* ☎ *36-54 (0,34 €/mn) et dans les agences de voyages.*

Propose des billets *open jaw :* pour le même prix, vous pouvez vous rendre à
Pointe-à-Pitre et revenir par Fort-de-France.

Il existe également des *pass* inter-îles avec différentes compagnies aériennes qui permettent de visiter plusieurs îles (vendus uniquement en agences
de voyages).

EN BATEAU

▲ L'EXPRESS DES ÎLES

● *express-des-iles.com* ●

– *Pour la Martinique et la Guadeloupe :* ☎ *0825-359-000 slt depuis les Antilles*
(0,14 €/mn ; tlj 24h/24) ou ☎ *05-96-42-04-05. Vente des billets également au*
☎ *05-90-91-69-68 (gare maritime de Bergevin, à Pointe-à-Pitre) et au* ☎ *05-*
96-63-05-45 (bassin de radoub, à Fort-de-France).

– *Représentant à la Dominique : HHV Whitchurch and Co LTD, PO Box 71,*
Roseau. ☎ *(001-767) 448-21-81.*

– *Représentant à Sainte-Lucie : Cox Company LTD.* ☎ *(001-758) 46-46-*
5000, à Castries. Billets en vente dans la plupart des agences de voyages de
Guadeloupe et de Martinique, et à l'embarquement.

L'Express des Îles assure des liaisons par bateau rapide plusieurs fois par
semaine au départ de (et pour) Pointe-à-Pitre, Fort-de-France, Castries,
Roseau, Marie-Galante et les Saintes. Possibilité de faire passer sa voiture
sur certaines traversées (Pointe-à-Pitre et Fort-de-France seulement). Réduction intéressante pour les moins de 12 ans et les plus de 60 ans.

LA GUADELOUPE

> Pour la carte générale des Antilles, se reporter au cahier couleur.

GÉNÉRALITÉS

ABC DE LA GUADELOUPE

- *Superficie :* 1 704 km² (Guadeloupe et dépendances).
- *Chef-lieu :* Basse-Terre.
- *Population :* 458 000 hab. (estimation 2006).
- *Densité :* 262 hab./km².

Température de la mer : 25 °C.
Température de l'air : 30 °C.
Température du punch : 55°.

Posée sur l'arc des Petites Antilles, la Guadeloupe est l'île la plus étendue, la plus belle aussi peut-être, à la fois battue par l'Atlantique et bercée par la mer des Caraïbes. Mais la Guadeloupe, c'est en réalité sept îles, à commencer par *Karukera,* comme on la nomme en créole, l'île principale, qui a la forme d'un curieux et gigantesque papillon végétal. Les alizés l'auraient portée là, sous les tropiques, et cette indolente s'y serait plu – ne pouvant d'ailleurs plus bouger ses vastes ailes chargées de gommiers, de fougères, d'acomats-boucan et de palmistes-montagnes. Un vrai rêve de peintre obnubilé par le vert. Avec des touches d'orchidées...

Guadeloupe si douce, abandonnée : longues plages blanches de Sainte-Anne, plages noires de Trois-Rivières, anses bordées de mangroves et de cocotiers. Une île tropicale, grouillante et sonore de vie. Voici la pluie brève et brutale, et le vent qui monte – s'arrêtera-t-il ? Le cyclone, ici, est un monstre qui fait des ravages. Le volcan domine le paysage, Soufrière qui bouillonne, totem menaçant de la Guadeloupe, qui semble dormir pour l'éternité.

Oui, ce « confetti d'empire » est un monde à part et à part entière. Saint-John Perse, natif de l'île, la célébra dans son œuvre : « J'ai rêvé l'autre soir d'îles plus vertes que le songe où les navigateurs descendent au rivage en quête d'une eau bleue... »

Le charme des îles consiste à marier à tout instant l'inconciliable : sucre et rhum, grimaces et sourires. Les alizés et les cyclones. Les volcans et la végétation paradisiaque. Les souvenirs d'époques fastueuses et le péché originel de l'esclavage. L'indolence, les klaxons de bienvenue, la tchatche charmeuse et l'orgueil sourcilleux, les bouffées imprévisibles de violence. Les rivalités mortelles entre communautés et le clan ressoudé en un instant face à l'incompréhension des « métros », c'est-à-dire les métropolitains.

Des plages, des cocotiers, du soleil bien sûr, sans oublier la plongée sous-marine. Les côtes guadeloupéennes offrent en effet de superbes fonds, des Saintes à Marie-Galante en passant par La Désirade ou encore la côte « Sous-le-Vent », on veut dire Basse-Terre. Cette dernière, l'aile ouest du

QUANCOUNE

papillon, est définitivement tournée vers le coucher de soleil, 365 jours par an. Et les amateurs de montagne et de randonnée apprécieront les 300 km de « traces » (pistes) qui parcourent la Guadeloupe intérieure, principalement sur la Basse-Terre, couverte aux trois quarts de forêt tropicale.

Cependant les Antilles françaises, ce n'est pas seulement « l'été en hiver », comme l'avait suggéré une publicité quelque peu réductrice. Les « métros » sont parfois frappés par la misère visible, surtout à Pointe-à-Pitre. Quartiers glauques et insalubres dans une fournaise saturée de gaz d'échappement. Cet état résulte d'une situation économique difficile. La Guadeloupe connaît un réel problème de logement et de chômage (environ 26 % de la population active) et l'arrivée de l'euro a fait grimper les prix. Quant à la circulation, autant dire que les habitués du périph' parisien ne seront pas dépaysés autour de Pointe-à-Pitre. Un seul mot d'ordre : patience.

Le mode de vie guadeloupéen ? Une façon de ne pas se presser, une espèce de détachement. Mais pourquoi voulez-vous vous presser, être préoccupés ? La nature, le climat vous prennent et les vieilles notions européennes sont oubliées. Le temps coule différemment. Vous cherchez votre route : « – Petit-Havre ? – C'est là, juste là... – Loin ? – Oh, non, là-bas, passé le morne (le mont). – Et je vais par où ? – Il faut suivre la route comme elle vient. – Merci ! » Bon, vous suivez la route qui se divise bientôt en deux ou trois routes « comme elles viennent », et des mornes, « y en a partout » !

Mais *pani pwoblem*, « pas de problème », il sera toujours temps de trouver Petit-Havre. On redemandera... Les Guadeloupéens, pour peu qu'on ne les regarde pas d'un œil méfiant ou irrespectueux – ce qui est trop souvent le cas –, se montrent les gens les plus naturellement doux. Ils vous indiqueront, vous accompagneront. Chemin faisant, on découvre un peuple aimable, digne et doué pour le bonheur, et on se dit qu'il a des raisons de l'être.

Et puis vous changez de pays, de latitude, de climat : cela pousse à l'indolence et à la sieste. Certes, il arrive (fréquemment) qu'on attende au restaurant, mais cela prouve qu'on ne vous sert pas du surgelé « micro-ondé ». Il faut le temps de faire cuire le poisson frais péché. Alors relax... buvez un ti-punch à l'ombre des cocotiers, écoutez la mer et le murmure des alizés, oubliez votre stress, vous êtes en vacances ! Apportez juste votre sourire, soyez poli et on vous le rendra au centuple.

AVANT LE DÉPART

Adresse utile

◼ *Comité du tourisme des îles de Guadeloupe :* 23-25, rue du Champ-de-l'Alouette, 75013 Paris. ☎ 0820-017-018 (0,15 €/mn) ● infoeurope@ lesilesdeguadeloupe.com ● lesilesde guadeloupe.com ● Lun-ven 10h-12h, 14h-17h. Fermé le w-e. Toute la documentation nécessaire, sur place, par courrier ou consultable sur le site internet.

Formalités

– Nous sommes dans un département français ; une *carte d'identité* suffit donc à ceux qui se limitent au territoire français. Un *passeport* en cours de validité est préférable si vous voulez vous rendre dans les îles voisines et, dans ce cas, il vous faudra théoriquement avoir avec vous un billet de retour ou de continuation de voyage.

Pour les Belges, carte d'identité ou passeport valide. Pour les Suisses, passeport valide. Pour les Canadiens, la carte d'identité est suffisante pour un séjour de moins de 3 mois ; sinon, passeport obligatoire.

– *Douanes :* attention, contrôles fréquents, mais nettement plus pour ceux revenant des ports francs comme Saint-Martin et Saint-Barthélemy (attention aux appareils photo et autres gadgets électroniques). Des lecteurs nous ont même rapporté des cas de fouille au corps au retour de Saint-Martin pour la Guadeloupe.

Assurances voyage

■ *Routard Assistance :* c/o AVI International : 28 rue de Mogador, 75009 Paris. ☎ 01-44-63-51-00. Fax : 01-42-80-41-57. Depuis 1995, Routard Assistance en collaboration avec *AVI International*, spécialiste de l'assurance voyage, propose aux routards un tarif à la semaine qui inclut une assurance bagages de 1 000 € et appareils photo de 300 €. Pour les séjours longs (2 mois à 1 an), il existe le *Plan Marco Polo*. Routard Assistance est aussi disponible en version « light » (durée adaptée aux week-ends et courts séjours en Europe). Dans les dernières pages de chaque guide vous trouverez un bulletin d'inscription.
■ *Air Monde Assistance :* 5 rue Bourdaloue, 75009 Paris. ☎ 01-42-85-26-61. Fax : 01-48-74-85-18. Assurance-assistance voyage, monde entier. Frais médicaux, chirur-

gicaux, rapatriement... Air Monde utilise l'assureur Mondial Assistance. Malheureusement, application de franchises.
■ *AVA :* 25 rue de Maubeuge. 75009 Paris. ☎ 01-53-20-44-20. Fax : 01-42-85-33-69. Un autre courtier fiable qui propose un contrat *Snowcool* pour les vacances d'hiver, *Capital* pour ceux qui souhaitent s'assurer en cas de décès, invalidité ou accident lors d'un voyage à l'étranger. Attention franchises pour les contrats d'assurance voyage.
■ *Pérès Photo Assurance :* 18 rue des Plantes, 78600 Maisons-Lafitte. ☎ 01-39-62-28-63. Fax : 01-39-62-26-38. Assurance de matériel photo tous risques. Devis basé sur le prix d'achat de votre matériel. Avantage : garantie à l'année. Inconvénient : franchise et prime d'assurance peuvent être supérieurs à la valeur de votre matériel.

Carte internationale d'étudiant (carte ISIC)

Elle prouve le statut d'étudiant dans le monde entier et permet de bénéficier de tous les avantages, services, réductions étudiants du monde, soit plus de 37 000 avantages, dont plus de 8 000 en France, concernant les transports, les hébergements, la culture, les loisirs... C'est la clé de la mobilité étudiante !
La carte ISIC donne aussi accès à des avantages exclusifs sur le voyage (billets d'avion spéciaux, assurances de voyage, carte de téléphone internationale, carte SIM, location de voitures, navette aéroport...).
Pour plus d'informations sur la carte ISIC ou pour localiser un point de vente à proximité : ☎ 01-49-96-96-49 ou ● isic.fr ●

Pour l'obtenir en France

Se présenter dans l'une des agences des organismes mentionnés ci-dessous avec :
– une preuve du statut d'étudiant (carte d'étudiant, certificat de scolarité...) ;
– une photo d'identité ;
– 12 € (ou 13 € par correspondance, incluant les frais d'envoi des documents d'information sur la carte).
Émission immédiate.

NOUVEAUTÉ

BALI, LOMBOK (mai 2008)

Bali et Lombok possèdent des charmes différents et complémentaires. Bali, l'« île des dieux », respire toujours charme et beauté. Un petit paradis qui rassemble tout ce qui est indispensable à des vacances réussies : de belles plages dans le sud, des montagnes extraordinaires couvertes de temples, des collines riantes sur lesquelles les rizières étagées forment de jolies courbes dessinées par l'homme, une culture vivante et authentique et surtout, l'essentiel, une population d'une étonnante gentillesse, d'une douceur presque mystique. Et puis voici Lombok, à quelques encablures, qui signifie « piment » en javanais et appartient à l'archipel des îles de la Sonde. La vie y est plus rustique, le développement touristique plus lent. Tant mieux. Les plages, au sud, sont absolument magnifiques et les Gili Islands, à deux pas de Lombok, attirent de plus en plus les amateurs de plongée. Paysages remarquables, pureté des eaux, simplicité et force du moment vécu... Bali et Lombok, deux aspects d'un même paradis.

■ *OTU Voyages :* ☎ 01-55-82-32-32. ● otu.fr ● *pour connaître l'agence la plus proche de chez vous.* Possibilité de commander en ligne la carte ISIC.
■ *Voyages Wasteels :* ☎ 0825- 887-070 (0,12 €/mn) ● *wasteels.fr* ● *pour être mis en relation avec l'agence la plus proche de chez vous.* Propose également une commande en ligne de la carte ISIC.

En Belgique

La carte coûte 9 € et s'obtient sur présentation de la carte d'identité, de la carte d'étudiant et d'une photo auprès de :

■ *Connections :* rens au ☎ 02-550-01-00 ou sur ● isic.be ●

En Suisse

La carte s'obtient dans toutes les agences *STA Travel* (☎ 058-450-40-00), sur présentation de la carte d'étudiant, d'une photo et de 20 Fs. Commande de la carte en ligne : ● statravel.ch ● ou ● isic.ch ●

■ *STA Travel :* 3, rue Vignier, 1205 Genève. ☎ 058-450-48-30.
■ *STA Travel :* 20, bd de Grancy, 1015 Lausanne. ☎ 058-450-48-50.

ARGENT, BANQUES

Monnaie

La *monnaie* est l'euro (€). Comme dans n'importe quel autre département français. Prévoir du liquide pour tous les petits achats.

Banques

Généralement ouvertes de 8h à 12h et de 14h à 16h, sauf les samedi et dimanche, et parfois même le mercredi après-midi. Pendant les vacances estivales, de juin à septembre, les horaires peuvent changer : souvent ouvertes de 7h30 à 15h. Nombreuses banques à Pointe-à-Pitre et une succursale dans les bourgs importants. Certaines banques, comme la Caisse d'Épargne ou le Crédit Agricole, sont parfois ouvertes le samedi matin à Pointe-à-Pitre et au Gosier. Se renseigner sur place.

Cartes de paiement

Les cartes de paiement sont acceptées dans la plupart des commerces, sauf dans certains petits restos, hôtels et magasins.
– *Distributeurs automatiques :* très nombreux. La Banque postale en a pourvu récemment la plupart de ses bureaux. Pour ceux qui se poseraient la question, pas de commission de retrait. Éviter de garder des sommes trop importantes sur soi. Penser toutefois à prendre ses précautions avant de gagner les îles de la Guadeloupe, mais aussi en début de week-end (surtout lors des week-ends prolongés), car les distributeurs se vident à vitesse grand V.
ATTENTION, quelle que soit la carte que vous possédez, chaque banque gère elle-même le processus d'opposition, et le numéro de téléphone correspondant ! Le serveur vocal interbancaire (ci-dessous) ne fonctionne ni en PCV ni depuis l'étranger. Avant de partir, notez donc bien le numéro d'opposition propre à votre banque en France (il figure souvent au dos des tickets de retrait, sur votre contrat, ou à côté des distributeurs de billets), ainsi que le numéro à seize chiffres de votre carte. Bien entendu, conserver ces informations en lieu sûr, et séparément de votre carte. L'assistance médicale se limite aux 90 premiers jours du voyage.

– *Carte MasterCard :* assistance médicale incluse, numéro d'urgence : ☎ (00-33) 1-45-16-65-65. En cas de perte ou de vol, composer le numéro communiqué par votre banque. ● mastercardfrance.com ●

– *Carte Bleue Visa :* assistance médicale incluse, numéro d'urgence (Europ Assistance) : ☎ (00-33) 1-45-85-88-81. ● carte-bleue.fr ● Pour faire opposition, contacter le numéro communiqué par votre banque ou, à défaut, appeler *Visa* aux États-Unis : ☎ (00-1) 410-581-9994 (24h/24, PCV accepté).

– Pour la carte *American Express,* téléphoner en cas de pépin au : ☎ (00-33) 1-47-77-72-00. Numéro accessible 24h/24, PCV accepté en cas de perte ou de vol. ● americanexpress.fr ●

– Pour toutes les cartes émises par *La Banque postale,* composer le ☎ 0825-809-803 (0,15 €/mn) et pour les DOM : ☎ 05-55-42-51-96.

– Également un numéro d'appel valable quelle que soit votre carte de paiement : ☎ 0892-705-705 (serveur vocal à 0,34 €/mn).

Chèques

– *Chèques :* attention les chèques « hors place », c'est-à-dire les chèques émis par une banque de la métropole, sont souvent refusés. Il est préférable d'avoir du liquide et une carte de paiement. Avec les *Chèques postaux* et la carte de dépannage, retraits possibles dans les bureaux de poste : 305 € par semaine maximum. Avec le livret de Caisse d'épargne et une pièce d'identité, retraits à la Caisse d'épargne centrale du département.

– *Chèques de voyage :* ils ne sont pas toujours acceptés.

– *Chèques-vacances :* ils sont parfois acceptés, on vous l'indique de temps en temps, mais renseignez-vous lors de la réservation.

BOISSONS

Le rhum

Attention : le rhum est un alcool auquel il faut s'habituer, surtout sous une chaleur tropicale. Les purs Antillais en boivent une gorgée chaque matin à jeun. Ils appellent cela le « décollage » ou la « mise à feu » et c'est, disent-ils, très bon pour le sang. Certains avalent un verre d'eau dans la foulée, c'est « l'amortisseur ». À noter que les Guadeloupéens consomment 65 % du rhum fabriqué sur place.

Les amateurs éclairés et les touristes de passage éviteront d'en boire dans la journée, attendront plutôt la nuit tombée, quand ils n'auront pas à prendre le volant ensuite. On peut commencer par un *ti-punch,* puis enchaîner sur un *ti-5 %* (une demi-mesure) ou un *CRS* (citron, rhum, sucre). Un conseil : allez-y en douceur !

Depuis que la betterave a pris le pas sur le sucre roux, le rhum demeure le seul débouché pour les plantations de canne à sucre, qui datent de l'époque coloniale et de la monoculture. Riches en arômes complexes, les rhums vieux des Antilles comptent pourtant parmi les meilleurs au monde. En les perdant, les îles perdraient leur âme.

– *La récolte de la canne à sucre :* dans les campagnes, c'est le moment le plus important de l'année agricole. Malgré les machines et les camions, on voit toujours (surtout à Marie-Galante), de janvier à juin, les haies de coupeurs dans les champs et les *cabrouets* (charrettes) tirés par des zébus vers les distilleries branlantes, qui dressent leurs toits rouillés dans la végétation. La canne y est pressée. Tandis que ses déchets (la *bagasse*) partent alimenter les chaudières, le jus *(vesou)* est tamisé, décanté, filtré et mis à fermenter. Deux jours après, les alambics entrent en action. À 68°, il en sort un rhum incolore. Un peu d'eau pour le ramener à 50° ou 55° (59° à Marie-Galante !), un petit repos de 3 mois en cuve d'inox, on le vendra alors sous l'appellation de *rhum blanc.* Dans le cas contraire, il part séjourner au moins 3 ans dans un fût de chêne et devient le ***rhum vieux*** dégusté en digestif. Pour obtenir l'appellation ***rhum paille,*** le rhum blanc passe également en foudre pendant un certain temps. Il prend alors une teinte dorée et des arômes vanillés. En jouant sur les levures, la pureté de l'eau et le maniement de l'alambic, chaque distillateur aura pu imposer sa griffe gustative.

– *Le rhum servi dans les bars :* à l'exception des bars à cocktails, plus sophistiqués et plus chers, il faut savoir que le service est souvent sans fioritures. Si vous commandez du rhum, c'est une bouteille entière qu'on vous apporte, avec du sucre, quelques citrons verts coupés et un verre d'eau. Vous ne payez que ce que vous buvez et le patron est tranquille pour un moment. Le sucre et les citrons verts servent à préparer le ti-punch. L'eau, c'est pour épargner à votre estomac les brûlures du rhum. Bien sûr, vu ainsi, on a un peu l'impression d'être à la maison. Mais au bout du troisième verre, la chaleur aidant, on sent bien que le retour va être difficile. D'autant que si les attaques du rhum peuvent être féroces, celles de la gendarmerie, qui n'hésite pas à bloquer une route nationale pour effectuer des contrôles massifs d'alcoolémie, le sont tout autant.

– *Rapporter du rhum de Guadeloupe :* il est possible d'acheter directement dans les distilleries des cartons de 3, 6, voire 12 bouteilles très bien emballées, mais on vous conseille le « cubi » spécial avion que vous pourrez mettre en bouteilles une fois de retour (étiquettes fournies). Vous y trouverez également (et seulement là) de très vieux rhums assez chers mais fabuleux. À préférer donc, à condition d'avoir fait le choix d'une marque. Autre solution : le supermarché, peu romantique mais économique. Le choix est énorme et le rhum est parfois moins cher que dans les distilleries. Attention néanmoins à la nouvelle réglementation aérienne concernant les produits liquides en cabine, dorénavant extrêmement limités (beaucoup trop pour le rhum en tout cas !). N'oubliez pas qu'il vous faudra donc mettre vos achats en soute, et non en cabine, alors pensez à bien les emballer (d'où l'intérêt du cubi). De plus, on ne peut ramener en franchise douanière que 1,5 litre par adulte (tolérance jusqu'à 5 litres, mais il faut en principe les déclarer à l'arrivée). Nos amis canadiens n'ont droit qu'à 1 litre par personne et pas de tolérance pour eux ! Enfin, certains lecteurs ont dû s'acquitter de frais de douane lors du retrait (en métropole) du colis qui leur avait été envoyé par le vendeur en Guadeloupe. Bien se faire préciser les conditions d'expédition dans tous les cas.

Leçon de ti-punch

Les théoriciens du ti-punch sont formels : « Il se boit entre amis, généralement sous une véranda ! »

– *L'histoire :* elle commence en Inde. Le mot est anglais, il vient du sanscrit *panch* qui signifie « cinq ». Il désignait autrefois une boisson composée de cinq éléments : thé, citron vert, cannelle, sirop de sucre et alcool (en général, le jus fermenté de la canne à sucre). Au XVIIe siècle, les militaires français limitèrent les composantes à trois : citron vert, sucre de canne ou rhum. Autres hypothèses : le *Dictionnaire universel* de Savary des Brûlons (rédigé entre 1759 et 1765) définit, quant à lui, le punch comme une pointe qui pénètre, faisant allusion au rhum considéré comme une liqueur piquante. Ou alors, punch proviendrait de *puncheon,* terme désignant la futaille destinée à l'emballage du rhum, qui était souvent poinçonnée ; *puncheon* dériverait du vieux français *ponçon* ou *ponchon* qui a donné *poinçon.*

– *La préparation :* il n'y a pas une recette, mais autant de préparations que d'amateurs. À chacun son petit secret ! Si vous êtes invité, c'est le maître de maison qui mélange les composants selon le goût de chacun de ses invités. Rhum blanc ou vieux ? Peu ou très sucré ? Glace ou non ? Citron ou pas ? Le maître de maison mélange dans chaque verre avec la même cuillère à long manche pour tous. Il commence et termine par son propre verre afin de montrer l'innocuité de la préparation. En revanche, dans certains bistrots, chacun se sert. Ainsi, vous ne pourrez pas dire qu'on vous a soûlé !

– **Au fil des heures :** le 1er verre est ingurgité dès 5h (c'est le « décollage » ou la « mise à feu »), suivi à 11h d'un *ti-lagoute*. Midi marque l'heure du ti-punch ou CRS (citron, rhum, sucre) et, à 12h30, c'est au tour du ti-5 % (rhum blanc nature). Le ti-pape est consommé à 17h à l'occasion de parties de dominos et fait l'objet d'une tournée avec les amis. Le coucher se profile avec la « partante » ou « pété-pied », qui aide à passer une bonne nuit. Jusqu'au lendemain 5h...

Jus de fruits

Les Antilles nous régalent de *jus de fruits* frais, succulents et bon marché : corossol, mangue, maracuja, canne, goyave, coco, prune de Cythère, etc., souvent pressés par des marchands ambulants. On trouve aussi d'extraordinaires punchs aux fruits (sapotille, carambole...) qu'on peut laisser macérer jusqu'à quelques mois. Vente en canettes et en boîtes de conserve, pratiques à rapporter dans l'avion. Notez qu'on trouve les mêmes sur certains marchés de métropole, pour quelques centimes d'euros de plus.

Par curiosité, goûtez aussi le *mabi,* sorte de boisson gazeuse que les Antillais ont héritée des Indiens Caraïbes. Elle est composée de liane, de gingembre, de muscade et d'anis et est mélangée à des fruits et à du sucre de canne. N'oubliez pas aussi les *sorbets coco,* vendus et préparés par des marchands ambulants. Les prix peuvent varier : de 1,50 à 3 € environ. On en soupçonne certains de se fournir au supermarché *Ecomax* du coin ! Mais attention, pour les fragiles, risques d'intoxication alimentaire (les bactéries adorent les glaces).

BUDGET

Si l'on ne fait pas attention, la Guadeloupe peut coûter assez cher. Grosso modo, un séjour de 15 jours pour 2 personnes, tout compris (vol, voiture de location, hébergement et nourriture), oscille autour de 3 000 € (sans trop se priver). Ça reste sans doute hors de portée du routard de base, mais il vaut vraiment la peine de casser sa tirelire pour s'offrir une quinzaine pareille. Les tarifs aériens varient de 350 à 600 € pour un billet aller-retour, selon la saison, sauf aux périodes de pointe où ils flambent. Autre poste onéreux, la location de voiture : compter 230 € minimum la semaine, sans compter les éventuelles assurances en option.

Vos dépenses dépendront de la saison à laquelle vous voyagez et de vos choix. Si vous allez au resto midi et soir, si vous vous offrez les sorties en mer, la plongée sous-marine ou le petit tour en avion aux Grenadines, l'addition sera salée !

Hébergement

Si vous optez pour l'hôtellerie classique, les tarifs demeurent assez élevés, sauf pour les forfaits tout compris (mais bien étudier ce que cela comprend ou pas). Les budgets modestes et moyens choisiront sans hésiter les locations équipées de kitchenette (gîtes, bungalows), d'ailleurs majoritaires dans l'offre touristique. Nous vous en indiquons de très correctes à partir de 250 € environ la semaine, selon l'endroit. La chambre d'hôtes aussi, à partir de 40 € par jour pour 2 personnes (petit déjeuner compris ou non), est intéressante. Cependant, notez que la majorité des gîtes démarre plutôt à 300 € la semaine pour deux (ou 50 € la nuit) avec un minimum demandé de 2 ou 3 nuits le plus souvent. L'offre s'étant développée, on trouve également des gîtes dans toutes les gammes de prix et de confort.

Restauration

Le plus économique est de faire ses courses et de cuisiner dans le gîte qu'on a loué à la semaine. Sinon, on trouve assez souvent des camions-bars ou des petits vendeurs de sandwichs sur les plages. Et puis il y a les fameux *lolos,* les petites épiceries locales où l'on peut se restaurer correctement avec un plat autour de 10 € : acras, poulet boucané, fruits frais... Quoi de mieux ? Au restaurant, compter au minimum 12 à 15 € pour un plat, à moins de manger des pizzas, souvent à moins de 10 €.

Pour les produits de consommation courante, sachez qu'ils sont en général plus chers qu'en métropole (sauf le tabac, les parfums et le rhum), notamment les produits laitiers et la viande. Il suffit de s'adapter : on ne prendra que des eaux minérales et yaourts locaux, on ira au marché pour le poisson et les fruits et légumes du pays, on mangera des œufs et du riz plus souvent que d'habitude. Puis on s'offrira la bouteille de punch coco maison, petite folie à siroter dans le hamac de la terrasse en regardant la mer.

CLIMAT, TEMPÉRATURES, MILIEU NATUREL

Beaucoup de soleil, de la pluie aussi, du vent, des crépuscules tièdes et des nuits suaves : il fait bon vivre aux Antilles. Si la tradition antillaise a retenu le chapeau de paille, c'est que le soleil cogne dur. Ça tombe bien, la mer est tiède : elle peut dépasser 29 °C de juillet à octobre et ne descend jamais au-dessous de 24 °C durant la saison sèche. Pourtant, la fraîcheur existe dans les hauteurs. En gravissant la Soufrière, vous découvrirez plusieurs

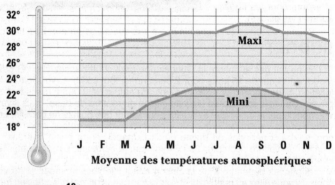

Moyenne des températures atmosphériques

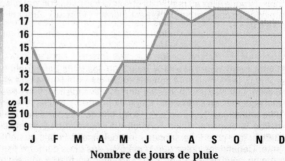

Nombre de jours de pluie

GUADELOUPE (Pointe-à-Pitre)

étages climatiques, chacun avec ses fruits et sa végétation spécifique. Battu par les vents, le sommet est frisquet. Là-haut, l'humidité se condense en nuages, lesquels partent arroser les plaines...

– *La nuit tombe tôt :* toute l'année, le soleil se lève entre 5h et 6h, pour se coucher entre 17h30 et 18h30. D'un coup ou presque, le soleil disparaît à l'ouest comme une énorme boule rouge avalée par les flots.

– On compte principalement *deux saisons : de décembre à avril,* la saison sèche, appelée le « carême », est la saison la plus agréable. C'est la HAUTE SAISON. Le thermomètre avoisine les 27 °C. Le temps est au beau fixe malgré quelques averses orageuses, et les hôtels sont complets. *De juillet à octobre* (les vacances scolaires d'été), c'est la BASSE SAISON, également appelée l'« hivernage ». L'air (30 °C) est lourd, voire étouffant, lorsque les alizés – les « rois des Antilles » –, heureusement fréquents, ne rafraîchissent pas l'atmosphère, et les après-midi sont pluvieux. À cette période de l'année, il y a moins de touristes, et dans les hôtels, le personnel est de meilleure humeur, les prix sont plus doux. Si vous partez aux Antilles pendant la saison humide, sachez que les côtes orientales sont plus arrosées que les côtes occidentales, dites « sous le vent ». Cela étant, là aussi, vous savez bien – y a plus d'saisons – que vous pouvez avoir une relative sécheresse en « été » et des grains fréquents en « hiver » ; de plus, la présence de micro-climats peut donner un temps resplendissant au nord de la Grande-Terre ou à Saint-François tandis qu'il pleut à Pointe-à-Pitre, rien que pour embêter ceux qui s'y trouvent !

– *Mai, juin et novembre* sont des mois agréables, pas trop chauds, pas trop chers, et surtout peu fréquentés. De plus, mai et juin sont vraiment propices pour découvrir la Guadeloupe en fleurs. Magnifique !

– *Août et septembre* sont les mois préférés des *cyclones,* mais leurs dates ne sont malheureusement pas fournies par le syndicat d'initiative ! Celui de 1928 (à l'époque, les cyclones n'avaient pas encore de prénom) qui fit entre 12 000 et 15 000 morts, *Hugo* (1989), *Luis* (1995) et *Jeanne* (2004) ont tous fondu en septembre sur la Guadeloupe. *Lenny (1999)* a frappé très tardivement, à la mi-novembre, surprenant les habitants. Aujourd'hui, le cyclone est repéré très tôt, au moment de sa formation, souvent au large des îles du Cap-Vert, 4 000 km plus à l'est, et sa progression est surveillée de près par la météo. À priori, pas de surprise à redouter ! Quand il s'approche, le ciel se fait soudain limpide, et la mer d'huile : il est temps pour les bateaux de trouver un abri sûr, généralement dans la mangrove, véritable cocon naturel. Dans les cases, on démonte le toit de tôle pendant que les animaux geignent, on emballe les affaires dans des sacs-poubelles, et on cloue de son mieux ce qui ne peut être démonté. Cinq minutes avant, c'est quelque chose qui ressemble à la « fin du monde ». Beaucoup de professionnels du tourisme ferment d'ailleurs en septembre pour ne pas avoir à s'occuper, en plus, de métropolitains inexpérimentés qui paniquent vite.

– *Les pluies :* elles sont plus abondantes dans les îles au relief accentué. Il peut tomber à certains endroits plus de 8 m d'eau par an, et même 12 m sur les sommets de la Basse-Terre ! En 2004, tous les records ont été battus en Guadeloupe : saison cyclonique très intense, nombre d'orages anormalement élevé et une pluviométrie encore jamais égalée (parole de météorologiste !) avec un pic en novembre ! Mais la pluie n'explique pas tout. La nature volcanique et les nombreuses sources qui ruissellent des pentes de la Soufrière favorisent les plantations de bananes, d'agrumes et de café, ainsi que l'existence de « sous-bois » à la fraîcheur bienfaisante. Voilà pourquoi la Guadeloupe est aussi verte. Voilà aussi pourquoi les îles sans montagnes dignes de ce nom (les Saintes, Marie-Galante et La Désirade) présentent des paysages moins luxuriants et parfois secs. Toute l'année encore, les « grains » peuvent tomber sans crier gare. Ce sont des cataractes d'une heure ou deux, ou simplement de dix minutes, capables de transformer les rues en torrents.

– **Conseil** : prévoir des **crèmes solaires** « écran total » avant le départ (sur place, elles sont plus chères). Elles sont indispensables, car même par temps couvert, le soleil tape sans que l'on ne s'en rende vraiment compte, et on rissole (au 2e ou au 3e degré selon les carnations !) sous les alizés en moins de 30 mn. Prévoir aussi des chapeaux. Cela est d'autant plus valable pour les sorties en mer, la réverbération du soleil sur l'eau étant un accélérateur ! On peut même rougir du dos en musardant dans l'eau avec ses palmes et son tuba.

CUISINE

« Le raffinement de la France, les parfums magiques de l'Inde, la force des saveurs africaines et la richesse des produits caraïbes : la cuisine créole mêle tous les métissages en une danse étourdissante. » Les prospectus locaux n'y vont pas avec le dos de la cuillère... Nous n'irons pas si loin. La « danse étourdissante » se limite à quelques uns que l'on aura vite appris. Mais il y a du vrai dans ce tableau alléchant. Le mariage des saveurs et du savoir-faire a donné une cuisine originale, et les produits locaux – poissons, langouste, ouassou et légumes – bien travaillés sont excellents.

On parle d'une cuisine « musclée » : dans son volume (plats très copieux) et dans ses goûts (sauces relevées). Il ne s'agit pas d'une cuisine raffinée. Sauf pour quelques restaurateurs qui jonglent avec les ingrédients locaux et créent de subtiles recettes façon « nouvelle cuisine créole » à prix plus chic.

Poissons, fruits de la mer et des rivières

– Le **vivaneau** : excellent poisson rouge (!), en court-bouillon (au roucou, par exemple, délicieux condiment rouge orangé), en blaff (macéré au citron vert, puis juste saisi au court-bouillon) ou en grillade.

– Le **thazar**, le **marlin** ou le **requin** : ils se mangent plus volontiers en darnes grillées et steaks bien saisis qui révèlent toute leur saveur, ou encore fumés, comme c'est la spécialité aux Saintes.

– La **langouste** : excellente ou sans saveur (tout est dans la cuisson et dans la petite sauce). Dans ce dernier cas, il s'agit bien souvent de langouste congelée. Mais les bons restaurateurs ne s'amusent pas à ça, et vous pouvez demander à voir la future victime (conservée sur place dans un vivier) avant de la manger.

– Le **chatrou** (poulpe) : souvent préparé en fricassée.

– Les **lambis** (gros escargots de mer) : également en fricassée. Il est interdit de les pêcher en Guadeloupe ; ceux que l'on vous propose viennent des côtes d'Amérique du Sud.

– Les **palourdes** : délicieuses en gratin ou salade.

– Enfin, n'oublions pas le **ouassou**, grosse crevette d'eau douce, « roi des sources », au goût assez particulier. Lui aussi se fait rare dans les eaux intérieures guadeloupéennes, où il est aujourd'hui interdit de le pêcher. Il faut donc se consoler avec les ouassous d'élevage, par ailleurs très bons. Évitez, si vous le pouvez, les ouassous congelés, en provenance d'Asie ; seulement, on ne vous le dira pas. Sachez tout de même, pour votre gouverne, que les ouassous d'élevage ne couvrent que 15 % de la consommation sur l'île...

De manière générale, ne fantasmez pas trop sur le cachet local des produits de la mer ; les fonds proches s'étant beaucoup épuisés, la plupart proviennent des îles voisines et des côtes sud-américaines (langoustes, ouassous, lambis...).

Acras, colombos, cabri

– La plupart des menus guadeloupéens proposent le **boudin créole** et les **acras**, qui sont des beignets de morue aux fines herbes ou beignets de légumes.

– On trouve aussi des *crabes farcis,* en particulier les crabes blancs de terre (nourris quinze jours de mangue et de banane ou de noix de coco et de piment si l'on souhaite qu'ils soient naturellement épicés).

– Autre grand classique des restaurants : le *colombo de poulet* (cari de poulet, recette en provenance d'Inde).

– Également le délicieux *calalou* (purée de légumes) originaire du Dahomey, le *féroce* (purée d'avocat à la morue hachée avec de la farine de manioc, le tout « férocement » pimenté), et le *bébélé,* une spécialité de Marie-Galante. Ce plat d'origine africaine consiste en une sorte de soupe épaisse dans laquelle on met du fruit à pain, des tripes, des légumes du pays, comme l'igname et le malanga, et des bananes-figues, dites *poyos*. Copieux et original !

– N'oublions pas non plus le *matété,* plat traditionnel de la Pentecôte hérité des Espagnols (un équivalent antillais de la paella, avec des crabes de terre accompagnés de riz).

– On peut aussi goûter au *cabri,* qui ressemble à de l'agneau, cuisiné en ragoût, en fricassée ou servi en colombo.

– Enfin, laissez-vous tenter par un *bokit,* sandwich local bon marché, contenant au choix : viande, poisson, crudités, etc., fermé comme un beignet, puis frit.

Les épices

Elles prennent une place prépondérante dans la cuisine guadeloupéenne. Pour en acheter, les marchés de Saint-François et de Sainte-Anne, moins touristiques que celui de Pointe-à-Pitre, sont à préférer. Deux bonnes raisons de s'attarder sur le sujet : la première étant de rappeler que le mot est féminin, la seconde étant la découverte des multiples déclinaisons de la cuisine antillaise. Vous connaissiez la muscade à travers le gratin dauphinois, festoyez désormais à coups de gingembre, cannelle ou coriandre ! Bien qu'envoûtantes, captivantes, colorées, les épices peuvent aussi dérouter si on ne les connaît pas : l'initiation passera alors par la case « marché », où les doudous s'empresseront de vous familiariser avec ces condiments tout aussi exotiques que leurs noms.

Florilège mâtiné de saveurs raffinées :

– *L'anis étoilé, la badiane* ou encore *l'anis star :* puissamment parfumé, l'anis étoilé aromatise surtout les préparations de poisson. Évitez cependant de le mastiquer (fort goût de pastis), ou gare à l'haleine chargée !

– *La cannelle :* prélevée deux fois par an sur l'écorce du cannelier, elle se roule en copeaux lorsqu'elle sèche au soleil. Il est aussi possible de l'acheter sous forme de poudre. Trop souvent cantonnée aux préparations sucrées (tartes, compotes, confitures), la cannelle embaume de façon discrète les recettes de porc ou de canard en sauce, le civet, le couscous ou la soupe de moules.

– *Le bois d'Inde :* une drôle d'épice, dont la saveur se rapproche de la cannelle mais de bien d'autres aussi. Et qui sert à tout, aussi bien à aromatiser les sorbets coco qu'à relever un plat mijoté (utilisée comme les feuilles de laurier-sauce). D'ailleurs, rien ne vous empêche de rapporter quelques feuilles cueillies au hasard d'un chemin pour épater vos invités lors d'un repas.

– *Les clous de girofle :* ces fameux clous sont en fait les boutons floraux séchés du giroflier dont l'odeur rappelle la dernière visite chez le dentiste (l'essence de girofle est utilisée comme désinfectant). Le parfum enivrant ne doit pas faire oublier l'usage parcimonieux de l'épice (piquée dans l'oignon ou l'ail du pot-au-feu), au risque d'éloigner n'importe quel interlocuteur à bonne distance...

– *Le colombo :* c'est un mélange d'épices broyées en poudre à base de coriandre, de cumin, de curcuma (qui lui donne sa couleur), de fenugrec, de piment et de gingembre, mais qui connaît de multiples variations. Les Antillais le doivent aux Indiens venus de Ceylan dans la seconde moitié du XIXe siècle. Par extension, colombo désigne aussi le plat de viande dans lequel il est utilisé. Il sert à la préparation du cari antillais (le cari indien utilisant davantage le « massalé » auquel manque le curcuma).

– **La coriandre :** c'est elle qui, avec le genièvre, donne son goût au gin. Ses graines, enrobées de sucre, constituaient déjà une friandise de choix au Moyen Âge. Achetées en vrac, elles doivent être concassées avant d'être incorporées aux viandes en sauce, aux marinades, aux pâtés ou encore à la choucroute. Moulues, elles parfument délicatement les pâtisseries, comme le pain d'épice (c'est le cas de le dire) ou bien les cakes.

– **Le fenugrec :** présenté sous forme de graines écrasées, le fenugrec libère un parfum amer qui se mêle aussi bien aux courts-bouillons qu'aux soupes de poisson.

– **Le gingembre :** ce tubercule blanchâtre, ordinairement vendu moulu, s'utilise le plus souvent combiné avec d'autres épices comme le safran (poulet au riz), le girofle (cakes) ou encore la cannelle (génoises). Idéal pour relever les marinades ou les poissons en sauce.

– **La noix de muscade :** c'est en fait une amande issue d'une bogue fibreuse ressemblant à un abricot. L'île de Grenade, toute proche, en est le deuxième producteur mondial. Achetez-la de préférence moulue pour une utilisation plus aisée : omelettes, purées, sangrias, punchs, béchamel...

– **Le quatre-épices :** son parfum explique son nom puisqu'il réunit les arômes du clou de girofle, de la cannelle, du poivre et de la muscade. Il ne s'agit pas d'une combinaison artificielle mais bel et bien du produit d'un arbre. On l'utilise, entre autres, pour aromatiser les poissons.

– **Le safran :** l'épice la plus chère du monde ! Il est issu du séchage des stigmates (où se dépose le pollen) d'une variété de crocus. Il faut compter 5 kg de stigmates (récoltés à la main, provenant de 100 000 fleurs) pour constituer 1 kg de safran. Heureusement, il en faut peu pour aromatiser la bouillabaisse, la paella, le riz, le poulet et les plats de poisson. Le safran vendu sur les marchés est souvent du « safran pays », c'est-à-dire du curcuma. Ce n'est pas une arnaque mais simplement une appellation différente, le tout est de le savoir !

Les épices que l'on trouve sur les marchés sont bien moins chères qu'en métropole. Malheureusement, leur conditionnement laisse parfois à désirer : les sachets en plastique sont très fragiles et peuvent parfois se déchirer. Prévoir un emballage.

Fruits et légumes

Faire son marché aux Antilles permet de découvrir avec délices près de 75 variétés de fruits et légumes s'y étalant en permanence. Après s'être cassé les dents sur une banane-légume et s'être interrogé devant des filaments terreux, on fond sur l'ananas, particulièrement excellent dans sa variété locale d'ananas-bouteille. Voici quelques petits trucs pour apprendre à les reconnaître :

– **Les gombos :** couleur verte, aspect de piment, en plus gros. Cuits, ils deviennent gluants (si vous voulez briller, dites plutôt qu'ils deviennent mucilagineux).

– **L'igname :** tiges grimpantes dont on fait bouillir les racines. Il en existe diverses variétés. Goût proche de celui de la pomme de terre. On la sert en purée ou en pain.

– **Le manioc :** grosses racines molles épluchées, râpées, pressées, séchées au four et broyées en farine dans les manioqueries communautaires des villages (à visiter absolument ; quelques-unes d'entre elles sont indiquées dans le guide à Sainte-Anne et à Petit-Bourg). Plus de goût que l'igname. On en fait de grosses crêpes appelées **kassav** en créole, et ça zouke ! C'est d'ailleurs le « pain » traditionnel guadeloupéen depuis la période des Indiens

Caraïbes. Plus modestement, nous en avons tous consommé sous forme de tapioca, la fécule produite par le manioc.

– *La canne :* sucer la pulpe comme un bâton de réglisse. On trouve aussi sur les bords de route des étals où l'on propose du *jus de canne.*

– *La christophine :* aspect d'une poire un peu bosselée, jaune pâle ou vert clair. Un des légumes les plus délicats. Verte, elle se mange en salade ; mûre, en gratin. Elle est aussi cultivée en métropole, principalement en Provence où elle prend le nom de *chayotte* (son nom d'origine en fait, mais aux Antilles un certain Christophe Colomb est passé par là...), ainsi qu'à La Réunion où elle devient le *chouchou.* Certains seront heureux d'apprendre que ce légume est garanti sans calories !

– *Le giraumon :* couleur laiteuse, évoque une pita gonflée. Léger goût de potiron. Excellent en purée. Existe aussi en métropole.

– *La carambole :* joli petit fruit jaune à la forme curieuse (cinq côtes saillantes ; quand on la coupe en largeur, on obtient des étoiles à cinq branches qu'on retrouve parfois dans les assiettes en guise de déco). Se consomme essentiellement en jus, un bon goût d'agrume, un peu acidulée quand elle est bien mûre, sinon un chouia fade.

– *La patate douce :* couleur rose, goût légèrement sucré. Se mange en légume bien sûr, mais sert aussi pour la préparation des desserts.

– *Le corossol :* une panse verte hérissée d'épines. La chair laiteuse, un peu déliquescente, est pleine de noyaux, mais aucun fruit n'est plus suave. On dit qu'il préserve de la grippe et même des coups de soleil (en en glissant quelques feuilles sous son chapeau !). Comme le carambole, on le consomme surtout en jus.

– *La goyave* (prononcer « *goiyave* » aux Antilles) *:* petit fruit rose, au goût douceâtre et farineux. Excellent en jus. Très riche en vitamine C (deux fois plus que le kiwi, donc quatre fois plus que l'orange !).

– *Le fruit de la passion* ou *maracuja :* fruit jaune de la passiflore, rond et lisse, qui renferme des délices.

– Les nombreuses variétés de *bananes.* De la *banane-légume* (la *ti-nain* qui se fait cuire à l'eau, et c'est alors l'équivalent d'une pomme de terre) à la *banane-fruit* (les figues-dessert, les figues-rose au petit format, ainsi nommées parce qu'aux Antilles on avait appelé les bananiers des « figuiers d'Adam »), avec des noms évocateurs : « rhabillez-vous, jeune homme », « passe encore », « Dieu m'en garde », « doigts de fée », etc.

– Et aussi : papayes (vertes, coupées en lamelles pour la salade ou en gratin), oranges (décevantes, rien à voir avec celles consommées en métropole), litchis, citrons verts, pamplemousses (les *chadèques*), fruits à pain, choux-pays, mangues (riches en vitamines et pauvres en sucre), pommes-cannelle, sapotilles (à goût de caramel, en salade de fruits ou en glace), ananas, noix de coco, etc.

– *Confitures :* les fruits tropicaux peuvent aussi se déguster par le biais des confitures, délicieusement sucrées (parfois trop) et parfumées : maracuja (fruit de la passion), goyave, mangue, papaye, coco, banane... Plus faciles à conditionner dans ses bagages que les fruits eux-mêmes, les pots de confiture ont aussi l'avantage de se conserver plus longtemps. Possibilité de s'en procurer dans les supermarchés à des prix raisonnables ; bien vérifier la date de péremption.

DANGERS ET ENQUIQUINEMENTS

– *Vols et agressions :* on ne veut pas créer la psychose, mais, en vacances au soleil, on est naturellement confiant. Or, régulièrement des témoignages « d'aventures » malencontreuses, arrivées à des voyageurs malchanceux ou pas suffisamment vigilants, nous sont rapportés. Il s'agit avant tout de respecter quelques règles élémentaires et de redoubler d'attention dans certaines parties de l'île, notamment dans la région entre Pointe-à-Pitre et Saint-François. Méfiez-vous en sortant des restaurants le soir et évitez les plages la nuit. Ne laissez rien dans votre voiture. De même, nous vous déconseillons de vous retrouver seul – de jour comme de nuit – dans des coins trop isolés : les quartiers périphériques de Pointe-à-Pitre, les plages et certains secteurs du Gosier et de Sainte-Anne. Évitez aussi de partir seul sur les sentiers de randonnée en Basse-Terre (de toute manière, il est toujours prudent de bien préparer ses sorties et de prévenir de ses absences). Enfin, on recommande une certaine prudence aux femmes non accompagnées.

– **Photo :** évitez de prendre les gens en photo sans le leur avoir préalablement demandé. Les doudous ou les coupeurs de canne sont gentils, mais n'aiment pas du tout ça. Normal !

– **Le bruit :** les nuits tropicales sont animées. Le cri des grenouilles se joint au chant des crapauds (encore plus fort). Les vaches assoiffées se mêlent parfois au concert, et les chiens, errants ou non, continuent la sérénade. Quant au coq antillais (ou « réveil à plumes »), il doit être insomniaque ou déréglé, car il chante même avant le lever du jour, suivi par ses congénères. Le jour, à son tour, l'homme entre dans la partie : radios à tue-tête, moteurs pétaradants (à échappement libre), klaxons en liberté, tout devient une obsédante cacophonie. L'Antillais le plus placide se sent seul au monde devant sa chaîne stéréo ou au volant. Solutions pour la nuit : soyez indifférent, mettez des boules *Quies,* le ventilateur ou la climatisation. Le décalage horaire amplifie toutes ces perceptions. Le soleil (ainsi qu'une bonne sieste) les fera disparaître.

– **Les scolopendres :** appelées plus communément les mille-pattes. Ces petits carnassiers, fréquents en Guadeloupe, sortent souvent les jours de pluie. Leur morsure venimeuse, mais pas mortelle, est très douloureuse et nécessite parfois une hospitalisation.

– **Les mancenilliers :** attention à ces arbres à l'aspect trompeur, qui ressemblent un peu aux pommiers, et peuvent vous conduire tout droit à l'hôpital si vous stationnez dessous ou les touchez (voir la rubrique « Santé »).

– **Randonnées par temps pluvieux :** il faut savoir que, du fait de pluies violentes, ponctuelles et locales, le moindre petit cours d'eau peut s'enfler en quelques secondes, quand bien même le soleil brille au-dessus de votre tête ! Donc prudence : si les eaux sont boueuses, mieux vaut rebrousser chemin. Voir plus loin la rubrique « Randonnées pédestres » dans le chapitre « Sports et loisirs ».

– **Baignades :** à chaque passage en Guadeloupe, nous constatons avec effarement l'absence de poste de secours et de maîtres nageurs sur les plages les plus fréquentées. Même si la plupart offrent des conditions de baignade plutôt faciles, cette question mérite d'être considérée avec sérieux par les maires qui sont responsables des plages. La plage de l'anse Laborde à Anse-Bertrand, par exemple, est désormais interdite à la baignade car on y déplorait (espérons que ce verbe restera au passé) des morts chaque année. Un projet de surveillance des plages serait actuellement à l'étude mais, en attendant, soyez très prudent et renseignez-vous quand vous avez un doute ou quand la plage est peu fréquentée.

DÉCALAGE HORAIRE

Quand il est 12h à Paris, il est 7h en hiver et 6h en été aux Antilles.

ÉCONOMIE

Jadis, la culture de la canne à sucre (transformée en rhum et en sucre) et de la banane contribuait à la richesse de la Guadeloupe. Aujourd'hui, ces deux filières traditionnelles – non compétitives sur les marchés mondiaux – sont à bout de souffle et continuellement perfusées par des subventions publiques. La **canne à sucre** ne s'est jamais remise de la grande crise sucrière vieille de plus d'un siècle, qui s'est soldée par la suprématie de la betterave à sucre. L'île ne compte d'ailleurs plus que deux usines sucrières encore en activité : Gardel au Moule et Grande-Anse à Marie-Galante. Même constat pour le **rhum,** pourtant remis au goût du jour dans les années 1980 par les groupes de zouk. Une dizaine de distilleries subsistent bon an, mal an... Enfin, la **banane,** « découverte », du moins en métropole, après la Première Guerre mondiale, semble perpétuellement en sursis face à la « banane-dollar » des compagnies américaines ; d'autant que la France métropolitaine est l'unique marché pour écouler sa production...

Reste le **tourisme,** seul vecteur de recettes, qui représente toujours, malgré une notable érosion, l'activité économique majeure de la Guadeloupe, avec environ 500 000 visiteurs par an, métropolitains pour la plupart. D'ailleurs, les retombées du secteur sont nombreuses : bâtiment, services et même production agricole via la restauration... Le tourisme est – bien évidemment – l'avenir de la Guadeloupe, tant son potentiel est encore considérable. Seulement, depuis le début du siècle (le XXIe bien sûr), il cumule les handicaps : concurrence des îles voisines (Cuba, Saint-Domingue), saisons cycloniques de plus en plus longues, un séisme en novembre 2004, parc hôtelier vieillissant, augmentation des prix au moment du passage à l'euro. De plus, les grèves à répétition (essence, électricité, docks en 2004) orchestrées par l'Union générale des travailleurs de Guadeloupe (UGTG), syndicat local minoritaire à ambition indépendantiste, affolent régulièrement l'île et lui donnent mauvaise presse en métropole. Mais les réservations semblent de nouveau à la hausse, probablement grâce aux efforts des Guadeloupéens !

Même si un développement durable lié au tourisme peut réellement se développer en Guadeloupe, la situation économique n'est guère reluisante. Et à ce propos, la manne touristique profite-t-elle à tout le monde ? Malgré un PIB honorable d'environ 16 500 € par habitant, les 27 % de chômeurs vous diraient que non. Ce taux grimpe à 35 % au nord de la Grande-Terre et atteint 45 % chez les jeunes. Quand on sait que 32 % de la population a moins de 20 ans et 60 % moins de 40 ans... Pour vivre, beaucoup se contentent du RMI. Il concerne plus de 20 % de la population guadeloupéenne qui s'en arrange... avec un travail au noir à côté ! De même, les allocations familiales, appelées ici « argent-braguette », alimentent les foyers... Bref, loin d'être autosuffisante, l'économie de la Guadeloupe se retrouve largement assistée par la métropole.

Quelques données politiques et sociales

Autant savoir qu'en rangeant son maillot de bain dans le sac de voyage pour la Guadeloupe on ne s'apprête pas à rencontrer seulement la tranquillité des lagons bleus et des cocotiers. Les Antilles françaises bougent depuis quelques années déjà et les réalités sociales et politiques ne peuvent échapper aux visiteurs.

L'objet de ce chapitre n'est pas, bien entendu, de se plonger dans une étude approfondie, mais seulement de livrer quelques éléments de réflexion. Il peut paraître étrange que, contrairement à certaines îles de la région qui sont devenues indépendantes, comme Sainte-Lucie ou la Dominique, la Guadeloupe, elle, ne le soit pas. La montée de l'idée d'indépendance pourrait paraître dans l'ordre des choses, s'inscrivant dans le mouvement global de l'émancipation des peuples. L'esclavage aboli il y a seulement 150 ans, les comportements colonialistes des « métros » encore récents dans les mémoires... tous ces éléments pourraient se suffire à eux-mêmes pour poser la question de l'indépendance.

Cependant, le mouvement indépendantiste guadeloupéen, qui fut assez virulent dans les années 1980 (en se signalant par des attentats), semble avoir acquis une maturité et une sagesse nouvelles. Et si ses représentants enlevaient des communes importantes aux élections municipales, bien peu de gens aujourd'hui souhaitent réellement et sérieusement l'indépendance. L'indépendantisme se manifeste plutôt maintenant comme prise de conscience d'une identité guadeloupéenne qui cherche à s'affirmer sans rompre les amarres avec la France, amarres trop solides et vitales.

D'abord, l'État a habilement tissé un système de dépendance économique quasi totale avec la métropole, et instauré une politique d'assistanat qui aliène bon nombre de Guadeloupéens et les empêche de répondre aux sirènes indépendantistes. Puis, quand on constate les grandes difficultés de la Dominique, la petite voisine indépendante, et de bien d'autres, cela ne donne guère envie de s'émanciper pour de bon. En outre, quand on assiste à tant de mouvements de libération qui dégénèrent en dictature, comment ne pas comprendre le sentiment de ceux qui préfèrent le giron (même pesant) de la métropole aux lendemains qui déchantent de façon sanglante ? En gros, et malheureusement sans doute, le choix n'existe guère qu'entre le statut d'« éternel assisté » et l'appauvrissement inéluctable qu'apporterait l'indépendance. Les résultats du référendum de décembre 2003 ont d'ailleurs montré que les Guadeloupéens, dans leur grande majorité, ont refusé un statut qui aurait pu, éventuellement, permettre à la France de desserrer les liens avec l'île (même si beaucoup d'autres considérations sont venues interférer lors de ce vote).

Toutefois, si l'on s'est calmé sur le front purement politique, il semble que les conflits se soient déplacés sur le plan social, où l'UGTG, syndicat pourtant minoritaire, s'obstine à paralyser régulièrement l'île avec pour ambition de « faire respecter le droit du travail, s'approprier les moyens de production et enfin préparer l'indépendance ! » Tous les coups sont permis : barricades, barrages routiers, manifestations qui tournent à l'émeute, comme en octobre 2002, où le dépôt d'essence de l'île, près de Pointe-à-Pitre, a bien failli partir en fumée, blocage total du port de Pointe-à-Pitre en 2004 par seulement 40 dockers sachant d'ailleurs à peine ce qu'ils revendiquaient (aucune sortie ou entrée de conteneurs pendant des semaines). En 2006, signalons une petite réplique sociale avec le sabotage de la centrale électrique de la Guadeloupe au début de la haute saison touristique. Mais le fait divers le plus tragique s'est déroulé en février sur l'île de Saint-Martin, où un gendarme est mort après avoir été fauché par un motard tout en agonisant sous les injures racistes.

Cependant, on peut aussi voir les choses autrement, car la France n'est pas seulement ce monstre impérialiste qui tiendrait la Guadeloupe. Elle est aussi celle qui lui a permis de se relever après le passage du cyclone Hugo, en 1989, en finançant la reconstruction de la Grande-Terre, à hauteur de quatre ou cinq milliards de francs. Et elle a encore apporté son aide massive après les cyclones Luis, Marilyn et Lenny en 1999, et elle a bien sûr répondu présente après le séisme de novembre 2004. Enfin, et c'est peut-être le plus important, elle est la plus attachée du monde à ce petit bout de terre des Caraïbes. Il y a là des siècles d'histoire commune, de haines, de passions et – malgré tout – d'amour. Les Guadeloupéens parlent le français, ont tous de la famille en métropole. Ils sont patriotes aussi – voir les monuments aux morts qui rendent hommage aux 1 500 morts guadeloupéens de la guerre 1914-1918. Non, la France et la Guadeloupe forment un trop vieux couple pour tirer un trait. Actuellement, l'urgence ou le souhait de la Guadeloupe, ce n'est pas l'indépendance au sens strict. Il faut réduire les clivages sociaux – souvent raciaux en parallèle –, résorber le chômage et parvenir à davantage d'autosuffisance. Il faut aussi que la Guadeloupe réussisse enfin à s'insérer dans l'espace caraïbe. L'identité caribéenne ne devrait pas rester une notion creuse et abstraite mais se traduire par davantage d'échanges commerciaux et culturels entre les îles. Pour les clivages raciaux, faisons-lui confiance : elle n'a pas attendu pour se métisser et continue de le faire. Pour le reste, les atouts sont là...

ENVIRONNEMENT

Parc national de la Guadeloupe

Avec son Parc national, la Guadeloupe dispose d'un atout majeur pour le développement raisonné d'un tourisme « intelligent », tourné vers les richesses du patrimoine, qu'elles soient naturelles ou mises en valeur par l'homme. Créé en 1989, le Parc est venu s'ajouter à ceux métropolitains.

Quelques chiffres pour planter le décor. Le Parc couvre environ 40 % de la superficie de la Basse-Terre. La zone centrale, inhabitée, couvre 173 km^2, en gros des Deux Mamelles au nord aux contreforts sud de la Soufrière. Une seconde zone, dite « périphérique », s'étend à l'ouest de la précédente, sur 162 km^2, englobant trois communes de la côte Sous-le-Vent (Pointe-Noire, Bouillante et Vieux-Habitants).

À cela s'ajoutent, hors zones, les réserves naturelles du Grand Cul-de-Sac Marin – dispersées en plusieurs unités et composées de territoires marins et littoraux, sur 37 km^2 qui se partagent entre la Basse-Terre et la Grande-Terre – ainsi que les îlets de Petite-Terre, au large de Saint-François. À noter que le Parc national gère également plus de 4 000 ha de terrains, qui dépendent du Conservatoire du littoral.

Les richesses naturelles du Parc peuvent aussi s'énumérer en chiffres, soit 300 espèces d'arbres et d'arbustes, 270 espèces de fougères, une centaine d'espèces d'orchidées, 38 espèces nicheuses d'oiseaux, 11 espèces de chauves-souris dont deux uniques au monde, sans oublier, pour partir à leur découverte, plus de 200 km de « traces », les sentiers entretenus par le Parc.

Le Parc dispose d'ailleurs d'une vitrine pour familiariser les visiteurs à la forêt tropicale humide, la *Maison de la forêt*, à mi-chemin de la route de la Traversée. Mais plus que les indications précises fournies sur la faune et la flore, ce sont sans doute les conseils prodigués par les gardes qui en font une étape obligée pour les amateurs. Idéalement située, elle constitue par essence un très bon point de départ pour des randos dans la forêt vierge. En revanche, l'approche n'est pas du tout la même à la *Maison du bois* de Pointe-Noire. Indépendante du Parc national, cette structure se définit plutôt comme un musée, dont les excellentes expositions thématiques donnent également quelques clés pour mieux connaître les richesses naturelles de la région. En plus du travail de conservation du patrimoine naturel, le Parc a aussi pour mission de mener des actions de sensibilisation à la protection de la nature afin de promouvoir l'écotourisme. Le Parc recommande donc des adresses (hébergements, activités et sites) qui ont comme point commun de respecter l'environnement et donc de défendre l'écotourisme. Les « prestataires écotouristiques », particuliers ou professionnels, doivent respecter un certain nombre de critères, au total une trentaine. En échange, le Parc leur apporte une aide matérielle, les forme à l'écotourisme, notamment en leur donnant une mallette pédagogique que les touristes, clients ou visiteurs peuvent consulter.

Pour l'instant, l'essentiel des bonnes adresses du Parc (hébergements, activités-loisirs, sites) se limite à la Basse-Terre, qui offrait au départ un potentiel plus important. On envisage d'élargir petit à petit l'offre en y associant les bonnes volontés de la Grande-Terre. Nous vous indiquons la plupart de ces bonnes adresses.

Réserves naturelles

– En Guadeloupe même, la *réserve naturelle du Grand Cul-de-Sac Marin* a été la première créée, en 1987, avant même le Parc national qui en est devenu gestionnaire en 1990. Depuis 1993, le Grand Cul-de-Sac Marin est classé en zone humide d'importance internationale pour les oiseaux d'eau (convention de Ramsar). À la fois terrestre (1 622 ha) et marine (2 085 ha), elle est composée de six zones bien délimitées, soit un quart de cette grande baie fermée par un long récif corallien. Chacun de ces « pôles » associe le milieu marin et le milieu terrestre. Quatre îlets sont concernés (îlets à Christophe, de Carénage, de la Biche et à Fajou), ainsi que l'estuaire de la Grande Rivière à Goyave, entre Lamentin et Sainte-Rose, et des zones de mangrove aux Abymes. La mangrove, en particulier, souffre du développement des activités humaines à cause de la proximité de Pointe-à-Pitre et a grandement besoin de protection. De nombreuses espèces d'algues, d'éponges, de phanérogames (herbiers marins) et de bien d'autres organismes sont recensées, tout comme de nombreuses espèces animales.

– Les **îlets de Petite-Terre,** au sud-est de Saint-François, constituent l'autre réserve naturelle guadeloupéenne, créée en 1998 et gérée, elle, par l'Office national des forêts. Sa superficie est de 990 ha (dont seulement 148 ha terrestres). Les deux îles de Petite-Terre, Terre-de-Haut et Terre-de-Bas, ont été habitées autrefois (une trentaine de personnes au milieu du XIXe siècle). Aujourd'hui, ces îles sont intéressantes pour leur biotope. Les **iguanes** – Iguana delicatissima – constituent la particularité de la faune de Petite-Terre, alors que la flore compte un arbre en danger, le **gaïac,** dont il ne reste qu'une centaine de spécimens.

– Ladite « **Réserve Cousteau** », autour des îlets Pigeon, devant la plage de Malendure, n'est à l'heure actuelle qu'une zone protégée où la chasse sous-marine est interdite et la pêche réglementée. Il est question d'en faire bientôt une véritable réserve naturelle. À suivre...

– On trouve également une réserve naturelle de 1 200 ha à Saint-Barthélemy, et une autre de 3 060 ha à Saint-Martin, créée en 1998.

– Enfin, le Conservatoire du littoral a acquis, pour les protéger, quelques zones à la Pointe des Châteaux et dans le sud de la Basse-Terre, à proximité des monts Caraïbes.

Ces classements imposent un certain nombre de contraintes comme le respect, pour les visiteurs de Grand Cul-de-Sac Marin ou des îlets de Petite-Terre, de la réglementation en vigueur (interdiction de pêcher et de chasser, de camper, de déranger les animaux, de faire du feu...). Tout professionnel du tourisme pénétrant avec des clients dans une zone classée « réserve » doit posséder une autorisation délivrée par l'autorité gestionnaire.

Pollution : « peut mieux faire »

– **Eau potable :** le réseau d'eau potable est régulièrement contaminé par l'utilisation abusive des pesticides ou endommagé par les cyclones à répétition (comme en 2004 en Basse-Terre), et il est arrivé que certaines communes soient privées d'eau durant plusieurs semaines.

– **Plages et rivières :** l'eau de mer reste globalement de bonne qualité sur la plupart des côtes. Par contre, évitez la plupart des rivières proches des habitations, elles sont souvent polluées (particulièrement sur la Basse-Terre) et polluent à leur tour la mer après de fortes pluies. Évitez également la baignade dans les ports et près des grands hôtels.

– **Déchets :** ce qui choque le plus les visiteurs de passage, c'est une certaine négligence concernant les ordures. Sacs-poubelles éventrés par des chiens errants, vieux appareils électroménagers et carcasses de véhicules abandonnés le long des routes... Comme toute île qui se respecte, la Guadeloupe doit faire face à un énorme problème de gestion de ses déchets qui doivent être traités sur place. Sans parler des négligences comportementales, mais là on s'embarque dans de longs débats. On parle d'un incinérateur pour désengorger l'abominable décharge de Baillif (près de Basse-Terre ville) qui se déverse tout simplement dans la mer : implantation à Basse-Terre ou en Grande-Terre ? Les spéculations vont bon train, une histoire de gros sous avant tout !

Informations, sites internet

■ *Parc national de la Guadeloupe :* ☎ 05-90-80-86-00 ou 39. ● *guadeloupe-parcnational.com* ● *guadeloupe-grandculdesac.com* ● ■ *Association des amis du Parc national et de l'environnement :* BP 286, 97100 Basse-Terre. ☎ 05-90-95-40-19. Cette association n'a pas vocation à renseigner le grand public mais à rassembler les défenseurs du Parc et de l'environnement en Guadeloupe.

■ *Guadeloupe Autrement :* domaine de Vanibel, Cousinière, 97119 Vieux-Habitants. ☎ 06-90-48-92-06. ● *guadeloupe-ecotourisme.fr* ● Cette association a été fondée pour promouvoir et encourager officiellement l'écotourisme. Elle est aujourd'hui la seule habilitée à attribuer la marque de confiance du Parc national (signalée pour les adresses de ce guide), réservée aux prestataires touristiques qui se sont engagés dans une démarche de respect et de valorisation du patrimoine naturel et culturel de la Guadeloupe.

■ *Association guadeloupéenne d'écotourisme (AGE) :* secrétariat AGE, c/o chambres d'hôtes « Beaugendre », chemin de Morphy, 97116 Pointe-Noire. ☎ 05-90-98-29-41. ● *renseignements@ecotourisme.org* ● *ecotourisme.org* ● AGE est une « association de personnes qui œuvrent pour un développement touristique harmonieux qui valorise les cultures locales et les ressources naturelles guadeloupéennes ».

– Site internet : ● *terredavenir.org* ● Le portail écologique de la Caraïbe. Traite de l'écologie en Guadeloupe, mais aussi en Martinique et dans les Antilles en général. Nombreuses rubriques : *econews* (les infos), initiatives et actions, santé, dossiers, archives, écoliens, etc. Pour que la Guadeloupe demeure un jardin d'Éden.

FAUNE ET FLORE

Les cocotiers, et après ? Après, il y a les petites routes enveloppées de flamboyants, l'océan argenté des cannes en fleur, les cases enfouies dans les hibiscus et les bougainvillées, les jardins créoles débordant de plantes utiles, enfin, l'immense opéra végétal des forêts des tropiques. Si l'on devait trouver une bonne illustration du jardin d'Éden, ce serait à coup sûr en Guadeloupe. Une terre volcanique, des pluies, du soleil : plantez un bout de canne dans le sol, le lendemain il prend racine. La nature donne jusqu'à plus faim, chacun peut se nourrir de fruits sauvages ou tombés à terre (enfin, mieux vaut éviter ces derniers, à cause des vilains petits parasites qui risquent d'y avoir élu domicile...). C'est pourquoi les colons ont fait de ces îles leurs sources nourricières. Voyage après voyage, ils ont rapporté d'Inde la papaye et le coco, de Chine le litchi, d'Indonésie la carambole, du Brésil la goyave et l'avocat, de La Réunion le manguier, de Polynésie la prune de Cythère et l'arbre à pain (dans les cales du *Bounty*) et de Madagascar les filaos, le ravenala (dit « arbre du voyageur », car à la base de ses feuilles récolte la précieuse rosée qui permet de désaltérer le routard) et les flamboyants. Chaque île a son cachet particulier. Mais quoi de commun, nous direz-vous, entre les montagnes volcaniques aux forêts sombres de la Basse-Terre, le bocage à zébus de la Grande-Terre, les maquis tropicaux des Saintes et les champs de cannes à sucre de Marie-Galante ?

La mangrove, un « monument végétal »

Sur le littoral, depuis Port-Louis (en Grande-Terre) jusqu'à la pointe Latanier (en Basse-Terre), s'étend une frange végétale qu'on appelle la mangrove. Il s'agit d'une végétation apparemment impénétrable qui semble flotter sur l'eau. Celle-ci ressemble à un inextricable buisson d'arbustes emmêlés, où les manigliers, plus connus sous le nom de palétuviers, hissent leurs racines par-dessus la vase. Vase crissante de crabes, grouillante de poissons venus frayer, et bourdonnantes de moustiques. La mangrove, monde végétal étrange, étalée comme une ceinture entre la terre et la mer, est soumise au rythme des marées. Les palétuviers, ces arbres qui semblent être montés sur échasses, y prospèrent : leurs racines aériennes, ou pneumatophores, plongent dans un sol gorgé d'eau salée. Par son aspect marécageux et insalubre, la mangrove a rebuté les premiers colons au XVIIe siècle. C'était un terrain favorable aux maladies tropicales : le paludisme, la fièvre jaune. Au fil des siècles, l'intervention de l'homme a permis de drainer et d'exploiter les essences de cet écosystème particulier. Résultat : des espèces ornithologiques ont déserté, tel le flamant rose ou le petit héron bleu, qui a disparu.

Aujourd'hui, les mangroves, haut lieu de reproduction pour la faune et la flore endémiques, sont sans cesse plus polluées. On y retrouve de vieilles carcasses de voitures, des frigos, mais aussi – plus grave – des traces de plomb, de mercure, de nitrates et de pesticides. Il faut dire que des décharges ont été installées aux abords des mangroves et qu'avec l'action de la pluie de nombreux polluants s'infiltrent par les sols. La question du tri sélectif et du recyclage se pose en milieu insulaire plus qu'ailleurs et, dans ce domaine, on constate un certain retard (des installations sont toutefois en cours). La protection est donc urgente. Certaines parties de la mangrove de Grand Cul-de-Sac Marin bénéficient déjà du statut de « réserve naturelle » et sont protégées. Tant mieux, au moins l'extension de Pointe-à-Pitre sera-t-elle bloquée de ce côté-là.

La forêt tropicale humide

Après la mangrove littorale vient l'étage des cultures. Puis la forêt, elle aussi étagée en fonction des précipitations, avec ses ***arbres-montagnes*** (les plus grands pouvant atteindre les 45 m de hauteur) entortillés d'épiphytes (végétal fixé à un autre mais non parasite) et de lianes, ses bois précieux, comme le ***mahogany*** (autre nom de l'acajou) ou l'***acomat-boucan,*** le gommier dans lequel on taille les pirogues, ses 270 espèces de fougères (comme dans *Jurassic Park,* certaines sont de véritables arbres) et ses fleurs irréelles, comme celle du balisier. Mille végétaux font corps et emplissent l'air moite. Comme tous les milieux naturels, la forêt est menacée. En Basse-Terre, la déforestation anarchique continue, même si elle semble en voie d'être maîtrisée par les agents de l'Office national des forêts.

Des espèces ont disparu

Pour la faune, les chasseurs d'images feront mieux d'aller au Venezuela. Pour une fois, le paradis tropical n'est pas une arche de Noé. La faune existe bien sûr, mais reste discrète. Rares sont les animaux du continent qui ont pu gagner la Guadeloupe, en sautant d'île en île. Plus rares encore sont ceux qui ont survécu aux flèches indiennes et aux fusils créoles. Voyez le ***lamantin*** (ou *manati*), qui est en fait un éléphant de mer très enveloppé, qu'Ulysse et un bon nombre des navigateurs suivants prirent pour une sirène à cause de son chant mélodieux (ce qui prouve qu'après des mois de navigation sans femme, la vue baisse...) : ce n'est plus qu'un nom dont on a baptisé un gros bourg, car ce brave mammifère marin, dont chaque capture assurait 300 à 400 kg de viande, a été exterminé dans les eaux caribéennes. L'***agouti*** (petit rongeur) a, lui aussi, quasiment disparu, sauf à La Désirade où on l'appelle « lièvre doré ».

Une faune tropicale à observer

Mais il serait injuste de dire que la faune guadeloupéenne est pauvre. En effet, il n'y a pas beaucoup d'autres endroits au monde où vous verrez autant d'*iguanes*, de jolis bestiaux qui peuvent atteindre avec leur longue queue jusqu'à 1,60 m de longueur. Pas besoin d'aller sur les îlets de Petite-Terre pour en voir (si vous y allez, sachez tout de même que la colonie de 10 000 *Iguana delicatissima* qui s'y trouve, beaucoup plus rare que l'espèce commune *Iguana iguana,* est la plus importante des Caraïbes) ; on en rencontre à La Désirade, aux Saintes et dans le sud de la Basse-Terre, notamment dans le secteur des monts Caraïbes. Il faut aussi mentionner des *chauves-souris*, des légions chantantes de crapauds « fofo », et l'*anoli*, un ravissant petit lézard vert (enfin, pas toujours car cet animal est mimétique, comme les caméléons) qui se trouve partout chez lui... À voir aussi, les *mabouyas* (petits geckos) et les *tortues Molokoy,* qui se dorent la pilule aux abords de certaines rivières. Le *racoon* (ou raton laveur guadeloupéen), quant à lui, est sans doute arrivé par accident sur l'île à la suite du naufrage d'un navire au XVIIIe siècle. Animal protégé, il est de moins en moins victime des braconniers. Mais compte tenu de ses origines peu locales, le rongeur pourrait bien céder sa place, en tant que symbole de la protection de l'environnement sur l'île et mascotte du Parc national, au *pic de Guadeloupe,* encore appelé *tapeur,* une espèce 100 % du cru.

Les forêts luxuriantes sont assez calmes. De temps en temps, quelques oiseaux poussent la chansonnette et les grenouilles coassent dès la nuit tombée. En remplacement des perroquets décimés par la mangouste, *merles piailleurs, le Colibris ou oiseaux-mouches* et *sucriers* viendront se disputer les miettes de votre petit déjeuner, le matin sur la terrasse. La plupart d'entre eux reviennent en fait de loin : après le passage du cyclone Hugo en 1989, compte tenu de la baisse dramatique du nombre d'oiseaux sur l'île, les autorités avaient invité la population à nourrir les volatiles pour assurer la pollinisation des plantes l'année suivante. Pari plus que gagné pour les sucriers : ils n'ont depuis pas perdu leurs mauvaises habitudes ! Pour échapper au silence, il vous reste la stridulation des *grillons* dans les champs ou le crissement des *crabes à barbe,* dans la vase de la mangrove. L'un de ces crustacés porte une croix sur le dos et se frappe continûment de sa grosse pince ; on l'appelle : « cé ma faute »...

Le bon côté de la chose, c'est que les bêtes à bobos sont rares, elles aussi. Débusquer un *scorpion* ou une *scolopendre* n'est pas donné à tout le monde. Il arrive tout de même parfois qu'une scolopendre vous pique, et là, il faut reconnaître que c'est très douloureux. Fait notable, il n'y a pas de serpents : la *mangouste,* importée pour s'en débarrasser, a bien rempli son contrat. En revanche, les *moustiques* se portent bien, merci. Grands comme des moucherons – les *yens-yens* (« riens-riens » en créole, qui sont presque invisibles et gâchent vos couchers de soleil romantiques !) – ou de taille respectable, sont chez eux dans la mangrove. Alors, vérifiez que la superbe plage de l'hôtel ne débouche pas sur des arbustes suspects...

Une faune marine riche

La faune marine présente un grand intérêt. Les plongeurs auront certainement la chance de rencontrer des *tortues,* sur la côte Sous-le-Vent ou dans le Grand Cul-de-Sac Marin, par exemple. Trois des cinq espèces recensées en Guadeloupe sont le plus fréquemment observées : la tortue verte *(Chelonia mydas),* la tortue imbriquée (*karet* en créole) et la tortue luth, plus rare. Il n'y a pas si longtemps, l'île comptait des dizaines de milliers de ces animaux marins, mais leur population a dramatiquement baissé au cours des cinquante dernières années à cause de la chasse et, depuis que les cinq espèces connues dans l'archipel guadeloupéen sont protégées, du braconnage encore trop souvent pratiqué, notamment à La Désirade. Une prise de conscience générale a provoqué la mise en place d'un programme de protection de l'espèce. Les résultats commencent doucement à voir le jour. Pour plus de renseignements sur cette action, contacter la DIREN de Guadeloupe au : ☎ 05-90-99-35-60. C'est l'occasion de rappeler que, si vous étiez discrètement invité à manger un steak de tortue ou à acheter un bijou en écaille, vous vous mettriez hors la loi en acceptant... Et si l'on vous fait le coup de l'aphrodisiaque à base de pénis de tortue mâle, répondez que vous avez déjà acheté une bouteille de bois-bandé !

On ignore assez souvent que les eaux de la Guadeloupe abritent une population relativement importante de cétacés. L'association *Évasion Tropicale* recense ces populations et participe à leur sauvegarde. Elle a notamment conçu une charte pour établir les règles éthiques de l'écotourisme baleinier. Au total, une bonne quinzaine d'espèces de mammifères marins a été recensée dans les eaux guadeloupéennes.

– *Pour en savoir plus*, contacter Renato et Caroline, **association Évasion Tropicale,** à Galet, 97125 Bouillante. ☎ 05-90-92-74-24. ▪ 06-90-57-19-44. ● *evastropic@wanadoo.fr* ● Voir aussi la rubrique « À faire » à la plage de Malendure.

– Un conseil aux **ornithos :** procurez-vous avant de partir le guide *A Guide of the Birds of the West Indies,* éditions Princeton University Press (en anglais uniquement), la bible de ceux qui s'intéressent aux oiseaux des Antilles (plus de 500 pages). Sinon, en français, il existe une version plus adaptée au terrain, *Les Oiseaux des Antilles,* édition Michel Quintin, traduite de l'anglais par Philippe Blain.

Quelques conseils

Toute cristalline qu'elle soit, la mer a ses dangers. Gare aux *méduses* ! Un petit conseil pour soulager les brûlures : frottez-vous avec des feuilles d'olivier des Antilles, que l'on trouve souvent près des plages (ça tombe bien !). Un autre conseil : frottez très doucement avec du sable fin ou une carte, genre carte de paiement, afin d'enlever les filaments urticants qui restent toujours, puis lavez à grande eau, salée ou non. S'il y a vraiment très peu de risques qu'un requin vienne happer votre gambette, méfiez-vous des brûlures occasionnées par le *corail de feu* ou d'autres animaux marins, ainsi que des *piques d'oursins* (dans ce cas, le jus de citron vert aide à dissoudre le calcaire des épines).

FÊTES

Même si la campagne vous semble endormie, soyez sûr qu'il existe quelque part une fête patronale. À tour de rôle, chaque bourgade a la sienne. Toute l'année, les villageoises ont économisé pour ce jour de gloire où elles pourront parader dans de nouveaux atours. Les enfants sont endimanchés, astiqués, et les anciens épinglent leurs médailles. Tout le village défile ainsi après la messe, accompagné par des choristes (aux Abymes, par exemple, la Bienveillance abymienne), puis s'égaille dans les buvettes, les concours de blagues et les régates (une *fiesta* du feu de Dieu, à ne pas manquer) jusqu'au bal zouk du soir.

– *Le carnaval :* c'est la grande fête des Antilles. Il commence le dimanche de l'Épiphanie (1ᵉʳ dimanche de janvier) pour se terminer deux mois plus tard, par le mercredi des Cendres. Il donne lieu chaque fin de semaine, dans tous les villages, à des concours de danses, de costumes et de beauté (on y élit des reines, des mini-reines mais aussi des reines mères !). Les festivités festives plus importantes se situent à Pointe-à-Pitre, mais le carnaval de Basse-Terre est peut-être plus authentique (attention, à cette occasion beaucoup de commerces sont fermés, notamment le Mardi gras, férié, mais aussi le mercredi des Cendres, le lendemain).

Le dimanche, les masques (les gens déguisés et méconnaissables) circulent en ville et dans les campagnes, faisant claquer leur fouet et rançonnant les automobilistes d'une pièce ou deux, cela, bien sûr, dans un esprit de fête ;

puis commencent les trois « jours gras », apothéose du carnaval. Le lundi, jour des Mariages burlesques, dans les groupes ou « vidés » qui défilent, on aperçoit des couples curieusement assortis. Le Mardi gras est le jour des Diables rouges qui accompagnent les chars où se trouvent les effigies du carnaval, Vaval, autrement dit le « roi carnaval », et Bœuf Gras. Le mercredi des Cendres, jour du grand « vidé », les Diablesses vêtues de noir et de blanc brûlent Vaval. Et durant cette période de carnaval, les bals du dimanche soir durent souvent toute la nuit. Surveillez les colonnes des journaux locaux pour ne pas rater ces festivités hautes en couleur.

– *Pâques :* le vendredi saint voit défiler une multitude de processions vers la majorité des calvaires de la Guadeloupe. Le *rara*, instrument en bois qu'on fait tourner avec un bâton, convie les fidèles aux vêpres. Jadis, le samedi, le chant des cloches réveillait les populations qui se lavaient le visage (ou se jetaient carrément à l'eau !) et arrosaient leurs maisons pour porter chance tout au long de l'année. Rien de particulier le dimanche, mais le lundi, c'est l'éclate ! Le punch coule à flots, on se baigne, la musique retentit à tous les coins de rue et l'on déguste tout un tas de mets succulents, dont la chiquetaille de morue, le féroce et le matété de crabe (mélange de riz et de crabe de terre).

– *Le camping de Pâques :* une drôle de tradition qui accompagne les festivités plus « classiques » de Pâques. Des familles entières déménagent sur les plages de l'île pendant les 15 jours autour de Pâques. Dur de profiter alors du doux murmure des vagues, mais le tableau mérite le coup d'œil : les dominos claquent sur les tables de camping, les radiocassettes diffusent un flot ininterrompu de zouk, des barbecues de fortune naissent un peu partout, les parasols fleurissent, abritant la grand-mère ou le dernier petit. Le tout dans un joyeux brouhaha mâtiné créole. Les plages les plus réputées se trouvent autour de Sainte-Anne et à l'Anse à la Gourde, ainsi qu'à la Pointe des Châteaux.

– *La fête de l'Anniversaire de l'abolition de l'esclavage* (ou plutôt de l'application effective du décret en Guadeloupe) *:* le 27 mai. Tout est fermé !

– *La fête Victor-Schœlcher :* le 21 juillet, jour férié, on rend hommage à ce député guadeloupéen d'origine alsacienne qui contribua à l'abolition de l'esclavage.

– *La fête des Cuisinières :* à Pointe-à-Pitre, le samedi le plus proche du 10 août (le jour de la Saint-Laurent, leur saint patron), les cuisinières de l'île qui font partie de l'association *Le Cuistot mutuel* (environ 250 cordons-bleus) vont entendre la messe à la cathédrale, vêtues de leurs plus belles robes traditionnelles, coiffes et madras, parées de leurs plus beaux bijoux et portant un tablier sur lequel est brodé leur emblème : le gril de saint Laurent. Elles vont faire bénir leurs plats, soigneusement alignés au pied de l'autel dans des paniers agrémentés de fleurs et d'ustensiles de cuisine. Ensuite, c'est une longue procession dans les rues de la ville, paniers au bras ou sur la tête. Un grand repas suivi d'un bal conclut les réjouissances. Acheter la carte d'entrée directement à la *Maison des cuisinières*, rue d'Ennery. Assez cher toutefois, et de plus en plus touristique.

– *La fête de la Saint-Barthélemy :* le 24 août. De nombreuses manifestations nautiques et folkloriques sont organisées.

– *La Toussaint :* les cimetières sont illuminés par des bougies placées autour des tombes fleuries sur lesquelles s'assoient et trinquent les familles en mémoire des morts. Bien évidemment, demandez l'autorisation pour prendre des photos.

– *En décembre :* tout au long du mois, dans presque chaque commune, les villageois se retrouvent les soirs de week-end pour des *Chanté Nwel* vraiment mémorables. Dans les magasins de Point-à-Pitre, la radio diffuse aussi des chants de Nwel version Zouk. Également de grandes fêtes nommées *Nwel kakado* qui font revivre les vieilles traditions. Celle de Vieux-Habitants est la plus réputée de toute la Guadeloupe.

Les fêtes patronales

En dehors du carnaval, ces fêtes permettent également de mieux comprendre et d'apprécier la Guadeloupe. En voici quelques-unes, généralement à dates à peu près fixes, mais renseignez-vous auprès des offices de tourisme et autres syndicats d'initiative. Dans la plupart des cas, les fêtes patronales durent trois ou quatre jours, autour de la date indiquée.
– *1er mai* : à Petit-Canal.
– *4 mai* : à Vieux-Habitants.
– *12 juin* : à Lamentin.
– *24 juin* : à Baie-Mahault et au Moule.
– *25 juin* : à Deshaies.
– *4 juillet* : à Port-Louis.
– *16 juillet* : à Basse-Terre.
– *26 juillet* : à Sainte-Anne, à Capesterre (de Marie-Galante) et à Goyave.
– *7 août* : à Vieux-Fort.
– *15 août* : à Trois-Rivières, à Pointe-Noire, à Petit-Bourg, à Grande-Anse (de La Désirade) et à Terre-de-Haut (des Saintes).
– *17 août* : à Capesterre-Belle-Eau.
– *25 août* : à Bouillante, au Gosier et à Saint-Louis (de Marie-Galante).
– *28 août* : à Saint-Claude.
– *30 août* : à Sainte-Rose.
– *4 octobre* : à Saint-François.
– *9 octobre* : à Anse-Bertrand.
– *4 novembre* : à Gourbeyre.
– *30 novembre* : à Morne-à-l'Eau et Vieux-Bourg.
– *6 décembre* : à Terre-de-Bas (aux Saintes).
– *8 décembre* : à Grand-Bourg (de Marie-Galante) et aux Abymes.
– *La dernière semaine de décembre* : aux Grands-Fonds (Grande-Terre) se déroule la fête (patronale et conviviale) des Grands-Fonds (voir détails dans ce chapitre).
– D'autres fêtes encore : la *fête du Poisson et de la Mer* à Saint-François, à la mi-avril, ainsi que la *fête des Marins,* également à Saint-François, le 15 août, sans oublier le *Festival du crabe,* en avril, dans la « capitale » de ce crustacé, Morne-à-l'Eau, et la Foire culinaire consacrée à l'écrevisse, autrement dit « le ouassou sous toutes ses formes », à Pointe-Noire, fin février.

Événements sportifs

– **Le Tour de la Guadeloupe :** grands amateurs de cyclisme, les Guadeloupéens se passionnent pour cette compétition qui a lieu en août. Le jour de l'arrivée à Pointe-à-Pitre, c'est le délire. Gros embouteillages et énorme fête.
– **Les courses à la voile :** tous les 4 ans, la **Route du Rhum,** la plus célèbre des transatlantiques en solitaire, relie Saint-Malo à Pointe-à-Pitre. Certaines des plus belles pages de la course au large y furent écrites, comme le duel acharné lors de l'arrivée de la première édition, en 1978, entre Michel Malinowski et Mike Birch, qui remporta finalement la course dans un mouchoir de poche. En 1990, c'est Florence Arthaud qui aborda les côtes guadeloupéennes en tête, victoire qui lui valut le surnom de « Fiancée de l'Atlantique »... Puis on assista à un doublé victorieux de Laurent Bourgnon en 1994 et 1998. En 2002, la jeune Anglaise Ellen MacArthur s'imposa sur la ligne d'arrivée à la barre de son monocoque, pourtant moins rapide que la flotte des multicoques nouvelle génération, véritables pur-sang qui se sont finalement révélés fragiles. Quelle hécatombe, sans aucun mort heureusement ! En 2006, en revanche, c'est Lionel Lemonchois qui a pulvérisé sur son multicoque le record de la course (alors détenu par Laurent Bourgnon) en 7 jours, 17h, 19 mn et 6 secondes, soit plus de 4 jours d'avance sur Bourgnon ! Sans oublier la fameuse bagarre entre Roland Jourdain et Jean Le Cam, finalement au profit du premier. En tout cas, assister à l'arrivée d'une *Route du*

Rhum est un sacré événement. Prochain départ prévu en 2010. Alors, à vos rames... Et puis, pour les amoureux de la célèbre chanson de Laurent Voulzy, signalons la première édition en 2007 de la *Transat Belle-Île-en-Mer – Marie-Galante,* parrainée par le chanteur, première course au monde reliant une île à une autre. Enfin, l'archipel de la Guadeloupe accueille encore d'autres courses, comme la *Transat Lorient-Saint-Barth,* la *Mini-transat* et la *Transat des Alizés.* Il existe également des régates annuelles comme le *Trophée des Caraïbes,* compétition d'une dizaine de jours autour de la Guadeloupe et de ses dépendances, dans le cadre d'une formule originale qui associe des étudiants à des skippers professionnels, ainsi que bien d'autres compétitions pour différentes catégories de bateaux (Optimist, Hobie Cat, etc.).

GÉOGRAPHIE

Suspendues entre ciel et mer, les îles jouent les funambules. Ce sont des « caractérielles ». L'arc caraïbe dessine une fracture entre deux plaques tectoniques. Des séismes dévastateurs ont d'ailleurs lieu à la Guadeloupe tous les 150 ans environ. La question vous brûle les lèvres : « Quand a eu lieu le dernier gros tremblement de terre ? » Eh bien, en 1843. Faites les comptes et... croisez les doigts, comme en Californie ou dans la région de Nice. Le séisme de novembre 2004 qui a touché essentiellement les Saintes n'était apparemment qu'une « répétition ».

Les Grandes Antilles, au nord (Jamaïque, Cuba, Porto Rico), ont le calibre de nations. Mais la poussière des Petites Antilles – où la Martinique et la Guadeloupe, longues d'à peine 100 km, passent pour de grandes îles – est une tentation perpétuelle à la dérive.

La Guadeloupe comprend deux îles principales : la Grande-Terre et la Basse-Terre qui, ensemble, dessinent les deux ailes immenses d'un papillon exotique. Ces deux terres peuvent sembler solidaires, mais elles sont en fait séparées par un très étroit bras de mer, la rivière Salée. Jusqu'au début du XIXe siècle, on passait d'une île à l'autre par une gabare. Il y a des antagonismes entre les deux parties de la Guadeloupe dite « continentale ». Située sur la Grande-Terre, presque à la conjonction de la Basse-Terre, Pointe-à-Pitre a le titre de capitale économique de la Guadeloupe. La préfecture est la ville de Basse-Terre.

La Grande-Terre

Située à l'est, elle est en réalité la partie la moins étendue. Elle fut nommée ainsi par les colons européens car elle leur semblait plus étendue, plus plane et donc plus propice à la culture. Elle forme un triangle d'environ 40 km de côté. La Grande-Terre possède un relief beaucoup plus plat que la Basse-Terre, avec quelques parties un peu accidentées.

Au nord, la campagne est occupée par les champs de canne à sucre et bordée par un littoral escarpé qui se termine par des falaises abruptes et quelques anses sableuses. Entre Le Moule et la pointe de la Grande-Vigie, les paysages façonnés dans le sous-sol calcaire rappellent une « côte normande tropicale ».

À l'extrême est, la Pointe des Châteaux forme une avancée rocheuse battue par les flots de l'océan : on dirait parfois un coin de la côte bretonne.

Les bourgs et les cultures vivrières se concentrent dans des vallons intérieurs.

Au sud, du Gosier à Saint-François, la côte s'appelle *la Riviera,* et aligne des stations balnéaires et de belles plages.

Microrégion discrète et peu fréquentée dans l'arrière-pays de Sainte-Anne, les ***Grands-Fonds*** forment un labyrinthe étrange de mornes cultivés et de vallées encaissées. On dit que certaines vallées seraient au-dessous du niveau de la mer.

La Basse-Terre

À l'ouest, c'est la partie montagneuse, boisée et volcanique de la Guadeloupe. Elle consiste en un massif ovale d'environ 45 km sur 20. Bien qu'ayant été colonisée avant la Grande-Terre, elle est plus longue à sortir de son isolement. Au temps de la marine à voile, on nommait « basse terre » les endroits situés sous le vent. Dans les Caraïbes, on trouve d'autres lieux ainsi nommés (les terres aux vents étaient appelées *capesterre*). L'activité volcanique se manifeste épisodiquement par les réveils du volcan de la Soufrière, la Vieille Dame, qui culmine à 1 467 m. Cette île-montagne possède des volcans d'âges différents (de moins 25 millions d'années à 35 000 ans), alignés du nord au sud sur la crête montagneuse. En période de somnolence volcanique, seules quelques sources chaudes jaillissent dans la région de Bouillante, sur la côte Sous-le-Vent.

La *forêt domaniale* couvre la Basse-Terre aux trois quarts, incluant le Parc national dans sa moitié sud-ouest. Sur les versants des volcans, les paysans font pousser des arbres fruitiers, des bananes et un peu de café. Au sud et à l'ouest, la montagne couverte de forêts descend vers la mer où se trouvent quelques plages dont l'une des plus belles – Grande-Anse – est située au nord de Deshaies.

Sur la Côte-au-Vent de la Basse-Terre, du côté de Saint-Claude et de Trois-Rivières, il pleut souvent et plus qu'ailleurs. Les précipitations y sont bien plus importantes qu'en Grande-Terre, et augmentent considérablement avec l'altitude (jusqu'à 12 m par an au sommet de la Soufrière !). La route côtière est sinueuse et assez dangereuse.

Les Saintes, Marie-Galante, La Désirade, Saint-Martin et Saint-Barthélemy

Au sud-est de la Guadeloupe, dans un rayon de 10 à 25 km et à 1 heure de traversée maximum avec les bateaux rapides, les Saintes, Marie-Galante et La Désirade lui sont rattachées administrativement. Ces îles ont cette particularité d'être plus sèches mais de proposer des reliefs variés. *La Désirade* dessine une courte crête émergée. *Marie-Galante* consiste en un plateau circulaire bosselé. Les *Saintes* se présentent comme un petit chapelet d'îlets arides et escarpés.

À 200 km au nord-ouest de la Guadeloupe se situent l'île de Saint-Barthélemy et la partie française de Saint-Martin, qui sont également traitées dans ce guide. Pour info, la Martinique se trouve à 150 km au sud de la Guadeloupe, séparée d'elle par la Dominique.

HÉBERGEMENT

La baisse des tarifs aériens sur les Antilles françaises, encore insuffisante pour réellement relancer le tourisme, a tout de même permis à un nouveau type de clientèle de fréquenter les Caraïbes. Après s'être élargi avec les *packages tours* (avion + séjour à prix abordable), et drainant de ce fait un tourisme de masse, le parc hôtelier proprement dit a tendance à régresser au profit des gîtes touristiques (chambres ou bungalows avec kitchenette). Les prix des hôtels ont donc tendance à se tasser, mais, avouons-le, restent souvent hors d'atteinte du portemonnaie du routard fauché. D'où l'intérêt des chambres chez l'habitant et des gîtes, d'autant qu'aujourd'hui on trouve aussi bien des gîtes tout simples que des très luxueux. Seul bémol : la grande réticence des propriétaires à louer leurs logements à la nuitée, voire pour de courts séjours. La règle générale demeure la location à la semaine. Tant pis pour les voyageurs itinérants ! Cela dit, la configuration de la Guadeloupe et un tourisme principalement familial favorisent par essence la logique de vacances sédentaires.

Gîtes de France

Depuis la restructuration de la fédération des *Gîtes de France* de la Guadeloupe, le bureau de Paris remet sur demande (pour 10 €) une liste de quelque 300 gîtes avec descriptif assez précis, photos, coordonnées et tarifs. Toutefois, ne vous fiez pas aveuglément aux écussons jaune et vert (très nombreux) que vous verrez sur les routes, car ils ne vous garantissent pas toujours la qualité correspondant à ce label. Nous avons sélectionné plus d'une centaine de gîtes ruraux, en Grande-Terre, en Basse-Terre, à Marie-Galante et à La Désirade (les *Gîtes de France* n'ont pas de location à Saint-Martin et à Saint-Barthélemy).

Mais gardez à l'esprit qu'un grand nombre d'établissements proposent des hébergements identiques et souvent supérieurs à ceux-ci sans y être affiliés. À noter les efforts de l'association **Guadeloupe Autrement** (voir plus bas), pour recenser et récompenser les professionnels de l'écotourisme. Un label, marque de confiance du Parc national, est donc attribué aux gîtes et hébergements qui garantissent un bon niveau de qualité et le respect de l'environnement. Cette liste n'est pas exhaustive ; vont s'y ajouter dans les prochaines années de nouvelles adresses prospectées et acceptées par le Parc. Nous signalons ces adresses. Nous vous informons par ailleurs que l'***Association guadeloupéenne d'écotourisme*** (voir plus bas) rassemble également certains professionnels motivés par l'écotourisme.

À l'inverse des chambres d'hôtes qui peuvent théoriquement se louer à la nuitée, petit déjeuner compris, et qui n'ont en général pas de kitchenette, les gîtes ou bungalows se louent généralement à la semaine, mais pas forcément du samedi au samedi. Cependant, à partir de trois nuits, on peut toujours s'arranger. La Guadeloupe étant assez étendue et variée, nous vous recommandons de changer d'hébergement durant votre séjour. Trois jours ici, une semaine là, etc. Ça vous permettra de voir du pays et, sait-on jamais, de limiter le plus possible le risque de tomber sur une mauvaise adresse qui gâcherait vos vacances.

À ce propos, nous nous efforçons toujours de vous indiquer de bonnes adresses, ça va de soi, et, le cas échéant, d'en préciser les inconvénients. Cependant nous pouvons nous tromper – nul n'est parfait ! –, et il arrive aussi que les gîtes sélectionnés soient déjà loués, et que leur propriétaire place les vacanciers ailleurs, dans d'autres gîtes par exemple, ou chez des amis, etc. On peut donc avoir de mauvaises surprises. Pensez donc à toujours vous faire confirmer la nature de la location, par écrit si possible. Et merci de nous signaler les problèmes de cet ordre, si vous en rencontrez.

Enfin, pensez à réserver longtemps à l'avance. Certaines de nos adresses sont toujours retenues pour les 6 mois à venir, voire davantage !

Campings

Le camping sauvage est interdit et il n'y a plus de camping officiel. En revanche, il est théoriquement possible de camper dans tous les villages en demandant l'autorisation soit à la mairie, soit à l'Office national des forêts (allez plutôt dans les mairies). Un emplacement gratuit et adéquat est normalement prévu pour les gens qui le demandent. Les emplacements changeant régulièrement, il nous est impossible de les décrire.

Cependant, nous ne pouvons que vous mettre en garde contre les risques de vol ou d'agression si vous campez dans un lieu isolé. Cela arrive malheureusement régulièrement...

Adresses utiles

■ **Gîtes de France :** *sq. de la Banque, juste à côté du comité du tourisme. Adresse postale : BP 759,* *97172 Pointe-à-Pitre.* ☎ *05-90-91-64-33.* ● *gitesdefrance-guadeloupe. com* ● *Infos et résas, lun-ven 8h-17h* et sam 8h-12h.

■ *Guadeloupe Autrement :* domaine de Vanibel, Cousinière, 97119 Vieux-Habitants. ☎ 06-90-48-92-06. ● guadeloupe-ecotourisme.fr ●
En partenariat avec le Parc, cette association est la seule à attribuer la marque de confiance du Parc national aux prestataires touristiques qui se sont engagés dans une démarche de respect et de valorisation du patrimoine naturel et culturel de Guadeloupe.

■ *Association guadeloupéenne d'écotourisme (AGE) :* secrétariat AGE, c/o Chambres d'hôtes « Beau-

gendre », chemin de Morphy, 97116 Pointe-Noire. ☎ 05-90-98-29-41. ● ecotourisme.org ●

■ *Bienvenue à la ferme :* à la chambre d'agriculture de la Guadeloupe, Convenance, 97122 Baie-Mahault. ☎ 05-90-25-17-17. ● bienvenue-a-la-ferme.com ● Liste complète des gîtes à la ferme (une douzaine seulement, cela dit). Une formule originale et souvent de qualité pour plonger dans la Guadeloupe profonde.

■ *Échanges de maisons :* deux sites pour cela : ● bovile.com ● et ● echangedemaison.com ● Une autre façon d'aborder la vie locale.

HISTOIRE

Les origines amérindiennes de l'île *Karukera*

Les premiers habitants présents en Guadeloupe, originaires du Venezuela, étaient là... vers 3 500 av. J.-C. (on trouve le long des côtes des outils en pierre semblant leur appartenir). Ensuite, autour de 700 av. J.-C., viennent les *Huécoïdes,* en provenance des Andes précolombiennes (un collier précolombien se trouve au musée Edgar-Clerc, au Moule). Ils importent le manioc dans l'île, puis partent vers Porto Rico. Entre 300 et 700 apr. J.-C. arrive une nouvelle vague de migration, très importante en nombre, les *Arawaks,* en provenance du delta de l'Orénoque (auxquels se mêle, autour de 700, une autre migration venue du Surinam). Les Arawaks sont de nature paisible, vivent d'agriculture et de pêche, utilisent l'argile pour faire des poteries et gravent les rochers (on visite de nos jours le magnifique parc des Roches-Gravées à Trois-Rivières, qui témoigne de leur talent). Ils utilisent les hamacs (excellente habitude sud-américaine) et le tabac (une moins bonne habitude). Et puis arrivent à la fin du VIIIe siècle de nouveaux Indiens en provenance de la région amazonienne, les *Caraïbes* ou *Kalinas,* qui colonisent les Petites Antilles au XIVe siècle. Excellents navigateurs (ils viennent avec leurs embarcations, de longues pirogues de haute mer appelées *canoas,* qu'ils utilisent pour la pêche), fins chasseurs, vivant dans des villages de cases (carbets), ils sont également une civilisation guerrière, vivant dans une société très hiérarchisée, et ne font qu'une bouchée (peut-être dans tous les sens du terme !) des Arawaks. Ils baptisent l'île du nom de *Karukera* qui signifie « l'île aux belles eaux ».

4 novembre 1493 : Karukera devient Guadeloupe

À la recherche des Indes, *Christophe Colomb,* ayant traversé l'Atlantique, découvre les îles des Petites Antilles. Il avait auparavant débarqué à Marie-Galante, qu'il baptisa du nom de son navire amiral. Avec son *Invincible Armada,* le grand découvreur arrive le 4 novembre 1493 à Sainte-Marie (sur la Basse-Terre, entre Goyave et Capesterre-Belle-Eau). Les Espagnols se retrouvent en face de créatures d'aspect sauvage, entièrement peintes en rouge au *roucou* (plante actuellement utilisée pour la cuisine) et de sexe féminin. Les hommes sont absents. Farouches guerriers, ils ont fui le village pour préparer une attaque contre les envahisseurs blancs. Christophe Colomb nomme sa nouvelle découverte « Guadeloupe », en hommage au monastère de Santa-Maria-de-Guadalupe en Estrémadure (sud de l'Espagne). La présence d'ossements humains au fond de jarres suggère aux Espagnols qu'ils ont peut-être affaire à des anthropophages (mais sans doute s'agissait-il seulement d'urnes funéraires ?).

Le pas est vite franchi (comme de *canoa* à canoë) de *Kalinas* à cannibale... et les mots restèrent dans le vocabulaire courant. Les Caraïbes combattent donc les Espagnols (qui quittent la Guadeloupe en 1604), puis ce sont les *Français* qui pointent le bout de leur nez.

Les Français débarquent en 1635

Ils arrivent de Saint-Christophe, qui est alors la base d'où partent les colons pour la Martinique et la Guadeloupe. Sous contrat avec la *Compagnie des Isles d'Amérique*, **Charles Liénard de l'Olive** et **Jean Duplessis d'Ossonville** débarquent en 1635. Le second meurt rapidement, mais le premier s'attaque sans ménagement aux Indiens Caraïbes. Ceux-ci sont soit exterminés, soit chassés de l'île. En 1660, un traité de « paix » est signé entre Français, Anglais et Caraïbes, lequel attribue à ces derniers la Dominique et Saint-Vincent, mais les Français ont déjà fait couler beaucoup de sang.

Charles Houël, un gentilhomme normand, est nommé gouverneur de la *Compagnie des Isles d'Amérique,* de 1643 à 1656. Celle-ci aura une brève existence car elle ne tarde pas à faire faillite et doit vendre la Guadeloupe pour éponger ses dettes. Houël en devient alors propriétaire, ainsi que de ses îles satellites. Il se partage le pouvoir avec son beau-frère.

La canne à sucre et l'âge de l'esclavage

Soucieux du développement économique engendré principalement par la canne à sucre, Houël fait venir en 1654 des colons hollandais chassés du Brésil par les Portugais, qui présentent l'avantage de connaître les techniques de raffinage du sucre. Mais il faut de la main-d'œuvre. Aussi Houël profite-t-il du **commerce triangulaire** (entre l'Europe, l'Afrique et le continent américain) pour fournir des esclaves africains aux planteurs blancs. Ce commerce consiste à échanger des marchandises locales contre du bois d'ébène. Les esclaves sont capturés de force ou livrés comme prisonniers par des tribus ennemies, puis vendus par des négriers qui remplissent les bateaux en partance pour les Antilles. En fait, beaucoup d'esclaves meurent dans les cales des navires négriers durant les épouvantables traversées (la Traversée du Milieu, c'est-à-dire de l'océan Atlantique). Une première « livraison » se fait en Martinique, mais pour les autres le voyage n'est pas encore fini. Certains captifs affamés se suicident à l'arrivée en Guadeloupe en mangeant de la terre ! En 1656, on compte déjà 3 000 esclaves en Guadeloupe sur une population de 15 000 personnes. En 1664, l'île passe sous la tutelle de la *Compagnie des Indes occidentales,* créée par Colbert qui veut que les Antilles françaises *(French West Indies)* soient contrôlées d'une manière plus stricte par la métropole. Elle est par la suite rattachée, en 1676, au pouvoir royal et devient colonie du royaume.

Au XVIIIe siècle, flibustiers du roy contre Anglais

Dès cette époque, la Guadeloupe souffre, aux yeux des Français, d'un déficit d'image par rapport à la Martinique. Siège du gouvernement général du Vent (joli nom !), cette dernière concentre l'essentiel du trafic maritime et, dit-on même, s'accapare les esclaves de meilleure qualité. La réputation qu'a la Guadeloupe d'être un repaire de flibustiers n'incite pas à venir s'y établir.

Sa réussite économique, toutefois, attire la convoitise des Anglais, qui passent à l'attaque dès 1693, et reviennent par la suite régulièrement à la charge. La guerre de Sept Ans (de 1756 à 1763) leur permet d'occuper l'île de 1759 à 1763, et d'y importer 18 000 esclaves pour sa mise en valeur. Pendant ce temps, les **flibustiers** (ou « preneurs de butin » en allemand – d'ailleurs, le mot *butin* signifie propriété en créole !) organisent des « chasses-parties » pour bouter les ennemis hors de France « au nom du Roy ». Quelques dissidents en profitent pour s'enrichir en changeant leur pavillon contre le *Jolly Roger* : vous savez, le pavillon pirate avec la tête de mort entre deux tibias... C'est bien tentant de ramener à terre or, femmes et rhum.

La Guadeloupe redevient française de 1763 à 1794 (administrativement détachée de la Martinique qui, elle, reste anglaise), et se dote, en 1787, d'une assemblée coloniale. À cette époque, on recense environ 90 000 esclaves pour... 14 000 Blancs, les affranchis et « libres de couleur » dépassant à peine les 3 000, ce qui montre, entre autres, à quel point l'ascenseur social ne fonctionnait pas.

Napoléon rétablit l'esclavage aboli par la République

La Révolution française éclate. L'abolition de l'esclavage est décrétée par la Convention le 4 février 1794. Profitant du désordre causé par une révolte d'esclaves et du refus de la part de certains membres de l'assemblée coloniale de se rallier à la République, les Anglais occupent à nouveau la Guadeloupe – oui, encore ! – en avril 1794, et en sont chassés en décembre de la même année par le conventionnel pur et dur **Victor Hugues,** Marseillais d'origine et ancien corsaire. Un régime de terreur s'installe avec l'arrivée de la guillotine. Les colons français d'origine aristocratique prennent la poudre d'escampette vers la Martinique (toujours anglaise), et leurs descendants *békés* y sont encore bien plus nombreux à l'heure actuelle qu'en Guadeloupe. À la fin de la Terreur, Napoléon Bonaparte dirige la France et l'Empire colonial. Influencé par son épouse Joséphine de Beauharnais (originaire de Martinique et favorable à l'esclavage), il nomme en 1802 le gouverneur Lacrosse. Celui-ci est un bon réactionnaire : il cherche à faire quitter l'île aux officiers de couleur intégrés dans l'armée après l'abolition de l'esclavage. L'un d'entre eux, **Louis Delgrès,** fomente une révolte contre ce retour de l'ordre ancien. Vaincu à Matouba (commune de Saint-Claude), il se suicide avec 300 de ses fidèles. Bonaparte triomphe : l'esclavage est rétabli. La Guadeloupe perd alors son statut de département que lui avait donné la République. Les colons reprennent leurs habitations et leurs plantations. Les anciens (et nouveaux) esclaves sont pourchassés. De 1808 à 1810, les Anglais (pas fous !) s'emparent de la Grande-Terre, de Marie-Galante, des Saintes et de La Désirade, jusqu'en 1814. Le traité de Paris les rend à la France qui ne les récupère vraiment qu'en 1816.

27 avril 1848 : l'abolition définitive de l'esclavage

Par ses écrits et son action, l'Alsacien **Victor Schœlcher,** militant anti-esclavagiste (et riche héritier), lutte pour la liberté et les droits de l'homme aux Antilles. Il parvient à convaincre le gouvernement français d'abolir l'esclavage dans les colonies françaises le 27 avril 1848. Élu à l'assemblée législative, il devient député de la Guadeloupe en 1849 et continuera à se battre contre la peine de mort. À propos, saviez-vous que ses cendres furent transférées au Panthéon en 1949 ?

Sous le Second Empire, le gouvernement de Napoléon III remplace l'esclavage – on était toujours à court de main-d'œuvre – par un **régime de travail coercitif** faisant appel aux travailleurs africains. Donc, malgré l'officielle suppression de la traite, on recourt dès 1852 à l'**immigration des Congos** (6 000 en Guadeloupe), puis à partir de 1854 l'**immigration indienne** prend le relais (45 000 en Guadeloupe). En 30 ans, la Guadeloupe « accueillera » 45 000 Indiens, venant des anciens comptoirs de l'Inde, dont environ 20 000 mourront à la tâche (les conditions de travail devaient être excellentes !), et 8 000 retourneront aux Indes. Leurs descendants vivent actuellement dans les zones d'anciennes activités sucrières (Saint-François, Sainte-

Anne, Le Moule, Port-Louis). À la fin du XIXe siècle, Chinois, Libanais et Syriens, majoritairement commerçants, viendront compléter cette mosaïque de populations. Sous la IIIe République (1871), la Guadeloupe et la Martinique se voient attribuer à nouveau une représentation à l'Assemblée nationale. La période est marquée par de fortes tensions. La crise sucrière entraîne des restructurations (déjà !) dans le domaine agricole et industriel.

Incroyable mais vrai : pour rendre hommage à la mémoire des esclaves et saluer le courage de ceux qui menèrent le combat contre leur sort, il faudra attendre... le 10 mai 2001 pour qu'une loi soit adoptée. Elle reconnaît l'esclavage comme un crime contre l'humanité et instaure dans les départements d'outre-mer une date anniversaire (le 27 mai) pour la commémoration annuelle de l'abolition de l'esclavage.

Une autre date, celle du 10 mai, a récemment été retenue afin que cette célébration s'étende à tout le territoire français. Cette volonté nouvelle d'élargir un tel acte de mémoire à la métropole coïncide avec l'affaire épineuse de la loi du 23 février 2005. Cet amendement visait purement et simplement à vanter la colonisation, en soulignant « le rôle positif de la présence française outre-mer ». C'est après le cataclysme qu'a provoqué un tel texte (finalement abrogé) que le gouvernement a décidé d'arrêter une nouvelle date pour que soient honorées les victimes de l'esclavage partout en France.

Une région française des Caraïbes

Comme la Martinique, la Guadeloupe devient un département français d'outre-mer en 1946. La départementalisation fait naître de grands espoirs, mais ne résout rien dans l'immédiat. Il faudra attendre 1996 pour que le SMIC soit aligné sur celui de la métropole...

Les Antilles françaises montent d'un rang en acquérant, en 1982, le statut de région. Aujourd'hui, ce statut institutionnel semble avoir montré ses limites, et les trois régions françaises de la Caraïbe (Guadeloupe, Martinique et Guyane) se sont mises d'accord pour signer, le 1er décembre 1999, la déclaration de Basse-Terre, réclamant au gouvernement une plus grande autonomie interne. Mais le référendum organisé en décembre 2003 dans le but de doter la Guadeloupe et la Martinique d'une collectivité unique (se substituant donc dans chaque île au conseil régional et au conseil général) s'est soldé par un refus massif, notamment en Guadeloupe (73 % de « non »). Les scrutins favorables de Saint-Martin et Saint-Barthélemy, devenues « collectivités d'outre-mer » en 2006, n'ont rien changé à la donne. Après la Corse, les Antilles ! Et de deux refus de tentative de décentralisation ! Un sérieux camouflet pour « la Dame », la présidente historique du conseil régional de Guadeloupe, Lucette Michaux-Chevry, qui avait fait de son combat pour le « oui » une affaire personnelle. Mais beaucoup ont craint de lui donner trop de pouvoirs, et sans contrepartie... Il faut dire que l'avenir institutionnel de l'île, en cas de « oui », n'était pas très clairement défini, les adversaires de la réforme profitant de ce flou pour attiser les peurs au sujet d'un possible « largage » de la Guadeloupe par Paris... Enfin, en 2004, dernier acte : les élections régionales voient « la Dame » définitivement écartée du jeu politique et remplacée par Victorin Lurel, son opposant de gauche.

2004 : *annus horribilis*

Les Guadeloupéens n'ont pas gardé le meilleur souvenir de 2004, « année de tous les excès ». Le ciel tout d'abord : les pluies ne laissèrent guère de répit à l'archipel et novembre est resté dans les annales : le 21 de ce mois, il était déjà tombé 500 mm à Sainte-Rose (moyenne mensuelle habituelle : environ 210 mm). La succession de cyclones sur la Floride, ces phénomènes à répétition n'ont pas épargné la Guadeloupe : *Jeanne* n'y est pas allée de main morte dans la région de Pointe-Noire (en septembre) et les orages n'ont jamais été aussi nombreux. Qui a dit « changement climatique » ?

La terre ensuite : un séisme d'une magnitude de 6,3 sur l'échelle de Richter secoue l'archipel toujours le 21 novembre. Triste loi des séries. L'épicentre se situant entre les Saintes et la Dominique, à 10 km de profondeur, ce sont les îles de Terre-de-Haut et de Terre-de-Bas, ainsi que Trois-Rivières, Gourbeyre et Capesterre (sur Basse-Terre) qui sont les plus touchées : un mort, des dizaines d'habitations détruites ou fissurées et de nombreuses routes emportées... par les trombes d'eau incessantes !

Alors que les répliques durent plusieurs semaines après le tremblement de terre (plusieurs milliers en tout, fortement ressentis aux Saintes), fin novembre, les dockers de Pointe-à-Pitre continuent tête baissée une grève entreprise 2 mois plus tôt, bloquant entièrement l'économie de l'île : pas un seul conteneur ne peut entrer ou sortir du port, vidant les rayons des supermarchés (premières victimes, les petites îles comme... les Saintes, évidemment !), ruinant bon nombre de petites entreprises (adieu les exportations juteuses de rhum pour Noël par exemple) et retardant tous les travaux de réparation des dégâts de *Jeanne*.

INFOS EN FRANÇAIS SUR TV5

La chaîne TV5MONDE est reçue dans de nombreux hôtels du pays et disponible dans la plupart des offres du câble et du satellite.
Si vous êtes à l'hôtel et que vous ne recevez pas TV5MONDE dans votre chambre, n'hésitez pas à la demander ; vous pourrez ainsi recevoir 18 fois par jour des nouvelles fraîches de la planète en français.
Pour tout savoir sur TV5, connectez-vous à ● tv5.org ●

LANGUE

C'est la cerise sur le gâteau du voyage. Chuintant, chantant, tout en voyelles et sans aspérité, en remplaçant les « r » par des « w », avec des finales un peu traînées comme un hamac qui se balance : l'accent créole, c'est déjà les îles. Joséphine de Beauharnais, la belle Martiniquaise, en tira beaucoup de son charme. Les békés pure souche parlent aussi avec l'accent créole, et cela peut paraître insolite aux visiteurs de l'île de l'entendre sortir de la bouche d'une ravissante créature au teint clair, aux cheveux blonds et aux yeux bleus. Mais si l'on peut penser que les Anglais parlent avec une patate chaude dans la bouche, les créoles, eux, auraient plutôt du miel sur la langue.
Et pour ponctuer tout cela, des gestes, des rires rocailleux, des expressions imagées qui évoquent la Vieille France d'outre-mer. Ainsi, on se donne à tout propos du « mon cher », « ma chère », beaucoup de « d'accord » et de « voilà », et quand la maraîchère vous dit « mon doudou », on lui achèterait volontiers tous ses fruits. Autres exemples : la bonne est restée la « servante », et l'« habitation » désigne toujours la plantation des colons d'autrefois. L'écrivain martiniquais Raphaël Confiant fait remarquer que « le créole est un fantastique conservatoire à la fois d'ancien français et d'expressions normandes, poitevines et picardes », estimant que le français enrichi par ces expressions retrouve « la vitalité qui était la sienne à l'époque de Rabelais ». Avec la langue créole, vous risquez d'en rester longtemps au B.A.-BA. L'étranger n'entend goutte à ce français nasalisé (exemple : « zanmis », les amis ; « lanmé », la mer), émaillé de mots anglais, espagnols, caraïbes, africains et d'idiotismes purs. De La Réunion jusqu'à Haïti (où il est cependant très différent de celui des Antilles), il est le trait d'union entre les îles. Le créole passait autrefois pour du « petit nègre » ; aujourd'hui, les linguistes les plus reconnus affirment haut et fort que chaque créole (puisqu'il en existe autant que de lieux distincts) est une langue à part entière, née de la nécessité pour les esclaves de communiquer entre eux. En effet, le brassage des esclaves, voulu par les négriers, les isolait de leurs communautés d'origine. Les

PLANS ET CARTES
EN COULEURS

ANGUILLA — Saint-Martin (Fr. et P.B.)
— St-Barthélemy (Fr.)
Saba (P.B.)
St-Eustache
St Kitts
Nevis
Barbuda
ANTIGUA ET BARBUDA
Antigua
OCÉAN ATLANTIQUE
NORD
Montserrat (R.U.)
GUADELOUPE (FR.)
La Désirade
Pointe-à-Pitre
Marie-Galante
Les Saintes
DOMINIQUE
MER DES ANTILLES
Fort-de-France
MARTINIQUE (FR.)
STE-LUCIE
100 km

SOMMAIRE

LES ANTILLES

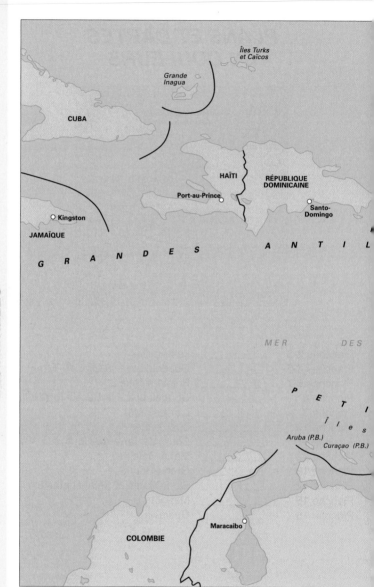

Îles Turks
et Caïcos

Grande
Inagua

CUBA

HAÏTI

RÉPUBLIQUE
DOMINICAINE

Port-au-Prince

Santo-
Domingo

○ Kingston

JAMAÏQUE

G R A N D E S   A N T I L L

MER   DES

P E T I

Î l e s

Aruba (P.B.)

Curaçao (P.B.)

Maracaibo ○

COLOMBIE

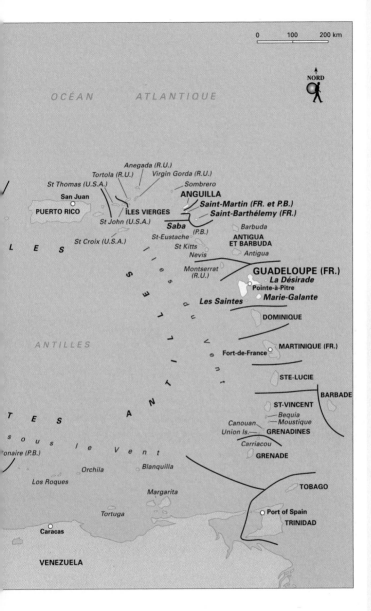

LES ANTILLES

4

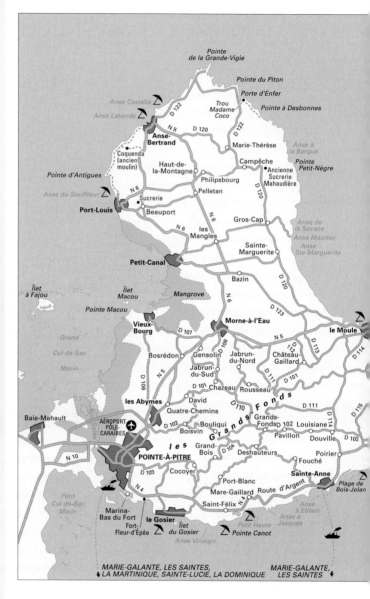

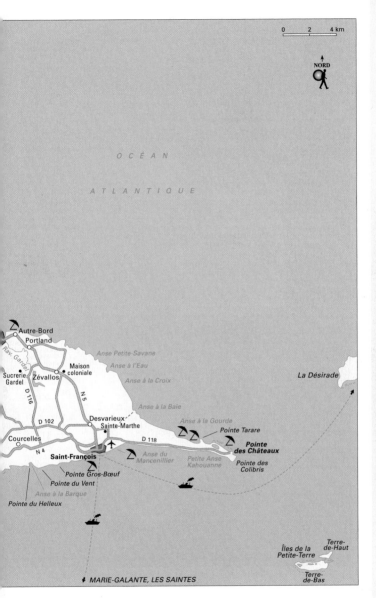

GUADELOUPE – LA GRANDE-TERRE

POINTE-À-PITRE

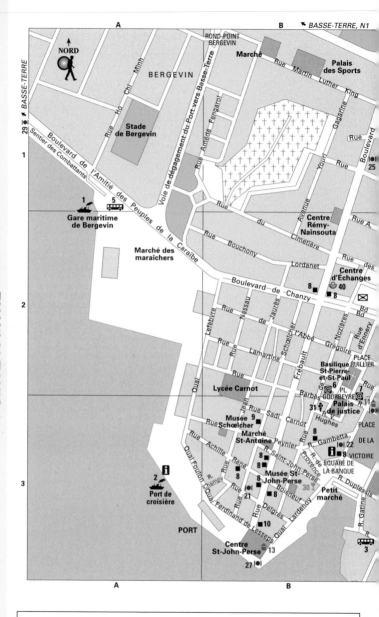

NORD

BERGEVIN

ROND-POINT
BERGEVIN

Marché

Palais
des Sports

Stade
de Bergevin

BASSE-TERRE

29

Boulevard de l'Amitié des Peuples de la Caraïbe

Sentier des Combattants

1
Gare maritime
de Bergevin

5

Marché des
maraîchers

Voie de dégagement du Port vers Basse-Terre

Rue Amédée Fengarol

Rue Martin Luther King

Rue Gagatine

Boulevard

Rue

25

Rue du Cimetière

Centre
Rémy-
Nainsouta

Rue A.

Rue des

Rue Bouchony

Lordanet

Centre
d'Échanges

8   40
8

Boulevard de Chanzy

Rue Nassau

Rue de Jautés

Rue Lefebvre

Rue Lamartine

Rue Schœlcher

Rue l'Abbé Grégoire

Rue Frébault

Rue Nozières

Bd
Bd

Rue d'Ennery

PLACE
RUILLIER

Basilique
St-Pierre-
et-St-Paul
6

PL.
GOURBEYRE

7

Rue

Lycée Carnot

Rue Jean Jaurès

Rue Sadi Carnot

Rue Barbès

31

Palais
de justice

PLACE
DE LA
VICTOIRE

Musée
Schœlcher

9

Rue Peynier

Rue Hughes

Marché
St-Antoine

R. Saint-John-Perse

8

8

R. Gambetta

8   22

Musée St
John-Perse

Rue Achille René Boisneau

Rue de Provence

SQUARE DE
LA BANQUE

8

8

8

Rue Boisneuf

30

Petit
marché

R. Duplessis

Rue Champy

Quai Foulon

Quai Ferdinand de Lesseps

2
Port de
croisière

21

8

8

Rue Delgrès

Rue Lardenoy

Quai Lardenoy

R. Gatine

10

PORT

Centre
St-John-Perse

13

3

27

A   B

Adresses utiles

🅸 Comité du tourisme
des îles de
Guadeloupe

✉ Poste

⛴ 1 Gare maritime de
Bergevin

⛴ 2 Port de croisière

🚌 3 Bus pour le sud
de la Grande-Terre,
Le Gosier, Sainte-Anne
et Saint-François

🚌 4 Bus pour Le Moule,
Anse-Bertrand,

Les Abymes, Morne-à-l'Eau
et tout le nord de la
Grande-Terre

🚌 5 Bus pour la Basse-Terre
(par le nord ou la route
de la Traversée)

🖥 6 Cyb@rt

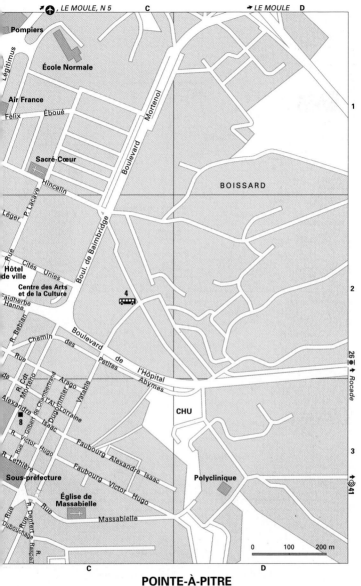

POINTE-À-PITRE

- **📷 7** Cyber Ka
- **8** Banques et distributeurs de billets
- **9** Librairie générale Jasor
- **10** Riverain Tours

🛏 Où dormir ?

- **11** Bella Vita
- **13** Hôtel Saint-John Perse

🍽 Où manger ?

- **11** Bella Vita
- **21** L'Acacia
- **22** Délifrance
- **25** Sucré Salé
- **26** Espérat
- **27** La Canne à Sucre
- **29** Chez Dolmare

🍷 🍦 Où boire un verre ?
Où manger une glace ?

- **30** Cha-Cha Café
- **31** Chez Monia

🛍 Achats

- **40** Moradisc
- **41** Schip-O-Case

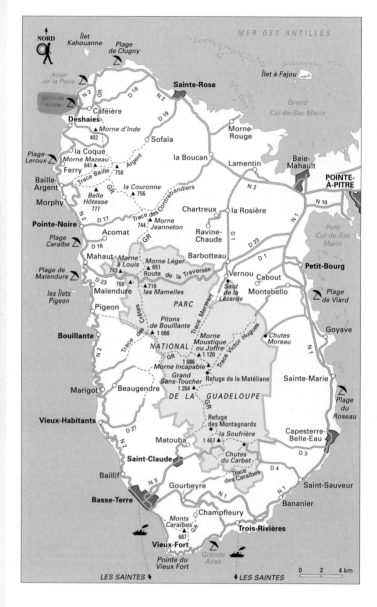

GUADELOUPE – LA BASSE-TERRE

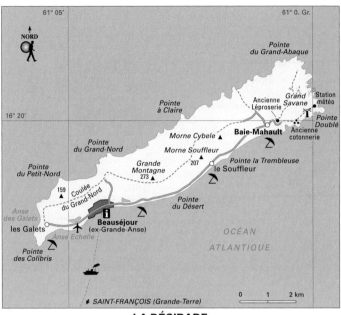

LA DÉSIRADE

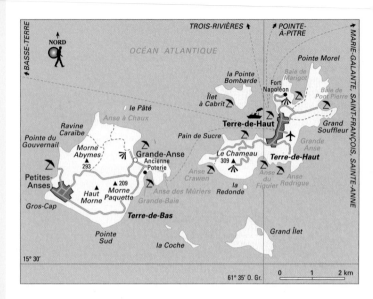

LES SAINTES

REPORTS AU PLAN DU BOURG DE TERRE-DE-HAUT

■ **Adresses utiles**

- 🛈 Office de tourisme
- ✉ Poste
- ⚓ Embarcadère
- ✈ Aérodrome
- **1** Médecin : Dr Ballabriga
- 📷 **2** Yacht Club Services
- **3** Distributeur de billets
- **4** Pharmacie
- **5** Médecin : Dr Cassin
- 📷 **6** Cyberc@fé
- **8** Chalet de nécessité
- **9** Les Saintes Travels services

🛏 **Où dormir ?**

- **10** Bungalows Là-Haut, chez Brigitte
- **11** Villa Anse Caraïbe
- **12** L'Allée des Hibiscus, chez Mme Bonbon ; Chez Pierrot, chez Brigitte et Pierre Hajjar
- **13** Gîtes, chez M. Péderne
- **14** Location de bungalows, chez Jacky
- **15** Chez M. Nicol Cassin
- **16** Résidence Iguann'la
- **17** Auberge Les Petits Saints
- **18** La Villa du Mas Sucré
- **20** Hôtel Cocoplaya
- **21** Chez Line
- **22** La Petite Maison des Saintes

🍴 **Où manger ?**

- **6** Le 3 Boats
- **17** Auberge Les Petits Saints
- **19** Le Quai des Artistes
- **30** Le Triangle
- **31** La Toumbana
- **32** Le Fournil de Jimmy
- **33** La Saladerie
- **35** Le Palmier, Chez Pipo
- **36** Le Génois
- **37** Ti Kaz' La
- **38** Café de la Marine
- **39** Solé Mio

🍷 🍦 **Où boire un verre ?**
Où déguster une glace ?

- **41** Coconut's, Chez Cécile
- **42** Tropico Gelato

🏺 **Achats**

- **60** Kaz An Nou
- **61** La Boutique

● **Plongée sous-marine**

- **50** Pisquettes
- **51** La Dive Bouteille

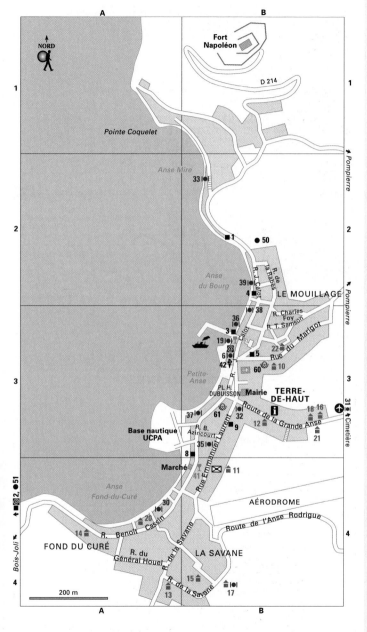

BOURG DE TERRE-DE-HAUT

MARIE-GALANTE

MARIE-GALANTE

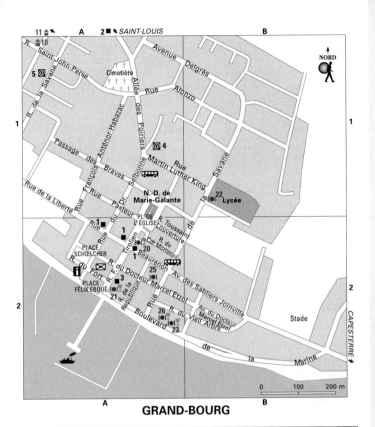

GRAND-BOURG

■ **Adresses utiles**

🛈 Office de tourisme
✉ Poste
⚓ Embarcadère
🚌 Arrêts des bus
1 Distributeurs de billets
2 Station-service
3 Riverain Tours
📷 **4** MGSI
📷 **5** ELI

🛏 **Où dormir ?**

10 Le Cerisier Créole,
chez M. Guy Frenet
11 Résidence L'Oasis

🍽🍷 **Où manger ?**
Où boire un verre ?

20 Le Soleil Levant
21 L'Ornata
22 Le Filao, resto du lycée hôtelier
23 Footy
25 Maria-Galanda
26 La Brise de Mer

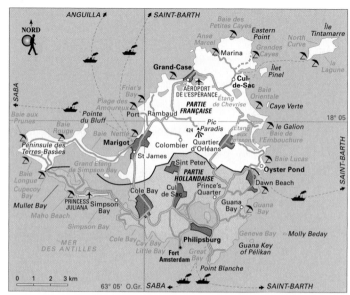

SAINT-MARTIN

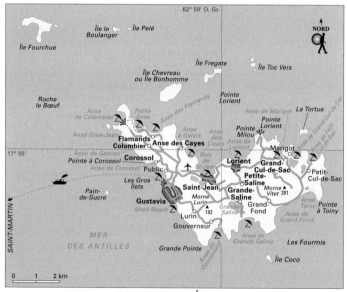

SAINT-BARTHÉLEMY

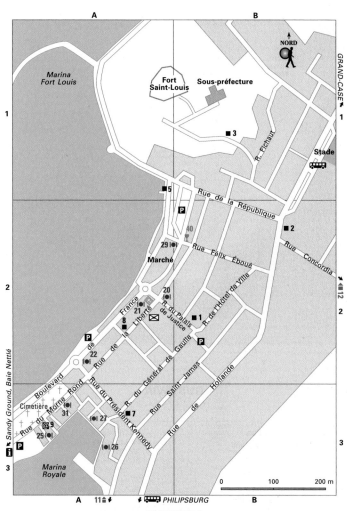

MARIGOT

MARIGOT

■	**Adresses utiles**	12 Les Frangipaniers et Domotel

Adresses utiles
- 🛈 Office de tourisme
- 🚌 Bus
- ✉ Poste
- 1 Mairie
- 2 Gendarmerie
- 3 Hôpital
- 5 Embarcadère toutes destinations
- 7 Air France – Air Caraïbes
- 8 Librairie La Presse
- 📷 9 APS Cybercafé

🏨 **Où dormir ?**
- 11 Fantastic Guesthouse

12 Les Frangipaniers et Domotel

|●| **Où manger ?**
- 20 La Parisienne
- 21 Durreche
- 22 Claude Mini-Club
- 25 La Petite Auberge des Îles
- 26 Le Chanteclair
- 27 La Main à la Pâte
- 29 Les *lolos*
- 31 Zee Best

🍸 **Où boire un verre ?**
- 40 Arh A Wak

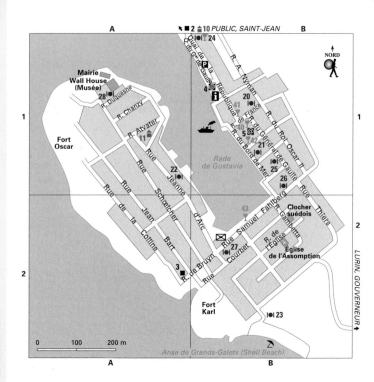

GUSTAVIA

■	**Adresses utiles**		**21** L'Entracte
	🛈 Office de tourisme		**22** La Saladerie
	✉ Poste		**23** Do Brazil
	⚓ Embarcadère		**24** Le Repaire... des Rebelles
	2 Pharmacie		et des Émigrés
	3 Hôpital		**25** Le Pipiri Palace
	4 Centre @lizés		**26** Eddy's Restaurant
	5 L'Odyssée du Jeu		**27** Au Port
			28 Le Wall House

⌂ Où dormir ?
  10 Sunset Hotel
  11 La Presqu'île

Y Où boire un verre ?
  40 Le Sélect
  41 L'Oubli
  42 La Cantina
  43 La Bête à Z'ailes

|●| Où manger ?
  20 Crêperie de Gustavia

Africains venaient d'ethnies différentes et ne se comprenaient donc pas entre eux. On pense qu'en une ou deux générations le créole est né ainsi, sur la base de langues africaines, avec un vocabulaire emprunté en grande partie à la langue des maîtres et des contremaîtres. Aujourd'hui, on l'enseigne, on l'édite, on le diffuse avec la fierté d'une langue nationale.

Pour ceux qui voudraient en savoir un peu plus, deux dictionnaires : le *Dictionnaire élémentaire français-créole,* de Pierre Pinalie (L'Harmattan) et le *Dictionnaire créole-français (Guadeloupe)* de R. Ludwig, D. Montbrand, S. Telchid et H. Poullet (Servedit, Éd. Jasor, 1990). Il existe même *Le Créole guadeloupéen de poche* (Éd. Assimil).

LA GUADELOUPE (GÉNÉRALITÉS)

Leçon de créole guadeloupéen – vocabulaire

Môn	petite montagne isolée
Kaz (Kay en Martinique)	récif (en mer), maison (sur terre)
Yen-yen	moustique minuscule
Ouassou	grosse écrevisse (roi des sources)
Zabitan	petite écrevisse (les z'habitants des rivières)
Chomé	s'amuser
Ti-bo	petit baiser
Pa mannyé mwen	laisse-moi tranquille (littéralement, ne me touche pas)
Pani pwoblém	pas de problème
Ka ou fé ?	comment ça va ? ou salut !
O-là ou Kalé ? (Koté ou kèy ? en Martinique*)*	où es-tu allé ?
Ou sa ou ka alé ?	où vas-tu ?
Ban mwen on ti-punch	fais-moi un ti-punch
An kay dômi	je vais au lit
Ban mwen on ti favè	fais-moi plaisir
Manman kochon	urne
Fé mannèv	se presser
La pli ka tonbé	il pleut
On moun	une personne
On pété-pyé	le dernier punch, celui qui « casse les jambes »
To, to, to	onomatopée typiquement créole pour annoncer son arrivée ou entrer chez quelqu'un
Lolo	minuscule épicerie

Proverbes créoles

– « Avan ou mayé sé chè doudou, apwè mayé sé si mwen té savé » : avant de te marier c'est chérie, après c'est si j'avais su.
– « Fam enmé kankan con mouch-an-miel enmé siwo » : les femmes aiment les commérages comme les abeilles le sirop.
– « Ravèt pa janmé ni wézon douvan poul » : le ravet (cafard) n'a jamais raison devant une poule.

LIVRES DE ROUTE

Littérature antillaise

Voir aussi la rubrique « Personnages célèbres ».
– **Le Siècle des Lumières** (1962), d'Alejo Carpentier ; roman. Gallimard, « Folio », n° 981 (463 p.) ; traduit par R.-L.-F. Durand. Si le mot baroque a un

sens, il s'applique à cet ouvrage du grand romancier cubain d'ascendance bretonne, juteux comme un fruit tropical, évocation inattendue de la Révolution française vue des Caraïbes, construit autour de la figure fascinante et inquiétante du révolutionnaire Victor Hugues.

– **Pluie et Vent sur Télumée Miracle** (1973), de Simone Schwartz-Bart ; roman. Seuil, « Points », n° 39 (255 p.) ; prix des lectrices de *Elle*. Née à Pointe-à-Pitre en 1938, Simone Schwartz-Bart a fait ses études à Pointe-à-Pitre, puis à Paris et à Dakar. Elle rencontre André Schwartz-Bart en 1957 et écrit avec lui *Un plat de porc aux bananes vertes* (1967). Puis elle prend son autonomie littéraire en 1973 avec *Pluie et Vent sur Télumée Miracle*, suivi en 1979 de *Ti Jean l'horizon*. Elle a également animé un restaurant « littéraire » à Pointe-à-Pitre, *Le Petit Démêlé* (tout un programme !), et tient aujourd'hui un resto sur l'îlet à Goyave. Son livre, évocation de la vie difficile d'une Guadeloupéenne, est un véritable chef-d'œuvre poétique, original et pittoresque.

– **Désirada** (2000), de Maryse Condé ; roman. Pocket, n° 10506 (280 p.). Maryse Condé suit le destin de trois générations de femmes marquées par l'exil et le déracinement. Marie-Noëlle, abandonnée à sa naissance, se met en quête de ses origines et, à travers la recherche de sa mère installée en métropole, remonte jusqu'à sa grand-mère, originaire de La Désirade. Un beau roman, sensible, qui interroge la condition de la femme guadeloupéenne.

– **Amers** (1957), de Saint-John Perse ; poésie. Gallimard (256 p.). Odes maritimes du grand Guadeloupéen.

– **Rêkòt** (1996), de Max Rippon ; poésie. Éd. Jasor, Pointe-à-Pitre. Poète guadeloupéen natif de Marie-Galante, Max Rippon marie la saveur du créole au français pour dire toute la Guadeloupe *(j'habite un papillon rouillé par les vents salés)*, ses cyclones *(siklòn Igò)*, ses habitants *(ami Saturnin et Manmzelle Magritte)* et ses bêtes *(waw-waw-waw, mheu mheu)*. Mieux vaut le chercher sur place qu'en métropole, où il semble difficile à trouver.

– **Tambour-Babel** (1996), d'Ernest Pépin ; roman. Gallimard (235 p.). Ce livre de l'auteur (né à Lamentin) de *L'Homme-au-bâton*, *Noir des îles* et *Coulée d'or* a reçu le prix RFO du livre 1997. C'est le récit du *léwoz*, le rassemblement traditionnel des joueurs de tambour virtuoses qu'on surnomme les *tanbouyés*. Héritée de l'Afrique, cette tradition rappelle l'époque où les esclaves n'avaient que ce canal sonore pour exprimer la pulsation de leurs cœurs. Ici, la langue française se tord et se transmue en mélopées créoles, envoûtantes, obsédantes, endiablées. Le lecteur n'a qu'à se laisser conduire au travers « d'une langue pour remplacer toutes les autres langues ».

– **L'Île et une nuit** (1995), de Daniel Maximin ; roman. Seuil, « Points », n° 1044 (176 p.). Un cyclone se dirige vers la Guadeloupe. Marie-Gabriel, jeune Antillaise est seule, barricadée dans sa maison. Pour apprivoiser sa peur, elle parle pendant 7 heures et 7 chapitres.

Livres pour la plage

– **Opération chien rouge** (1989), de Roger Martin ; polar. L'Harmattan (157 p.). Si vous passez par l'île de la Dominique, peut-être trouverez-vous un passant oisif qui vous racontera les événements dont l'île fut le théâtre en 1981 : ce petit point dans l'eau évita de justesse une invasion organisée par des mercenaires du Ku Klux Klan.

– **Le major parlait trop** (1959), d'Agatha Christie ; polar. Le Livre de Poche, n° 5957 ; traduit par C. Durivaux. C'est au *Golden Palm Hotel* de Saint-Honoré que miss Marple est venue exercer ses talents. Le beau temps et le farniente obligé l'ennuient. Par chance, le major Palgrave est retrouvé mort, suivi bientôt par une jeune servante antillaise.

– **Vivre et laisser mourir** (1954), de Ian Fleming ; polar. Plon ou Fleuve Noir. Le *commander* James Bond, alias 007, entame une chasse au trésor qui l'entraînera des plages dorées de Shark Bay aux fonds sous-marins truffés de requins et de barracudas, jusqu'à l'île de la Surprise pour un affrontement final rythmé par les tambours vaudous.

Et pour ne pas bronzer idiot...

– *Petite Histoire de la Guadeloupe* (1993), de Lucien-René Abenon. L'Harmattan. Des origines à nos jours, les événements, les dynamismes et pesanteurs qui ont présidé à l'évolution de la Guadeloupe. Un ouvrage de base pour mieux la comprendre.
– *Introduction à la sociologie et au développement de la Guadeloupe* (1995), de Rosan Rauzduel. Publisud. Pour une introduction, elle est assez poussée. Prenant en compte les plans économiques (notamment la dépendance politique et économique) et culturels (la difficile question de l'identité guadeloupéenne), une vue pertinente sur l'évolution sociale de la Guadeloupe. Et l'ambition d'aller de l'avant. Très intéressant.
– L'incontournable *Dictionnaire créole-français,* de Ludwig, Montbrand, Poullet et Telchid. Éd. Maisonneuve et Larose. Le créole s'affirme aujourd'hui comme langue à part entière, et le voici mis en forme et défini précisément.
– *Les Meilleures Recettes de la cuisine antillaise* (1998), de Christiane Roy-Camille et Annick Marie. Éd. Fleurus. Après avoir parcouru ce recueil gourmand, la cuisine antillaise n'aura plus de secret pour vous. Utilisé depuis 20 ans par les Antillais eux-mêmes (gage de qualité), il a récemment été réédité pour les métropolitains sous une forme nouvelle et originale, illustré d'étonnants dessins aux couleurs très locales. Ça change des traditionnelles photos des bouquins de cuisine !

MÉDIAS, PRESSE

Ils effectuent un réel service local et reflètent l'ambiance musicale et politique des îles.

Radio

Quelques fréquences parmi la bonne quarantaine de radios qui occupent la bande FM.
– *RFO* : 88.9, 97.0 et 97.4 FM. Bien pour écouter les infos locales.
– *Radio Caraïbe Internationale :* 91.5 et 106.6 FM. Utile pour connaître les bons plans qui occuperont vos soirées (clubs, bars, discothèques...).
– Nombreuses *radios* dites « *libres* » : *Zouk Radio* (94.6 et 103.0 FM), *Sun FM* (92.1 et 94.1 FM), *MFM* (92.5 et 92.9 FM), *Radyo Tanbou* (105.0 FM).
– *France-Inter* (pour les nostalgiques de la métropole) : 95.0 et 95.4 FM. Les mêmes émissions, aux mêmes horaires de la journée qu'en métropole. Magique !

Petits guides locaux

– Il existe des petits guides locaux distribués dans de nombreux endroits sur l'île : l'un répond au nom de *Ti Gourmet* (plusieurs éditions sur la Guadeloupe et ses îles). Gratuit, il présente plein d'informations utiles. Pour les adresses de restaurants, ce n'est toutefois pas une sélection objective puisque les restos qui y figurent ont payé très cher pour en faire partie. Faut bien vivre !
– Munissez-vous aussi, auprès des offices de tourisme et des grands hôtels, des cartes gratuites de chaque partie de l'île (de couleur bleue), utiles et bien faites. Si vous avez la chance de tomber dessus (il n'est pas facile à trouver), emparez-vous de l'indispensable *Guide du patrimoine,* également gratuit, qui décrit généreusement les centres d'intérêt de chaque commune de l'« île papillon », ainsi que leur histoire complète...

MUSIQUE ET DANSE CRÉOLES

Des enfants se déchaînent sous la véranda d'une case. Bidons, casseroles, balustrades, tout ce qu'ils trouvent est percuté en rythme. Et aucun passant ne se plaint du fracas.

Tandis que chez les colons on dansait le menuet et le quadrille, chez les esclaves on attachait plus d'importance au son du tambour et des percussions pour accompagner les danses rituelles : le *léwoz*, rythme guerrier (sur lequel on attaquait les plantations) ; le *kaladja*, symbole de la lutte en amour ; le *pajyanbel*, quand on coupe la canne ; le *toumblak*, danse d'amour, de fertilité, danse de la terre ; le *graj*, pour accompagner les travaux agricoles ; le *woulé* (ou valse créole) ; le *mendé* – après l'abolition de l'esclavage – qui accompagne le carnaval et le *gwo-ka* (ou « la voix de l'esclave ») ; on pense avoir retrouvé ses traces vers le golfe de Guinée ou dans le haut Dahomey. Le *gwo-ka* fut le premier moyen d'expression et de communication des esclaves débarqués aux Antilles au XVIIIe siècle. C'est un tambour fabriqué à partir d'un quart de tonneau (le « gros-quart », d'où *gwo-ka*) qui servait à transporter les salaisons. Transformé en « tam-tam », il devint ensuite le témoin vital de tous les actes importants de la vie quotidienne : naissances, travail, révoltes, veillées mortuaires... Symbole de chants incantatoires et de danses rituelles, son rythme reste très prisé – avec quelques variantes – en Haïti, à Cuba, au Brésil et aux îles Vierges.

Mais les danses à orchestre, plus gaies et plus profanes, tiennent le haut du pavé : valse, mazurka, polka (souvenirs des colons). Tonique et lascive, la *biguine* est même devenue le sport national des Antilles françaises. Le *zouk*, surtout, fait le régal des radios, le *zouk-love*, un zouk langoureux et moite, à danser « collé-serré ». Un des jeux favoris étant de réussir à danser avec sa ou son partenaire sur le même carreau et de surtout ne pas en sortir... ça crée des liens. Au début du XXe siècle, le mot *zouk* désignait un bal campagnard plutôt chaud, déconseillé aux femmes de la bonne bourgeoisie... on comprend pourquoi ! Malgré un retour aux racines – le *gwo-ka* –, l'influence des Grandes Antilles (salsa, reggae) domine la création musicale. *Malavoi, Difé :* dans l'Hexagone, la nouvelle musique antillaise est montée en puissance. Un groupe comme *Kassav* (zouk) peut se permettre de remplir le Zénith et de jouer les stars en Afrique. Tant mieux !

PERSONNAGES CÉLÈBRES

Écrivains

Il existe une littérature antillaise spécifique, écrite dans un français savoureux, car « créolisé » par des écrivains de talent. En Guadeloupe, ce sont les femmes qui tiennent le devant de la scène littéraire. **Maryse Condé, Dany Bébel-Gisler** et **Simone Schwartz-Bart** (respectivement nées en 1937, 1935 et 1938) sont les représentantes de la première génération des romancières guadeloupéennes, et **Gisèle Pineau** (née en 1956) illustre la seconde génération. Parmi les hommes, on compte **Daniel Maximin, Ernest Pépin** et **Max Rippon** (voir la rubrique « Livres de route »). Outre les thèmes qu'ils (elles) abordent – comme l'identité antillaise, le rapport à l'histoire, et en particulier l'époque de l'esclavage, les relations familiales très complexes –, les auteurs guadeloupéens se distinguent par leur langue. « Quand je parle français, *a déclaré Maryse Condé*, c'est un français que j'ai cannibalisé, réinterprété avec mon histoire, avec mon ethnicité, mon expérience particulière, ce n'est pas la langue coloniale, c'est devenu la mienne. » Beaucoup d'écrivains antillais peuvent souscrire à ces propos, et c'est aussi ce qui fait le plaisir de les lire.

– *Maryse Condé (née en 1937) :* enseignante à l'université de Columbia (New York), elle a pas mal bourlingué, notamment en Afrique (Guinée, Ghana) où elle a trouvé la matière de son roman le plus connu, *Ségou* (1984). Même si elle a quitté depuis longtemps la Guadeloupe, son île natale reste un sujet d'inspiration, notamment dans *Traversée de la mangrove* (Gallimard, « Folio », n° 2411, 1989), roman construit autour de la personnalité énigmatique d'un homme arrivé mystérieusement dans un village de la Basse-Terre, ou encore dans *Désirada*. Elle raconte d'une manière détaillée son enfance et sa jeunesse à Pointe-à-Pitre dans les années 1940-1950, au fil d'un court récit intitulé *Le Cœur à rire et à pleurer* (Pocket, 1999). Figure de la conscience noire et antillaise, elle a été choisie pour présider le *Comité pour la mémoire de l'esclavage*, créé dans la foulée de la loi Taubira en 2004. Et c'est elle qui a proposé en 2006 à Jacques Chirac la date du 10 mai fixant désormais la *Journée de commémoration de l'esclavage*.

– **Dany Bébel-Gisler** *(1935-2003) :* a travaillé ardemment à la reconnaissance de la langue créole, à travers ses activités de sociologie au CNRS, mais aussi au sein de l'Unesco. L'enseignement de son centre d'éducation populaire *Bwadoubout* est d'ailleurs dispensé entièrement en créole. Parmi ses œuvres les plus représentatives on trouve *Léonora : l'histoire enfouie de la Guadeloupe* (Seghers, 1985) et *Grand'mère, ça commence où la route de l'esclave ?* (Jasor, 1998), un texte illustré pour enfants.

– **Simone Schwartz-Bart** *(née en 1938) :* a raconté, dans *Pluie et Vent sur Télumée Miracle,* la vie d'une descendante d'esclaves, Télumée, et retracé la vie dans la Guadeloupe rurale du début du XXe siècle.

– **Gisèle Pineau** *(née en 1956) :* née en métropole, elle s'est installée en Guadeloupe pour des raisons professionnelles en 1980. Dans son roman *L'Espérance-macadam* (Stock, « Livre de poche », n° 14496, 1995), elle montre notamment l'envers du décor guadeloupéen (la misère, l'inceste, les cyclones), loin des clichés des catalogues de voyages. En 2000, elle s'est établie à Paris et a publié depuis *Chair Piment* (2002) et *Fleur de Barbarie* (2005). Changement de génération, Gisèle Pineau n'a aucune indulgence pour la société moderne qui broie les individus.

– **Saint-John Perse** *(1887-1975) :* celui qui allait devenir prix Nobel de littérature en 1960 est né Alexis Saint-Léger Léger. Son père est avocat, mais la famille, installée aux îles depuis le XVIIIe siècle, possède une caféière et une habitation sucrière. Le futur poète naît sur un îlet (et non au 54 de la rue Boisneuf, comme on le lit parfois) au large de Pointe-à-Pitre, lui aussi propriété de famille. En 1899, les Saint-Léger Léger, jugeant irréversible le déclin économique de la Guadeloupe, rentrent en métropole. Alexis Saint-Léger Léger entame en 1914 une carrière dans la diplomatie, qui le conduira à des postes de plus en plus élevés au Quai d'Orsay. Cet héritier d'une famille aristocratique (du côté maternel, un d'Ormoy avait carrément perdu sa particule pour avoir combattu contre les Anglais aux côtés de l'armée révolutionnaire), poète au style hiératique, au lyrisme assez hautain, était un homme de gauche, un des principaux artisans de la politique étrangère du Front populaire.

Jamais Saint-John Perse n'est retourné en Guadeloupe après 1899. On devine pourtant dans ses vers une nostalgie de l'enfance (*Éloges,* 1911), une attention particulière portée aux éléments (*Vents,* 1946 et *Amers,* 1957), et ce passionné d'ornithologie hantera souvent les îles de la Caraïbe dans les années 1950 et 1960... En 1964, après le passage d'un cyclone qui détruisit l'habitation Joséphine, ancienne propriété de la famille près de Matouba, c'est une certaine Jackie Kennedy, en visite en Guadeloupe, qui lui rapportera les nouvelles...

Personnages historiques

– **Victor Hugues** *(1762-1826) :* voilà un fervent révolutionnaire qui a laissé sa « trace » en Guadeloupe puisqu'un sentier de randonnée en Basse-Terre porte son nom ! Il est le premier, 54 ans avant Victor Schœlcher, à avoir proclamé l'abolition de l'esclavage en Guadeloupe. Né à Marseille, on le retrouve marin (corsaire ?) à Saint-Domingue puis boulanger à Port-au-Prince, avant que n'éclate la Révolution. Revenu en métropole, il devient accusateur public au tribunal de Rochefort où il se fait remarquer par sa fougue révolutionnaire. On l'envoie en Guadeloupe en 1794, en tant que commissaire de la République chargé d'appliquer l'abolition de l'esclavage votée en février 1794. Mais, surprise, lorsqu'il arrive début juin en vue de la Guadeloupe, l'île, entre-temps, a été prise par les Anglais. Il débarque au Gosier et déloge ces derniers en quelques semaines de la Grande-Terre. Il rallie des esclaves et s'attaque à Basse-Terre, faisant au passage de nombreux prisonniers parmi les royalistes qui étaient passés du côté anglais. Hugues avait apporté dans ses bagages la guillotine mais, avant même de l'installer place de la Victoire de Pointe-à-Pitre, fraîchement rebaptisée ainsi à la suite de son succès militaire, il fait fusiller 865 « collaborateurs » de l'ennemi, pour l'essentiel des planteurs. Ceux qui s'en sortirent filèrent en Martinique ou se réfugièrent dans les Grands-Fonds.

Fin 1794, Hugues est maître absolu de la Guadeloupe. La guillotine ne reste pas un privilège des Pointois, mais fait aussi le tour des villages. Les plantations sont mises sous séquestre, et Hugues, pour y maintenir les anciens esclaves, invente l'étrange notion de travail libre, étendue à tous, anciens esclaves ou anciens libres. Dans la ferveur patriotique, au rythme des chants révolutionnaires, chacun doit donner sa sueur pour la jeune République. Malgré la terreur qu'il fait régner, Hugues bénéficie d'une certaine confiance de la part de la population, constituant même une armée de couleur de 10 000 hommes qui impressionne les Anglais. Ces derniers encerclent l'île, tout en laissant Hugues faire des sorties (la guerre de course) pour desserrer l'étau. Mais le vent tourne bientôt. À Paris, on trouve ce Robespierre des Colonies un peu trop à l'aise dans ses fonctions, et le Directoire, fin 1798, le rappelle en métropole. Pas vraiment une disgrâce puisque Hugues rebondit, nommé « agent particulier » en Guyane, chargé d'y rétablir l'esclavage (!) et de développer cette colonie ingrate. Il y développe surtout sa propre fortune et se fait juger à Paris pour avoir trop vite cédé face aux Portugais. Il finira ses jours en Guyane, retournant s'y établir comme simple colon.

– **Victor Schœlcher** (1804-1893) : riche rentier, Victor Schœlcher a consacré de nombreuses années de sa vie à dénoncer inlassablement l'esclavage. Sensibilisé à cette injustice par un voyage aux Amériques en 1829-1830, il mène une campagne d'opinion dans la presse, puis écrit plusieurs ouvrages consacrés à cette question. Il se prononce en faveur de l'abolition immédiate de l'esclavage, alors que d'autres, acquis au principe, préféreraient une abolition progressive. Sous-secrétaire d'État aux Colonies dans le gouvernement issu de la révolution de 1848, il réussit à arracher l'abolition le 27 avril de la même année, malgré l'opposition des planteurs et le peu d'enthousiasme de certains membres du gouvernement qui craignent l'effondrement économique des îles. Les Guadeloupéens, au même titre que les Martiniquais et les Guyanais, lui en seront reconnaissants, puisqu'il sera élu dans les trois colonies à la fois. Il choisit de représenter la Martinique, pas pour longtemps car il s'exile à Londres de 1852 à 1870, en tant que républicain opposé à Napoléon III. Réélu député en 1871, puis sénateur inamovible, il lègue à la Guadeloupe, de son vivant, une partie de sa collection d'objets d'art qui est abritée dans le musée construit dans ce but à Pointe-à-Pitre, en 1883. Schœlcher est enterré au Père-Lachaise et ses cendres sont transférées au Panthéon en 1949. On a pu lui reprocher de n'avoir pas prévu d'accorder le moindre lopin de terre aux anciens esclaves pour leur permettre de subsister après avoir quitté les plantations. Il n'en demeure pas moins qu'il a été la conscience morale blanche qui a su mettre fin, grâce à un travail acharné, à un système dont beaucoup, à l'époque, refusaient d'admettre la barbarie. En Guadeloupe, on célèbre sa mémoire chaque année le 11 juillet, date anniversaire de sa naissance.

– *Le chevalier de Saint-Georges (1739-1799)* **:** un artiste si doué qu'on le surnomma le Watteau de la musique. Mulâtre guadeloupéen, il est le fils d'une esclave sénégalaise et d'un aristocratique planteur. Reconnu par son père, fait rare à l'époque, il reçut la meilleure des éducations dans l'esprit du Siècle des lumières. Il passa sa jeunesse sur l'île puis alla à Versailles. Violoniste exceptionnel, il fut le professeur de musique attitré de la reine Marie-Antoinette, composa de nombreux morceaux (on lui doit deux recueils de quatuors et dix symphonies concertantes) et faillit succéder à Lully à la direction de l'Opéra royal. Mais Louis XVI dut céder aux chantages de deux cantatrices qui refusaient d'être « dirigées par un Nègre »... Il fut proche de Danton, s'engagea dans la Révolution et créa la légion de Saint-Georges, composée d'un millier de hussards, en majorité des métis et des Noirs. Pour saluer sa mémoire, la rue Richepanse (Paris Ier) a été rebaptisée il y a quelques années rue du Chevalier-de-Saint-Georges. Le « Mozart noir » remplace ainsi un illustre général napoléonien envoyé en Guadeloupe en 1802 pour rétablir l'esclavage et mater dans le sang la rébellion des abolitionnistes.

Célébrités guadeloupéennes

– Les athlètes et les champions **:** *Roger Bambuck* fut champion olympique d'athlétisme, puis ministre des Sports. Née le 9 mai 1968 à Basse-Terre, on ne présente plus *Marie-Jo Pérec,* championne d'athlétisme qui remporta trois titres olympiques, dont le fameux doublé 200-400 m aux J.O. d'Atlanta en 1996. *Laura Flessel,* née en 1972 à Petit-Bourg, a été championne olympique d'escrime en 1996. Tenace et audacieuse, elle fut championne de France quatre mois après avoir accouché.
– Les footballeurs **:** *Marius Trésor* (né à Sainte-Anne) est un grand footballeur des années 1970. *Thierry Henry* est né en banlieue parisienne le 17 août 1977, mais ses parents viennent de Guadeloupe et ses grands-parents vivent à La Désirade. Attaquant au club anglais d'Arsenal, il a participé à la Coupe du monde 1998 et à celles de 2002 et 2006 dans l'équipe de France. *Lilian Thuram,* né le 1er janvier 1972 à Pointe-à-Pitre, est aussi un joueur de classe internationale et vainqueur de la Coupe du monde 1998. Sa famille habite Anse-Bertrand.
– Les vedettes du show-biz **:** *Corinne Coman,* authentique « beauté black », était déjà reine de beauté sur son île avant d'être élue miss France 2003. Chanteuse et « zoukeuse » de la nouvelle génération, *Tanya Saint-Val* fait partie des valeurs sûres de la variété antillaise.
– Les artistes **:** *Pascal Légitimus,* comédien et comique, membre du trio des *Inconnus,* est l'arrière-petit-fils d'Hégésippe Légitimus, homme politique guadeloupéen (socialiste) de la fin du XIXe siècle.
– Les politiques **:** *Lucette Michaux-Chevry* (née le 5 mars 1929) fut longtemps l'indéboulonnable présidente du conseil régional de Guadeloupe, avocate de profession et ancienne ministre, régulièrement inquiétée par la justice et « lâchée » par ses électeurs lors du référendum sur la réforme des collectivités antillaises en 2003, puis lors des élections régionales de mars 2004... Le président du conseil régional s'appelle *Victorin Lurel.* Issu d'une famille indienne, enseignant et auteur d'un livre sur l'« indianité », *Ernest Moutoussamy* (né le 7 novembre 1941) est entré en politique comme maire de Saint-François et député.

PERSONNES HANDICAPÉES

Chers lecteurs, nous indiquons par le logo ♿ les établissements qui possèdent un accès ou des chambres pouvant accueillir des personnes handicapées. Certaines adresses sont parfaitement équipées selon les critères les plus modernes. D'autres, plus simples, plus anciennes aussi, sans répondre aux normes les plus récentes, favorisent leur accueil, facilitent l'accès aux chambres ou au resto. Évidemment, les handicaps étant très divers, des lieux accessibles à certaines personnes ne le seront pas pour d'autres. Appelez auparavant pour savoir si l'équipement de l'hôtel ou du resto est compatible avec votre degré de mobilité.

Malgré les combats menés par les nombreuses associations, l'intégration des handicapés à la vie de tous les jours est encore balbutiante en France. Il tient à chacun de nous de faire changer les choses. Une prise de conscience est nécessaire, nous sommes tous concernés.

PHOTOS

Désormais, avec les appareils photo numériques, plus besoin d'anticiper la météo avant son voyage pour décider du matériel à emporter. L'appareil s'adapte à la situation et même au cœur de la tourmente, on peut réussir ses photos ! Cependant, pour les derniers inconditionnels de l'argentique, il est toujours judicieux d'emporter des pellicules de sensibilités différentes (les fameux ISO !). Si vous partez avec une dizaine de pellicules, prenez 6 pellicules 200 ISO (tout terrain), 2 pellicules 400 ISO (pour faire des photos le soir) et 2 pellicules 100 ISO (pour les paysages très ensoleillés et les portraits rapprochés).

POPULATION, HABITAT, VÊTEMENT TRADITIONNEL

Population

Un siècle et demi après l'abolition de l'esclavage, les poisons de l'intolérance ne se sont pas tout à fait dissipés. Subtiles distinctions de métissage (métis, mulâtre, quarteron, chabin, etc.), méfiance à l'égard des Indiens ou des Chinois... Les différentes communautés doivent encore apprendre à se connaître.

– *Grands Blancs, Blancs créoles* ou *Békés :* descendants des anciens planteurs, ils forment une véritable caste ; la plupart s'enorgueillissent d'être arrivés avant les Noirs. Et pour cause... Chassés ou décimés par la Révolution en Guadeloupe, ils sont plus nombreux à la Martinique, où leur pouvoir est décisif. Grands propriétaires ou gros commerçants, certaines familles ont acquis au fil des siècles des fortunes considérables et contrôlent toujours en grands seigneurs une partie de l'économie (banane, sucre de canne, rhum). Les *Békés* de la Martinique sont les *Blancs pays* à la Guadeloupe, bien que le terme de *Békés* y soit également utilisé.

– *Petits Blancs :* à Saint-Barthélemy, aux Saintes, à Marie-Galante et à La Désirade. Ils venaient de Bretagne et de Normandie, marins, flibustiers et colons. Ils ont préservé leur blancheur, garantie de leur identité culturelle (ce qui fait qu'ils se ressemblent tous comme des cousins). On les a longtemps appelés les « Békés goyaves », c'est-à-dire les Békés pauvres.

– *Blancs-Matignon :* un peu différents, il s'agit d'une communauté de paysans également à peau claire et à cheveux blonds, qui vivaient jusqu'à il y a peu encore dans des cases de misère. Rejetés par les Blancs et par les Noirs, ils se seraient réfugiés dans la région des Grands-Fonds. Dépossédés de leurs esclaves par l'abolition (la première en date, en 1794), ils furent ruinés et se replièrent sur eux-mêmes ; depuis, ils vivent toujours en autarcie. Ils seraient d'origine aristocratique, car ils s'appellent fréquemment Matignon, comme les comtes du même nom. Mais il y a pas mal de chances que ce nom vienne tout simplement d'un lieu-dit...

– *Noirs :* d'origine africaine, la population noire demeure la principale communauté de Guadeloupe. Elle s'est toutefois largement métissée avec le temps, comme en témoigne la richesse du vocabulaire censé distinguer les nuances de couleurs de peau et de statut social. Le *quarteron,* par exemple, est un métis qui ne compte qu'un seul Noir parmi ses grands-parents. À ne pas confondre avec les **mulâtres,** descendants d'une union « domino ». Ils furent à l'avant-garde du combat contre l'esclavage et représentent aujourd'hui la population la plus dynamique. Appelés « libres de couleur », ils auraient dû bénéficier dès le XVIIIe siècle de droits égaux à ceux des Blancs, mais, en réalité, les mesures discriminatoires furent maintenues jusqu'à l'abolition.

– **Indiens** ou **coolies :** arrivés sous contrat, près de 45 000 Indiens débarquèrent de 92 bateaux entre 1854 et 1889. Pour des raisons économiques, ils remplacèrent les esclaves noirs dans les plantations. La moitié d'entre eux (environ 20 000) moururent ; 8 000 repartirent aux Indes. Venus pour travailler la terre, les Indiens apportèrent leur culture, leurs coutumes et aussi leur cuisine. Aujourd'hui, ils forment environ 13 % de la population totale. Ils sont très présents dans le commerce, les professions libérales, la fonction publique et la politique. Malgré de gros efforts d'assimilation, ils restent un peu à l'écart. Sous l'égide de prêtres hindous venus de l'île de Trinidad, la religion suit une tendance libérale, où les sacrifices des animaux disparaissent petit à petit du culte.

– **Libanais** ou **Syriens :** ils composent une grande partie du petit négoce et de l'import-export (magasins de bijoux, vêtements et tissus) surtout à Pointe-à-Pitre.

– Si vous visitez les îles pour la première fois, vous serez peut-être surpris de ne pas trouver le tempérament créole plus avenant. Plutôt pudique et renfermé, un Antillais n'est en général pas du genre à vous raconter sa vie, à vous confier facilement ses sentiments ou à vous inviter à dîner chez lui dès la première rencontre. Le passé esclavagiste, et aujourd'hui le tourisme, ne facilitent pas les élans de générosité envers le Blanc. Aussi, ne vous attendez pas à être accueilli à bras ouverts pour la seule raison que vous venez de loin. C'est, hélas, parfois même le contraire.

L'avantage, c'est qu'on vous fiche la paix et qu'à la différence d'autres pays on ne vous accoste pas à tout moment pour vous demander d'où vous venez, comment vous vous appelez et si, accessoirement, vous ne voudriez pas visiter la boutique d'un ami. L'inconvénient, c'est bien sûr qu'on ne se sent pas toujours bien accepté. Mais puisque l'intégration n'est pas gagnée d'avance, des efforts d'humilité ne font pas de mal et la confiance gagnée a plus de saveur.

Habitat

Cases branlantes et crevassées de la Guadeloupe, églises rouillées aux rosaces d'acier, maisonnettes pastel des Saintes, sous ces tropiques humides, les architectures en bois font rarement belle figure. Et pourtant, les intérieurs sont toujours superbement astiqués. Le routard un brin observateur aura tôt fait de remarquer les curieux découpages qui ornent l'extérieur de certaines cases comme aux Saintes ou à Saint-François : les lambrequins (sorte de frise qui semble pendre du toit) finement ciselés s'appellent *gingerbread* (pain d'épice), qu'ils soient en bois ou en tôle. À côté du type d'habitat traditionnel privé, le plus souvent construit en bois, existe une infrastructure maçonnée dévolue au service public : le style Art déco s'est pleinement épanoui en Guadeloupe, répondant dans l'urgence aux reconstructions conséquentes aux différents cyclones qui ont frappé l'île au début du siècle. Cette révolution architecturale s'est réalisée sous l'impulsion d'Ali Tur, un architecte d'origine tunisienne, qui a ainsi façonné un nouveau visage à la ville de Basse-Terre et à l'île de Marie-Galante, notamment.

Il arrive aussi que les îles se souviennent de leur splendeur. Ici et là, d'antiques maisons coloniales font encore assaut de balustrades, de vérandas, de pignons blancs aux persiennes ajourées, et même d'abreuvoirs en marbre. Quelques vieilles *habitations* de pierre, au centre d'une plantation, font revivre l'enfer de l'esclavage. Voici les longs dortoirs où s'entassaient les Noirs, le moulin à eau, le tamis à café. Au fond, la maison du maître avec ses meubles coloniaux – lits à baldaquin, Joséphine (sorte de Récamier), etc. – que quelque charpentier de vaisseau tailla, jadis, dans l'acajou. Des cartes marines, des portraits de famille trônent dans les pièces sombres, où de savants jeux d'aération laissent fuser une brise légère. La plupart de ces *habitations* sont privées, d'autres converties en musée ou en hôtel de luxe. Faites l'impossible pour les visiter : elles constituent les seuls monuments des Antilles. Elles renferment leur mémoire. Dommage qu'elles nous offrent une vision exclusivement coloniale du patrimoine antillais. Dans les bourgs anciens et dans les campagnes, on peut voir à travers l'évolution de la case antillaise l'adaptation des gens du cru aux nouvelles façons de vivre. Case à deux pièces agrandie d'une terrasse, puis de deux, auxquelles on ajoute au fur et à mesure d'autres pièces. Si la plupart des Antillaises ont aujourd'hui une cuisine dans leur maison, à la campagne elles ont gardé l'habitude d'une cuisine extérieure où elles mitonnent des heures durant des petits plats sur des réchauds de charbon de bois.

Les communes ont en général une superficie assez étendue, en dehors du bourg proprement dit ; on parle de *sections*, là où les métropolitains parlent de quartiers. En campagne, les lieux-dits sont souvent nommés d'après l'*habitation* qui, avant l'abolition de l'esclavage, était l'unité autour de laquelle se regroupaient toutes les activités.

Vêtement traditionnel

Adieu foulards, adieu madras... Encore un coup de canif dans la carte postale ! Tout comme la coiffe en Bretagne, le costume des doudous n'est plus porté que par les dames très, très mûres. Pour être belle, autrefois, il fallait casser sa tirelire : superbe jupon de broderie anglaise, corsage décolleté, jupe ample en ***madras*** (un tissu mordoré à carreaux acclimaté ici par les Indiens), foulard triangulaire, grande robe chatoyante pour les fêtes, sans oublier un arsenal de bijoux en or (collier-chou, chaîne-forçat, etc.). Ce costume superbe se porte toujours pour les cérémonies, les fêtes (comme celle des cuisinières) et le carnaval. Les femmes arborent fréquemment leurs boucles d'oreilles... créoles comme on les appelle. Autrefois, ces parements étincelants étaient enroulés de fil noir en période de deuil.

Des lois interdirent le port du chapeau aux femmes affranchies de l'esclavage, et cela fut bien sûr ressenti comme une humiliation. Aussi les Créoles (les femmes nées aux Antilles) adoptèrent à la place la coiffe à pointes. Un travail d'artiste, où le nœud « à pointes » jouait discrètement les feux de signalisation ! Une pointe : « cœur à prendre » ; deux pointes : « cœur pris » ; trois pointes : « mes amours ne se comptent plus ». On savait donc que la femme qui le portait était mariée, célibataire ou provocante ! Les aïeules esquivent le problème avec un madras « prêt-à-coiffer », rigide comme un casque : la tête calandrée.

POSTE

– ***Affranchissement :*** identique à celui de la métropole.
– ***Code postal :*** 971.
– ***Postes :*** dans tous les bourgs. Les bureaux ferment le plus souvent vers 16h. Comme beaucoup d'administrations, fermeture le mercredi après-midi. On fait souvent la queue (préférer les petites postes, plus tranquilles, à celles de Pointe-à-Pitre ou de Basse-Terre, ou encore s'adresser aux bureaux de tabac et à certaines supérettes). Postes souvent équipées de guichets automatiques en service.

RELIGIONS ET CROYANCES

Adventistes, baptistes, méthodistes, témoins de Jéhovah... Une insularité en appelle une autre. Comme en Polynésie, les micro-églises sont ici chez elles. Pour beaucoup d'Antillais, en effet, la ferveur importe plus que le chemin. Dans les villages, la messe est suivie avec conviction : femmes en coiffe, messieurs endimanchés et marmots aux cheveux gominés... Chacun prend sa plus belle voix pour chanter les cantiques. Le jour de leur première communion, les jeunes filles portent de magnifiques robes blanches en dentelle. Les temples hindous, en revanche, vous feront regretter Bénarès. Malgré les tridents et les lingams kitsch et bricolés, le shivaïsme originel s'est corrompu au contact des chrétiens créoles. La grande fête s'appelle tout simplement *Bon Dieu Cooli* (le coolie, c'est l'Indien). Quatre jours de sacrifices (un mouton, un coq) et de danses rituelles en habits bariolés, qui peuvent aller jusqu'aux transes sacrées sur le tranchant d'un sabre.

Les premiers colons ont introduit et imposé le catholicisme aux esclaves marqués par leurs croyances africaines. Celui-ci, teinté de superstitions, leur a permis de conserver leurs croyances animistes en intégrant la religion des maîtres. Cependant, vos chances de croiser un *gadédzafé* guadeloupéen, ou encore un *quimboiseur* qui pratique le mauvais sort, sont minces. Les Guadeloupéens qui ont besoin de leurs services savent où les trouver. On les consulte toujours plus ou moins pour les mêmes raisons : l'argent et l'amour. Les recettes courantes consistent en la confection d'amulettes, de philtres, de tisanes ou de bains corporels à base d'herbes, comme le crésyl qui écarte le mauvais sort. Les pratiques plus noires en appellent à l'aide des morts pour éliminer un rival. Une touffe de cheveux, des rognures d'ongles, un peu de sueur, de salive, une photo ou simplement le nom de la personne sont utilisés pour diriger le sort sur la victime. L'effet psychologique est assuré, et c'est pourquoi certains sorts sont dévoilés. Un petit cercueil contenant un animal mort, un lézard par exemple, s'il est déposé devant la porte d'une maison, est un cadeau qui aura toutes les chances de terroriser son destinataire.

Aujourd'hui, on peut croire que le surnaturel se conjugue au passé. Mais les marchés sont toujours bien fournis en philtres – huile pour gagner au loto, lotion « ce-que-femme-veut » ou spray à bénédictions –, et les grands-mères préconisent encore le tulipier contre les zombies, les graines de bambou porte-bonheur, le ravet (cafard) cuit au lait et fourré dans l'oreille en cas d'otite. Leur jardin est une vraie pharmacie : feuilles de cacao contre les dermatoses, feuilles de corossol contre l'insomnie, vin de kola pour donner un coup de fouet et, pour les estomacs chamboulés, feuilles de fruit à pain ou gomme d'acajou.

Les Antillais entretiennent également un rapport étroit avec leurs morts. Pour vous en convaincre, observez l'importance des rubriques nécrologiques dans la presse ou à la radio. Les veillées mortuaires (qui se raréfient) servent à accompagner le mort jusqu'à sa dernière demeure, pour qu'il ne revienne pas, courroucé, tourmenter les vivants. Alors que dans la chambre on pleure le disparu, à l'extérieur de la maison, sous la véranda, la famille et les amis se réunissent pour parler, rappeler la mémoire du défunt et se raconter des histoires, terrifiantes ou drôles. Ils vont parfois rire et chanter. Ils vont manger et aussi boire du rhum. Avec, à chaque verre, une goutte versée à terre pour le mort.

Les esprits de la nuit

Aux Antilles, ils sont encore très présents. Ainsi, le mois de mai est-il celui de la *diablesse*. À la tombée du jour, celle-ci surgit dressée sur une charrette. Lancée au grand galop, elle fouette son attelage, crie à pleins poumons, frappe sur un tambour et entraîne avec elle l'esprit des hommes qui s'attardent sur sa beauté mulâtre. Il y a aussi ces gentils petits cochons, les *ti-cochons-sianes,* qu'on entend couiner au crépuscule autour de la maison. On ouvre la porte et il n'y a plus de petits cochons, mais seulement un grand type sans tête résolu à vous tordre le cou.

Sur ces îles où les trésors enfouis sont nombreux il y a, dit-on, « toujours un corps au-dessus de l'or ». Le *gardien de l'argent,* comme on l'appelle, est souvent un ancien esclave qui, ayant creusé le trou, fut remercié d'une balle de plomb pour sceller le secret. Son esprit veille sur le trésor et terrorise ceux qui le convoitent.

Mais les esprits les plus célèbres des nuits tropicales sont sans conteste les *zombis.* Ils ont aux Antilles un sens différent du vaudou haïtien et désignent divers grands diables des îles. Ainsi, les *soucougnans* sont des « engagés » qui possèdent le pouvoir de voler. Ils traversent les ténèbres en tournant comme une boule de feu. Les *morfoisés* (métamorphosés) quittent leur corps pour prendre l'apparence d'un animal : souvent un chien. Les Antillais n'ont pas oublié qu'au temps de l'esclavage les chiens servaient à traquer les « nègres marrons », et ils ne les aiment guère. Pour démasquer un *morfoisé,* il existe un moyen étonnant : le regarder à l'envers, la tête entre les jambes. Le *dorlis* est, quant à lui, une adaptation tropicale de nos incubes. Grâce à des pouvoirs conclus avec le démon, la nuit venue, il se glisse dans les maisons pour abuser des jeunes filles endormies. Celles-ci, pour s'en protéger, doivent revêtir une culotte noire à l'envers, ou y piquer sur le devant deux épingles à nourrice en croix. Durant la journée, on reconnaît, dit-on, un *dorlis* à son allure mélancolique, sa démarche lasse et ses yeux rougis par le manque de sommeil.

Les rencontres avec les esprits ont lieu la nuit. Ceux-ci quittent les cimetières pour se dérouiller les jambes et, accessoirement, terroriser les vivants. La mémoire collective antillaise a perpétué un ensemble de règles à respecter. D'abord, de manière paradoxale, il faut éviter les églises. Elles sont, la nuit, de vrais repaires à esprits. Également tous les endroits sombres, comme les ravins, les bois épais, les ruelles étroites ou le dessous des ponts. Après minuit, au milieu d'un pont, il n'est pas rare de trouver un cercueil illuminé de bougies. Une odeur subite de vernis à bois (celui dont on enduit les cercueils) indique qu'il vaut mieux décamper au plus vite. Éviter aussi de se promener avec une bouteille de rhum. Si, malgré tout, on croise un revenant, il convient de retrousser ses vêtements, ou d'arracher une touffe d'herbe avec un peu de terre accrochée. En dernier recours, faites un signe de croix.

Les rastas

Le rasta, pour la plupart des gens, est un joueur de reggae portant son bonnet comme un drapeau sur ses cheveux longs entrelacés en tresses très serrées *(dreadlocks)* en forme de lianes et enduites de pâte de cactus ou de cacao. Ce look de baba-cool tropical, popularisé par Bob Marley, Peter Tosh et Jimmy Cliff, cache pourtant une philosophie passionnante, érigée en culture et en mode de vie par de nombreux Noirs des Caraïbes, en majorité anglophones.

Né à la Jamaïque, ce mouvement religieux a gagné les autres villes anglophones en l'espace d'un demi-siècle. Contraction de *Ras Tafari,* titre de noblesse donné à l'empereur d'Éthiopie Makonnen, plus connu sous le nom d'Haïlé Sélassié, le rasta obéit à la doctrine fondée dans les années 1920 par le « prophète » noir américain Marcus Garvey. Ce leader nationaliste voua sa vie au peuple noir exilé, lui transmettant la connaissance de ses ancêtres et la nécessité de lutter contre l'asservissement. Les descendants de ceux qui furent déportés d'Afrique comme esclaves au XVe siècle se sont donc mis à potasser la Bible, seul ouvrage autorisé aux Noirs, y puisant toutes les références à la terre de leurs aïeux : l'Éthiopie. C'est ainsi que naquit une nouvelle religion, le « rastafarisme », qui mélange de façon souvent nébuleuse les préceptes hébraïques et d'incroyables extrapolations sur le couronnement du Négus. Haïlé Sélassié, « roi des rois » et despote éclairé, s'est ainsi retrouvé « Dieu vivant ». À tel point que sa mort, en 1975, fut niée par ses adorateurs !

Cette mystique particulière aux Antilles aura au moins eu l'intérêt de donner à la musique l'un de ses genres les plus originaux : le *reggae*. Né dans les années 1950 d'une imitation du *rhythm'n'blues* afro-américain, baptisé *ska* dans les années 1960 puis *rock steady* par la suite, le reggae est vite devenu la forme d'expression idéale des rastas. Et son chanteur-prophète le plus doué, Bob Marley, a naturellement pris la place d'Haïlé Sélassié dans le cœur des jeunes *rastamen*. Chantant l'exode de ses ancêtres, prêchant la pauvreté et vilipendant les représentants de Babylone la corruptrice, Marley a permis à des millions de Noirs exilés aux Antilles, en Grande-Bretagne, en France ou en Afrique de comprendre que « Dieu est homme » et qu'« un homme sage ne parle pas trop ».

Les rastas, avant tout non violents, croient donc au pouvoir pacificateur de la musique, observent un régime alimentaire très strict et préfèrent vivre sans travailler. Certains se contentent de vendre des fruits ou bien deviennent chauffeurs de minibus, comme à la Dominique. Le *sound system* (gros magnéto portatif) à fond, les *dreadlocks* au vent, ils mènent leur existence dans une extase permanente, à l'écart de la société de consommation. Vous les verrez (bien qu'ils soient très peu nombreux en Guadeloupe, car le contrôle antidrogue de la police et des douanes françaises les en a chassés !), la plupart du temps assis au bord de la route, l'œil rouge et le sourire béat. Leur occupation essentielle consiste à pratiquer un jardinage d'un genre particulier : ils plantent, cultivent et fument la *ganja,* une herbe qui n'a pas grand-chose à voir avec le gazon et qui procure un effet bœuf – du moins, à ce qu'on nous a dit.

Sur ce chapitre, il est utile de préciser que si la marijuana a, aux yeux des rastafaris, de nombreuses vertus (médicales, aphrodisiaques et autres), elle aura plutôt pour vous celle de causer des problèmes. Car, aux Antilles, entendez les Antilles françaises, donc en Guadeloupe, il est illégal de fumer (et bien sûr de vous procurer) tout dérivé du cannabis... N'appréciant pas que des Blancs s'intègrent au mode de vie rasta, les autorités ne ratent pas l'occasion de surprendre un routard en flagrant délit, le pétard à la main. Le contrevenant écopera donc d'une amende, voire d'une peine de prison... Les rastas sont donc partis du côté de la Dominique et de la Jamaïque, et ceux qui en ont le look sont généralement des musiciens ou des anciens groupies de Bob Marley. Dernière caractéristique : les rastas ont le temps devant eux, tout leur temps, voire plusieurs vies. Quelle chance !

SANTÉ

Département français, la Guadeloupe est soumise aux mêmes normes et réglementations sanitaires que la métropole. De plus, l'infrastructure médicale et hospitalière y est assez comparable (pour certains cas très spécialisés, rapatriement recommandé, mais à l'initiative des médecins locaux). Ainsi, les Antilles françaises sont à l'évidence l'endroit le plus sûr de la région à plusieurs milliers de kilomètres à la ronde. Les maladies infectieuses et parasitaires autrefois redoutées ont aujourd'hui disparu : paludisme, pian, filariose lymphatique, bilharziose intestinale, etc. Si bien qu'il n'y a quasiment plus de maladies spécifiques dans cette zone pourtant tout à fait tropicale. On retiendra néanmoins les points suivants :

– Un chiffre grave : les Antilles peuvent, les statistiques l'affirment, être considérées comme une des régions françaises les plus touchées par le virus du *sida,* juste avant l'Île-de-France. Malgré cela, les campagnes de prévention sont encore mal perçues, et l'usage du préservatif n'est pas vraiment banalisé. Pensez-y et n'oubliez pas votre imperméable.

– Gare au ***mancenillier*** (de l'espagnol *manzana*, qui signifie « pomme »). On trouve partout, principalement aux Saintes et à Saint-Barthélemy, surtout au bord des plages, ce petit arbre perfide qui ressemble comme un frère au pommier, fruits compris (à la taille près, ses « pommes » n'excèdent pas 2 à 4 cm de diamètre). Tout est toxique dans ce fichu végétal, de l'écorce à la sève, en passant par les fruits et même les feuilles. Non seulement il ne faut surtout pas y goûter, mais s'en approcher est dangereux (ils sont en général signalés). S'abriter sous ses branches par temps de pluie relève de la folie puisque l'eau, en ruisselant sur ses feuilles, entraîne des toxines qui provoquent de très graves brûlures, même au travers des vêtements. Bref, un arbre à fuir !
Si, en Guadeloupe, la plupart des mancenilliers sont bien signalés (pancarte ou tronc peint en rouge), rien ne les distingue dans les autres îles et notamment à Saint-Barthélemy où ils pullulent. Il faut donc ouvrir l'œil et, dans le doute, s'abstenir. Voici le signalement de l'ennemi n° 1 (des touristes) : tronc noueux tirant sur le gris, faible hauteur (2 à 5 m), feuilles arrondies et fruits alléchants ; pourrait passer inaperçu au cœur du bocage normand. Méfiance, sa petite pomme, surtout quand elle est bien verte, a la délicate odeur du pire des fruits défendus. Cela dit, aux Saintes on l'appelle le *médecinier,* car il est réputé pour éloigner les maladies !
– Beaucoup de ***plages*** sont également fréquentées par des chiens, lesquels y laissent des parasites qui peuvent pénétrer la peau des baigneurs (ou surtout des bronzeurs) ; il se développe alors une petite larve sous-cutanée qui donne de fortes démangeaisons *(Larva migrans).* Rien de grave, mais à éviter. Mettre des sandales pour marcher sur les plages, et avoir une natte pour s'y allonger.
– Évitez de vous rafraîchir les pieds dans des ***étangs*** d'eau douce ou de marcher dans la ***boue*** : si la bilharziose a disparu des îles, l'ankylostomiase et l'anguillulose peuvent encore s'attraper.
– Il n'y a pas de serpents venimeux en Guadeloupe.
– Certains ***poissons*** contiennent des toxines qui peuvent entraîner, en cas de consommation, des troubles parfois graves (paralysies, chutes de tension) et toujours désagréables (démangeaisons, fourmillements, vertiges, etc.). C'est ce que l'on appelle la *ciguatera* ou « gratte ». Éviter de manger des poissons avant de les avoir montrés à quelqu'un du coin, surtout si vous les avez pêchés vous-même.
– De temps en temps survient une épidémie de ***dengue,*** comme dans toutes les zones humides et chaudes du globe. Il s'agit d'une infection virale qui se traduit par les mêmes signes que la grippe, mais généralement en plus cogné (très forte fièvre). Cette maladie est transmise par un ***moustique.*** Il est recommandé de dormir sous moustiquaire dans les endroits où l'on n'a pas l'air conditionné. Les répulsifs et insecticides divers sont les bienvenus, d'autant plus que le moustique pique aussi le jour. Il est conseillé de s'enduire les parties découvertes du corps et de renouveler fréquemment l'application, toutes les 4h au maximum. L'idéal, c'est peut-être d'emporter des diffuseurs et des plaquettes antimoustiques pour pièce avec fenêtres ouvertes et si l'on a un bébé, de le faire dormir sous une moustiquaire imprégnée de produit.
Ces produits et matériels, ainsi que beaucoup d'autres utiles au voyageur et souvent difficiles à trouver, peuvent être achetés par correspondance :

■ *Catalogue Santé Voyage (Astrium) :* hotline gratuite : ☎ 01-45-86-41-91 *(lun-ven 14h-18h). Boutique : 30, av. de la Grande-Armée, 75017 Paris.* Ⓜ *Argentine. Lun-sam 10h-19h.* ● *infos@astrium.com* ● *astrium.com* ● *(infos santé voyages, consultation ou téléchargement du* catalogue et commandes en ligne sécurisées). Vente par correspondance de produits et matériel pour les voyages tropicaux. Livraisons *Chronopost* en 24h et *Colissimo Expert* en 48h pour la France métropolitaine. Expéditions DOM-TOM et à l'étranger.

– Attention enfin à tout ce qui fait le charme de ces îles : la superbe cuisine, souvent très pimentée ; les boissons abondantes et raides le « 'ti sec », rhum blanc que l'on boit dès le matin pour le « décollage » et les punchs que l'on propose tout le reste de la journée ; l'hygiène parfois limite de certains *lolos* (les municipalités font de plus en plus de contrôles et en suppriment un grand nombre ; un petit conseil : jetez un coup d'œil rapide en cuisine et aux wawas si vous avez un doute côté propreté, ça vous évitera des surprises doulou-reuses) ; le soleil, qui peut taper très fort ; les sports en chambre (préservatifs indispensables, comme partout du reste)...
– En plus de ces quelques conseils, il est recommandé d'avoir à jour ses vaccinations « universelles », déjà recommandées en métropole : diphtérie, tétanos, polio, hépatite B, et pour les séjours un peu longs, hépatite A.

SITES INTERNET

● *routard.com* ● Tout pour préparer votre périple. Des fiches pratiques sur plus de 180 destinations, de nombreuses informations et des services : pho-tos, cartes, météo, dossiers, agenda, itinéraires, billets d'avion, réservation d'hôtels, location de voitures, visas... Et aussi un espace communautaire pour échanger ses bons plans, partager ses photos ou trouver son compa-gnon de voyage. Sans oublier *routard mag*, ses reportages, ses carnets de route et ses infos pour bien voyager. La boîte à outils indispensable du routard.
● *lesilesdeguadeloupe.com* ● Site officiel du comité du tourisme. Présen-tation des îles et des sites touristiques, infos pratiques, activités sur terre et sur mer, culture, histoire, agenda, etc. Bien conçu.
● *guadeloupe-parcnational.com* ● Le site officiel du Parc national de la Guadeloupe. Pour tout savoir sur les randos, les sites, la réserve de Grand Cul-de-Sac Marin et les adresses labellisées par le Parc. Vivant et bien illustré.
● *terredavenir.org* ● Le portail écologique de la Caraïbe. Traite de l'écologie en Guadeloupe, mais aussi en Martinique et dans les Antilles en général. Nombreuses rubriques : *econews* (les infos), initiatives et action, santé, éco-tourisme, dossiers, archives, écoliens, etc. Pour que la Guadeloupe demeure un jardin d'Éden.
● *guadeloupe-info.com* ● Une mine d'infos en tout genre sur l'archipel. Propose des rubriques complètes sur la pratique de la voile et du surf, avec vidéos en prime. Fournit également une liste exhaustive des événements culturels à venir et des prévisions météo détaillées.
● *sailpilot.com* ● Indispensable pour tous les routards navigateurs, ce site actualisé régulièrement par une association de marins recense les plus bel-les escales, les ports et les points de mouillage, les clubs et les spots de plongée des Antilles. Il offre aussi de nombreuses infos très pratiques comme les formalités de douanes maritimes, les cartes satellite, les fréquences radio, la météo...
● *http://membres.lycos.fr/creoljo/index.html* ● Le site officiel des *Cahiers de la gastronomie créole* propose toutes les recettes de ti-punch et l'ensem-ble des plats traditionnels antillais, des entrées aux desserts.
● *destination-guadeloupe.com* ● Le site du trimestriel *Destination Guade-loupe* (disponible en métropole dans les kiosques). Plein d'infos pratiques thématiques (actu, visite, côté forêt, côté mer, etc.) et les archives de tous les dossiers spéciaux. Possibilité d'acheter la carte « Bons plans » qui donne accès à des réductions sur des transports, entrées diverses, restos.

SPORTS ET LOISIRS

Les Guadeloupéens sont des sportifs accomplis ; que serait par exemple l'athlétisme français sans eux ? Rien que dans les années 1990, si l'on dresse la liste des athlètes guadeloupéennes qui sont montées sur les podiums des plus grandes compétitions, on trouve Marie-José Pérec, championne olympique, championne du monde ; Christine Arron (née aux Abymes), championne d'Europe du 100 m et *recordwoman* d'Europe sur la même distance ; Patricia Girard, multimédaillée en 100 m haies et en relais... Et ça ne s'arrête pas à l'athlétisme... En escrime, Laura Flessel (née à Petit-Bourg), championne olympique et championne du monde à l'épée ; en football, Lilian Thuram (né à Pointe-à-Pitre), Thierry Henry (ses grands-parents vivent à La Désirade), piliers de l'équipe de France, championne du monde en juillet 1998... N'en déplaise à M. Georges Frêche.

Mais la Guadeloupe se caractérise aussi par l'esprit du jeu, d'une île, d'un village ou d'une case à l'autre, il règne sur les Antilles. Matchs de foot ou courses de chevaux, de chars à bœufs (chargés), de vélos, les compétitions chauffent à blanc. Et si quelques vies sont en jeu, les paris deviennent hystériques. Mais le summum de la barbarie reste le **combat de coqs** (importé aux Antilles par les Espagnols). Des coqs sélectionnés, nourris avec, entre autres, des capsules d'huile de foie de morue, partiellement rasés et massés avec des herbes et du jus de citron pour leur durcir la peau – l'opération en question s'appelant le *taponnage* – et dressés tout un mois à tuer. Comme à Bali ou au Mexique. Ces duels font rage le dimanche, de novembre à fin juillet, à raison d'une vingtaine par jour, dans les nombreux *gallodromes* (ou *pitts*) de Guadeloupe. Après le pesage des coqs, la foule s'entasse sur l'arène en bois. Dans les vapeurs de punch, les parieurs se passent la monnaie : les sommes sont parfois énormes. « Paille contre Cendré » : après leur avoir posé des ergots, on lâche les volatiles. On les excite avec des clochettes, des jurons, et bientôt, œil révulsé et chair de poule, les deux champions se volent dans les plumes. La foule hurle : « Ouayayaye ! » Moins de 10 mn après, le sang coule. Un spectacle cruel, mais pourquoi ne pas en parler puisqu'il fait partie, lui aussi, de la culture antillaise ?

Nos esprits européens ne manqueront pas de se poser la question : « Est-ce atroce ? Est-ce condamnable ? » Les membres de la Ligue de sauvegarde des animaux à plumes (LSAP) trouveront le phénomène intolérable. Les sociologues y verront une manière pour les hommes d'occuper leur temps et de libérer une bonne dose de violence. Ceux qui ont visité des abattoirs ou tout simplement assisté au gavage des oies ont cessé depuis longtemps de donner des leçons. Quoi qu'il en soit, c'est du sérieux. Il existe une Fédération départementale des tenanciers de gallodromes.

Dates et liste des gallodromes (*pitts*) à l'office de tourisme de Pointe-à-Pitre. De 6 à 20 € environ la place, selon le « rond » choisi (banc circulaire entourant la piste, comme au cirque). Sachez tout de même qu'il s'agit d'un spectacle qui est plutôt réservé aux Antillais. Ça n'empêche pas un *pitt* de l'île, comme par hasard celui du président de la Fédération, d'organiser des soirées dites « pédagogiques », avec historique, démonstration de combat, et d'annoncer un tarif gratuit pour... les enfants de moins de 6 ans ! Nous, on le déconseille aux touristes, sauf un nouveau genre de combat qui, lui, est inoffensif, et permet en outre de visiter l'élevage des champions : il a lieu à Marie-Galante (voir la rubrique « À voir. À faire » à Grand-Bourg) et consiste à remplacer les ergots d'acier par des mini-gants de boxe en cuir.

– **Les concours de bœufs tirants :** plus pacifiques (encore que...), assez spectaculaires aussi, mais dans un autre genre. Des attelages doivent accomplir un parcours en pente raide sur de courtes distances, 140 m en principe. Selon qu'ils sont minimes ou cadets, ils portent une charge de 1 440 ou 1 680 kg. On chronomètre la performance et la gloire va au « chauffeur » (ou charretier) qui remporte la compétition. À noter que le bœuf n'a droit qu'à douze coups de fouet maximum, ce qui est encore beaucoup. Certains voudraient faire évoluer les concours vers une formule qui se passerait de la bride et du fouet, pour supprimer toute violence et ainsi séduire davantage les métropolitains. La saison, très organisée, se déroule de mai à novembre-décembre (et il y a même des transferts de bœufs, comme au foot !).

Certains attelages portent des noms évocateurs : les Enfileurs de Petit-Canal, les Grimpeurs de Saint-François, les Frappeurs du Moule...

Randonnées pédestres

Il y a de quoi faire. Tout un choix de marches plus ou moins longues et difficiles (plus de 200 km de traces en Basse-Terre). Un topoguide, disponible en librairie ou point-presse des supermarchés, décrit d'ailleurs une vingtaine de randonnées en Basse-Terre... La chaleur, la déclivité et l'état parfois chaotique des traces peuvent rendre ces expéditions éprouvantes et dangereuses. Lire *Guadeloupe, Parc national mode d'emploi,* que vous trouvez également sur place. Surtout ne pas confondre « balade » et « randonnée ». Mais il y a quelques itinéraires bien pépères (niveaux précisés dans le dépliant).

En Grande-Terre, à Marie-Galante, aux Saintes ou à La Désirade, nous vous indiquons aussi quelques balades sympas, le plus souvent accessibles à tous.

– *Conseils :* dans tous les cas, ne partez jamais seul ; n'entamez jamais une randonnée après 15h30 ; prévoyez de bonnes chaussures de randonnée (sandales, nu-pieds, etc., sont à proscrire), un vêtement chaud et imperméable, un couvre-chef et de la crème solaire. Emportez à boire, bien évidemment, et un peu de nourriture. Par ailleurs, la végétation très prolifique et le climat particulier (cyclones, précipitations) modifient et détériorent souvent les traces jusqu'à les rendre impraticables. Le terrible séisme de 2004 en est l'illustration la plus douloureuse. Les dégâts occasionnés furent si importants que les principaux sites en subissent encore les conséquences : l'approche à moins de 200 m de la 2e chute du Carbet n'est plus possible et l'accès en voiture au pied du dôme de la Soufrière est désormais interdit (on ne peut s'y rendre qu'à pied). Il arrive aussi que des bassins se comblent (ne pas y plonger inconsidérément : la veille, on le pouvait, le lendemain on se fracasse le crâne !). D'une façon générale, soyez prudent dans ces bains naturels : eau brûlante et tourbillons. Mais le plus sûr est de TOUJOURS SE RENSEIGNER SUR L'ÉTAT DES TRACES AVANT TOUTE EXPÉDITION, auprès du Parc national de la Guadeloupe : ☎ 05-90-80-86-00 et 39.

– *Pluies :* pensez aussi aux pluies. Surveillez la météo (bulletin de prévision sur répondeur 24h/24 : ☎ 0892-680-808). Évitez de partir s'il a beaucoup plu. Se taper quelques kilomètres en terrain glissant, avec de la boue jusqu'aux genoux et des dangers de chute grave, n'est pas forcément une partie de plaisir. Si l'eau monte, surtout attendez la décrue. Dernier conseil : essayez de choisir une journée de ciel bien dégagé pour grimper à la Soufrière (si elle est accessible).

– *Insécurité :* chaque année, quelques agressions sont à déplorer dans le Parc, mais sachez que leur pourcentage est infime rapporté au nombre important de visiteurs qui en foulent les sentiers. Et puis l'insécurité est vraiment moindre si l'on compare avec la métropole... On conseille quand même de ne pas laisser d'objets de valeur dans les voitures, d'intégrer plutôt un petit groupe de randonneurs et de ne pas emporter de choses précieuses avec soi.

– *Cartes IGN :* avant le départ et sur place, vous pouvez acheter les cartes IGN n° 4602 GT (Nord, Basse-Terre), IGN n° 4605 GT (Basse-Terre, Soufrière, Saintes, PN de la Guadeloupe) qui sont au 1/25 000, et celle de la Guadeloupe au 1/100 000.

Guides professionnels

■ *Bureau des guides de randonnée pédestre :* cité Brunet, 97120 Saint-Claude. ☎ 05-90-81-98-28.

● *irene.henrimarie@wanadoo.fr* ● Contacter M. Henri Marie (☎ 05-90-80-16-09 ; ☎ 06-90-58-27-18), guide de montagne, responsable de l'association et spécialiste de la Soufrière (ne pas l'appeler pour lui demander l'état de la météo ou des traces, ce n'est pas sa vocation). Cette association propose une panoplie complète de randonnées en Basse-Terre (entre 1h et 5h de marche), à partir de 20 € par personne (5 randonneurs minimum, sinon 25 € pour moins de 5 personnes), encadrées par des guides de montagne professionnels. Ils sont très sérieux et maîtrisent à fond leur environnement. Pour plus de détails, voir la rubrique « À faire » à Saint-Claude.

■ *Nature Expérience (label Parc national de la Guadeloupe) :* 17, centre Saint-John-Perse, BP 351, 97183 Les Abymes Cedex. ☎ 05-90-20-75-78. 📱 06-90-83-58-35. ● NATURE-EXPERIENCE@wanadoo.fr ● Gerson Brudey propose de chouettes randonnées autour de la Soufrière (4 randonneurs minimum) pour une journée et demie de marche avec bivouac et pension complète. Également d'autres randonnées en Basse et Grande-Terre (4x4, VTT, kayak, etc.), ou des séjours découverte à thèmes dans les îles voisines : Marie-Galante, les Saintes, la Dominique et Sainte-Lucie.

■ *Vert-Intense (label Parc national de la Guadeloupe) :* route de la Soufrière, Morne Houël, 97120 Saint-Claude. ☎ 05-90-99-34-73. 📱 06-90-55-40-47. ● info@vert-intense.com ● vert-intense.com ● Randonnées pédestres, canyoning, VTT. Voir la rubrique « À faire » à Basse-Terre et à Bouillante.

■ *Canopée (label Parc national de la Guadeloupe) :* plage de Malendure, 97125 Bouillante. ☎ 05-90-26-95-59. ● canopeeguadeloupe@wanadoo.fr ● canopeeguadeloupe.com ● Intéressants parcours de canyoning encadrés et commentés avec passion par des moniteurs diplômés. Voir la rubrique « À faire » à la plage de Malendure.

■ *Jacky Action Sport (label Parc national de la Guadeloupe) :* 14, résidence Toussaint-Louverture, La Jaille, 97122 Baie-Mahault. ☎ 05-90-26-02-34. 📱 06-90-35-57-18. ● jacky.noc@wanadoo.fr ● aventure-guadeloupe.fr ● Selon votre niveau et vos envies, bon cocktail de randonnées pédestres, aquarandos, canyoning et mini-raids encadrés par les moniteurs diplômés d'État.

■ *Zion Trek (label Parc national de la Guadeloupe) :* route de la Soufrière, Morne Houël, 97120 Saint-Claude. ☎ 05-90-92-43-12. 📱 06-90-55-06-38. ● ziontrek@wanadoo.fr ● ziontrek-guadeloupe.fr ● Randonnées nocturnes sur le littoral de Trois-Rivières et découvertes approfondies de la Soufrière. Sérieux.

■ *Parfum d'Aventure-Évasion Tropicale :* Les Hauts de la Vallée d'Or, vers Sainte-Anne (mais téléphoner impérativement). ☎ 05-90-88-47-62. 📱 06-90-31-22-00. ● info@guadeloupecanyoning.com ● guadeloupecanyoning.com ● Organise des randonnées et des descentes canyoning encadrées par des pros, en différents endroits de l'île. Voir la rubrique « À faire » à Sainte-Anne.

■ *Club des Montagnards :* BP 45, 97120 Saint-Claude. ☎ 05-90-94-29-11. ● clubdesmontagnards.com ● Un club qui existe depuis une bonne centaine d'années ! Voir leur programme de sorties annuelles.

Plongée sous-marine

À l'eau, les p'tits canards !

Pourquoi ne pas profiter de votre escapade dans ces régions où la mer est souvent calme, chaude, accueillante, et les fonds riches, pour vous initier à la plongée sous-marine ? Quel bonheur de virevolter librement en compagnie des poissons, animaux les plus chatoyants de notre planète ; de s'extasier devant les couleurs vives de cette vie insoupçonnée... Pour faire vos premières bulles, pas besoin d'être sportif ni bon nageur. Il suffit d'avoir plus de

8 ans et d'être en bonne santé. Sachez que l'usage de certains médicaments est incompatible avec la plongée. De même, nos routardes enceintes s'abstiendront formellement de toute incursion sous-marine. Enfin, vérifiez l'état de vos dents, il est toujours désagréable de se retrouver avec un plombage qui saute pendant les vacances. Sauf pour le baptême, un certificat médical vous sera demandé, et c'est dans votre intérêt. L'initiation des enfants requiert un encadrement qualifié dans un environnement approprié (site protégé, sans courant, matériel adapté).

Non, la plongée ne fait pas mal aux oreilles ; il suffit de souffler en se bouchant le nez. Il ne faut pas forcer dans cet étrange « détendeur » que l'on met dans votre bouche, au contraire. Et le fait d'avoir une expiration active est décontractant puisque c'est la base de toute relaxation. Être dans l'eau modifie l'état de conscience, car les paramètres du temps et de l'espace sont changés : on se sent (à juste titre) ailleurs. En contrepartie de cet émerveillement, respectez impérativement les règles de sécurité, expliquées au fur et à mesure par votre moniteur. En vacances, c'est le moment ou jamais de vous jeter à l'eau... de jour comme de nuit !

Attention : pensez à respecter un intervalle de 12 à 24h avant de prendre l'avion, afin de ne pas modifier le déroulement de la désaturation.

En Guadeloupe, sa ka plonjé !

Bienvenue dans « l'île aux belles eaux » ! Baignée par l'océan Atlantique et la mer des Caraïbes, la Guadeloupe livre des fonds marins éclatants de richesse et de vie. Plongeurs débutants et confirmés évoluent dans un univers insolite, tapissé de nombreuses espèces de coraux et d'éponges aux formes étonnantes et variées. Une véritable mosaïque de couleurs vives, où batifolent des quantités de poissons tropicaux : poissons-papillons, anges, trompettes, poissons-perroquets, diodons, coffres, etc. ; mais aussi barracudas, thazars, carangues, mérous, murènes et tortues majestueuses... Certes, un type de corail brûle, quelques poissons (très peu) piquent, et l'on parle (trop) des requins... Mais la crainte des non-plongeurs est disproportionnée par rapport aux dangers réels de ce milieu. Bref, chausser les palmes en Guadeloupe est tout à fait irrésistible !

Bercés par des eaux chaudes (25-28 °C), limpides (visibilité de 15 à 30 m), et souvent peu profondes (souvent moins de 20 m), les spots offrent des conditions de plongée idéales et sécurisantes. La côte Sous-le-Vent (façade ouest), plus abritée, est très prisée des plongeurs, qui se rendent massivement à Malendure – haut lieu incontournable de la plongée en Guadeloupe – réputé pour sa fameuse « réserve Cousteau » (qui n'en est pas une !)... Mais il n'y a pas que Malendure dans la vie ! Et « l'île papillon » offre bien d'autres sites peu fréquentés, assez sauvages et d'une beauté tout aussi exceptionnelle. Le petit paradis sous-marin des Saintes, par exemple, s'impose comme un spot phare des Caraïbes, avec en point d'orgue son célèbre « Sec Pâté ». De même, Marie-Galante offre des sites absolument vierges, aux éponges fardées de couleurs éclatantes. Les arches sous-marines de Port-Louis sont étonnantes, alors que les spots de Saint-François, du Moule et de La Désirade demeurent dopés par les vigueurs de l'Atlantique. Enfin, la grande barrière de corail au large de Sainte-Rose permet des plongées sauvages en bordure de la réserve naturelle du Grand Cul-de-Sac Marin...

Vous l'avez compris, « l'île aux belles eaux » est une destination plongée par excellence. Sachez aussi qu'elle se prête admirablement au *snorkelling* (exploration des fonds avec palmes, masque et tuba seulement), que l'on conseille de pratiquer, pour plus de sécurité, avec les centres de plongée... Règle d'or : respectez absolument l'environnement fragile qui vous entoure. Ne prélevez rien (même pour faire un cadeau à votre moitié !), et attention où vous mettez vos palmes.

Les clubs de plongée

Ici, comme en métropole, certains clubs sont affiliés à la Fédération française d'études et de sports sous-marins (FFESSM), et d'autres rattachés à l'Association nationale des moniteurs de plongée (ANMP). L'encadrement – équivalent quelle que soit la structure – est assuré par des moniteurs brevetés d'État, véritables professionnels de la mer, qui maîtrisent le cadre des plongées, connaissent tous leurs spots « sur le bout des palmes », et affichent un souci permanent pour la protection des fonds marins. Aussi les routard(e)s s'adresseront-ils à eux en priorité.

Un bon centre de plongée est un centre qui respecte toutes les règles de sécurité, sans négliger le plaisir. Méfiez-vous d'un club qui vous embarque sans aucune question préalable sur votre niveau ; il n'est pas « sympa », il est dangereux ! Regardez si le centre est bien entretenu (rouille, propreté, etc.), si le matériel de sécurité – obligatoire – (oxygène, trousse de secours, téléphone portable, radio, etc.) est à bord. Les diplômes des moniteurs doivent être affichés. N'hésitez pas à vous renseigner, car vous payez pour plonger. En échange, vous devez obtenir les meilleures prestations... Enfin, à vous de voir si vous préférez un centre genre « usine bien huilée » ou une petite structure souple pratiquant la « plongée à la carte et en petit comité », très répandue en Guadeloupe. Prix de la plongée : de 45 à 55 € environ, en moyenne.

C'est la première fois ?

Alors, l'histoire commence par un baptême : une petite demi-heure pendant laquelle le moniteur s'occupe de tout et vous tient la main. Laissez-vous aller au plaisir ! Même si vous vous sentez harnaché comme un sapin de Noël déraciné, hors saison, tout cet équipement s'oublie complètement une fois dans l'eau. Vous ne devriez pas descendre au-delà de 5 m. Compter de 45 à 50 € environ pour un baptême (réduction pour les enfants). Puis l'histoire se poursuit par un apprentissage progressif...

Formation et niveaux

Les clubs de plongée délivrent des formations graduées par niveaux. Avec le *Niveau 1* (prévoir environ 6 plongées), vous descendez à 20 m accompagné d'un moniteur. Avec le *Niveau 2*, vous êtes autonome dans la zone des 20 m, mais encadré jusqu'à la profondeur maxi de 40 m. Passez ensuite le *Niveau 3*, et vous serez totalement autonome, dans la limite des tables de plongée. Pour ces deux derniers niveaux, il faut bien tabler sur une quinzaine de plongées (8 bonnes journées). Enfin, le *Niveau 4* prépare les futurs moniteurs à l'encadrement...

Le passage de ces brevets doit être étalé dans le temps, afin de pouvoir acquérir l'expérience indispensable. Demandez conseil à votre moniteur (il y est passé avant vous !). Tous les clubs délivrent un carnet de plongée indiquant l'expérience du plongeur, ainsi qu'un « passeport » mentionnant ses brevets.

Reconnaissance internationale

Indispensable si vous envisagez de plonger dans les îles des Caraïbes, hors Antilles françaises, ou partout ailleurs à l'étranger. Demandez absolument l'équivalence CMAS (Confédération mondiale des activités subaquatiques) ou CEDIP (*European Committee of Professional Diving Instructions*) de votre diplôme. Le meilleur plan consiste à faire évaluer votre niveau par un instructeur PADI (*Professional Association for Diving Instructors*, d'origine américaine), pour obtenir le brevet le mieux reconnu du monde ! En Guadeloupe, certains moniteurs d'État sont aussi instructeurs PADI, profitez-en. Sachez enfin que les brevets SSI *(Scuba Diving International)* jouissent d'une bonne reconnaissance internationale...

À l'inverse, si vous avez fait vos premières bulles à l'étranger, vos aptitudes à la plongée seront jugées – en Guadeloupe – par un moniteur qui, souvent après quelques exercices supplémentaires, vous délivrera un niveau correspondant...

Quelques lectures

– **Guide des poissons coralliens des Antilles,** par Christine et Lionel Parle. PLB Éditions.
– **Guide des coquillages des Antilles,** par J.-P. Pointier et D. Lamy. PLB Éditions.
– **Code Vagnon plongée Niveau 1,** par Denis Jeant. Éditions du Plaisancier.
– **Plongée Plaisir : de l'initiation à l'autonomie,** par Alain Foret. Éditions Gap. Existe pour tous les niveaux.
– En presse, les magazines : **Plongeurs International** et **Océans.**

Tour-opérateurs spécialistes de la plongée en Guadeloupe

■ **Blue Lagoon :** 81, rue Saint-Lazare, 75009 Paris. ☎ 01-44-63-64-10. ● blue-lagoon.fr ●
■ **Fun & Fly :** 55, bd de l'Embouchure, 31200 Toulouse. ☎ 0820-420-820 (0,12 €/mn). ● fun-and-fly.com ●
■ **Nouvelles Frontières Plongée :** 74, rue de Lagny, 93107 Montreuil Cedex. ☎ 0825-000-747 (0,15 €/mn). ● nouvelles-frontieres.fr ●
■ **UCPA :** 104, bd Blanqui, 75013 Paris. ☎ 0892-680-599 (0,34 €/mn). ● ucpa.com ●
■ **Aquarev :** 2, rue du Cygne, 75001 Paris. ☎ 01-48-87-55-78. ● aquarev.com ● Intéressantes croisières pour les plongeurs confirmés seulement (Niveau 2).

TÉLÉCOMMUNICATIONS

– De nombreuses cabines téléphoniques sont installées un peu partout mais, attention, elles fonctionnent toutes avec des cartes (achetez-les sur place, car elles sont vendues un peu moins cher qu'en métropole). Très pratique. Évidemment, n'appelez jamais depuis les hôtels. Coup de bambou assuré !
– **Métropole → Guadeloupe :** tarif plein (0,24 €/mn) du lundi au vendredi de 8h à 19h ; tarif réduit (0,19 €/mn) du lundi au vendredi entre 19h et 8h, et les samedi et dimanche toute la journée.
– **Guadeloupe → métropole :** tarif plein (0,22 €/mn) du lundi au vendredi de 8h à 19h ; tarif réduit (0,17 €/mn) du lundi au vendredi de 19h à 8h, et les samedi et dimanche toute la journée.
– **Bon plan :** France Télécom propose un forfait *Heures Tropic'France* à durée variable (de 30 mn à 5h) et le *Plan Malin* qui, pour 1,50 € de plus par abonnement mensuel, donne accès à un tarif toutes destinations de 0,14 €/mn. Il existe aussi des cartes téléphoniques prépayées, permettant d'importantes réductions pour les appels vers la métropole.
– **Téléphones portables :** pour bénéficier de l'option « Monde » à partir de votre portable, n'oubliez pas de joindre le service clients de votre opérateur et de recharger votre compte AVANT votre départ.

TRANSPORTS

– **Autobus :** plusieurs compagnies privées partent de Pointe-à-Pitre et de Basse-Terre. Elles desservent toutes les communes, même les « sections » (quartiers) excentrées. Horaires variables (pas affichés dans les « gares routières » qui n'en sont pas d'ailleurs, s'apparentant davantage à des parkings où les chauffeurs font ronfler leur moteur à qui mieux mieux), bonne fréquence selon les régions desservies et arrêts à la demande. Attention, les bus circulent généralement de 6h jusqu'à 18h30-19h, et le service est très réduit le samedi après-midi, voire inexistant le dimanche et les jours fériés. Notons que ce transport, pratique, bon marché et vivant (souvent la sono met de l'ambiance) est un moyen sympa pour découvrir l'île et sa population, mais surtout ne soyez pas pressé ! Ces petits « bus pays » sont peu à peu remplacés par de gros autobus plus spacieux, mais qui dégagent une fumée noire. C'est le progrès...

Attention : les autorités locales prévoient un grand chantier en principe pour la mi-2007, qui consiste à « nationaliser » toutes les compagnies de bus guadeloupéennes afin de réorganiser le réseau et le rendre plus efficace (en particulier le week-end). Certains parlent d'une « révolution » en perspective ! Bien sûr, cela n'ira sans doute pas sans heurts, car jusqu'à aujourd'hui les transporteurs se sont toujours débrouillés seuls (sur fonds privés), allant jusqu'à s'imaginer propriétaires des lignes. D'un autre côté, le réseau de bus a toujours été assez anarchique. À suivre, donc...

– **Auto-stop :** fonctionne assez bien en général, sauf le dimanche.

– **Location de voitures :** la meilleure solution, quand on en a les moyens bien sûr, ou si l'on voyage à plusieurs. Attention, en haute saison, il est recommandé de réserver longtemps à l'avance.

Nombreux loueurs et grosse concurrence sur le marché des voitures de location, on s'en doute. En effet, on peut dire que la voiture est quasiment indispensable ici. Les prix débutent autour de 40 € par jour en basse saison, avec kilométrage illimité. Faites jouer la concurrence. Prévoir des frais de surcharge d'aéroport (environ 16 €) avec certaines agences. En plus des loueurs classiques, on trouve des particuliers ou de petites entreprises qui proposent des locations meilleur marché. Mais gare aux surprises : les témoignages de nos lecteurs vont de la super-affaire à la grosse arnaque ! Une solution est de passer par votre hôtel ou votre hôte qui réservera la voiture dans une agence avec laquelle il a l'habitude de travailler, et donc facilement joignable en cas de pépin ou de vandalisme (ça arrive). Dans ce cas, essayez de négocier le transfert aéroport-hébergement.

De nombreux loueurs disposent d'agences en divers points de l'île. Les voitures, même les premières gammes, sont très souvent climatisées. Si possible, essayez de louer une voiture un peu haute sur pattes (pardon, sur pneus), ça vous évitera d'arracher la plaque d'immatriculation dès que vous quitterez la route principale à Basse-Terre (ça grimpe dur !). Attention, d'une part, l'essence est un peu plus chère qu'en métropole et, d'autre part, son prix est le même dans toute la Guadeloupe (alors pas besoin de comparer). Fin 2006, le litre d'essence était à 1,43 € et le litre de gazole à 1,17 €. Autre point, nous vous recommandons d'enlever les enjoliveurs afin d'éviter tout vol, et donc facturation de la part du loueur. Enfin, procurez-vous la carte routière de la Guadeloupe (chez les loueurs ou dans certaines stations-service), car vous y trouverez tous les noms des bourgs que nous citons, et cela facilitera vos déplacements.

■ **Avis :** ☎ 05-90-21-13-54 ou 0820-050-505 *(prix d'un appel local).* ● avis. fr ● Nombreuses formules de location et catégories de véhicules. La carte « Avis Club » permet à ses détenteurs de cumuler des *mercis* et d'obtenir jusqu'à 15 % de remise sur les locations à l'étranger.

■ **Auto Escape :** ☎ 0800-920-940 *(numéro gratuit depuis la métro-*

pole). ☎ 04-90-09-28-28. ● info@au
toescape.com ● autoescape.
com ● Négocie des remises auprès
des loueurs de gros volumes. 5 % de
réduction supplémentaire sur présentation de ce guide sur l'ensemble
des destinations. Vous trouverez
également les services d'*Auto
Escape* sur ● routard.com ●

■ *Europcar :* ☎ 05-90-21-13-52 ou
0825-358-358 (0,15 €/mn). ● europ
car.fr ● De nombreuses offres et formules pour les seniors ou les détenteurs d'une carte de fidélité aérienne
ou de transport.

■ *Hertz Guadeloupe :* central de
résa en métropole : ☎ 01-39-38-38-
38. Central de résa pour les Antilles :
☎ 05-90-89-28-05. ● hertzantilles.
com ● Accorde, sur présentation de
ce guide, une remise de 20 € TTC

pour 3 à 5 jours de location et de 30 €
à partir de 6 jours, à valoir sur le tarif
en vigueur et les offres promotionnelles.

■ *Voitures des Îles :* ☎ 05-90-89-
22-10. ● info@voituresdesiles.com ●
voituresdesiles.com ● Servent
d'intermédiaire pour réserver des
voitures aux Antilles et travaillent sur
la Guadeloupe avec *Avis*, *Hertz* et
Quickly, chez qui ils obtiennent parfois de meilleurs tarifs que si vous
réservez en direct.

■ Quelques autres loueurs présents
en Guadeloupe (voir aussi « Arrivée
à l'aéroport Pôle-Caraïbes » à Pointe-à-Pitre) : *Ada*, ☎ 05-90-93-68-
60. Fax : 05-90-91-22-88. *Budget*,
☎ 05-90-21-13-49. Fax : 05-90-21-
13-48.

Route

– La Guadeloupe se place dans le peloton de tête des départements les plus
dangereux quant aux accidents de la route.
Connaître les habitudes locales en matière de conduite peut s'avérer utile.
En effet, malgré un tempérament paisible, les Antillais se métamorphosent
parfois derrière un volant. Conduite pied-au-plancher, dépassement « aspi-
ration ». À cela, il faut ajouter les surprises du réseau routier : une double
voie qui se resserre en plein virage, des routes de montagne n'offrant la place
qu'à un véhicule, des fossés profonds sur les côtés pour évacuer l'eau des
pluies, des panneaux de signalisation trop peu nombreux et des routes secon-
daires dans un état souvent lamentable (nids-de-poules et autres joyeusetés
du même acabit). Malgré tout, la voiture est encore le meilleur moyen pour
découvrir la Guadeloupe. Rouler doucement, ouvrir l'œil et avoir de bons
réflexes. Respecter le slogan affiché « Si on pwan la gout', pa pwen la wout' »,
traduction créole du : « Boire ou conduire, il faut choisir. » Savoir aussi que
de nombreux automobilistes conduisent sans assurance (et même sans permis), et que la majorité ne mettent pas leur ceinture sans que personne ne
sourcille (il fait chaud). Déconseillé au-dessus de 30 km/h et tant pis si vous
passez pour un original.
– N'oubliez pas que les dommages causés aux pneumatiques sont toujours
à la charge de celui qui loue, quelle que soit l'assurance souscrite. Il peut être
intéressant de louer un 4x4. En tout cas, bien regarder le bitume et rouler au
pas sur les chemins cailouteux. Et vérifier que la voiture qu'on loue a bien sa
roue de secours.
– Évitez de vous garer dans des recoins sombres, voire sur des places de
parking d'hôtel mal ou peu éclairées afin d'écarter tout risque de vandalisme.
– Au fait, un conseil qui risque bien de nous faire passer pour des cinglés
(mais on assume) : pensez à ne pas garer la voiture sous... un cocotier !
Certains loueurs vous le rappellent lors de la remise des clés. Les arbres sont
hauts et les carrosseries plutôt délicates. Imaginez un peu le tableau... et les
histoires avec l'assurance !
– Si vous louez un scooter, pensez à prendre votre permis. À partir de 80 cm³,
il est obligatoire, et comme cette cylindrée est de plus en plus présente...
– Prudence avec les deux-roues, parfois mal ou peu éclairés.

Liaisons maritimes

– Il est préférable de prendre son billet la veille ou d'arriver à l'ouverture du guichet. Les derniers servis courent le risque de se retrouver debout, coincés à l'arrière du pont, là où c'est le moins confortable.

– Même s'il n'y paraît pas, la mer est souvent agitée au large. Bien se nourrir avant toute traversée... et, éventuellement, remettre à plus tard si la météo est mauvaise. On conseille à ceux qui sont sujets au mal de mer de prendre de la *Nautamine®* (ou équivalent) avant la traversée.

– Bien vérifier que l'on monte dans le bon bateau : rien n'est indiqué, et les bateaux se suivent parfois à quelques minutes. C'est ainsi que croyant voguer pour Pointe-à-Pitre, on apprend par le contrôleur que : *primo*, le billet n'est pas valable ; *secundo*, on fait route pour les îles Crozet et Kerguelen ! *Damned !*

Liaisons aériennes

Il existe des liaisons internes, avec *Air Caraïbes*, entre Pointe-à-Pitre et l'ensemble des îles de l'archipel guadeloupéen. Un vol en petit coucou (fiable, on vous rassure !) offre de magnifiques vues, mais l'aventure revient évidemment nettement plus cher que le bateau. Attention toutefois aux annulations intempestives, sans sommation, et au surbooking, en particulier entre Pointe-à-Pitre et La Désirade. D'autant plus irritant que la plupart du temps, on n'est pas remboursé (voir aussi « Quitter Pointe-à-Pitre »).

■ *Air Caraïbes :* angle rue Ferdinand-Forest et bd de Houelbourg (à côté de l'agence Hertz), 97122 Baie-Mahault. Tlj 8h-17h. Central de résa : ☎ 0820-835-835 (prix d'un appel local). ● aircaraibes.com ● Liaisons, entre autres, vers Saint-Martin (Grand-Case), Saint-Barthélemy, la Martinique, Sainte-Lucie, et aussi La Désirade, les Saintes et Marie-Galante. Attention au surbooking, mal des temps modernes, et pensez à confirmer votre vol de retour.

UNITAID

« L'aide publique au développement est aujourd'hui insuffisante » selon les Nations Unies. Les objectifs principaux sont de diviser par deux l'extrême pauvreté dans le monde (1 milliard d'êtres humains vivent avec moins de 1 dollar par jour), de soigner tous les êtres humains du sida, du paludisme et de la tuberculose, et de mettre à l'école primaire tous les enfants du monde d'ici à 2020. Les États ne fourniront que la moitié des besoins nécessaires (80 milliards de dollars).

C'est dans cette perspective qu'a été créée, en 2006, UNITAID, qui permet l'achat de médicaments contre le sida, la tuberculose et le paludisme.

Aujourd'hui, plus de 30 pays se sont engagés à mettre en œuvre une contribution de solidarité sur les billets d'avion, essentiellement consacrée au financement d'UNITAID. Ils ont ainsi ouvert une démarche citoyenne mondiale, une première mondiale, une fiscalité internationale pour réguler la « mondialisation » : en prenant son billet, chacun contribue à réduire les déséquilibres engendrés par la mondialisation.

Le fonctionnement d'UNITAID est simple et transparent : aucune bureaucratie n'a été créée puisque UNITAID est hébergée par l'OMS et sa gestion contrôlée par les pays bénéficiaires et les ONG partenaires.

Grâce aux 300 millions de dollars récoltés en 2007, UNITAID a déjà engagé des actions en faveur de 100 000 enfants séropositifs en Afrique et en Asie, de 65 000 malades du sida, de 150 000 enfants touchés par la tuberculose, et fournira 12 millions de traitements contre le paludisme.

Le *Guide du routard* soutient, bien entendu, la réalisation des objectifs du millénaire et tous les outils qui permettront de les atteindre ! Pour en savoir plus : ● unitaid.eu ●

LA GRANDE-TERRE

> **Pour la carte de la Grande-Terre et le plan de Pointe-à-Pitre,**
> **se reporter au cahier couleur.**

POINTE-À-PITRE   (97110)   21 000 hab.

Si Basse-Terre est la capitale administrative de la Guadeloupe, Pointe-à-Pitre en est la capitale économique et forme, avec les communes limitrophes des Abymes et de Gosier, une agglomération d'environ 100 000 habitants. Pointe-à-Pitre (PAP ou « la Pointe », pour les intimes) ne séduit pas au premier abord, surtout si l'on arrive par la route de l'aéroport : banlieues bétonnées qui se succèdent tristement, zone industrielle et commerciale de Jarry surpeuplée, trafic automobile infernal aux heures de pointe, etc. Il faut donc gagner la place de la Victoire et le quartier autour du marché Saint-Antoine pour trouver un semblant de tranquillité et croiser quelques belles demeures de style colonial, des bâtiments administratifs signés Ali Tur, de vieux immeubles créoles intercalés de cases en bois pittoresques ; bref, une architecture hétéroclite plutôt séduisante (mais pas toujours bien mise en valeur), qui valut même à la cité pointoise le label « Ville d'art et d'histoire » en 2002. Vous y ferez certainement un court passage, par curiosité peut-être, à l'occasion du festival « Jazz à Pointe-à-Pitre » en décembre, ou pour rejoindre les bateaux-navettes à la gare maritime de Bergevin afin d'embarquer vers les îles ; ou bien encore pour vous rendre à Bas-du-Fort, à 4 km, à mi-chemin de Gosier, où se trouve la marina, si vous prévoyez d'assister à l'arrivée d'une équipe de la Route du Rhum (la prochaine en 2010 !). Mais ce n'est pas ici que vous résiderez. Peu de possibilités de logement et, dès la tombée de la nuit, Pointe-à-Pitre se transforme en un véritable désert urbain, seulement fréquenté par une faune interlope pas toujours bien intentionnée.

UN PEU D'HISTOIRE

Au commencement, il y a l'histoire de Peter, un Hollandais, pêcheur de son état, débarqué avec la vague de colons hollandais venus du Brésil vers 1654. Il s'installe sur une pointe de la rade, et les gens prennent l'habitude d'appeler l'endroit la « pointe à Peter » (transformée plus tard en Pointe-à-Pitre). On raconte aussi que le nom aurait pour origine le mot espagnol *pitera,* désignant un arbuste parasite du palétuvier, qui aurait donné ensuite « pitre ». La ville ne se développe vraiment que lors de l'occupation anglaise en 1759 (pendant la guerre de Sept Ans). Les Anglais créent le port et assainissent la zone littorale avec l'aide de 35 000 esclaves. Au traité de Paris, en 1763, la France perd le Canada, mais conserve la Guadeloupe. Pointe-à-Pitre connaît alors un grand essor. En 1794, sous le « règne » du célèbre commissaire de la République, Victor Hugues, la guillotine installée en permanence sur la place de la Victoire fait tomber de nombreuses têtes aristocratiques. Pendant cette période, le port voit sans cesse partir les corsaires de la Guadeloupe à la chasse aux navires anglais.

Une succession de cataclysmes

En 1843, un terrible tremblement de terre, suivi d'un incendie, détruit en partie la ville. À peine reconstruite, elle est ravagée par deux autres incendies en 1850 et 1871, par un nouveau tremblement de terre en 1898, puis par un cyclone en 1928 (un autre ayant eu lieu en 1865) et (encore) un autre incendie en 1931. Tous ces cataclysmes expliquent en grande partie le caractère disparate de l'architecture pointoise, même dans les vieux quartiers où la peur du feu et des cyclones privilégiait les constructions en dur, et la crainte des tremblements de terre celles en bois (c'est moins lourd à recevoir sur la tête !).

Poumon économique et nœud routier de l'île

Depuis 1976, Pointe-à-Pitre est considérée comme la « capitale », même si Basse-Terre est la préfecture de la Guadeloupe. En effet, à cette date, l'éruption volcanique menaçant Basse-Terre précipite l'exode des populations, des entreprises, et même temporairement de certaines administrations vers Pointe-à-Pitre, accentuant ainsi son importance. Mais les différentes directions départementales restent à Basse-Terre, la région de Pointe-à-Pitre n'ayant guère que le rectorat comme administration. L'importante zone industrielle de Jarry-Houëlbourg et l'aéroport international Pôle-Caraïbes des Abymes (le 9e de France par son trafic) font de Pointe-à-Pitre et de ses environs le poumon économique de l'île, mais aussi un goulot d'étranglement routier entre la Grande-Terre et la Basse-Terre.

Et les vieilles demeures créoles, alors ?

Certes, le récent aménagement du « sentier des Combattants », sur les berges de Bergevin, est un nouveau gage de modernité donné à la ville. Mais que vont devenir les nombreuses maisons traditionnelles qui tombent en ruine en plein cœur de Pointe-à-Pitre et dont les propriétaires, souvent des privés, n'ont pas les moyens d'engager la restauration ? Or, à quelques pas d'ici, un projet d'urbanisme mégalo et coûteux est en train de voir le jour. Ainsi, derrière la marina, le rond-point à colonnades, certes utile à la circulation, traduit une symbolique qui frise un peu la folie des grandeurs ! Les travaux se poursuivent vers la darse – à travers le quartier populaire du Carénage et la plate-forme de l'ancienne sucrerie Darboussier – avec la construction d'une sorte de promenade des Anglais qui longerait la mer... Si la réhabilitation de cette partie de la ville, jugée insalubre, s'imposait peut-être, on regrette qu'il ne soit pas prévu de sauver les vieilles demeures en bois encore saines de cette ville pourtant labellisée « d'art et d'histoire »... L'abandon de la maison d'enfance de Saint-John Perse, rue Achille-René-Boisneuf, illustre tristement ce paradoxe.

Arrivée à l'aéroport Pôle-Caraïbes

✈ **Aéroport Pôle-Caraïbes** (hors plan couleur par C1) : Les Abymes. ☎ 05-90-21-14-72 ou 00 (rens). Serveur vocal pour connaître les vols : ☎ 0892-689-755 (0,30 €/mn). ● guadeloupe.aeroport.fr ●

ℹ **Comité du tourisme des îles de Guadeloupe :** point d'accueil en face des tapis roulants où l'on récupère | ses bagages. ☎ 05-90-21-11-77. Tlj 13h-21h. Réservation d'hôtels (sans commission), documentation abondante et cartes des îles gratuites. Bon accueil.

■ *Compagnies aériennes :* toutes ont un bureau à l'aéroport. Voir leurs coordonnées dans la rubrique suivante « Arriver – Quitter Pointe-à-Pitre ».

■ *Distributeurs de billets :* à la poste et au Crédit Agricole, *niveau 0.*

✉ *Poste :* au niveau 0.

■ *Pharmacie :* au niveau 0.

■ *Pôle médical d'urgence :* ☎ 05-90-21-12-28.

■ *Disquaire Henri Debs :* niveau 2. Grand choix de musique antillaise, dont beaucoup de zouk évidemment, et les productions et CD d'Henri Debs, « le roi de la biguine », tel qu'il se surnomme lui-même.

Pour rejoindre le centre

L'aéroport de Pointe-à-Pitre n'est pas encore connecté au réseau local de bus. Néanmoins, il en est question dans un futur proche et ce, dans le cadre d'une reprise en main générale des transports en commun de l'île par la Région. À suivre... En attendant, vous serez donc contraint de prendre le taxi, relativement cher (lire plus bas), ou de louer une voiture (loueurs à la sortie de l'aérogare, et parkings desservis par un service de navette très rapide). À moins qu'on ne vienne vous chercher à l'aéroport (n'oubliez pas que beaucoup d'hébergements proposent ce service à partir d'une semaine de location, même si nous ne le précisons pas toujours : une sacrée économie si vous ne comptez pas louer de voiture). Il existe enfin des services de transfert (voir plus loin « Adresses utiles. Transports »).

– *Location de voitures :* voir la rubrique « Transports », dans les « Généralités ».

■ Quelques *loueurs* présents à l'aéroport :

– *Ada :* ☎ 05-90-21-13-64. ● ada.fr ●

– *Avis :* ☎ 05-90-21-13-54. ● avis.fr ●

– *Budget :* ☎ 05-90-21-13-49. ● budget.fr ●

– *Car Rental System :* ☎ 05-90-21-13-77.

– *Citer/National :* ☎ 05-90-21-13-58.

– *Europcar :* ☎ 05-90-21-13-52.

– *Hertz :* ☎ 01-39-38-38-38 (métropole), 05-90-21-13-46 (Guadeloupe). ● hertzantilles.com ● Accorde, sur présentation de ce guide, une remise de 20 € TTC pour 3 à 5 jours de location et de 30 € TTC à partir de 6 jours, à valoir sur le tarif en vigueur et les offres promotionnelles.

– *Jumbo Car :* ☎ 05-90-21-13-50.

● jumbocar.com ●

– *Quickly :* ☎ 05-90-21-13-60. ● quickly@quickly.gp ●

– *Sixt :* ☎ 05-90-21-13-44. ● sixtguadeloupe.com ●

– *Rent-a-Car :* ☎ 05-90-21-13-62. ● rentacar-caraibes.com ●

– *Holiday :* ☎ 05-90-21-13-56.

– *Taxis :* plusieurs compagnies (voir ci-dessous « Adresses utiles. Transports »). On se répète : courses assez onéreuses (jusqu'à 20 € pour le centre-ville de Pointe-à-Pitre). Le mieux est de leur demander de vous conduire à la gare routière (voir « Arriver – Quitter Pointe-à-Pitre »), d'où vous prendrez le bus pour la destination qui vous intéresse. Un peu fastidieux toutefois (surtout avec des bagages).

Arriver – Quitter Pointe-à-Pitre

En bus

Avertissement : un grand chambardement dans les transports est prévu pour la mi-2007. En principe, les autorités devraient « nationaliser » toutes les compagnies de bus locales dans le but de réorganiser le réseau et de le rendre plus efficace. À lire dans la rubrique « Transports » des « Généralités ». En attendant, il ne faut pas être pressé et savoir que les bus circulent peu, voire pas du tout, les samedi après-midi, dimanche et jours fériés. Se renseigner au comité du tourisme pour connaître les destinations et gares de départ, ou directement sur place, auprès des chauffeurs pour les horaires. Billets pour l'instant assez bon marché. Les fréquences suivantes sont donc données sous réserve de changement :

▄ *De/vers la Basse-Terre, Bouillante, la côte Sous-le-Vent et Pointe-Noire (par la route Nord ou la route de la Traversée ; plan couleur A1, 5) :* la gare routière principale de Bergevin vient d'emménager juste en face de la gare maritime, bd de l'Amitié-des-Peuples-de-la-Caraïbe (env 10 à 15 mn à pied de la pl. de la Victoire). Bus plus ou moins toutes les heures entre 5h et 19h en semaine ; très peu, voire aucun, du samedi midi au dimanche soir.

▄ *De/vers le sud de la Grande-Terre, Le Gosier, Sainte-Anne et Saint-François (plan couleur B3, 3) :* gare routière de la darse (aussi appelée Dubouchage), derrière le quai Gatine. Quelques bus relient la Pointe des Châteaux.

▄ *De/vers Le Moule, Anse-Bertrand, Les Abymes, Morne-à-l'Eau et tout le nord de la Grande-Terre (plan couleur C2, 4) :* gare routière de Mortenol, près du centre et au niveau de Miquel, le quartier d'Air France (plan couleur C1).

▄ Des bus jaunes de la compagnie *TUPP* (ligne 4, place de la Victoire-Fouillole-Bas-du-Fort) relient aussi *Bas-du-Fort* à partir de la darse, devant le comité du tourisme (sauf les samedi après-midi et dimanche). Environ 1 € le ticket.

En avion

✈ *Aéroport international Pôle-Caraïbes (hors plan couleur par C1) :* Les Abymes. Rens : ☎ 05-90-21-14-72 ou 00. Pour les horaires des vols : ☎ 0892-689-755 (serveur vocal : 0,30 €/mn). ● guadeloupe.aeroport.fr ● Toutes les compagnies mentionnées ci-dessous ont aussi des bureaux à l'aéroport.

■ *Air France (plan couleur C1) :* bd Légitimus. Résa : ☎ 0820-820-820 ou 0892-682-971 (prix d'un appel local). ● airfrance.fr ●
■ *Corsair :* ☎ 0820-042-042. À l'aéroport :☎ 05-90-21-11-21. ● corsair.fr ● Liaisons avec Paris-Orly, Lyon, Nantes et Brest.
■ *Air Caraïbes :* angle rue Ferdinand-Forest et bd M. de Houelbourg (à côté de l'agence Hertz), 97122 Baie-Mahault. Ouv 8h-17h. Résa : ☎ 0820-835-835. ● aircaraibes.com ● Liaisons, entre autres, vers Saint-Martin (Grand-Case), Saint-Barthélemy, la Martinique, Sainte-Lucie et aussi La Désirade, les Saintes et Marie-Galante. Également des liaisons avec la Barbade, Cayenne (Guyane), la République dominicaine et Haïti. Attention au surbooking, mal des temps modernes, et

pensez à confirmer votre vol de retour.
■ *LIAT :* à l'aéroport. ☎ 05-90-21-13-93. ● liatairline.com ● Dessert surtout les îles Caraïbes anglophones (Antigua, Saint-Vincent, la Dominique, Sainte-Lucie, Trinidad et la Barbade).
■ *Air Antilles Express :* ☎ 0890-648-648. ● airantilles.com ● Dessert Fort-de-France (Martinique), Saint-Barthélemy et Saint-Martin. Généralement moins cher qu'Air Caraïbes.
■ *Air Canada :* à l'aéroport. ☎ 05-90-21-12-77. ● aircanada.ca ●
■ *American Eagle :* à l'aéroport. ☎ 05-90-21-11-81 ou 80. Résa : 0811-307-300. ● aa.com ● Filiale d'*American Airlines.* Dessert Porto Rico puis, de là, les États-Unis et plusieurs destinations d'Amérique du Sud ou du Nord.

En bateau

🛥 *Gare maritime de Bergevin* (*plan couleur A1-2, 1*) *:* deux compagnies de qualité égale, aux horaires et tarifs presque semblables, desservent les dépendances de la Guadeloupe et certaines îles des Antilles. Si vous êtes en voiture, on vous conseille d'arriver tôt pour éviter les bouchons du parking, au demeurant hors de prix. Pour ceux qui utilisent les transports en commun, prévoir environ 15 mn de marche depuis l'arrêt de bus le plus proche.

➤ *De/vers la Dominique, la Martinique et Sainte-Lucie :* en général, compter 2h de traversée pour Roseau (la Dominique), 4h pour Fort-de-France (Martinique), et 7h pour Castries (Sainte-Lucie).

■ *L'Express des Îles :* ☎ 0825-359-000 (0,14 €/mn) ou 05-96-42-04-05. ● express-des-iles.com ● Pour ces 3 destinations, la compagnie assure 5 traversées par semaine la majeure partie de l'année et chaque jour en période de vacances scolaires (possibilité d'embarquer sa voiture un jour par semaine). Prévoir environ 100 € l'aller-retour quelle que soit la destination. Réductions diverses. Remarque : chèques hors place refusés.
■ *Brudey Frères :* ☎ 05-90-90-04-48 et 05-90-91-60-87. ● brudey-freres.fr ● Liaisons moins nombreuses et parfois des problèmes de ponctualité (se renseigner quand même, prix parfois intéressants).

➤ *De/vers les Saintes et Marie-Galante :* en général, compter 45 mn de traversée pour Grand-Bourg ou Saint-Louis (Marie-Galante), idem pour Terre-de-Haut (les Saintes). Sachez enfin que des liaisons maritimes existent aussi à partir de Saint-François et Sainte-Anne, ainsi que de Trois-Rivières et Basse-Terre pour les Saintes seulement (voir nos rubriques correspondantes).

■ *Brudey Frères :* voir coordonnées ci-dessus. Pour Grand-Bourg, 3 liaisons par jour du lundi au samedi (dont une avec escale à Saint-Louis) et 2 à 3 liaisons les dimanche et jours fériés. Pour Terre-de-Haut, une traversée tous les jours, le matin (dimanche compris). Autour de 40 € l'aller-retour dans les deux cas. Réductions diverses (intéressant *Pass 2 Îles* les Saintes + Marie-Galante, notamment).
■ *L'Express des Îles :* voir coordonnées ci-dessus. Pour Grand-Bourg, 2 ou 3 départs quotidiens, y compris le dimanche. Pour Saint-Louis, 1 départ quotidien, sauf le dimanche. Pour Terre-de-Haut, 2 bateaux par semaine (généralement les lundi et jeudi). Prix et réductions semblables au précédent mais un peu plus avantageux pour les Saintes et pour le forfait Saintes + Marie-Galante.

En taxi

Voir plus bas « Adresses utiles. Transports ».

Adresses utiles

Infos touristiques

🛈 *Comité du tourisme des îles de Guadeloupe* (*plan couleur B3*) : 5, sq. de la Banque, BP 555, 97166 Pointe-à-Pitre. ☎ 05-90-82-09-30. ● lesilesdeguadeloupe.com ● Face à la darse. Ouv lun-ven 8h-17h, sam 8h-12h. Fermé dim. Hébergements, restos, loisirs, visites... Une mine de renseignements sur toute la Guadeloupe, gracieusement donnés avec le sourire.
🛈 *Également un point d'accueil touristique mobile* au port de croisière (*plan couleur A3, 2*). Ouv slt

quand les bateaux de croisière accostent.

ℹ Syndicat d'initiative de Pointe-à-Pitre (hors plan couleur par B3) : 1, centre commercial, marina Bas-du-Fort. ☎ 05-90-90-70-02. • syndicatinitiativedepap@wanadoo.fr • sivap.gp • Vers le parking. Tlj en sem (sf pdt le déj) et sam mat. Attention, il est possible que le syndicat emménage prochainement dans le Pavillon de la ville, place de la Victoire.

■ Gîtes de France (plan couleur B3) : sq. de la Banque, juste à côté du comité du tourisme. Adresse postale : BP 759, 97172 Pointe-à-Pitre. ☎ 05-90-91-64-33. • gitesdefrance-guadeloupe.com • Infos et résa : lun-ven 8h-17h ; sam 8h-12h.

■ Bienvenue à la ferme : à la chambre d'agriculture de la Guadeloupe, Convenance, 97122 Baie-Mahault. ☎ 05-90-25-17-17. • bienvenue-a-la-ferme.com • Liste complète des gîtes à la ferme (une douzaine seulement, cela dit). Une formule originale et souvent de qualité pour s'immerger dans la Guadeloupe profonde.

■ Agence de voyages (plan couleur B3, 10) : Riverain Tours, 3, rue Frébault. ☎ 05-90-91-72-10. • rivtours.com • Lun-ven 8h30-17h (fermé 12h30-14h30 hors saison) ; sam 9h-12h. Une agence sérieuse et débrouillarde pour trouver des hôtels à bon prix dans toutes les Antilles. Représente aussi les principales compagnies aériennes et maritimes. Agences à Basse-Terre (14, cours Nolivos ; ☎ 05-90-25-50-14) et à Marie-Galante (3, rue de l'Église, à Grand-Bourg ; ☎ 05-90-97-94-00).

Poste et télécommunications

✉ Poste centrale et téléphone (plan couleur B2) : pl. de l'Hôtel-de-Ville, sur le bd Faidherbe. ☎ 05-90-89-47-50. Lun-ven 7h-18h, sam 7h-12h. Distributeur automatique de billets au rez-de-chaussée et à l'étage. Poste restante.

Internet

@ Cyber Ka (plan couleur B2-3, 7) : 20, rue Alexandre-Isaac. ☎ 05-90-91-67-23. Juste à gauche du resto Bella Vita, pl. de la Victoire. Lun-sam 7h-20h, dim 8h-12h.

@ Cyb@rt (plan couleur B2, 6) : 5, rue Alexandre-Isaac. ☎ 05-90-84-64-15. À deux pas du palais de justice. Lun-sam 8h-18h.

Argent

Toutes les banques suivantes (plan couleur B2-C3, 8) ont des distributeurs automatiques de billets. Également à la Banque postale, et dans le centre commercial Saint-John-Perse.

■ BNP : 22, rue Achille-René-Boisneuf et pl. de la Rénovation.
■ BRED : 10, rue Achille-René-Boisneuf.
■ BDAF : pl. de la Victoire ; à côté du comité du tourisme.
■ BFC : rue Gambetta.
■ Société Générale : rue Saint-John-Perse.
■ Caisse d'Épargne : 21, pl. de la Victoire.
■ Crédit Agricole : rue Frébault et bd Faidherbe.
■ Crédit Maritime : rue Achille-René-Boisneuf.

Transports

■ Compagnies aériennes : voir plus haut « Arriver – Quitter Pointe-à-Pitre ».

■ Bagage Plus : rens à la boutique « Orange » de l'aéroport, ou au 25, carrefour de la Marina, à Pointe-à-

Pitre. ☎ 05-90-93-60-91. • *bagage plus.com* • *Aéroport :* lun-sam 8h30-19h, dim et j. fériés 11h-19h. *Marina :* lun-ven 8h-17h, sam 8h-13h ; fermé dim. À partir de 32 € env par pers. Une idée astucieuse pour apprécier votre dernière journée de vacances. On vient chercher vos bagages à domicile avant midi (prix en fonction de la zone géographique), on vous fait remplir les formalités nécessaires à l'enregistrement (+ un cerclage de sécurité) et on s'occupe de votre enregistrement personnel et du choix de votre siège. Vous arrivez les mains dans les poches 1h avant le départ, et vous récupérez papiers et carte d'embarquement.

■ *Taxis :* plus chers qu'en métropole. Un conseil : négocier les tarifs avant le départ. Il existe deux sortes de taxis : ceux de « grande remise », qui sont chers et n'ont pas forcément de compteur, et les *CDL* (☎ 05-90-20-74-74) bleu et jaune, portant un numéro, et qui marchent au compteur (mais ils ne vont jusqu'à l'aéroport que s'ils sont prévenus).

Santé

■ *SAMU :* ☎ le 15 ou 05-90-91-39-39.
■ *Centre hospitalier régional universitaire* (plan couleur C-D3) : bd de l'Hôpital. ☎ 05-90-89-10-10 et 79. À la sortie de Pointe-à-Pitre, direction Le Gosier.

■ *Association des médecins de garde (ADGUPS) :* 129, route de Chauvel, Les Abymes. ☎ 05-90-90-13-13. Liste des médecins de garde auprès de la police et de la gendarmerie.

Loisirs

■ *Librairie générale Jasor* (plan couleur B3, **9**) : 44-46, rue Schœlcher. ☎ 05-90-82-17-70. Lun-ven 8h-18h, sam 8h-13h. La plus grande librairie de Guadeloupe, celle où l'on trouve tout sur les Caraïbes : littérature et ouvrages universitaires. Éga- lement presse locale et métropolitaine.
■ *Le Presse-Papier* (plan couleur B3) : pl. de la Victoire, juste à gauche de Délifrance. Tlj sf dim 5h30-16h. Toute la presse française et locale.

Où dormir ?

À moins d'avoir un bateau à prendre tôt le matin, on ne séjourne pas à Pointe-à-Pitre. L'offre hôtelière est par conséquent à la hauteur de la demande : quasi nulle et pas donnée. On conseille plutôt d'aller au Gosier (voir plus loin), distant de 7 km seulement, si vous devez dormir à proximité de PAP.

🛏 *Bella Vita* (plan couleur B3, **11**) : voir « Où manger ? ». Env 60 € la nuit pour 2 pers (et 20 € par adulte supplémentaire). Au-dessus du resto, 3 chambres spacieuses mais vraiment basiques avec TV (quand elle marche) et salle de bains. Une seule possède une cuisine et deux d'entre elles ont la clim' ou la vue sur les cocotiers de la place de la Victoire (mais, revers de la médaille, elles sont plus bruyantes). Pratique si vous devez rester une nuit en ville, histoire d'attendre un bateau pour les îles, mais trop cher si l'on considère que le petit déjeuner n'est pas servi. Resto au rez-de-chaussée.

🛏 *Hôtel Saint-John Perse* (plan couleur B3, **13**) : à l'angle des quais Lardenoy et F. de Lesseps. ☎ 05-90-82-51-57. • direction@saint-john-perse.com • saint-john-perse. com • ♿ À côté du centre commercial Saint-John-Perse, juste en face du départ des bateaux de croisière. Doubles 90-100 € selon saison, petit déj (buffet) 7 €. Formules w-e (2 nuits) 120-140 €. Réduc de 10 %

sur présentation de ce guide. Bien placé, l'unique hôtel convenable de Pointe-à-Pitre se distingue néanmoins par un style moderno-créole légèrement vieillissant. Chambres correctes de petite taille (plus grandes aux 3e et 4e étages, à part la n° 417), pour 2 à 4 personnes, avec AC et TV, certaines avec balcon. Réseau wi-fi. Bon accueil. Valable pour un transit mais rapport qualité-prix peu avantageux.

Où manger ?

Rares sont les restos ouverts le soir ; et de toute façon, on déconseille de traîner en ville après la sortie des bureaux.

Bon marché

|●| Sur la **place de la Victoire** (plan couleur B-C3), le soir, sur le côté du cinéma *Renaissance* ; et dans la journée, sur la **darse,** on trouve des camionnettes vendant des sandwichs à la morue, des jambon-beurre *(sic)*, des bokits, des acras, des gâteaux au coco... Signalons également *Gelato Tropical*, place de la Victoire, qui vend *bokits,* salades et glaces pas trop chers.

|●| Dans les rues Frébault et Nozières *(plan couleur B2-3)*, on trouve croissanteries, saladeries et fast-foods. Employés et secrétaires du quartier s'y donnent rendez-vous le midi. Simple et inégal.

|●| **Bella Vita** *(plan couleur B3, 11) :* pl. de la Victoire. ☎ 05-90-89-00-54. L'un des rares restos ouverts le soir (jusqu'à 23h). Tlj sf dim. Pizzas 5-15 € selon taille, plats env 10 €. On ne vient pas pour le cadre (carrelage et néons), mais il y a quelques tables en terrasse qui permettent d'observer l'animation de la place principale de PAP. Dans l'assiette, d'honorables petits déjeuners, salades, pizzas et plats du jour créoles, ainsi que d'agréables salades de fruits frais. Bons jus naturels également.

|●| **L'Acacia** *(plan couleur B3, 21) :* 17, rue Delgrès. ☎ 05-90-83-53-81. Lun-ven jusqu'à 18h ; sam slt le mat. Fermé dim. Plat du jour env 9 €. Une toute petite boulangerie de quartier avec une arrière-salle minuscule, et une poignée de tables qui réunissent les employés du coin autour de tartes salées, sandwichs ou plats du jour honnêtes. Simple et pratique.

|●| **Délifrance** *(plan couleur B3, 22) :* 8, pl. de la Victoire. ☎ 05-90-83-83-89. Lun-ven 6h30-16h30, sam 6h30-14h. Fermé dim. Sandwichs 3-4 €, plats env 8 €. Le rejeton d'une chaîne de cafétérias correctes, rendez-vous des collégiens et des employés du quartier. Idéal pour le petit déjeuner. Le midi, bons plats simples, sandwichs et salades de tout gabarit à engloutir en terrasse dans une atmosphère amicale. Kiosque à journaux juste à côté.

|●| **Chez Dolmare** *(hors plan couleur par A1, 29) :* quartier Lauricisque, port de pêche. ☎ 05-90-91-21-32. Emprunter le bd de l'Amitié-des-Peuples-des-Caraïbes (immeubles modernes) jusqu'à un virage à droite assez marqué : Chez Dolmare est à gauche juste avant ce virage (terreplein central, faire demi-tour un peu plus loin), dans les baraquements de pêcheurs. Ouv ts les midis sf dim. Plats env 13-19 €. Dans une baraque verte, en bord de rade, une bonne cantoche, vivante et populaire, que tout le monde connaît à Pointe-à-Pitre. Vaste salle toute simple et portions maousses servies dans la foulée. Un plat suffit. Évidemment, cuisine 100 % créole et poissons frais, lambis, chatrous, oussous, langouste... prélevés directement dans les casiers au retour de pêche. Un peu excentré mais authentique et pittoresque. Y aller assez tôt, car vers 14h on voudrait bien vous servir, mais il n'y a plus rien.

Prix moyens

IOI *La Canne à Sucre* (plan couleur B3, 27) : face à la mer, tt au bout du quai à droite de la darse. ☎ 05-90-89-21-01. Tlj midi et soir sf dim. Plats du jour le midi env 14 €, carte env 25 €. Bouteilles de vin 15-25 €. Digestif maison offert sur présentation de ce guide. La belle terrasse du centre-ville, venteuse comme il se doit et braquée comme une vigie sur les îlots de la baie et la Soufrière noyée dans son halo de nuages. Il y a souvent des bateaux à quai juste devant. À la carte, une cuisine métisse mêlant sans vergogne les salades de brasserie aux bons plats locaux, dont la « canne à sucre » (plusieurs déclinaisons de poissons). Ambiance parisiano-créole et service tellement décontract' qu'il faut parfois prendre son mal en patience ! L'un des rares restos à être ouverts le soir.

IOI *Sucré Salé* (plan couleur B1, 25) : bd Légitimus, immeuble Bellina. ☎ 05-90-21-22-55. ♿ À côté d'Air France, à 10 mn à pied du centre. Tlj sf lun soir, sam soir et dim. Plats du jour env 15 €, carte env 25 €. Menu-enfants 9,50 €. Apéritif maison offert sur présentation de ce guide. La jolie véranda jaune et bleu annonce cet accueillant restaurant climatisé, où l'on sert une cuisine inventive et variée. Parfois, certains artistes finissent leur soirée ici après un concert au Centre des Arts tout proche. C'est peut-être ce qui incite le sympathique patron à organiser une soirée jazz une fois par mois (en général le vendredi).

Où manger autour de Pointe-à-Pitre ?

À la marina

Prendre la rocade direction Le Gosier et Sainte-Anne, puis la sortie « Marina ». Comme toute marina qui se respecte, celle de Pointe-à-Pitre attire les foules le week-end avec ses terrasses colorées et son kaléidoscope culinaire : tables chic, bistrots de la mer, mais aussi petite restauration abordable, snacks, salades, pizzas, crêpes bretonnes, etc.

Prix moyens

IOI *Le Plaisancier* : 12, résidence des Moulins. ☎ 05-90-90-71-53. Sur le quai même. Tlj sf lun. Menus 16-25 €, carte env 30 €. L'un des rares restos à prix encore abordables de la marina. Le menu créole, très correct, propose quelques bonnes spécialités : lambi farci, fricassée de chatrou... Terrasse toute indiquée pour rêver de s'embarquer.

IOI *La Route du Rhum* : la Marina. ☎ 05-90-90-90-00. ● rest-route-du-rhum@wanadoo.fr ● ♿ Un peu caché dans le secteur de la capitainerie. VHF canal 72 pour les marins, pour réserver depuis le large ! Tlj sf dim et la 2ᵈᵉ quinzaine d'août. Formules et menus 15,50-18,50 €, carte env 30 €, formule enfants 7,50 €. Apéro maison offert sur présentation de ce guide. Le plus vieux resto de la marina, ouvert en 1978, quelques semaines avant l'arrivée de la première et fameuse transat. Une sorte de guinguette portuaire dont le principal intérêt réside dans sa situation privilégiée, le nez dans les haubans à l'écart de l'effervescence de la marina. Cuisine créole typique, mais aussi quelques plats « métros ». Organise des soirées musicales.

IOI *Coco Kafé* : en face de l'aquarium, pl. Créole. ☎ 05-90-93-63-02. Tlj sf dim soir. Plats 12-22 €, menu-enfants 9,50 €. Idéal après la visite de l'aquarium. Une jolie terrasse dans les tons jaune et bleu, les pieds dans l'eau, histoire de profiter de l'atmosphère relaxante et de l'accueil chaleureux avant d'attaquer une bonne salade copieuse, un plat de pâtes honorable pour les Antilles ou

un plat du jour alléchant. Jolie collection de punchs.

Plus chic

|●| Côté Jardin : la Marina. ☎ 05-90-90-91-28. *Accès par le grand parking. Tlj sf sam midi, dim et la 1re quinzaine d'août. Menus 30-42 €* (selon suppléments). Une table connue pour ses spécialités du Sud-Ouest. Plats bien préparés, service soigné et cadre coquet pour faire bonne mesure. Seuls bémols, ce grand parking devant et l'absence de terrasse.
|●| Le Café des Arts : la Marina.

☎ *05-90-20-17-80. Tlj sf dim et lun. Congés en sept. Menu 20 €, carte 40-50 €. Apéritif maison offert sur présentation de ce guide.* Cadre agréable de brasserie chic avec portraits d'acteurs et cuisine française assez classique (sole meunière, onglet à l'os à moelle, blanquette de Saint-Jacques, etc.). En revanche, autant vous prévenir : il n'y a pas de terrasse donnant sur la marina.

Aux Abymes

|●| Espérat (hors plan couleur par D2, *26*) : *route de Terrasson, section Fromager, 97110 Les Abymes.* ☎ *05-90-82-77-13. Du centre, suivre la direction du CHU et de la rocade pour Gosier, passer sous cette rocade et prendre au rond-point (en face) la route pour Cocoyer Besson. Traverser Les Abymes, et prendre la route de Terrasson à gauche à la sortie du bourg (panneau).*

Tlj le midi et ven soir. Fermé dim. Résa conseillée. Carte 15-30 €. Déco vieille école dans les agréables salles de cette maison particulière, où l'on retrouve nombre de fonctionnaires antillais, fidèles habitués de l'endroit. Authentique cuisine créole avec des plats traditionnels, soignés et copieux. Poisson, ouassous, langouste...

Où boire un verre ? Où manger une glace ?

▼ Cha-Cha Café (plan couleur B3, *30*) : *2, quai Lardenoy.* ☎ *05-90-89-61-94. À deux pas du comité du tourisme. Lun-ven jusqu'à 19h ; sam jusqu'à 16h.* Petit décor sympa avec une terrasse en bois, idéale pour boire un verre en journée en observant la gentille animation du marché et de la place de la Victoire. Journaux de métropole à disposition. Goûtez aux délicieux jus de fruits frais. La cuisine nous a moins convaincus.
▼ Chez Monia (plan couleur B3, *31*) :

4, rue Victor-Hugues. ☎ *05-90-82-53-78. Lun-ven 7h-18h, sam 7h-15h. Fermé dim. Gobelet (3 parfums) ou cornet (4 parfums) 2,50-3 € env.* Ce glacier bien connu dans le voisinage propose de délicieuses glaces à l'italienne maison, avec une grande variété de parfums traditionnels ou des îles. À emporter uniquement. Annexe non loin de là (*98, rue Frébault ; ouv tlj sf dim jusqu'à 21h*). Mêmes glaces avec un choix de coupes glacées en plus.

Où sortir ?

Vous constaterez rapidement qu'à Pointe-à-Pitre la vie nocturne est quasi inexistante. En arrivant, on a vite fait de ranger ses fantasmes au placard. À 20h, la ville est comme déserte. De plus, certains quartiers (comme Boissard, à proximité du CHU) sont à éviter formellement.

– *Centre des Arts et de la Culture* *(plan couleur C2)* : pl. des Martyrs-et-de-la-Liberté. ☎ 05-90-82-79-78. ● centredesarts@wanadoo.fr ● centredesarts.fr ● *Fermé en août et début sept.* Théâtre, cinéma, musique, danse et expositions temporaires dans un lieu fraîchement rénové. Quelques grandes pointures ont déjà foulé la scène : Barbara Hendricks, Jean-Jacques Goldman, Miles Davis, Michel Petrucciani, Herbie Hancock, Dave Brubeck...

À la marina

Le seul coin animé de Pointe-à-Pitre, le soir en haute saison. Bien sûr, c'est assez « métro » comme atmosphère (sauf lorsqu'on a l'opportunité d'assister à l'arrivée d'une Route du Rhum !) mais il y a pas mal de restos et de bars. C'est la seule chance de trouver un peu de vie assez tard dans le secteur.

🍸 ♪ *Le Zoo Rock Café :* la Marina. ☎ 05-90-90-77-77. *Bar, tlj 17h30-3h30 ; discothèque, jeu-sam jusqu'à 6h env.* Bar à cocktails coloré et dynamique avec un jardin-resto, le tout pas mal fréquenté par les marins et les touristes en goguette. Alcool à gogo... à éponger avec les délicieuses maxi-brochettes de la maison. Ça bouge pas mal le week-end. Soirées à thème et groupes *live* tous les jeudis à 22h (rock, reggae ou tsigane, ce qui change un peu...).

À voir. À faire

Le vieux centre commerçant et le pittoresque quartier du port *(plan couleur B2-3)* réservent encore quelques jolies surprises aux randonneurs urbains. L'épine dorsale en est la *rue Frébault,* entièrement consacrée au négoce (bijoux, vêtements), tenu en grande majorité par des Libanais et quelques Chinois. *Rues Nozières, Schœlcher* et *Delgrès,* vous découvrirez également nombre de boutiques où les Pointois sont assurés de tout trouver, du poisson empaillé aux plus beaux madras. Attention, les magasins ferment de bonne heure le soir, le samedi après-midi et le dimanche. Le quartier est alors complètement désert... Et prudence !
Le vieux centre offre quelques belles demeures de style colonial avec vérandas et galeries, des bâtiments administratifs dessinés par Ali Tur, de vieux immeubles créoles auxquels se mêlent des cases en bois pittoresques, etc. ; bref, une architecture hétéroclite plutôt séduisante (mais pas toujours bien mise en valeur) et façonnée au cours des siècles par les différents cataclysmes (tremblements de terre, incendies) qui dévastèrent la ville.

🦚🦚 *Devant le palais de justice (place Gourbeyre) s'élève la* **basilique Saint-Pierre-et-Saint-Paul** *(plan couleur B2).* Elle ne présente pas une décoration intérieure particulièrement exceptionnelle, mais son architecture de métal est assez originale. Sur le parvis, joli festival d'oiseaux de paradis tous les matins, chez les marchandes de fleurs. Elles font même la livraison à l'aéroport.

🦚 *Le marché Saint-Antoine (plan couleur B3) :* à l'angle des rues Frébault et Peynier. *Tlj, sf sam ap-m, dim et j. fériés, de 6h à 15-16h.* Sous une grande halle ouverte aux alizés, le marché sous les tropiques tel qu'on se l'imagine : vivant et coloré. Notez la fontaine récemment rénovée. Faites donc le plein d'épices avant de repartir en métropole. Attention, toutes ces planteuses Guadeloupéennes derrière leurs montagnes de fruits n'apprécient pas trop qu'on les prenne en photo sans leur demander gentiment l'autorisation. Elles sont par ailleurs très racoleuses et d'une amabilité toute relative si l'on achète ici plutôt que là. Dommage... Très animé le samedi matin (pas une place de parking à moins d'un bon kilomètre).

%% *Le quartier du port (plan couleur B3) :* plutôt charmante, la place de la Victoire, bordée de quelques belles maisons créoles, avec ses palmiers, ses flamboyants, son square. Elle doit son nom à une victoire décisive remportée par Victor Hugues sur les Anglais pendant la Révolution française. Devant la place s'étend la vieille darse tristement déserte depuis que les vedettes desservant les Saintes et Marie-Galante ne s'y arrêtent plus. On n'y voit plus guère les goélettes tant chantées par le grand Saint-John Perse... Vous vous consolerez avec le beau *marché* déroulant ses éventaires tout le long du quai de droite, jusqu'à 15h ou 16h. Moins institutionnalisé que le précédent (on préfère !). Fruits, légumes, souvenirs et même des vendeurs de journaux à la criée qui reprennent les titres de *France-Antilles* en créole. Les pêcheurs des Saintes viennent y vendre leur poisson. À gauche de la darse, un marché artisanal se tient en matinée, histoire d'acheter quelques souvenirs du coin...

% La rue Duplessis mène à *Massabielle (plan couleur C3),* quartier populaire s'étageant sur la colline vers l'hôpital. La rue Raspail, quant à elle, borde le quartier du *Carénage,* celui des marins et des petits constructeurs de bateaux, aujourd'hui en plein travaux (lire le dernier paragraphe de l'introduction sur Pointe-à-Pitre). Là aussi, quartier éminemment populaire, composé d'une multitude de demeures en bois, vieilles échoppes dans un treillis de ruelles étroites. Quelques bars pittoresques, mais ne s'y rendre qu'avec un ami antillais déjà bien intégré au milieu. Pour les routards aventureux, on signalera le gastos *Chez Johanne* pour sa soupe de cheval du vendredi soir, réputée aphrodisiaque (mais atmosphère très masculine !). Balade nocturne en solitaire tout à fait déconseillée dans le quartier, bien entendu !

%% *Le musée Schœlcher (plan couleur B3) :* 24, rue Peynier. ☎ 05-90-82-08-04. Lun-ven 9h-17h. Fermé w-e et j. fériés. Entrée 2 € ; réduc étudiants et enfants ; gratuit pour les moins de 7 ans et chômeurs.
Superbe maison de 1887 en pierre de taille (avec du calcaire de la Grande-Terre), œuvre d'un illustre inconnu. C'est en tout cas la seule de ce type à Pointe-à-Pitre. Elle fut construite dès l'origine pour accueillir la collection personnelle du grand abolitionniste. À l'entrée, petite sélection de bronzes et de porcelaines, quelques plâtres représentant des figures grecques et égyptiennes ainsi qu'une copie de la Vénus de Milo, tous offerts par le musée du Louvre. Notez le buste de John Brown, anti-esclavagiste américain.
Le 1er étage est consacré à l'esclavagisme avec quelques gravures intéressantes du XVIIIe siècle. Notez le collier d'esclave, la maquette d'un bateau de transport d'esclaves et surtout le document présentant un « inventaire des esclaves et des animaux », désignés comme « biens meubles » d'après le fameux Code noir. Rappelons les déclarations du gouverneur de la Guadeloupe à la population, juste avant l'abolition de l'esclavage : « Mes amis, en France, tous les gens libres travaillent encore plus que vous qui êtes esclaves, et ils sont moins heureux car là-bas la vie est plus difficile. » Sans commentaire. On peut également consulter des reproductions de documents d'époque dans de grands cahiers.
Enfin, dans la cour derrière le musée, on ne manquera pas d'observer la statue du Sans-Culotte symbolisant la fin des privilèges. Œuvre d'un goût exquis – enfin, vous verrez... À l'accueil, le personnel est souvent intarissable sur le sujet.

%%% *Le musée municipal Saint-John-Perse (plan couleur B3) :* 9, rue Nozières. ☎ 05-90-90-01-92. ● musee.st-john-perse@wanadoo.fr ● Lun-ven 9h-17h, sam 8h30-12h30. Fermé dim et j. fériés. Entrée 2,50 € ; réduc enfants et étudiants.
Ce musée occupe la *maison Souque-Pagès,* la plus belle demeure coloniale de Pointe-à-Pitre, où résidaient les patrons de la première sucrerie des Antilles, l'usine Darboussier. On raconte que deux maisons de ce type auraient été commandées vers 1870 en France, à l'atelier de Gustave Eiffel,

par un riche propriétaire de Louisiane, désireux de doter ses deux filles. Malheureusement, le navire qui les acheminait dut faire escale à Pointe-à-Pitre pour cause de graves avaries. Son capitaine les vendit alors aux enchères pour payer les réparations. La seconde maison appelée *maison Zévallos* se trouve sur la commune du Moule (voir « À voir. À faire... » au Moule). Une forme rectangulaire, deux étages, des murs de brique, un toit de tuiles et une véranda soutenue par de fines colonnes métalliques. Ce détail technique est nouveau pour l'époque, car les colonnes de vérandas au XIXe siècle étaient en bois, pas en métal. Admirer le balcon ouvragé et la frise en zinc, fine dentelle ornant l'édifice, appelée lambrequin (courant sur les maisons créoles).

À l'intérieur, la maison est très bien entretenue : beau parquet, belles boiseries et moulures. Au rez-de-chaussée : reconstitution d'un intérieur tel qu'il était chez les riches propriétaires à la fin du XIXe siècle, avec des mannequins portant de jolies robes et des panneaux retraçant l'histoire du costume créole. C'est la partie la plus intéressante de la maison. Notez également les reproductions de photos et cartes postales anciennes (vendeur de bananes, le Père Joyeux, etc.), cocasses ou émouvantes. L'étage est en revanche consacré à l'enfant du pays, Saint-John Perse (photos, manuscrits, correspondance, calligraphies inspirées de son œuvre...) quand il n'y a pas d'exposition temporaire en cours. Le poète, qui vécut son enfance en Guadeloupe, en garda une vive nostalgie. Cela dit, c'est un peu court comme expo. Enfin, les combles réaménagés accueillent un mini-centre de documentation.

🗽 *Au n° 54, rue Achille-René-Boisneuf* (plan couleur A-B3), les inconditionnels de Saint-John Perse iront contempler avec émotion ce vieil immeuble créole, dans lequel le célèbre écrivain passa une partie de son enfance. Il y vécut jusqu'à la fin de sa douzième année, partagé entre les habitations du Bois-Debout (Capesterre-Belle-Eau) et celles de la Joséphine (Matouba, Saint-Claude) où vivait sa famille. Il faut toutefois une bonne dose d'imagination, ou de bonne volonté, pour passer outre l'état de décrépitude avancée du bâtiment.

Du côté de la marina

À 4 km de Pointe-à-Pitre. Prendre, sur la route du Gosier (N 4), la sortie « Bas-du-Fort/Marina ». Repaire de globe-flotteurs évidemment.

🗽 *Le fort Fleur d'Épée* (hors plan couleur par A1) : ☎ 05-90-90-94-61. À la sortie Bas-du-Fort, grimper tout en haut ; c'est fléché, suivre les panneaux « resto panoramique, villa Fleur d'Épée ». Lun 10h-17h, mar-dim 9h-17h. Entrée gratuite.

Vous trouverez facilement ce vieux fort construit au XVIIIe siècle, dans le style Vauban, et portant le surnom d'un soldat particulièrement hardi. Il fit l'objet d'âpres enjeux entre Victor Hugues et les Anglais. Un peu déplumé, certes, il a cependant conservé une certaine prestance avec ses canons, ses profondes douves, sa porte monumentale et ses remparts bien préservés. Ils enserrent une vaste esplanade où ne subsistent que la poudrière et un bâtiment réservé aux expositions temporaires. Mais la balade serait incomplète sans un détour par les souterrains (fermés en cas de pluie), et une pause contemplative pour profiter du beau panorama sur la baie du Petit Cul-de-Sac Marin. On vient d'ailleurs pour les photos de mariage...

🗽🚶 *L'aquarium de la Guadeloupe* (hors plan couleur par A1) : pl. Créole. ☎ 05-90-90-92-38. ● guadeloupeaquarium.com ● ♿ Suivre la direction Marina-Gosier-Bas-du-Fort puis « Aquarium » et tourner à droite à la station-service. Tlj 9h-19h. Entrée : env 8 € ; réduc ; gratuit jusqu'à 5 ans.

Plutôt que de se disperser en choisissant une poignée de spécimens provenant des quatre coins du globe, ce petit aquarium a préféré intelligemment se concentrer sur les richesses des fonds caribéens. Thématique, il rassemble toute une panoplie de poissons-papillons, anges, murènes tachetées, tortues de mer, poissons-ballons, trompettes, requins dormeurs... En tout, 200 variétés de poissons, sans oublier une cinquantaine d'invertébrés, coraux inclus. Notez les étonnants tarpons et l'aspect étrangement métallique du carangue-lune... Mais la grande attraction prévue (en principe à partir de mi-2007) et qui devrait attirer les foules, c'est le grand bassin aux requins. Celui-ci devrait faire 220 m^3 car la plupart des requins (ceux-ci viendront de Barbuda) ont besoin de se déplacer pour respirer. Également des raies-léopards au programme. Précisons enfin que le site accueille également un centre de soins pour tortues marines. En sortant, possibilité de boire un verre ou de se restaurer sur la terrasse du *Coco Kafé* (voir « Où manger autour de Pointe-à-Pitre ? »).

➤ *Découverte des îlets et de la mangrove :* plusieurs compagnies proposent des excursions vers ces magnifiques milieux naturels depuis la marina. Mais on vous conseille de bien choisir la prestation : trop peu de compagnies semblent se soucier de préserver l'écosystème marin, alors que tout le monde prétend faire de « l'écotourisme ».

Achats

Pointe-à-Pitre n'a rien d'un paradis du shopping et, d'ailleurs, la production artisanale guadeloupéenne est assez limitée. Outre les produits du marché Saint-Antoine et du petit marché du port (à lire dans « À voir »), on trouve dans les boutiques des produits – plutôt chers – en provenance de toute la zone caraïbe, et même d'Asie... Toutefois, on peut faire quelques bonnes affaires à la sauvette dans les rues adjacentes au marché Saint-Antoine, au bazar *Forum Caraïbe* à la darse ; mais aussi au *marché aux puces* le 1er dimanche du mois, à la darse et près du *musée municipal Saint-John-Perse*.

✿ *Schip-O-Case* (hors plan couleur par D3, **41**) : 96, rue Raspail, quartier du Carénage. ☎ 05-90-83-17-75. *Lun-ven 8h-12h30, 14h-17h30 ; sam 8h-13h.* Pour ceux qui viennent par la mer ou pour les vieux loups nostalgiques, c'est un magasin de puces de mer, un bric-à-brac de pièces de bateaux, où, avec un peu de chance, on peut trouver l'objet rare (très peu d'antiquités). Anke, ancienne navigatrice, reçoit gentiment, parle toutes les langues,

conseille et dépanne les marins.

✿ *Moradisc* (plan couleur B2, **40**) : Centre d'Échanges. ☎ 05-90-83-83-69. *Lun-ven 9h-18h, sam 8h30-13h30.* Idéal pour dégoter les chanteurs de zouk à la mode dans les Antilles, que vous ne cessez d'entendre sur l'autoradio de votre voiture. Pour les retardataires, il y a également un disquaire à l'aéroport (lire la rubrique « Arrivée à l'aéroport Pôle-Caraïbes »).

LE GOSIER
25 400 hab.

Située à 7 km au sud-est de Pointe-à-Pitre, la station touristique tire son nom des « grands gosiers », pélicans bruns qui nichaient autrefois dans le village (il en reste quelques-uns). C'est un des trois centres balnéaires de la Grande-Terre avec Saint-François et Sainte-Anne. La plupart des hôtels-clubs s'y trouvent ainsi que... 90 % des boîtes de nuit de l'île !

Dominant la mer et un charmant îlet, Le Gosier même est pourtant un bourg très ordinaire qui s'est étendu le long de la route au fur et à mesure de l'expansion du tourisme. Un peu à l'écart du centre, à l'ouest, on trouve la *pointe de la Verdure,* le quartier des hôtels-clubs plus luxueux, avec leurs petits bouts de plages artificielles (publiques) et un casino. Plus à l'ouest encore, on trouve *Bas-du-Fort* et la marina de Pointe-à-Pitre.

– **Les hôtels :** les hôtels du Gosier ne bénéficient pas tous de la plage. Certains sont construits au-dessus des rochers. En fait, cette station ne devient intéressante que passée cette zone trop urbanisée et occupée par l'hôtellerie industrielle. Il faut aller plus loin, vers l'est, pour trouver des endroits plus sauvages. Nos meilleures adresses se situent dans ce coin-là.

– **Les plages :** Le Gosier possède peu de plages, et elles sont généralement petites et étroites. Elles s'égrènent le long de la route. Il y en a toutefois de très mignonnes à l'est de la ville, en direction de Sainte-Anne : la *plage de Saint-Félix,* plutôt agréable et sauvage, celle *des Salines,* derrière une petite zone de mangrove, et la *plage de Petit-Havre,* certainement la plus belle des trois.

Arriver – Quitter

En bus

En attendant le grand bouleversement prévu dans les transports locaux courant 2007 (voir la rubrique « Transports » des « Généralités »), les arrêts de bus se trouvent devant le *Crédit Agricole* (boulevard Amédée-Clara) pour Sainte-Anne et Saint-François ; devant le cimetière, face à la poste (boulevard du Général-de-Gaulle) pour Pointe-à-Pitre.

En voiture

Pas facile de s'y retrouver. Le nom des lotissements n'est indiqué sur aucune pancarte. En outre, la commune s'étale presque de Pointe-à-Pitre à Sainte-Anne. Conseil : il suffit de suivre dans l'ordre les petits hameaux qui se succèdent sur la N 4, car ils sont signalés par un panneau (à l'entrée et à la sortie) et tous indiqués sur la carte routière. Bien sûr, se reporter également à notre plan du Gosier.

Adresses utiles

⊠ **Poste** *(plan B2) :* bd du Général-de-Gaulle, face au cimetière. Fermé mer et sam ap-m.
■ **Distributeurs de billets :** à la poste, au Crédit Agricole *(plan C2, 2),* bd Amédée-Clara, ainsi qu'au Casino, *à la pointe de la Verdure (quartiers des grands hôtels).*

■ **Laverie libre-service Les Hibiscus** *(plan C2, 3) :* 35, bd Amédée-Clara. ▣ *06-90-30-40-73. Journée continue lun, mar, jeu et ven ; slt le mat mer et sam.* Belle vue sur l'îlet et les rouleaux pendant que le tambour bosse.

Où dormir au Gosier et dans les environs ?

Dans le centre-ville

De bon marché à prix moyens

⌂ **La Formule Économique** *(Hôtels d'Aujourd'hui ; plan B2, 18) :* 112-
120, lot. Gisors, Montauban. ☎ 05-90-84-54-91. ● *laformule.economi*

GRANDE-TERRE

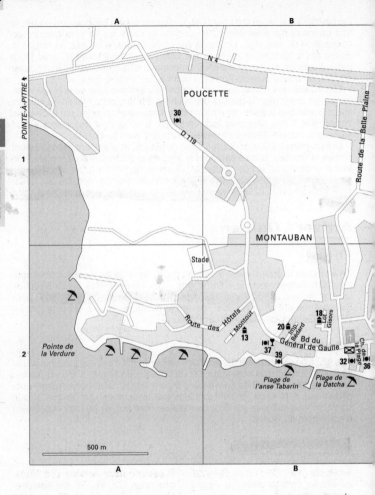

POINTE-À-PITRE

POUCETTE

N 4

D 119

MONTAUBAN

Route de la Belle Plaine

Stade

Route des Hôtels

Pointe de la Verdure

I. Montour

Bd du Général de Gaulle

Imp. Bédard

Lot Gisors

Ch. de la Plage

Plage de l'anse Tabarin

Plage de la Datcha

500 m

■ **Adresses utiles**

⌧ Poste
⛴ Embarcadère pour l'île du Gosier
2 Crédit Agricole
3 Laverie Les Hibiscus

⌂ **Où dormir ?**

12 Hôtel Les Bananiers

13 Gîtes de M. et Mme Branes

16 L'Amandier, chez M. et Mme Méri

18 La Formule Économique (Hôtels d'Aujourd'hui)

19 Résidence Turquoise

20 Espace Marida, chez M. Mozar

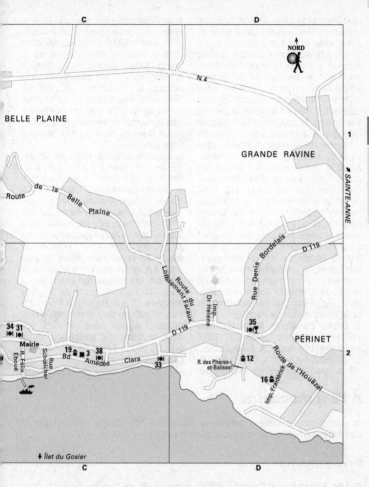

LE GOSIER

|●| Où manger ?		
30 Le Tam-Tam	**36** Entre Ciel et Mer
31 Les Quatre Épices	**37** Auberge de la Vieille Tour
32 Chez Bobisto	**38** Cafétéria de la médiathèque
33 Restaurant Taillepierre	**39** Point Vert
34 L'Affirmatif	
35 Au P'ti Paris	☐ Où boire un verre ?
	35 Au P'ti Paris
	37 Auberge de la Vieille Tour

que@wanadoo.fr ● laformuleeconomique.com ● *Venant de Pointe-à-Pitre, c'est la 2ᵉ rue à gauche avant le cimetière (rue Rosette, assez étroite), puis au fond de l'impasse. Impératif de réserver en fin de sem et de janv à mars. De 45 € pour 2 pers à 168 € pour 8 pers.* Tout un concept. L'élégant et volubile patron, Ferdinand Tripoli, qui mûrit depuis quelques années un projet de « musée de la Guadeloupe », propose ici des logements à la carte, selon le degré de confort désiré. Au choix : AC, kitchenette, terrasse, demi-pension, petit déj, etc. Une drôle de pension (que le facétieux patron appelle « hôtel de proximité ») où toutes les Antilles débarquent le week-end pour faire la fête ! Et autant le dire : gare au bruit ! Petite boutique en dépannage, bibliothèque intimiste avec accès internet et un bar mignon comme tout avec pas moins de 365 rhums différents alignés un peu partout. Bref, un pour chaque jour de l'année !

🏠 **Gîtes de M. et Mme Branes** *(Gîtes de France ; plan B2, 13) : impasse Montout, à Montauban.* ☎ *05-90-84-43-18.* 📱 *06-90-53-18-38.* ● *jean-louis.branes@wanadoo.*

fr ● *Téléphoner le soir ou le w-e. Gîtes, à la sem : pour 2 pers 320 €, pour 4 pers 350 €.* Dans une impasse calme, proche des plages de la pointe de la Verdure, voici 2 studios (2 épis) pour 2 à 4 personnes, très simples, assez corrects (AC, TV, cuisine équipée) et situés en rez-de-jardin de la villa des propriétaires, très prévenants. Petits bouts de terrasse privatifs pour profiter des soirées paisibles.

🏠 **Espace Marida, chez M. Mozar** *(Gîtes de France ; plan B2, 20) : impasse Bédard, à Montauban.* ☎ *05-90-82-84-60.* 📱 *06-90-54-44-44.* ● *gitesdefrance-guadeloupe. com* ● *En venant de Pointe-à-Pitre, 1ʳᵉ à gauche après l'Auberge de la Vieille Tour ; c'est un peu plus loin sur la gauche (panneau). Téléphoner avant de venir. Env 580 € la sem pour 4 pers.* Ni résidence hôtelière ni espace de mariage (on plaisante), il s'agit tout simplement de 2 gîtes mitoyens (3 épis) pour 4 à 6 personnes, chacun avec 2 chambres climatisées, 1 séjour avec clic-clac, cuisine, terrasse, TV, téléphone, et un bout de jardin. Très simple. Accueil à l'aéroport possible.

À l'est du centre

Ici commence la belle Guadeloupe. Flore plus abondante, jolies plages et des adresses qui commencent à avoir un peu plus de charme...

Prix moyens

🏠 **Les Résidences Créoles, Chez Madelise** *(hors plan par D1) : à Mare-Gaillard (sommet de Salines).* ☎ *05-90-85-36-37 ou 97-82.* ● *resi dencecreole@yahoo.fr* ● *residence-creole.com* ● *À 7 km vers Sainte-Anne ; juste avant le panneau « Mare-Gaillard », à droite, prendre (très prudemment) la contre-allée en tête d'épingle ; c'est en contrebas. Pour 2 pers 35-62 € la nuit selon taille. Petit déj 5 €. Repas sur résa. À partir de 2 nuits, réduc de 10 % en basse saison et transfert (port ou aéroport) gratuit sur présentation de ce guide.* On vient d'abord pour l'accueil très chaleureux de Madelise et de sa famille. Ensuite, pour l'intéressant panel de studios et de chambres aménagés dans une maison en bois avec vue sur un joli cadre de verdure, la piscine et son ponton, et enfin la mer en arrière-plan. Il y en a pour tous les goûts ou presque : différentes tailles (dont un appartement modulable, pratique mais tristounet), avec ou sans cuisine, avec AC ou ventilo, avec vue sur la mer ou le jardin, etc. Un bon rapport qualité-prix-accueil.

🏠 **L'Amandier, chez M. et Mme Méri** *(plan D2, 16) : impasse Fraidérick, route de l'Houëzel.* ☎ *05-90-84-43-63.* ● *amandier.meri@free.fr*

● *http://amandier.meri.free.fr* ● *Téléphoner avant de venir. À la nuit, en hte saison, env 40 € le studio pour 2 pers, et 57 € l'appart pour 4 pers. À la sem, respectivement 280 et 399 €. Réduc de 10 % en basse saison sur présentation de ce guide.* Le chemin d'accès est un peu raide, mais se justifie largement pour profiter du cadre fleuri et bien tranquille de cette bâtisse agrippée à flanc de colline. Voici 2 studios et 1 appart simples et très corrects au rez-de-chaussée de la maison des proprios. Coin-cuisine équipé, ventilo, TV et petite terrasse privative donnant sur le jardin (mitoyenne des autres mais avec séparation). Transfert aéroport possible. Accueil très aimable.

🏠 **Hôtel Les Bananiers** *(plan D2, 12) : rue des Phares-et-Balises, section Périnet.* ☎ *05-90-84-10-91.* 📱 *06-90-53-32-53.* ● *info@les-bananiers.com* ● *les-bananiers.com* ● *La nuit pour 2 pers selon saison : en chambre 46-55 € ; en studio 55-65 €. Chèques-vacances acceptés. Petit déj offert à tous.* Reprise par un couple sympathique, cette minuscule résidence hôtelière se démarque par son agréable atmosphère intimiste et familiale et son excellent entretien. La dizaine de studios et chambres s'organisent autour d'une mignonne piscinette, plantée au cœur d'un petit jardin tropical qu'on ne devine pas de la rue. L'ensemble est bien équipé : AC, TV (câble), wi-fi, kitchenette en terrasse pour les studios et, pour ne pas déplaire, on est à 15 mn à pied de la plage. Très bon accueil.

🏠 **Gîtes Oasis-Colibri, chez M. et Mme Champare** *(Gîtes de France ; hors plan par D2) : 5, rue Césaire-Boisdur, L'Houëzel-Dampierre.* ☎ *05-90-84-17-75.* ● *jean.champa re@wanadoo.fr* ● *À la sortie du Gosier, à droite à la fourche ; c'est la 3ᵉ rue à droite puis la 3ᵉ villa à gauche. Fermé en sept. La sem pour 2 pers 246-282 € selon taille. Réduc de 5 % mars-juin sur présentation de ce guide.* Dans un quartier résidentiel tranquille, à 2 km des plages, cette villa familiale au style suranné (bonjour les nains de jardin !) propose 2 gîtes 3 épis indépendants et mitoyens (dont un plus petit) pour 2 personnes. Salle de bains, cuisine équipée individuelle, AC et grande véranda-salle à manger commune donnant sur le jardin. La décoration est à l'avenant de la villa, désuète, mais le confort est correct et l'accueil du couple de retraités plutôt bon enfant. Si c'est complet, la fille des Champare loue également un gîte classé 3 épis à Dampierre, à 5 mn de là *(17, lot. Irénée ;* ☎ *05-90-82-81-19 ;* 📱 *06-90-58-20-32).*

Plus chic

🏠 **Cap Sud Caraïbes** *(hors plan par D1) : chemin de la Plage, à Petit-Havre.* ☎ *05-90-85-96-02.* ● *capsud hotel@wanadoo.fr* ● *capsudhotel. com* ● *À 8 km, direction Sainte-Anne, fléchage à droite au niveau de la plage de Petit-Havre ; c'est dans la descente à gauche. Doubles env 95-120 €, selon vue (mer ou jardin), confort et saison ; petit déj compris. Repas sur commande préparé par la maîtresse de maison env 20 € (menu enfants env 12 €). Apéro ou digestif maison offert sur présentation de ce guide.* À l'abri des regards, dans un joli jardin bien entretenu, cette ravissante villa aux volumes agréables propose 8 chambres confortables et coquettes, toutes avec une déco différente et de grandes salles de bains. Devant la vaste piscine, très jolie case aux couleurs marines (bleu et blanc) pour prendre le petit déj ou un ti-punch, sur fond de musique classique. À côté de la villa également, deux magnifiques bungalows avec clim' pour 2 ou 3 personnes. Très bien équipés avec, en plus, terrasse et jardin privatif. Compter 400 à 550 € la semaine selon la saison. À 200 m, la plage de Petit-Havre, assez plaisante (on préfère la petite crique à gauche). Une véritable adresse de charme, calme et intime, où Max, la patronne aime et sait recevoir. Loueurs de voitures à proximité, on peut venir vous accueillir et vous raccompagner à l'aéroport.

GRANDE-TERRE

|●| **Les Hibiscus, chez Renée** (hors plan par D1) : chemin de la Plage, à Petit-Havre. Entre Gosier et Sainte-Anne, face aux Saintes et Marie-Galante. ☎ 05 90 85 82 28. ● co.re nee@wanadoo.fr ● leshibiscus.fr ● Depuis Gosier, en direction de Sainte-Anne, prendre à droite juste après Mare-Gaillard et descendre vers Petit-Havre, puis la 1re à gauche (ça monte raide sur 50 m) ; première maison à droite. Résa conseillée. Studios de standing 350-490 € la sem pour 2 pers selon saison. Tarifs dégressifs pour séjour de 2, 3 ou 4 semaines. Kit de premier petit déj offert à l'arrivée. Dans un jardin tropical avec entrée indépendante, 2 magnifiques bungalows (2-3 personnes) climatisés et aménagés avec goût (40 m² chacun). Très bien équipés ; chambre-salon avec 2 lits (simple et double) avec moustiquaire. TV, fer à repasser, machine à laver, cuisine, salle de douche et terrasse privative pour chacun. Barbecue à l'extérieur. Accueil sympa de la maîtresse des lieux avec ti-punch ou planteur. Piscine pour les hôtes. Plages à 150 m, et celles de Sainte-Anne ne sont qu'à 5 km. Spot pour les amateurs de surf. Une excellente adresse.

🏠 **Résidence Turquoise** (plan C2, 19) : 33, bd Amédée-Clara. ☎ 05-90-84-79-00. ● yvesbrossard@wanadoo. fr ● prime-invest.com ● À Paris : 79, rue du Théâtre, 75015. ☎ 01-45-75-08-80. En plein centre. Réception tlj sf dim et j. fériés 9h30-12h, 17h-18h. À la nuit, selon saison : studios (2 pers) 53-88 € ; apparts F2 ou F3 (3-6 pers) 70-141 €, selon confort. Petite structure d'une dizaine d'appartements à peine, rénovée récemment et appréciée pour sa belle vue sur la mer et sa localisation en plein centre-ville... même si la rue se révèle parfois un peu bruyante. Hébergement tout confort (AC, cuisine équipée, téléphone, TV, lecteur DVD), avec balcon ou terrasse et une déco plaisante. Bon rapport qualité-prix.

Où manger ?

Bon marché

|●| **Cafétéria de la médiathèque** (plan C2, 38) : bd Amédée-Clara. ☎ 05-90-84-31-93. Le midi tlj sf dim et lun. Menu env 10 €. Au 3e étage du temple local des nourritures spirituelles (bibliothèque et vidéothèque), on a découvert cette agréable salle climatisée avec terrasse donnant sur l'îlet du Gosier, où l'on vous sert avec le sourire des nourritures terrestres toutes simples (style poulet grillé, riz...), copieuses et vraiment pas chères (apéro, entrée, plat et dessert !). Un vrai bon plan pour les routards.

|●| **Chez Bobisto** (plan B2, 32) : chemin de la Plage. ☎ 05-90-84-69-88. Dans la baraque derrière le resto Entre Ciel et Mer. En hte saison, tlj sf dim ; hors saison, slt le midi. Plats 8-10 €. Un vrai lolo, très proche de la gargote, à côté duquel des César et des Marius du coin viennent jouer à la pétanque. On y vient plus pour le pittoresque du lieu que pour la cuisine, honorable mais parfois un peu graillonneuse. Bon accueil.

|●| **Restaurant Taillepierre** (plan C2, 33) : 64, bd Amédée-Clara. ☎ 05-90-84-54-29. Tlj sf mer et en sept. Plats 11-16 €. Un petit resto tout jaune avec des balcons rouges, quelques tables, dehors et les nappes créoles. Excellents colombos de cabri, poulet rôti et ouassous. Et c'est copieux ! Victoire, aux fourneaux, n'a pas son pareil pour soigner ses doudous de clients ! Bon accueil.

|●| **Le Tam-Tam** (plan A1, 30) : bd du Gosier, à Montauban. ☎ 05-90-84-07-08. Sur la gauche de la route (D 119), avant le 1er rond-point, en venant de Pointe-à-Pitre. Tlj 12h-1h. Plats 9-20 €, menu-enfants 6 €. Ti-punch ou planteur offert sur présentation de ce guide. Cela fait longtemps que le Tam-Tam bat tranquillement le rappel des habitués. Certes, on est en bord de route, mais la cuisine, servie sous une

paillote près d'un grand barbecue, est vraiment fraîche, copieuse et d'un très bon rapport qualité-prix. Excellentes grillades (poulet, *ribs*, brochettes, poissons, fruits de mer) accompagnées de riz, frites, crudités. Également des spécialités créoles toutes simples, tout à fait recommandables. Service efficace.

|●| *Au P'ti Paris* (plan D2, 35) : à Périnet. ☎ 05-90-84-56-65. En allant vers Sainte-Anne, sur la gauche, au niveau de la fourche. Ouv ts les soirs sf lun. Salades env 8 €, pizzas 7-12 €. Dans une authentique maison créole en bois, retrouvez Paname le temps d'une soirée. Réverbères, photos, pubs et plaques de rue... Tout, jusqu'à la carte avec ses nombreuses pizzas fines et délicieuses, évoque la capitale. L'atmosphère est à la décontraction, surtout le week-end à l'occasion des bons concerts blues ou jazz. Voir aussi « Où boire un verre ? ».

|●| *Entre Ciel et Mer* (plan B2, 36) : chemin de la Plage. ☎ 05-90-84-57-71. Tlj sf dim soir. Plats env 8-22 €. Ti-punch offert sur présentation de ce guide. Un resto local sans chichis avec un décor simple et une vaste terrasse-véranda perchée au-dessus de la mer. Parfait pour se baigner en attendant son plat ou observer l'animation qui règne sur la plage, d'autant que celle-ci est judicieusement éclairée le soir pour le plus grand bonheur des joggers et des amoureux du coin. De bonnes assiettes « créole » et « caraïbe », des ouassous et des lambis – un peu plus chers – mais aussi des *ribs* et du poulet grillé pour les petits budgets. Ambiance d'habitués.

|●| *Point Vert* (plan B2, 39) : à Montauban. ☎ 05-90-84-32-49. ♿ Au-dessus de la plage de l'Anse Tabarin, en contrebas de l'espace vert (d'où son nom). Tlj sf dim, lun midi et sam midi. Fermé 15 j. début mai. Plat du jour env 10 €, menu env 24 €, carte env 22 €. Digestif maison offert sur présentation de ce guide. Une adresse typiquement créole avec un décor gentiment hétéroclite et une belle terrasse qui surplombe le rivage et quelques rochers fréquentés par des pélicans. La maison propose une « cuisine piquante », pas forcément relevée d'ailleurs, mais assez parfumée. On a bien aimé le blaff de poisson. Couscous royal aux fruits de mer servi tous les vendredis. On peut aussi se contenter d'y boire un verre ou venir pour la soirée théâtre (un vendredi sur deux). Le samedi, soirée *gwoka* !

Prix moyens

|●| *L'Affirmatif* (plan C2, 34) : 17, bd du Général-de-Gaulle. ☎ 05-90-82-57-87. Tlj tte l'année. Menus 14,90-30 €, plats et pizzas 10-16 €, menu-enfants 7,90 €. Digestif maison offert sur présentation de ce guide. Dans la rue principale, un resto réputé pour ses belles pizzas généreuses, que l'on peut emporter. Également de bonnes spécialités créoles, des pâtes et des grillades... Plusieurs tables en terrasse, ou dans la grande salle rustique tapissée de rondins.

|●| *Les Quatre Épices* (plan C2, 31) : 25, bd du Général-de-Gaulle. ☎ 05-90-84-76-01. Fermé la 1re quinzaine de sept. Plats 16-29 €, salades 11-14 €, menus 20-40 €. Dans la rue principale, une charmante vieille case créole, décorée avec beaucoup de coquetterie, et proposant une cuisine traditionnelle, relevée avec les fines saveurs du Sud-Ouest « métro ». Également un bon choix de salades, des desserts maison délicieux et copieux et de nombreuses glaces. Accueil prévenant et prix honnêtes.

Très, très chic

|●| *Auberge de la Vieille Tour* (plan B2, 37) : à droite sur la grande route, en arrivant au Gosier. ☎ 05-90-84-23-23. ● *H1345@accor.com* ●

♨ *Ouv ts les soirs 19h-22h. Formule 36 € autour d'un plat, menu 46 €.* C'est le resto de l'hôtel chic du Gosier, reconnaissable à son vénérable moulin éponyme. Excellente cuisine à l'exotisme subtil, mariant les spécialités métros aux compositions savoureuses d'inspiration antillaise. Dommage que l'accueil et le service soient parfois un peu guindés. Voir aussi « Où boire un verre ? ».

Où manger dans les environs ?

Se reporter à notre sélection d'adresses à la *marina* (rubrique « Où manger dans les environs de Pointe-à-Pitre ? »).

Où boire un verre ?

🍷 *Au P'ti Paris* (plan D2, 35) : voir « Où manger ? ». *Réserver.* Dans cette ravissante case créole en bois, animation café-théâtre le mercredi soir, soirée aux chandelles le jeudi et concert le samedi. Plutôt sympa.

🍷 *Auberge de la Vieille Tour* (plan B2, 37) : voir « Où manger ? ». Bar à l'atmosphère un tantinet coloniale (tenue correcte exigée, on préfère prévenir), profitant d'une vue féerique sur la baie. Piano-bar se prolongeant après le dîner selon l'affluence. Intime et chic.

À voir. À faire

⌒ **Les plages du Gosier et des environs :** il y a les deux petites plages du centre-ville – celle de l'*Anse Tabarin* et celle de la *Datcha (plan B2)* – auxquelles on accède par le boulevard du Général-de-Gaulle. Profitez donc, comme tout le monde, de l'éclairage public pour vous baigner le soir sur la plage de la Datcha, c'est très agréable ! Également les petites *plages des hôtels de la pointe de la Verdure (plan A2),* artificielles et plus ou moins privées. Vous pouvez aller vous installer sans problème sur la plupart d'entre elles mais, si vous désirez un transat, il vous faudra le louer. Les abords de certaines plagettes artificielles sont souvent vaseux, mais elles sont toujours bien entretenues. À quelques kilomètres, à l'est de la commune, s'égrènent les jolies plages de *Saint-Félix*, des *Salines* et de *Petit-Havre*. Bien plus sauvages que les précédentes, en particulier la dernière avec son petit spot pour surfeurs et *bodyboarders*. Ce qui ne signifie pas qu'il n'y ait personne... Celle de *Petit-Havre* se partage en deux parties distinctes, toutes deux très populaires et donc pas mal fréquentées. Accès par la *Résidence du Petit-Havre*. 🍽 Petit **resto** près du parking (*Chez Manu,* sandwichs autour de 3 €, formule ou plat à environ 15 €, boissons fraîches et glaces).

🐟🐟 **L'îlet du Gosier :** une excursion sympa sur l'îlet de carte postale, face au Gosier. Eaux turquoise et belles plages de sable, même si parfois les baigneurs ont tendance à laisser des traces... On y accède par le petit embarcadère du Gosier où des pêcheurs attendent pour vous faire traverser. Compter environ 3 € par personne l'aller-retour. Se mettre d'accord avec le pêcheur pour l'heure du retour. Idéal pour un pique-nique en famille. Grande fête très animée les 31 juillet et 1er août.

– D'autres attractions **du côté de la marina** (se reporter à la rubrique « À voir. À faire » à Pointe-à-Pitre).

– **Excursion en mer, plongée et « danse avec les raies » :** avec Stingray, marina de Bas-du-Fort. 📞 06-90-67-52-80. Départ mer et sam à 8h (retour à 17h). Env 40 € la demi-journée ou 65 € la journée par adulte, repas inclus. Denis Moulin, amical moniteur d'État et biologiste, mérite bien son surnom de

« l'homme qui danse avec les raies ». Croisières dans le lagon du Grand Cul-de-Sac Marin, où l'on part à la rencontre des fameuses raies pastenagues (inoffensives) dans 1 m d'eau. Également de la plongée (baptême à 45 €, formation Niveaux 1, 2 et 3) et du scaphandre.

Plongée sous-marine

La plongée au large du Gosier n'a rien d'extraordinaire, mais elle est idéale pour tous ceux qui désirent s'initier ou se former.

Club de plongée

■ *Bleu Outremer* (plan A2) : au Créole Beach Hôtel, *pointe de la Verdure et à l'hôtel* Fleur d'Épée *(à Bas-du-Fort).* ☎ *05-90-90-85-11.* ● *plon gee-bleu-outremer@wanadoo.fr* ● *plongee-bleu-outremer.com* ● *Baptême 49 € ; plongée-exploration 45 € ; forfaits dégressifs pour 3, 5 et 10 plongées. Initiation en piscine gratuite.* Ce club gère la base nautique d'un grand hôtel (scooter des mers, planche à voile, etc.). Un centre (ANMP, PADI) qui propose baptê-

mes et formations, sans compter de bien belles explorations sous-marines, sur les spots du Petit et du Grand Cul-de-Sac Marin. Jusqu'à 22 personnes sur le bateau, dont 12 plongeurs bouteille maximum. Plongée de nuit, initiation enfants à partir de 8 ans, et sorties à la journée au large de Port-Louis, Deshaies, Petite-Terre, Sainte-Rose et des Saintes. Excursions palmes-tuba sur les îlets Caret et du Gosier. Matériel fourni et en bon état.

Nos meilleurs spots

↘ Parfaitement abrité, le fameux *îlet du Gosier (carte Grande-Terre : nos meilleurs spots de plongée, 33)* attire d'innombrables petits poissons colorés et demeure le site de prédilection des baptêmes (10 mn de bateau).

↘ Les centres emmènent aussi leurs plongeurs (Niveau 1 et confirmés) sur l'*épave de Petit-Havre (carte Grande-Terre : nos meilleurs spots de plongée, 34)*, rassurante, peu profonde et colonisée par des langoustes. Parfois aussi de majestueuses raies-aigles...

↘ Enfin, *Le Cirque (carte Grande-Terre : nos meilleurs spots de plongée, 35)* compte parmi les plongées phares, fastoches (- 25 m maximum ; pour plongeurs Niveau 1 et confirmés) et plutôt poissonneuses du Petit Cul-de-Sac Marin...

LES GRANDS-FONDS

Petite région située à l'intérieur des terres, entre Les Abymes, Le Moule et Sainte-Anne, et qui se prolonge à l'est jusque sur la commune du Moule. La route serpente dans un paysage entrecoupé d'une multitude de mornes et de petites vallées verdoyantes, souvent plantées de bananiers et de manguiers. On recommande en particulier la route Boivin-Bouliqui-Deshauteurs et la D 101 (Chazeau-Boricaud-Jabrun-Gascon). Cet endroit, à l'écart du flux touristique, fut peuplé au XVIIIe siècle par les Blancs-Matignon (voir la rubrique « Population... » des « Généralités » sur la Guadeloupe). Leurs descendants, encore présents et toujours cultivateurs, ont vu leurs conditions de vie s'améliorer un peu, tout en préservant leurs traditions qui s'expriment à la

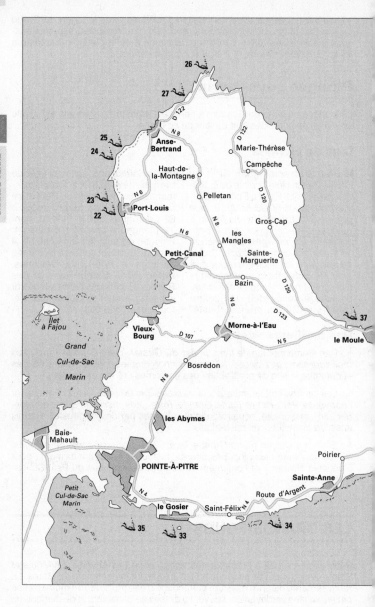

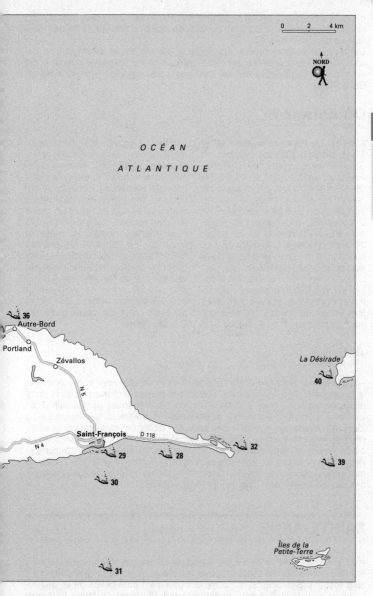

0   2   4 km

NORD

OCÉAN

ATLANTIQUE

36
Autre-Bord

Portland

Zévallos

N 5

La Désirade

40

Saint-François   D 118

N 4

29

28

32

39

30

31

*Îles de la
Petite-Terre*

LA GRANDE-TERRE : NOS MEILLEURS SPOTS DE PLONGÉE

moindre occasion : *gwoka* le samedi soir, concours de bœufs tirants... En outre, l'association locale des personnes âgées demeure l'une des plus actives de Guadeloupe !

Cette région est très proche des côtes et des plages, et se singularise par une végétation abondante, un climat moins lourd et un calme absolu (c'est vraiment la campagne) qui ne sont pas sans rappeler Saint-Claude en Basse-Terre.

Où dormir ?

🛏 ***Gîtes La Palmeraie, chez M. et Mme Viator*** *(Gîtes de France) : à Saint-Protais, dans les Grands-Fonds de Sainte-Anne.* ☎ *05-90-24-09-11. À env 10 km. En direction de Saint-François, prendre à gauche vers Douville, puis c'est indiqué. Pour 2-4 pers, 382-460 € la sem selon saison. Sur présentation de ce guide, 1er petit déj offert.* Comment ne pas succomber au charme de ces deux adorables cases créoles en bois, perchées au sommet d'une colline enrobée de végétation tropicale ? Construites et aménagées avec goût, elles font l'objet de soins constants qui sont la promesse d'un séjour tout confort : 2 chambres indépendantes, avec chacune leur douche et w-c séparés, séjour, AC, cuisine équipée, lave-linge, TV, terrasse avec transats, barbecue... Accueil authentique et très prévenant des gentils propriétaires, qui se feront un plaisir de vous montrer les arbres fruitiers (comme les papayers mâle et femelle), les fleurs et les plantes médicinales du joli jardin... avant d'offrir le traditionnel punch maison. Vue sur l'île de La Désirade à l'horizon. Réservation de voitures et accueil aéroport possibles. Notre adresse coup de cœur dans les Grands-Fonds.

À faire

– ***La fête des Grands-Fonds :*** elle se déroule chaque année, entre Noël et le Nouvel An, dans les nombreux lieudits et hameaux dispersés de la commune de Grands-Fonds. Les dates exactes sont fournies par les offices de tourisme. Cette fête villageoise, traditionnelle et profane s'étale sur plusieurs jours. À l'origine, les habitants des hameaux isolés se rendaient visite, allant chez les uns et les autres, pour échanger, s'amuser, manger et boire dans un esprit joyeux et convivial. Aujourd'hui, ces visites spontanées s'accompagnent d'une kermesse, avec des jeux et des spectacles collectifs : défilé de majorettes, courses de bœufs, concours de la plus belle vache. Le 31 décembre clôt les festivités et c'est le jour le plus animé.

SAINTE-ANNE   (97180)   22 000 hab.

À 21 km à l'est de Pointe-à-Pitre, Sainte-Anne est une commune à vocation touristique très affirmée (pour preuve, le *Club Med* et *Pierre & Vacances* s'y sont établis). Ses plages, qui comptent parmi les plus belles de la Guadeloupe, y sont peut-être pour quelque chose. Imaginez un lagon turquoise fermé par une barrière de corail protectrice et bordé d'une plage de sable clair et de cocotiers. Joli tableau de rêve, non ? ! Alors faites votre choix : *plage municipale,* composée de plusieurs petits lagons et animée par les gens du coin (en particulier le week-end), *plage du Club Med,* publique également, en demi-lune, protégée des vents et prisée par les touristes, et puis toutes celles qui relient Sainte-Anne à Saint-François et qui raviront les amateurs de vagues... Ravagé par le cyclone Hugo, le bourg, quant à lui, manque cruellement de charme. Sachez enfin que la commune s'étend loin en direction du Gosier et de Saint-François, mais aussi dans les terres, vers les Grands-Fonds.

Arriver – Quitter

En bus

En attendant le grand chambardement prévu dans les transports locaux courant 2007 (voir la rubrique « Transports » des « Généralités »), les arrêts de bus se situent entre la poste et la mairie ainsi qu'au village artisanal (plan B2). Bus reliant Le Gosier, Pointe-à-Pitre et Saint-François.

En bateau

Au départ du port de pêche de Galbas, les vedettes *Iguana Sun* et *Iguana Beach* (☎ 05-90-22-26-31 ; ▯ 06-90-50-05-09 ou 10) assurent quelques traversées hebdomadaires pour les Saintes ; départ vers 7h30 (vérifier avant), avec parfois escale à Saint-Louis de Marie-Galante. Compter 45 mn de navigation pour Marie-Galante, et ensuite 45 mn pour gagner les Saintes. Billetteries au village artisanal (au bout du port) et à côté de *L'Americano Café* (plan B2, **30**) ; autour de 35 € l'aller-retour. Retour en fin d'après-midi avec le même arrêt (attention, ça secoue pas mal !).
Les liaisons maritimes pour ces deux îles sont plus nombreuses à partir de Saint-François (voir à ce chapitre « Navette pour Marie-Galante et les Saintes ») ou de Pointe-à-Pitre (voir « Arriver – Quitter Pointe-à-Pitre »).

Adresses utiles

▯ *Office municipal de tourisme* (plan B2) : à côté du village artisanal. ☎ 05-90-21-23-83. ● tourisme. sainte-anne @ wanadoo.fr ● ville-sainteanne.fr Lun, mar et jeu 7h30-12h30, 14h-17h ; mer et ven 7h30-13h ; fermé le w-e. Horaires variables en basse saison. Très bon accueil et excellentes informations.
✉ *Poste* (plan B2) : pl. Victor-Schœlcher. Tlj sf dim 7h30-12h, 14h-16h (jusqu'à 12h mer et sam).
■ *Distributeurs de billets* (plan B2 et C2, **1**) : à la poste ; au Crédit Agricole, bd Hégésippe-Ibéné, pl. Schœl-cher et à côté du Leader Price ; à la BRED, rue du Débarcadère.
▣ *Maya Cybercafé* (plan B2, **2**) : bd Hégésippe-Ibéné. ☎ 05-90-47-07-20. Lun-sam 8h30-19h, dim 8h30-12h env. À partir de 2,50 € pour 15 mn de connexion. Sandwichs et boissons.
■ *Librairie Épithète* (plan B2, **3**) : pl. Schœlcher. ☎ 05-90-88-37-29. Lun-sam 7h-19h, dim 9h-12h30. Bon choix de littérature créole, cartes et journaux de métropole. Vend aussi des timbres. Annexe sur le boulevard Hégésippe-Ibéné.

Où dormir ?

Assez peu d'adresses sur la plage même. On indique grosso modo la proximité des flots bleus.

De bon marché à prix moyens

▲ *Casa Boubou, chez Nicolle et Didier Pontault* (hors plan par A2) : à Durivage. ☎ 05-90-85-10-13. ● di dier@casaboubou.fr ● casabou bou.fr ● ♿ À 1,5 km. Avant Sainte-Anne en venant du Gosier, monter à

GRANDE-TERRE

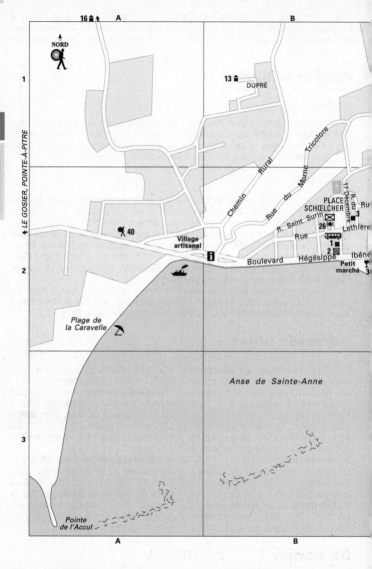

← LE GOSIER, POINTE-À-PITRE

NORD

16 ⌂ ↑ A · B

13 ⌂
DUPRÉ

Chemin Rural

Rue du Morne Tricolore

17 Décembre

PLACE SCHŒLCHER

R. du Lethière

R. Saint Surin

26

Rue

3

Ru

1

2 @

Boulevard Hégésippe

Ibéné

Petit marché

3

40

Village artisanal

ℹ

Plage de la Caravelle

Anse de Sainte-Anne

Pointe de l'Accul

A · B

■ **Adresses utiles**

ℹ Office municipal de tourisme
✉ Poste
🚌 Arrêts des bus
⛴ Embarquement pour les îles
1 Distributeurs de billets
@ **2** Maya Cybercafé
3 Librairie Épithète

⌂ **Où dormir ?**

11 Le Verger de Sainte-Anne
12 Gîtes Aocéane, chez Jean-Marie et Danielle Zolnieruck
13 Ti' Village Créole
15 Location Les Touloulous
16 Habitation Les Manguiers, chez M. et Mme Pahaut

SAINTE-ANNE

|●| **Où manger ?**

20 Chez Pierrette
21 Les Délices de Doudou
22 Boulangerie Deville
23 Le Kon Tiki
24 Chez Dominique et Gratien
25 Coco Nack
26 Les Délices du Fournil

🍸 **Où boire un verre ?**

30 L'Americano Café

🚶 **À voir. À faire**

40 Géograines
42 Créations Passions

droite vers l'hôtel La Toubana ; puis chemin à gauche ; c'est tout au bout (pour ne pas dire au boubou). Selon saison, la sem pour 2 pers 245-560 €, et pour 4 pers 406-770 €. Également à la nuit (3 nuits min). Dans un joli petit coin de nature luxuriante, un charmant village de bungalows (2 à 6 personnes) de style créole, en bois et de toutes les couleurs. Très propres, accueillants et soigneusement équipés. Kitchenette, AC, moustiquaire, TV, chaîne hi-fi et hamac sur la petite terrasse privative. Et plein de petits plus : jacuzzi et lave-linge communs, connexion wi-fi, prêt de canoës et d'un numérique étanche pour immortaliser votre baptême de plongée... D'ailleurs, on déniche une petite crique ombragée à 5 mn à pied en contrebas ; compter 15 mn pour la plage de la Caravelle. Une halte de choix, tenue avec élégance par un couple adorable et disponible.

🛏 **Gîtes Aocéane, chez Jean-Marie et Danielle Zolnieruck** (hors plan par D1, **12**) : 16, lot. Eugénie-Cystique, à Montmain. ☎ 05-90-88-96-50. ● aoceane@wanadoo.fr ● http://perso.wanadoo.fr/aoceane ● À 1,5 km env. En direction de Saint-François, à gauche après la gendarmerie, puis direction Montmain-Delair, et 2ᵉ route à gauche après le transformateur ; c'est la dernière maison à gauche. Pour 2 pers, 295-350 € la sem selon saison, puis tarif dégressif. Chambre d'hôtes équipée 40-45 € la nuit. Sur présentation de ce guide, transferts à l'aéroport gratuits à partir de 1 sem, pot d'accueil, frigo garni de boissons fraîches et pot de départ. Dans une villa retirée dans un quartier calme, 2 studios pour 2 à 4 personnes en rez-de-jardin, aérés et correctement équipés. Cuisine en terrasse, moustiquaires, AC, TV (câble) et téléphone à carte, lave-linge, accès internet, livres à disposition et une petite piscine. Les proprios ont quitté le Nord de la métropole pour s'installer ici. De Lille à l'île, il n'y avait qu'un pas.... Tout comme pour se rendre à la plage municipale et au bourg, ou presque (1,5 km).

🛏 **Habitation Les Manguiers, chez M. et Mme Pahaut** (hors plan par A1, **16**) : à Morne-Burat, Sainte-Anne. ☎ 05-90-88-33-56. ● alicia.pahaut@wanadoo.fr ● lesmanguiers. com ● À 1,5 km au nord de Sainte-Anne ; prendre la D 105 au niveau du village artisanal, en direction de Fouché et de Grands-Fonds (panneau sur la gauche). Pour 2-4 pers, 295-420 € la sem selon saison. Sur présentation de ce guide, 1ᵉʳ petit déj offert. Sur une colline de l'arrière-pays, trois charmantes maisonnettes blanc et bleu dans un jardin calme, planté de manguiers. La déco personnalisée, chaleureuse et colorée, incite à prolonger le séjour. Tout le confort moderne : douche, w-c, AC, cuisine équipée sur terrasse, barbecue... Également une maison à louer à certaines périodes, avec vue superbe. Très bon accueil.

🛏 |●| **La Berceuse Créole** (hors plan par D1) : route de Fouché, à Delair. ☎ 05-90-84-04-85. 📱 06-90-62-52-74. ● berceusecreole@wanadoo.fr ● laberceusecreole. com ● ♿ À 2,5 km, direction Saint-François. Prendre la route à gauche après la gendarmerie, vers Delair (itinéraire de délestage pour Pointe-à-Pitre) puis suivre les panneaux. Pour 2 pers, 280-490 € la sem selon standing et saison. Petit déj 7 €. Table d'hôtes (pour les clients et sur résa) 20-40 €. Réduc de 10 % en hte saison et « décollage coco » offerts sur présentation de ce guide. C'est un mini-complexe déployé sur les hauteurs verdoyantes de Sainte-Anne. On y trouve une « maison coloniale » pour 6 personnes (au charme limité, cela dit), un grand appartement en duplex pour 8 personnes (vue sur la verdure), et une quinzaine de bungalows rénovés, simples ou en duplex, situés autour d'une piscine sécurisée ou côté nature. Chacun avec AC, salle de bains, cuisine extérieure, lits bébé, chaises hautes.... L'entretien est à surveiller néanmoins. À 5 mn de la plage en voiture. Possibilité d'accueil à l'aéroport.

🛏 **Résidence Océ'Anne** (hors plan par D1) : lot. Lafages, lieu-dit Delair. ☎ 05-90-84-38-78. ● maryse.breton@ool.fr ● guadeloupe-locations. fr ● À 2,5 km au nord. Prendre la route à gauche après la gendarmerie de Sainte-Anne, direction Delair (itinéraire de délestage pour Pointe-à-Pitre), puis suivre les panneaux. La sem 315-595 € selon saison. La nuit pour 2 pers 45-85 € (min 3 nuits). Promotions hors saison. Réduc de 5 % à partir de 1 sem de loc sur présentation de ce guide. Quatre villas pour 2 à 6 personnes (on recommande 4 maximum) alignées dans un joli jardin bien entretenu avec piscine. C'est spacieux et décoré avec goût. Belle vue sur la végétation et la mer depuis les mezzanines. Chacune avec son bout de jardin, sa cuisine équipée et son barbecue. Les proprios ? Des Normands qui ont craqué pour le soleil des Antilles (on les comprend !)... Voiture nécessaire pour aller faire trempette dans la mer (à 2,5 km). Prêt de palmes, masques et tubas.

🏠 *Location Les Touloulous* (plan

Plus chic

🏠 *Ti' Village Créole* (plan B1, **13**) : à Dupré. ☎ 05-90-85-45-68. • tivilla gecreole@wanadoo.fr • tivillage creole.fr • ♿ Prendre la route derrière le village artisanal, direction Grands-Fonds, puis à droite et à gauche (panneaux). Fermé sam ap-m et dim. Pour 2 pers, 54-78 € la nuit selon saison. Sur présentation de ce guide, réduc de 10 % en mai-juin et sept-nov à partir de 7 nuits. Sur une colline paisible, dominant la mer, la campagne et les vestiges d'un vieux moulin, une dizaine de charmants bungalows en bois repeints récemment, étagés et cernés de bananiers. Bon équipement : salle de bains, cuisine, AC, TV, barbecue et terrasse privée. Piscine. Réseau wi-fi. Atmosphère familiale plaisante, renforcée par de gentilles attentions comme le panier d'accueil placé pour chaque nouvelle arrivée. Location de voitures et transfert aéroport possibles.

🏠 *Le Verger de Sainte-Anne* (plan C1, **11**) : 4, lot. Marguerite. ☎ 05-90-88-27-56. • verger5@wanadoo. fr • guadeloupe-hebergement.

D2, **15**) : bd Hégésippe-Ibéné (en face du resto Chez Pierrette). Adresse postale : 3, lot. Marguerite, Valette. ☎ 05-90-88-10-38. 📱 06-90-73-86-15. • c.klipfel@wanadoo.fr • sun971.com • Un peu avant la gendarmerie, sur la droite en direction de Saint-François. Pour 2-4 pers, 270-570 € la sem selon type d'hébergement et saison. Placard garni à l'arrivée pour le 1er petit déj. À 20 m de la plage en accès direct (éclairée le soir), dans une petite résidence moderne dotée d'un parking privé, un studio (2 personnes) et un F2 (4 personnes) très bien équipés : AC, lave-linge, cuisine avec lave-vaisselle, grande terrasse et jardin privatif. Également un charmant bungalow (4 personnes) perché sur les hauteurs ventilées de la ville ; moins cher, mais plus loin de la plage aussi. Absolument impeccable.

com • Bien indiqué depuis la rue du Général-de-Gaulle. Pour 2-4 pers, 250-800 € la sem selon saison ; également à la nuit (3 nuits min) 38-77 €. Premier petit déj offert. Ce n'est pas tout à côté de la plage (10 mn à pied), mais c'est au calme, dans la verdure qui domine le bourg. Dans un charmant jardin, 6 bungalows meublés avec un goût très sûr. Tous équipés de kitchenette extérieure, TV, AC, ventilo et moustiquaire. À disposition : four, barbecue, lave-linge, lave-vaisselle, téléphone, point internet et connexion wi-fi. Belle terrasse commune, « l'ajoupa ti-punch », pour prendre un café ou le ti-punch de fin de journée (un pichet est toujours prêt à l'emploi...). Propriétaire charmante qui gère également un petit ensemble très coquet à Durivage (1,5 km du centre), *Les Palmes.* Il s'agit de trois bungalows de charme, très confortables (AC, TV, terrasse, kitchenette, lave-linge... et mezzanines pour acrobates !), noyés dans un superbe jardin tropical planté de palmiers rares.

Très chic

🛏 |🍴| *Hôtel La Toubana* (hors plan par A2) : Fonds-Thézan, BP 63. ☎ 05-90-88-25-57. ● info@toubana. com ● toubana.com ● Avant Sainte-Anne, sur la droite en venant de Pointe-à-Pitre (panneau avec une grosse langouste). Doubles 145-255 € la nuit selon période et vue (mer ou jardin) ; 250-350 € pour 4 pers. Compter 32 € par pers en ½ pens. Carte env 45 €. Surplombant la plage de la Caravelle avec une vue époustouflante sur la mer,

l'hôtel propose une trentaine de bungalows couleur vieil orangé, plantés dans un jardin tropical. Bon équipement : AC, kitchenette, TV, terrasse en bois et transats. Jolie salle de resto, bar et piano, tout cela ne manque pas de charme (mais peut-être d'un peu de chaleur dans l'accueil ?). Très belle piscine à débordement face à la mer. Base nautique sur la plage (scooters des mers, masques et tubas). Une belle adresse chic.

Où dormir dans les environs ?

Prix moyens

🛏 *Gîtes de Courcelles* (hors plan par D1) : à mi-distance entre Sainte-Anne et Saint-François au lieu-dit Courcelles. ☎ 05-90-88-26-26. ● contact@gitesdecourcelles.com ● gitesdecourcelles.com ● ♿ À 7 km, vers Saint-François, prendre à gauche vers l'ancienne pépinière (panneau), jusqu'aux Jardins de Courcelles ; c'est un peu plus loin. Compter 50 € la nuit pour 2 pers et 60 € à partir de 3 pers (3 nuits min). Réduc de 1 % par jour (jusqu'à 20 % max) et de 20 % dès la 1re nuit de mai à fin nov. Une petite adresse qu'on aime beaucoup. D'abord parce qu'elle est, pour une fois, un peu isolée sur les hauteurs, dans un cadre verdoyant avec une vue imprenable sur Marie-Galante. Grand et beau jardin avec une pelouse bien entretenue, les cocotiers, la vue sur la mer et le calme... Ensuite, pour ses bungalows en bois du Canada, conçus là-bas après le cyclone Hugo, spacieux et vraiment esthétiques (vive le bois !). Prévus pour 2 à 4 personnes, ils disposent d'une kitchenette sur la terrasse, de la TV et la clim' est même prévue pour 2007. Cela dit, l'air fait déjà office de clim' naturelle... Bref, on s'y sent bien. Accueil très souriant et pas compliqué des propriétaires. Transfert aéroport et location de véhicules possibles.

🛏 *Les Résidences de Loëry* (hors plan par D1) : rue du Moulin-de-Loëry, lieu-dit Bérard. ☎ 05-90-88-12-79. ● les-residences-de-loery@wanadoo.fr ● amivac.com/site3009 ● ♿ À 6 km de Sainte-Anne par la route de Saint-François, jusqu'à la D 115 (2e indication pour Le Moule), puis continuer sur 2 km en suivant Le Moulin de Loëry (maison côté droit). Pour 2 pers, 235-385 € la sem selon saison. Sinon, 3 nuits min. Repas sur résa env 18 €. Sur présentation de ce guide, réduc de 10 % en mai-juin et sept-nov et 1er petit déj offert. Plantée dans un jardin agréable, cette villa récente cohabite avec la maison voisine des propriétaires. Ses terrasses et balcons lui donnent une petite touche créole, tandis que ses 4 appartements spacieux et fonctionnels profitent de tous les avantages du confort moderne (AC, cuisine équipée, grandes salles de bains, TV). À disposition : lave-linge, lit bébé, chaises hautes, hamac. Parking fermé. Bon accueil. De plus, la sympathique proprio organise un apéro collectif chaque semaine !

🛏 *La Rivatlantique, chez M. et Mme Moulin* (hors plan par D1) : au Helleux, 32, lot. Corniche d'Argent. ☎ 05-90-20-92-90, mais préférable de réserver aux Gîtes de France (☎ 05-90-91-64-33). À 4 km, direction Saint-François, à droite vers Le Helleux. Passer l'Eden Palm, tourner à droite vers la plage, puis à la *fourche continuer tout droit (ne pas descendre à la plage). La maison est au n° 32 à droite (portail blanc). De 460 à 550 € la sem pour 2 pers.* Construite à l'origine pour accueillir toute la famille, cette belle villa pensée pour les vacances héberge aujourd'hui les hôtes de passage. Du coup, la maison est divisée en 4 appartements fonctionnels, bien équipés et indépendants, se partageant en revanche la grande terrasse et la piscine. De quoi préserver une atmosphère familiale... Plage à deux pas, accessible par un chemin au bout du jardin.

Où manger ?

Bon marché

– Possibilité de faire ses courses le matin au *marché aux poissons* du village artisanal *(plan A2-B2)* ou au *petit marché* face à *L'Americano Café (plan B2, 30)*. Egalement un *marché nocturne* de fruits et légumes avec « ambiance musicale » *(ts les jeu 18h-22h)* à l'*Espace Valette,* à côté du stade municipal.

|●| Quelques *lolos* authentiques sur la plage et derrière le marché aux poissons, mais dont nous ne pouvons garantir la qualité constante. Autre possibilité : les *camions-bars* et les *vendeurs ambulants,* pour engloutir un *bokit* (sandwich local) avant ou après la baignade.

|●| *Les Délices du Fournil* (plan B2, *26)* : 8, pl. Schœlcher (pl. de l'église). *Lun-sam 6h30-18h30. Plat chaud le midi env 8 €.* Viennoiserie, sandwicherie, salades, salon de thé, glacier, snack. Accueil gentil comme tout et terrasse aux premières loges pour s'amuser de l'animation sur la place.

|●| *Boulangerie Deville* (plan C2, *22)* : bd Hégésippe-Ibéné. ☎ 05-90-85-68-81. *Lun-sam 6h-19h30 ; dim 6h-13h, 16h-19h.* Honorable boulangerie-pâtisserie. Attention : certains sandwichs sont très épicés. À emporter de préférence, mais il y a deux tables en dépannage pour grignoter un morceau sur le pouce.

|●| *Les Délices de Doudou* (plan C2, *21)* : route de la Plage. ☎ 05-90-23-08-65. *Formules ti-punch, acras + plat 7,50-16,50 €, menu-enfants 6 €.* Dans une vaste salle colorée aux tons rouge et jaune façon madras, on vient se sustenter de petites formules vraiment économiques et très honorables. Dans les moins chères, poulet, poisson ou *ribs.* Et pour quelques euros de plus, brochettes ou vivaneau. Signalons tout de même que le poulet boucané à 8 € à la carte est le même que celui servi avec le ti-punch et les acras dans la formule à 7,50 € ! Service très gentil néanmoins.

|●| *Coco Nack* (plan C2, *25)* : *route de la Plage.* ☎ 05-90-88-01-40. *Ouv slt le midi. Congés de mi-juil à mi-août. Menus 9,50-12,50 € (25 € avec langouste), menu-enfants 7 €. Café offert sur présentation de ce guide.* Depuis qu'ils n'ont plus la permission d'installer leurs tables sur le sable, les restos de plage ont dû refluer sagement sur le trottoir en perdant au passage un peu de leur charme... Mais le *Coco Nack* conserve sa bonne réputation grâce à une cuisine toute simple, tout à fait réussie, et à un accueil non dénué d'humour... Salades, grillades et quelques plats créoles typiques. En revanche, il ne faut pas être pressé !

|●| *Le Kon Tiki* (plan C2, *23)* : à l'extrémité est de la plage. ☎ 05-90-23-55-42. *Tlj 11h-17h. En-cas et plats env 4-15 €.* On aime bien ce snack de plage élégant, où les tables sont disposées sous des paillotes, au cœur d'un jardinet ombragé des plus agréable. Pour se rassasier, sandwichs, salades, omelettes, crêpes et quelques spécialités de viande et poisson, le tout sans complication mais très correct. Et puis, quand vous passerez, vous bénéficierez sans doute des brumisateurs, du coin-pétanque et du nouveau bar latino...

|●| *Chez Dominique et Gratien* (plan C2, **24**) : route de la Plage, juste à gauche du Coco Nack. ☎ 05-90-88-03-66. Tlj le midi, sf mar, mer et en juin. Plats et snacks env 6,50-12 €. Digestif maison offert sur présentation de ce guide. Les années passent, mais ce petit bistrot populaire est resté fidèle à la formule des premières heures. Gratien cuisine toujours dans son camion, installé à demeure sous un auvent ! Terrasse face à la plage, pour profiter de la cuisine sans prétention de la maison, saucisse-frites ou produits de la mer. Seul bémol : le resto est parfois fermé sans préavis.

|●| *Chez Pierrette* (plan D2, **20**) : bd Hégésippe-Ibéné. ☎ 05-90-88-38-83. Tlj (sf lun) jusqu'à 20h et dim jusqu'à 13h. Fermé en oct. Plats slt sur commande (passer la veille) env 8 €. Un personnage. Pierrette, une doudou au caractère bien trempé (ne pas arriver en retard au rendez-vous !), mitonne, devant sa cuisinière au feu de bois, de bons petits plats créoles aux saveurs très affirmées (telle chef, telle cuisine !). Une adresse à l'ancienne mode, quasi incontournable pour qui veut goûter tartes aux lambis ou poulet boucané.

De prix moyens à plus chic

|●| *Koté Sud* (hors plan par A2) : route du Rotabas, à Durivage. ☎ 05-90-88-17-31. ● kotesud@wanadoo.fr ● Avant le bourg en venant du Gosier, sur la petite route de l'hôtel Rotabas, *à droite après la station Esso*. Tlj sf dim, slt le soir. Fermé 3 sem en sept. Menus 22 € (sf w-e et j. fériés) et 37 € (langouste), carte 25-30 €, menu-enfants 9,50 €. Digestif offert sur présentation de ce guide. Sérieuse dans la qualité comme dans la régularité, cette belle table est toujours à la hauteur de sa bonne réputation. Excellente cuisine inventive à base de produits du terroir. Citons le flan d'oursin à la bisque de langouste, la raviole de vivaneau à l'émulsion de champignons et le tiramisù à la mangue pour finir de s'exciter les papilles... Service avec la manière dans le cadre soigné d'une terrasse élégante. Ambiance décontractée.

Où boire un verre ? Où sortir ?

🍸 *L'Americano Café* (plan B2, **30**) : bd Hégésippe-Ibéné, à côté du marché. ☎ 05-90-88-38-99. Resto tlj 9h-23h ; bar jusqu'à env 1-2h. Rendez-vous des Saintannais comme des touristes. Le bar le plus vivant du secteur, en particulier du jeudi au dimanche pour les soirées en musique (antillaise, jazz, karaoké). Et ça danse ! Consommations majorées ces soirs-là. Fait aussi resto et glacier.

À voir. À faire

⌂ *Les plages :* ce sont parmi les plus renommées de la Guadeloupe. La *plage municipale,* une des plus longues de la côte et protégée par la barrière de corail, populaire et familiale, a notre préférence. Beaucoup d'ombre pour se protéger du soleil aux mauvaises heures. En fin de semaine, les familles déboulent avec les marmots, la musique et le rhum. Quelques joueurs de foot, des vendeuses de sorbet coco et pas mal d'ambiance. De plus, elle est désormais éclairée le soir jusqu'à environ 21h. Également publique, la *plage du Club Med* (appelée aussi *Anse Eblain* ou *La Caravelle*) est plus policée. On y accède en longeant le bord de mer vers l'ouest en compagnie des pélicans ou à partir de la station *Esso.* Dans ce cas, prendre le chemin presque en face (pancarte indiquant *Le Rotabas*), aller jusqu'au bout et emprunter un chemin piéton bordé de petits *lolos* (surtout de l'« artisanat », enfin, en n'y regardant pas de trop près). Longer sur la droite le parc du *Club Med,* jusqu'à la plage. Ouverte à tous, elle est bien abritée du vent. C'est la plage en demi-cercle, aux eaux translucides comme on l'imagine. Location de planches et de funboards à un prix intéressant face au tourniquet anti-2-roues. En se dirigeant vers Saint-François, la *plage de l'Anse du Belley* (après la gendarmerie, au niveau du resto *Tartare*) plaira aux amateurs de *kitesurf* et de *flysurf,* voire de ski nautique. Juste après, celle de *Bois-Jolan* s'étire, belle, ombragée et peu profonde, le long d'une rangée de cocotiers. Un rêve pour les enfants barboteurs (évitez simplement de laisser des objets visibles dans la voiture). Un peu plus loin, celle de *Gros-Sable,* est plus sauvage, avec de gros rouleaux, et plutôt réservée aux amateurs de surf et funboard.

GRANDE-TERRE

🎣 ***Les marchés :*** outre les marchés alimentaires du matin et du jeudi en nocturne (voir « Où manger ? »), le petit marché à côté de *L'Americano Café* (plan B2, **30**) propose également des souvenirs. Plus sympa que celui de Pointe-à-Pitre. Dégustation gratuite de ti-punch auprès des vendeurs.

🎣 ***Géograines*** (plan A2, **40**) : Durivage. ☎ 05-90-88-38-74. À l'entrée de Sainte-Anne, près du cimetière. Tlj sf dim 9h-12h, 14h-18h. Dans une modeste case en bois, Marie-George et Fredo confectionnent de superbes objets d'artisanat à partir de bois locaux et de pas moins de 200 graines (sur les 2 800 recensées en Guadeloupe). On se croirait dans un magasin de bonbons. Plutôt cher, mais on n'est pas volé !

🎣 ***La manioquerie :*** à *Deshauteurs, sur la route de Sainte-Anne* (D 105). ☎ 05-90-85-47-40. Ici se perpétue le patrimoine culinaire caraïbe puisque la fabrication des *kassav* à base de manioc, genre de grosses crêpes, remonte aux Arawaks. Expo-vente.

🎣 ***Créations Passions*** (plan D1, **42**) : Castaing. ☎ 05-90-85-78-24. À l'entrée de Sainte-Anne, côté Saint-François. Dim-ven 8h30-12h30, 10h-19h ; sam 8h30-18h. Roselyne, une Bretonne, tient cet atelier d'artisanat sur le thème du madras, tout en couleurs forcément.

– ***Canyoning et randonnées :*** avec Évasions Tropicales-Parfum d'Aventure. ☎ 05-90-88-47-62. 📱 06-90-31-22-00. ● info@guadeloupecanyoning. com ● guadeloupecanyoning.com ● Le nouveau patron, Xavier Leynaud, et son équipe, pratiquent le canyoning sportif et vous emmènent en Basse-Terre, au cœur d'une Guadeloupe qu'ils aiment. On descend des cours d'eau pieds dans l'eau, en sautant ou en glissant dans toutes les cascades qui jalonnent le parcours. Demi-journée autour de 45 €, à la portée de tous (enfants dès 7 ans), impeccable pour l'initiation au canyoning. Pour donner envie d'aller plus loin, la journée entière à environ 70 € (repas et boissons inclus) : parcours plus physique et découverte d'une nature époustouflante de beauté – cascades (que l'on descend parfois en rappel), éclat des couleurs minérales, forêt tropicale intacte... Une belle expérience. On peut venir vous chercher en minibus à votre hôtel. Représenté également à Saint-François par *Rêverie Caraïbe* (voir les « Adresses utiles » de cette ville).

– ***École de voile de Sainte-Anne*** (FOLG ; plan C2) : base nautique, route de la Plage. ☎ 05-90-88-12-32. ● basvoilfolg@wanadoo.fr ● ⚓ Lun-sam 7h-12h, 13h30-17h. De l'initiation aux stages, et même préparation à la compétition. Optimist, planche à voile, kayak de mer, funboard. Également location de matériel à l'heure, à la journée ou davantage. Victor Jean-Noël, navigateur réputé et directeur de l'école, cherche aussi à sauvegarder la voile traditionnelle en *saintoise,* bateau du pays en bois (coque en acajou), et à faible tirant d'eau, qui nécessite une maîtrise très particulière. Son école est la seule à former à la navigation sur ce type d'embarcation (c'est même une option aux épreuves d'éducation physique du bac !).

Manifestations

– *Festival de Gwoka :* tous les ans, en juillet, pendant une semaine. Ce festival, réputé dans toute la Guadeloupe, réunit de nombreux artistes percussionnistes qui laissent libre cours à leur créativité en frappant ce gros tam-tam typiquement créole, appelé *gwoka*. L'effet est vraiment de taille ! À voir et à entendre dans les rues ou sur la plage *(infos :* ☎ *05-90-21-23-83)*.
– *Concours de pyrotechnie de la Caraïbe :* la dernière semaine de décembre sur le plan d'eau des Galbas. Nombreux invités étrangers. Oh, la belle rouge ! Oh, la belle bleue !

➤ DANS LES ENVIRONS DE SAINTE-ANNE

 En voiture ou à pied (bon courage !), par la D 105, superbe promenade jusqu'au village de *Deshauteurs,* point culminant de la région (à 136 m d'altitude). Région des Grands-Fonds verdoyante et fraîche à souhait, livrant à chaque virage de pittoresques points de vue sur les vallées intérieures et les mares. Voir plus haut le chapitre sur cette région.

SAINT-FRANÇOIS   (97118)   11 000 hab.

Saint-François est l'un des pôles touristiques les plus connus de l'île, mais il affiche un double visage. Il s'agit d'abord d'un vieux village de pêcheurs assez étendu, un écheveau de maisons basses, de cases rustiques en bois et tôle (épargnées par le cyclone Hugo en 1989), resserré autour d'une charmante place centrale avec sa vieille église, sa mairie et, un peu plus loin, le marché couvert. Bref, cette partie de la commune a conservé un certain charme. C'est évidemment notre coin préféré. Le quartier de la marina, plus récent et construit pour répondre à l'expansion du tourisme, vieillit paradoxalement trop vite à notre goût. Les hôtels de luxe font grise mine quand ils ne ferment pas, phénomène en partie lié à la diminution du nombre de bateaux de plaisance. Saint-François séduira donc principalement l'estivant à la recherche d'infrastructures, avec ses nombreux prestataires touristiques, son golf, son aérodrome, son casino et une plage à ne pas manquer, *les Raisins-Clairs*. La ville séduira peut-être un peu moins le routard en quête d'authenticité et de tranquillité. À moins de partir dans les environs...

LA COMMUNAUTÉ INDIENNE DE SAINT-FRANÇOIS

L'étonnant *cimetière hindou,* à la blancheur éblouissante, à environ 250 m de la plage des Raisins-Clairs, ainsi que la statue de Gandhi au rond-point du collège, rappellent que la plus importante communauté indienne (de l'Inde) de Guadeloupe est installée à Saint-François. Ces familles descendent des travailleurs sous contrat débarqués sur l'île en 1854 au lendemain de l'abolition de l'esclavage (1848) pour remplacer la main-d'œuvre africaine dans les plantations de canne à sucre. La campagne environnante est intéressante à découvrir car elle a conservé des vestiges de cette époque, et notamment les ruines de nombreux moulins à vent (on y broyait les cannes) situés souvent sur les hauteurs, au cœur des champs de canne.

Arriver – Quitter

En bus

En attendant le grand chamboulement attendu dans les transports locaux courant 2007 (voir la rubrique « Transports » des « Généralités »), la gare routière *(plan B2)* se trouve au port de pêche. Sous réserve de changement, donc :

➤ *De/vers Le Moule :* toutes les 15 mn entre 6h et 8h puis toutes les heures de 11h à 17h, sauf les samedi après-midi, dimanche et jours fériés.

➤ *De/vers Pointe-à-Pitre, via Sainte-Anne et Le Gosier :* toutes les 20 mn de 5h30 à 17h30, sauf les samedi après-midi, dimanche et jours fériés, et jusqu'à 19h30 dans l'autre sens.

En bateau

➤ *De/vers La Désirade :* 2 liaisons quotidiennes tôt le matin et en fin d'après-midi, à bord du *Colibri* (☎ 06-90-20-05-03), même chose pour le retour. Compter à peu près 45 mn de navigation (ça secoue pas mal à l'aller !). Billets en vente au port de pêche de Saint-François : autour de 22 € l'aller-retour. La compagnie *Iguana* (plan B2, 7 ; ☎ 05-90-22-26-31 ; ☎ 06-90-50-05-10) assure également une liaison 2 fois par jour à bord de son nouveau bateau, *Archipel I.*

➤ *De/vers Marie-Galante et les Saintes :* traversées assurées par l'*Iguana Beach* et l'*Iguana Sun* au départ du port de pêche *(plan B2, 7 ;* ☎ 05-90-22-26-31 ; ☎ 06-90-50-05-10). En haute saison, liaison quotidienne pour les Saintes, avec escale à Saint-Louis de Marie-Galante. En basse saison, départs plus ou moins un jour sur deux. Compter 45 mn de navigation pour Marie-Galante, et autant ensuite pour gagner les Saintes. Parfois, traversée directe pour les Saintes (uniquement en haute saison). Compter autour de 35 € l'aller-retour. Retour en fin d'après-midi avec le même arrêt. Attention, ça secoue pas mal ! On conseille aux âmes sensibles (et motorisées) de gagner Trois-Rivières sur la Basse-Terre, où les liaisons avec les Saintes sont plus rapides et plus calmes.

Adresses utiles

▣ *Office de tourisme* (plan C1) : av. de l'Europe. ☎ 05-90-88-48-74 ou 05-90-68-66-81. • ot-saintfrancois. com • Lun, mar, jeu et ven 8h-12h, 14h-17h ; mer 8h-12h30 ; sam 8h-12h. Plan et guide de la ville, documentation sur les activités de Saint-François et infos générales sur la Guadeloupe. Accueil assez aléatoire.

✉ *Poste* (plan C2) : rue Sainte-Aude-Ferly. Fermé mer et sam ap-m.

▣ *Distributeurs de billets :* à la poste (plan C2) ; à la BNP juste à côté (plan C2, 1) ; au Crédit Agricole (plan A2, 1), rue Félix-Éboué, vers le cimetière ; à la BRED (plan B1, 1), non loin du petit marché du début de l'av. de l'Europe ; au supermarché Match (plan C1, 1), à proximité de l'office de

tourisme ; aux Comptoirs de Saint-François (centre commercial du port) ; et au casino (plan D2, 1).

▣ *Location de voitures :* vous trouverez des loueurs av. de l'Europe (plan D2, 8), tels :

– *Hertz :* ☎ 05-90-88-69-78 ;

– *Rent-a-Car :* ☎ 05-90-88-46-95 ;

– *Europcar :* ☎ 05-90-88-69-77 ;

– ou encore *Gumbo Car :* ☎ 05-90-85-01-58.

– L'agence *Ada* se trouve : 24, Salines Est ; ☎ 05-90-85-08-45.

▣ *Rêverie Caraïbe* (plan C-D2, 6) : BP 74, la Marina. ☎ 05-90-85-06-89. ☎ 06-90-35-30-86. • rev.caraibe@ wanadoo.fr • reveriecaraibe. com • Infos sur la plupart des excursions et activités sur Saint-François. Billetterie pour les îles avec

GRANDE-TERRE

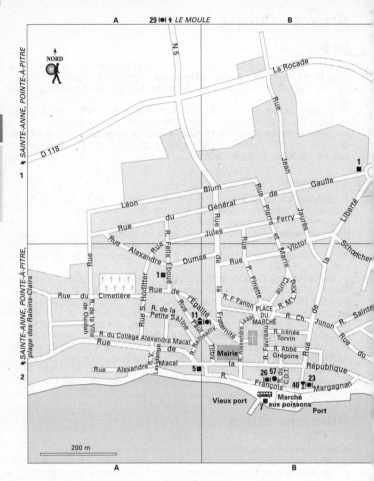

ou sans excursions. Sorties en mer ou location de bateaux.

@ **L'@robas Cyber-Café** (plan C2, 2) : sur la marina. ☎ 05-90-88-73-77. Ouv tlj et tard le soir en hte saison ; fermé dim hors saison.

■ **Laverie du centre** (plan A-B2, 5) : rue de la République (angle rue

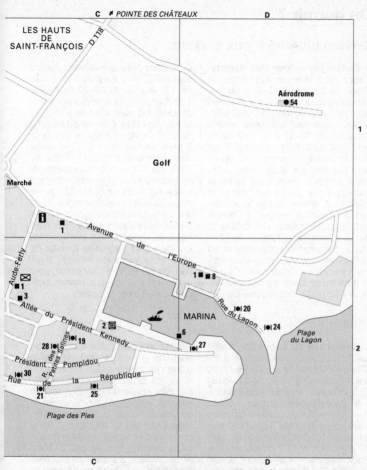

SAINT-FRANÇOIS

19 La Cuisine	**29** La Porte des Indes
20 La Terrasse	**30** L'Azur
21 La Canne à Sucre	
23 Les Frères de la Côte	��� **Où boire un verre ?**
24 Le Restaurant du Lagon	
25 Le Zagaya	**40** Beat Brass Café
26 Le Lodge	
27 La Dînette Gourmande	● **À faire**
28 Les Salines	
	54 Alpha Aviation
	57 Carib Holidays

François-Margagnan). ☎ *05-90-85-10-55. Tlj sf dim 8h30-17h30. Rapide et pas cher.*

■ ***Presse*** *(plan C2, 3) :* Top News, *allée du Président-Kennedy. Tlj sf dim.*

Où dormir ?

De bon marché à prix moyens

🛏 ***Centre permanent des Raisins-Clairs*** *(hors plan par A2) :* route du Stade. ☎ 05-90-88-40-42. • raisins-clairs.folg@wanadoo.fr • *Fermé en sept. Horaires de réception très aléatoires, mieux vaut téléphoner avant. Doubles 30,50-32 € la nuit selon confort (2 nuits min) ; et env 16 € par pers en dortoir (en groupe slt).* On ne peut pas dire que le décor soit vraiment folichon, mais c'est la seule auberge de jeunesse du coin (d'ailleurs, attention aux faux panneaux AJ dans le secteur...). Dans le style colo, chambres climatisées et dortoirs ventilés (bonjour la chaleur !), franchement austères et un tantinet vieillots, mais propres et vraiment pas chers. Draps fournis à partir de 4 nuits. C'est surtout non loin de la jolie plage des Raisins-Clairs.

🛏 |●| ***Chez Nise*** *(Restaurant Jerco ; plan A-B2, 11) :* rue Paul-Tilby, derrière la mairie. ☎ 05-90-88-48-78. 📱 06-90-53-94-70. • restaurant.jerco-cheznise@wanadoo.fr • *Resto fermé dim et lun. Congés de mi-juil à mi-août. Compter 260 € la sem pour 2 pers ; la nuit 35-40 €. Côté resto, formule et menus 9-25 €. Réduc de 10 % sur le prix des hébergements en basse saison et digestif offert sur présentation de ce guide.* Un genre de pension à l'ancienne mode, dont les appartements vieillots ont le mérite d'être assez spacieux et bien équipés, pour 2 à 4 personnes. Inconvénients : agglo et formica de série et la vue sans intérêt ; mais bon, on est en ville. Sur place, petit resto bon marché aux menus typiques servis avec le sourire.

Plus chic

🛏 ***Résidence du Lagon*** *(hors plan par A2) :* 29, Anse des Rochers. 📱 06-07-80-47-92 ou ☎ 01-43-75-28-60 *(en métropole).* 📱 06-90-56-11-46 *(en Guadeloupe).* • rdci@club-internet. fr • guadeloupetravel.com • *Direction Sainte-Anne, prendre la route juste après le stade à gauche, passer devant l'hôtel* Le Manganao, *puis 1ʳᵉ à gauche et 1ʳᵉ à droite, au fond. Pour 6-8 pers, 1 430-1 675 € la sem (1 570-1 830 € avec la piscine). Studios (2-4 pers) avec terrasse et vue sur la mer, 335-540 € la sem. Sur présentation de ce guide, 10 % de réduc en mai-juin et sept-oct.* Idéale-ment située, cette petite résidence de standing (1 villa, 4 studios) profite d'une vue panoramique sur le lagon et les îles. Équipement et confort global très convenables pour tout le monde, mais c'est évidemment la piscine dominant la mer de la villa créole qui fait la différence (dommage qu'elle ne soit réservée qu'aux seuls clients). Bon accueil d'Olivier et de Viviane autour d'un planteur. Possibilité de location de voiture livrée à l'aéroport. Bref, un lieu de villégiature magique, si ce n'est que la plage la plus proche (300 m) est privée... et par conséquent payante.

Encore plus chic

🛏 ***La Métisse*** *(hors plan par C1) :* 66, Les Hauts-de-Saint-François. ☎ 05-90-88-70-00. • la.metisse@wa nadoo.fr • im-caraibes.com/metisse/ • ⚒ *Vers la Pointe des Châteaux, à gauche dans un virage à la sortie du bourg, encore à gauche en entrant dans la résidence des Hauts-de-Saint-François, puis suivre le* fléchage. *Pour 2 pers, 113-157 € la nuit selon saison, petit déj inclus. Apéro maison offert sur présentation de ce guide.* Un petit bijou. En tout, 7 chambres climatisées dans de ravissantes maisonnettes roses (mobilier de rotin blanc, TV, wi-fi, coffre, minibar et sèche-cheveux), avec terrasse et jacuzzi au bord de la piscine en forme de Guadeloupe, où l'on vous servira votre petit déj. Raffinement, luxe, calme et souci du détail sont les objectifs (atteints !) de la nouvelle propriétaire qui débarque de Guyane. Magnifique jardin tropical, entretenu avec soin par Véronique, la fée du logis. Petit déj avec fruits, jus de fruits frais et confitures maison exquises. Transfert aéroport payant. Une adresse de charme avec un accueil dans l'esprit des chambres d'hôtes, et un service soigné digne d'un hôtel 3 étoiles.

Où dormir dans les environs ?

Prix moyens

🛏 *Résidence Vieux Moulin, Gîtes Rosalie :* à Desvarieux. ☎ 05-90-88-40-90. À 2 km au nord de Saint-François, à gauche sur la route du Moule. Bungalows 50 € la nuit et 305 € la sem pour 2 pers. Apéro maison offert sur présentation de ce guide. Les habitués viennent surtout pour Rosalie, mamie gentille comme tout qui accueille des hôtes depuis environ 25 ans. Elle est un peu fatiguée aujourd'hui mais toujours aussi attachante. Même si ses deux bungalows sont un rien désuets, le grand jardin avec ses nombreux arbres fruitiers ne manque pas de charme, sur sa colline, à l'ombre d'un vieux moulin à sucre. Décoration simplissime mais il y a la clim', une cuisine équipée, des sanitaires complets et une véranda. Une adresse authentique que l'on aime bien.

🛏 *Maracudja (hors plan par A2) :* à Bellevue. ☎ 05-90-93-61-60. 🖥 06-90-38-93-49. ● sci.maracudja@wanadoo.fr ● maracudja.org ● Direction Sainte-Anne, prendre la route juste après le stade à gauche, puis la route touristique, et la 1re à droite. La sem : pour 2 pers, 355-455 € ; pour 4 pers, 435-535 €. C'est d'abord la belle situation de la villa qui retient l'attention : sur une hauteur, au cœur d'un beau jardin paisible où l'on devine le bassin aux poissons et aux tortues, ainsi que la piscine et le jacuzzi pour faire bonne mesure. Puis le bon niveau de confort et la qualité des prestations confirment cette première bonne impression (TV, wi-fi...). Un peu de personnalité dans la déco, du linge de maison coloré, des hamacs et des terrasses privatives bien agréables pour siroter le ti-punch offert à l'arrivée. Effective-ment, on y pose sa valise bien volontiers. Il est juste dommage que les tarifs aient un peu vite augmenté...

🛏 *Top Vacances (hors plan par A1) :* section « Bien-Désirée » à Bragelogne. ☎ 05-90-88-44-20. ● jean.navin@wanadoo.fr ● topvacances-guadeloupe.com ● De Sainte-Anne par la N 4, à gauche à la station Shell (D 102), puis à droite après la 1re cabine téléphonique ; c'est plus loin à gauche (panneau). À la sem : bungalow 280-370 € pour 2 pers ; villa 594-1 325 € pour 2-10 pers. Apéro offert sur présentation de ce guide. Dans un joli jardin fleuri et en pleine campagne, une poignée de bungalows décorés aux couleurs locales et bien équipés (chambre avec AC, kitchenette, salle de bains, TV, terrasse avec hamac et barbecue). Également deux grandes villas avec piscine à louer dans un terrain voisin, dans le style créole, mais plus chères. Accueil cordial.

🛏 *Les Gîtes du May Fleuri, chez Mme Danielle Martin (Gîtes de France ; hors plan par A1) :* chemin de May, Cayenne, BP 158. ☎ 05-90-90-18-36. 🖥 06-90-35-38-54. Fax : 05-90-82-07-29. Téléphoner avant de venir. À 2 km de Saint-François sur la route du Moule, prendre à gauche (grand panneau Domaine de May) ; c'est à 1 km sur la gauche, un peu après le domaine. Congés en juin et sept-oct. Pour 2-4 pers : 421-474 € la sem, 61-70 € la nuit (4 nuits min). Un petit déj d'accueil offert sur présentation de ce guide. Au milieu d'un immense jardin fleuri avec vue sur mer, 4 charmants gîtes (2 et 3 épis) indépendants, pour 2 à 4 personnes. Confortable : 1 ou 2 chambres, séjour, cuisine équipée, AC, véranda aménagée, TV et télé- phone. Grand kiosque avec barbe- cue. Beaucoup d'espace entre les gîtes, tranquillité assurée. Les pro- priétaires n'hésitent pas à donner de leur temps pour vous faire connaître les charmes et spécialités de l'île. Animaux domestiques acceptés. Plage de Saint-François à 4 km.

🏠 *Alizéa Bungalows :* chemin Des- varieux. ☎ 05-90-90-29-47. ● *alizea. bungalows@wanadoo.fr* ● *alizea- bungalows.com* ● *À 2 km sur la route du Moule, à gauche direction Brage- logne ; c'est encore à 1 km sur la gauche. Congés en sept. Pour 2 pers, 335-470 € la sem. Sinon, 50 € la nuitée (3 nuits min). Réduc de 10 % de mi-mai à juin sur présenta- tion de ce guide.* Sept bungalows pour deux (avec éventuellement 2 enfants) savamment enfouis dans la végétation, autour d'une mignonne piscine dotée d'un bar de plage. Déco soignée aux accents marins et bon entretien. Tout le confort y est (cuisine extérieure, TV, wi-fi), même si ce n'est pas très grand. Lave-linge

à disposition. Les proprios sont aux petits soins et organisent des apéros festifs entre voisins. Très bon rap- port qualité-prix.

🏠 *Le Village de Bragelogne* (hors plan par A1) : à Bragelogne. ☎ 05- 90-88-57-84. ● *contact@villagedebra gelogne.com* ● *villagedebragelogne. com* ● *De Sainte-Anne par la N 102, à gauche à la station Shell (D 102), puis 1re à droite (panneaux). Fermé en sept. Selon saison, pavillon (2-8 pers) 400-800 € la sem. Apéro maison offert sur présentation de ce guide.* Récemment aménagé, ce petit complexe touristique aligne une série de pavillons en dur autour d'allées fleuries bien ordonnées. Cer- tes, on est proches les uns des autres, mais la qualité des équipe- ments, la bonne taille des apparte- ments et la quiétude du secteur inci- tent à poser les valises. Bon confort : terrasse, cuisine, AC, moustiquai- res, coffre. Piscine pour compenser les 4 km à faire pour gagner la mer. Paillote avec bar et resto ouverts en 2007. Bon accueil.

Plus chic

🏠 *Rêves en Îles* (hors plan par A2) : Anse à la Barque. ☎ 05-90-85-22- 57. ● *reveseniles@wanadoo.fr* ● *reve-en-iles.com* ● *À env 5 km. De Saint-François, aller tout au bout de la route touristique qui passe devant l'hôtel Le Manganao, et prendre à gauche, puis la 1re route à droite ; c'est tout de suite sur la gauche. Pour 2 pers, selon saison et taille, 61-115 € la nuit (3 nuits min) et 385- 765 € la sem. Réduc de 10 % à partir de 3 sem de loc.* Dominant la mer, 6 bungalows (2-4 personnes) en bois dégringolent le long d'une colline

pentue, où les plantes luxuriantes ne cèdent la place qu'à une aguichante piscine. Déco personnalisée, du linge de maison aux poèmes inscrits sur les murs, en passant par les lampes originales. Assez confortable : salle de bains, cuisine équipée sur la grande terrasse-séjour, AC et mous- tiquaire. Néanmoins, on nous signale quelques défaillances concernant l'électroménager. Accès à la mer par un petit chemin en bas du terrain. Repas possibles sur réservation. Voi- ture indispensable.

Encore plus chic

🏠 *Maison d'hôtes Latitude 16° N61'W, chez M. et Mme Bor- dey* (hors plan par A2) : BP 80, à Bel- levue. ☎ 05-90-88-70-87. ● *vacan ces@villa-guadeloupe.eu* ● *villa- guadeloupe.eu* ● *À 3 km de Saint- François, par la route qui monte à*

droite juste avant l'entrée de l'hôtel- club Le Manganao (puis 1re rue à gauche). À la sem, en hte saison, prévoir 700 € pour l'aile de la maison (2 doubles), 1 700 € pour la maison principale (7 pers), ou 2 300 € pour l'ensemble du logis (12 pers). Réduc en basse saison. Table d'hôtes le soir sur résa 19 €. Sur présentation de ce guide, 1er petit déj offert. Dans un style recherché, cette magnifique demeure créole mêle habilement le charme de l'ancien aux exigences du monde moderne. Beau salon intérieur et déco raffinée, à l'image du piano destiné à l'hôte mélomane, mais la clim', le réseau wi-fi ou la TV

rassureront les tenants du XXIe siècle. Quatre chambres doubles et une autre avec mezzanine d'appoint. Grande cuisine équipée. Terrasse, piscine. Grand jardin arboré avec douchette sous les bananiers (torride !). Tout semble avoir été pensé dans les moindres détails. Excellent accueil de Françoise et Michel, polyglottes et navigateurs.

GRANDE-TERRE

Où manger ?

Très bon marché

On trouve un choix de *lolos* le long du port dans l'avenue de l'Europe, mais attention à bien choisir. La qualité varie trop souvent en fonction des saisons, de l'affluence et de l'humeur du moment. Possibilité d'acheter des plats cuisinés et du poisson frais au *marché aux poissons (plan B2)*, du mardi au dimanche, de 6h à 12h (fermé le lundi), et près de l'office de tourisme *(plan C1)*, tous les jours de 7h à 17h, sauf le dimanche après-midi. Enfin, quelques adresses locales autour du marché (le bâtiment rond, *plan B2)*.

|●| *La Canne à Sucre (plan C2, 21) :* rue de la République. ☎ 06-90-57-93-78. Tlj sf dim soir. Menu 9 €. Une petite salle sans prétention, un service à l'humeur tantôt souriante, tantôt boudeuse, mais un rapport quali-

té-prix assez imbattable dans le secteur. Menu unique à base d'acras, salade, poisson frais et en dessert, deux bananes flambées entières. Que demande le peuple ?

De bon marché à prix moyens

|●| *L'Azur (plan C2, 30) :* rue de la République. ☎ 05-90-85-55-19. ⚓ À 200 m de la petite place du Marché-aux-Poissons. Tlj sf dim et lun. Fermé à Pâques, de début oct à début nov et à Noël. Menus 12-29 €. Digestif maison offert sur présentation de ce guide. Une référence dans sa catégorie. Éloge, le patron plein d'humour, propose une cuisine

créole réussie, un brin raffinée, et pas bien chère. Bravo ! Petite terrasse où locaux et touristes profitent de l'aubaine. En revanche, il ne faut pas être pressé et les boissons ne sont pas très bon marché par rapport au 1er menu.
|●| *Restaurant Jerco, Chez Nise (plan A-B2, 11) :* voir la rubrique « Où dormir ? ».

De prix moyens à plus chic

|●| *Les Salines (plan C2, 28) :* 9, résidence Pointe-des-Pies. ☎ 05-90-24-36-58. Au sud de la marina. En saison, tlj sf mer ; en basse saison, le midi les w-e et j. fériés et ts les soirs sf mer. Congés de mi-juin à début juil. Menus 14-33 € ; carte env 25 €. Digestif maison offert sur présentation de ce guide. Grande salle en bois façon refuge de montagne

avec une table aux dimensions gargantuesques pour les bandes de copains et de jolies nappes madras pour les couples d'amoureux. Au menu, d'excellentes spécialités créoles avec notamment des coquilles et des gratins de poisson et de lambis, absolument délicieux. Langouste également réussie et portions généreuses. La maison a remporté un prix culinaire en 2003 et, franchement, il est largement mérité. Service discret et prévenant.

|●| *La Dînette Gourmande* (plan D2, **27**) : résidence Kayela, la Marina. ☎ 05-90-90-14-79. & *Face à la* Capitainerie. *Tlj sf dim et lun. Congés 20 juin-25 juil. Carte env 22 €.* L'adresse a beau avoir quitté récemment La Coulée pour la marina, on ne change pas une équipe et encore moins une formule qui gagnent. Aussi, dans un nouveau décor agrémenté de « dînettes volantes », vous trouverez toujours cette restauration originale à base de portions à 4, 5 ou 6 €, chacune mitonnée avec un goût exquis (antillais ou « métro »). Une cuisine inventive qui nous a vraiment régalés : foie gras maison et confiture de patate douce, agneau au curry et lait coco, tartine de boudin créole et betterave poêlée, etc. Miam, on en salive encore !

|●| *Les Frères de la Côte* (plan B2, **23**) : 1, rue de la Liberté, sur le port de pêche. ☎ 05-90-88-59-43. & *Tlj sf mer et sam midi. Congés en juin et sept-oct. Formules 10-19 € le midi, menu 30 €.* Petit resto accueillant à la déco marine, tenu par de jeunes Bretons tout aussi souriants. Cuisine des îles goûteuse, autour de poissons *a la plancha* choisis selon la pêche du jour ou d'un sauté de langouste à l'ananas et vanille. Service attentif avec explication de texte pour comprendre le menu, à base de sauces inventives. Une excellente adresse.

|●| *La Cuisine* (plan C2, **19**) : rue des Petites-Salines. ☎ 05-90-91-59-06. *Ts les soirs sf dim. Plats env 20 €, carte env 35 €.* Dans une grande case à la déco revisitée avec goût. Tables en bois, petites lanternes, banquettes et gros coussins colorés. Très bonne cuisine, mi-créole mi-

métro, créative et raffinée. Petite sélection de bons vins blancs et rouges abordable. Accueil en accord avec l'ensemble.

|●| *Le Restaurant du Lagon* (plan D2, **24**) : *sur la plage du Lagon.* ☎ 05-90-88-75-44. *Fermé dim soir. Plat du jour env 12 €, carte env 30 €.* Resto-paillote idéalement situé en bordure de la plage du Lagon. Dans l'assiette, de bonnes salades, des pâtes et quelques viandes et poissons cuisinés avec soin, mais plus chers. Service rapide. Et rien ne vous empêche de piquer une tête dans le lagon en question avant le repas.

|●| *Le Lodge* (plan B2, **26**) : *rue François-Margagnan. Presque en face du marché aux poissons, sur le vieux port.* ☎ 05-90-24-69-16. *Tlj sf dim et lun midi. Plats env 13 €, carte env 30 €.* Quelques marches à monter pour atteindre cette grande salle de restaurant. Déco à tendance sud-africaine. Grands ventilos en bois, chaises en teck, nappe blanche et bougies sur la table. Un grand écran projette des paysages africains. Bonne cuisine métro teintée de touches antillaises.

|●| *La Terrasse* (plan D2, **20**) : *résidence Les Boucaniers, route du Lagon.* ☎ 05-90-85-02-02. & *Sur la marina. Tlj sf mer (et jeu midi en saison). Congés en sept. Menus 12-15 € le midi, puis 17-29 €, carte env 25 €, formule enfants 8 €. Digestif maison offert sur présentation de ce guide.* Le midi, spécialités de moules-frites, menu avec colombo de poulet ou de cabri. À la carte, le soir, on déguste d'honorables spécialités de la mer à la sauce antillaise et un copieux choix de viandes préparées à l'occidentale, mais plus chères. Le tout est servi sur une terrasse bon chic bon genre donnant sur le port, évidemment.

Plus chic

|●| *Le Zagaya* (plan C2, **25**) : rue de la République. ☎ 05-90-88-67-21. *Tlj sf mer et de sept à mi-nov. Menu 20 €, carte env 35 €, menu-enfants 10 €. CB refusées.* Un petit accroc au porte-monnaie qu'on ne regrette

pas, car c'est un excellent resto, à la déco-style « comme à la maison » version raffinée, avec une terrasse au bord de l'eau. Préférer, d'ailleurs, les tables tout près de l'eau, tellement plus romantiques… Cuisine créole ingénieuse et de qualité régulière, de l'entrée au dessert, comme le désormais incontournable flan aux oursins. Très bons produits. Service très aimable.

|●| *La Porte des Indes (hors plan par A1, 29) : Desvarieux.* ☎ 05-90-21-30-87. ● *laportedesindes@hotmail. com* ● *À 2 km, sur la route du Moule. Ts les soirs mar-ven et dim midi. Congés en sept ou oct. Carte 40 €. Thé à la menthe ou digestif maison offert sur présentation de ce guide.* Impossible de manquer les deux

immenses paillotes créoles de cette adresse indo-pakistanaise, ouvertes à tous les vents. Tous les gastronomes du canton se sont échangé l'adresse depuis longtemps. Le chef maîtrise parfaitement les tandooris, *biryani* (riz mariné aux épices) et autres grillades crépitantes, avec parfois quelques petites touches créoles pour faire bonne mesure. Cuisine aussi raffinée que la décoration. Accueil attentif et discret. Tarifs plutôt élevés, mais pas de fausse note...

Où boire un verre ?

🍸 *Beat Brass Café (plan B2, 40) : sur le port de pêche.* ☎ 05-90-85-05-05. *Fermé lun et en sept. Un punch BBC offert sur présentation de ce guide.* Position stratégique sur le port pour ce bar, brasserie et café de nuit tout en couleurs, tenu par de jeu-

nes Guadeloupéens. Bien pour boire l'apéro en observant l'animation de la place principale ou pour sortir un peu à l'occasion des soirées concerts ou DJ en fin de semaine. Style tropical : jazz, reggae, salsa, kompa. Plutôt sympa et bien rythmé.

À voir. À faire

🏹 Ne manquez pas d'aller baguenauder sur les *marchés* de Saint-François *(plan C1 et B2)* où les doudous vous interpellent avec leur faconde habituelle.

◿ *Plage du Lagon (plan D2) :* l'un des plus beaux lagons de Guadeloupe, juste au bout de la marina. Plage malheureusement minuscule... Les photographes vous le diront néanmoins : c'est entre 12h et 13h30 que le turquoise de la mer est le plus beau.

– *Canyoning et randonnées :* avec *Parfum d'Aventure,* représenté par *Rêverie Caraïbe* (voir « Adresses utiles »). Le bureau principal de *Parfum d'Aventure* se trouve à Sainte-Anne (voir *Évasions Tropicales* dans « À voir. À faire » à Sainte-Anne, c'est la même maison).

– *Balade en avion :* avec *Alpha Aviation (plan D1, 54),* à l'aérodrome. ☎ 05-90-88-70-10. 📱 06-90-75-78-05. ● *alpha-aviation.fr* ● École de pilotage permettant aux novices de se former, et aux pilotes licenciés de louer des avions pour découvrir la région. Également plusieurs survols touristiques sympas, de 80 € environ pour la formule « Turquoise » de 30 mn, à 180 € pour la formule « Émeraude » offrant un survol de toute la Guadeloupe et des Saintes (1h20 de vol).

– *Golf de Saint-François (plan C1) :* à la sortie de Saint-François, direction la Pointe des Châteaux. ☎ 05-90-88-41-87. Pour les amateurs, un très beau 18-trous *(bunkers* en forme de fleurs), dessiné par Trent Jones. Le golf devenant démocratique, on peut y accéder avec une simple carte verte. Restaurant chic sur place *(tlj sf lun).*

➤ *Randonnées à cheval (hors plan par A1) :* au haras de Saint-François, chemin de la Princesse. 📱 06-90-58-99-92. *À droite sur la route du Moule. Résa indispensable. Différentes formules de 2 ou 3h env 45-60 €.* Un moyen tranquille et sympa pour découvrir la campagne environnante de Saint-

François, en passant par la baie Olive, l'Anse à l'Eau, la Pointe des Châteaux... La sortie la plus appréciée ? La « baignade à cheval » (sortie de 3h). Également des cours, bien sûr.

Escapades dans les îles voisines

Large choix d'escapades en mer à Saint-François, mais même topo qu'au Gosier : surtout choisissez bien vos sorties. Entre les négligences à l'égard de l'environnement, les beuveries à bord de quelques bateaux et parfois l'incompétence des skippers, certaines prestations nous feraient partir en courant ! Cela dit, de vraies journées de rêve, parfois originales et à l'encadrement très pro, vous sont également proposées et feront certainement naître des vocations.

➤ **Pour les îles de la Petite-Terre :** il faut moins d'une heure de navigation pour atteindre la réserve naturelle des îles de la Petite-Terre, îlots sauvages inhabités depuis 1974. Les derniers habitants furent le gardien du phare et sa famille. Ce sont aujourd'hui les îles des oiseaux et des iguanes. Elles sont bordées d'un lagon toujours limpide rempli de coraux et de petits poissons multicolores qui raviront les plongeurs. *L'Awak* (☎ 05-90-88-53-53) et *Paradoxe Croisières* (☎ 05-90-88-41-73 ; ● paradoxe@im-caraibes.com ●) sont tous deux présents sur la marina *(plan C2)* et proposent une sortie quotidienne sur Petite-Terre. Sinon, l'*Iguana Beach* et l'*Iguana Sun (au port de pêche ; plan B2, 7.* ☎ *05-90-22-26-31.* 🖂 *06-90-50-05-10)* organisent des sorties sur Petite-Terre couplées avec La Désirade (mais les visites sont courtes dans les deux cas).

➤ **Dans les Caraïbes :** *avec l'agence de voyages* Carib Holidays *(plan B2, 57), dans le centre commercial* Les Comptoirs de Saint-François, *face au port.* ☎ *05-90-85-00-64.* ● *carib-holidays@wanadoo.fr* ● *Tlj sf dim.* Organise de nombreux petits séjours (2 ou 3 jours) dans les îles des Caraïbes : Martinique, Saint-Barthélemy, Saint-Martin, Saint-Thomas, Tortola, Sainte-Lucie, Porto Rico...

➤ **Pour La Désirade :** *avec* Cap Caraïbes Holding *(plan B2, 7), au port de pêche.* ☎ *05-90-47-08-11.* 🖂 *06-90-72-64-42 et 06-90-50-69-15.* ● *capcaraibeshdg@wanadoo.fr* ● Excursions à la journée dans toutes les îles, en particulier La Désirade, avec prise en charge dès Saint-François, repas complet et tour commenté en minibus. Très sérieux, il s'agit là d'un bon moyen de connaître la face cachée de La Désirade. Propose également une excursion pour Petite-Terre et des locations de VTT et scooters. Sinon, l'*Iguana Sun* offre une prestation à peu près similaire. Se reporter aussi à la rubrique « À voir. À faire » à La Désirade.

Plongée sous-marine

À l'extrémité est de la Guadeloupe, les fonds de Saint-François sont dopés par les vigueurs de l'océan Atlantique. Aussi les conditions de plongée – pas toujours faciles – nécessitent-elles déjà un petit apprentissage. C'est donc tout naturellement que les débutants feront des bulles avec les mignons bébés poissons du lagon turquoise, avant de découvrir, plus au large, quelques superbes sites sauvages et richement dotés.

Clubs de plongée

■ **Saint-François Plongée** *(plan C2) : 21, galerie du Port.* ☎ *05-90- | 85-81-18.* 🖂 *06-90-56-51-79.* ● *st-francois-plongee.com* ● Sur la marina.

Propose baptêmes (enfants et adultes), explorations (sur 15 sites différents) et plongées de nuit ou à thème. Pour ceux qui souhaitent se perfectionner, également des formations (jusqu'au Niveau 3).

■ *Noa Plongée (plan D2) : route du Lagon, 6, av. de l'Europe.* ☎ *05-90-89-57-78.* 📱 *06-90-42-45-67. Trois départs/j. : 2 le mat et 1 en début d'ap-m.* Petit centre (FFESSM, PADI et brevets fédéraux) qui propose des baptêmes dans le lagon de Saint-François et dans la réserve de Petite-Terre et également des formations (Niveaux 1 à 3, préparation au Niveau 4).

Nos meilleurs spots

🤿 **Le Lagon** *(carte Grande-Terre : nos meilleurs spots de plongée, 29) :* au sud de Saint-François (10 mn de trajet). Idéal pour les baptêmes. Plongée-plaisir dans cette véritable nurserie de bébés poissons-perroquets, chirurgiens, poissons-papillons, trompettes, demoiselles, sergents-majors, etc., qui batifolent joyeusement sur la barrière de corail (- 2 à - 5 m), bordant ce paisible lagon de carte postale (sable clair et eaux turquoise). Un « vol au-dessus d'un nid de poissons » très fastoche !

🤿 **L'Aquarium** *(carte Grande-Terre : nos meilleurs spots de plongée, 28) :* à l'est de la ville, vers la Pointe des Châteaux (20 mn en bateau). Pour plongeurs Niveau 1 et confirmés. Chouettes nuages de demoiselles, bancs de poissons-chirurgiens et de balistes sur ce petit tombant corallien (- 13 à - 16 m). Également de gracieuses murènes noires, quelques serpentines et, parfois, une tortue curieuse, venant d'on ne sait où, vous frôle et poursuit son chemin, majestueuse et sereine. De belles tranches de vie sous-marine...

🤿 **La Pointe des Châteaux** *(carte Grande-Terre : nos meilleurs spots de plongée, 32) :* à l'est de Saint-François (40 mn de bateau). Pour plongeurs Niveau 1 aguerris au minimum. Du poisson à la tonne ! Dans ce dédale dantesque d'arches et de petites vallées (10 à 19 m de fond), vous serez cerné tous azimuts par des bancs de poissons qui se bousculent et s'entre-choquent frénétiquement, dans une incroyable symphonie de couleurs. Gorettes, agutis, sergents-majors, balistes, tarpons, anges royaux, pisquettes, barracudas, etc., dans tous leurs états. Également des langoustes, cigales de mer et grosses murènes vertes ou noires plutôt impassibles devant cette folie ambiante. On est sous le charme ! Une plongée spectaculaire, pas toujours réalisable à cause de la houle d'est.

🤿 **Le Banc des Vaisseaux** *(carte Grande-Terre : nos meilleurs spots de plongée, 31) :* en pleine mer au sud de Saint-François, à mi-chemin de Marie-Galante (40 mn de trajet). Pour plongeurs Niveau 1 aguerris, au minimum. Plongée « hors piste » sur ce haut-fond corallien isolé et très sauvage (pas un pêcheur à l'horizon). Ici, toutes les rencontres sont possibles. Excitant, non ? Bancs de balistes, agutis, barracudas, tortues et même requins-dormeurs débonnaires seront vos fidèles compagnons de plongée (- 20 m maximum). Selon la saison, les petits veinards auront peut-être la chance de croiser des baleines ! Une plongée de rêve. Attention, courant fréquent.

🤿 **Le Site des Raies** *(carte Grande-Terre : nos meilleurs spots de plongée, 30) :* au sud de Saint-François (15 mn de bateau). Pour plongeurs Niveau 2 minimum. Au-dessus d'une mer de sable, rencontre du troisième type avec une dizaine de raies-pastenagues gracieuses et peu farouches. La plus familière – *Gipsy* – vient se frotter généreusement contre les plongeurs et suit la palanquée comme un bon toutou... Pas complètement désintéressée cependant, car elle attend le casse-croûte. Enfin, rassurez-vous, elles ne sont pas tributaires de l'homme pour se nourrir... Une plongée spectaculaire.

GRANDE-TERRE

LA POINTE DES CHÂTEAUX

Offerte aux vents et battue inlassablement par la mer, cette avancée rocheuse se situe à la pointe extrême de la Guadeloupe, à 11 km à l'est de Saint-François. En chemin, vous trouverez, dans l'ordre : La Coulée, l'Anse à la Gourde et l'Anse Tarare. La plupart des adresses indiquées se situent au bord de l'unique route. Tout à fait au bout, un imposant éperon rocheux est dominé par une haute croix, avec à l'horizon l'île de La Désirade. Un paysage découpé évoquant pour certains la côte sud de la Bretagne. Avec de la chance, vous observerez des pailles-en-queue – ces oiseaux très rares à la queue en fourche – qui nichent dans les falaises à certaines périodes de l'année.

– *Conseils :* il est dangereux de monter sur la falaise. Des panneaux vous mettent en garde, mais il n'y a pas grand monde qui respecte l'interdiction. Baignade interdite, car très dangereuse. Par ailleurs, sachez que, sur la Pointe, il n'y a ni distributeurs de billets ni station-service (22 km aller-retour).

Où dormir ?

Prix moyens

🛏 *Village Ti' Figues :* 11, résidence « Le Balaou », à La Coulée. ☎ 05-90-85-05-63. ● ti.figues@wanadoo. fr ● multimania.com/tifigues ● 500 m après l'Iguane Café en venant de Saint-François, à gauche (au panneau « Balaou ») ; c'est après La Coulée Douce à gauche. Réception tlj sf dim 9h-12h, 16h30-18h. À la sem, selon saison : studio (2-3 pers) 315-460 € ; F2 (4-5 pers) 425-640 €. Sur présentation de ce guide, un apéro et le 1er petit déj offerts. À proximité de la plage (150 m), une sorte de résidence hôtelière avec des bungalows indépendants, aux couleurs pastel, disposés sur un gazon bien net autour d'une jolie piscine. Le proprio est architecte et les intérieurs sont bien aménagés avec meubles du Mexique, salle de bains (eau chaude solaire), cuisine ouverte sur une grande terrasse privative, AC, barbecue et petit jardin. Idéal pour les familles. Cela dit, un changement de direction pourrait avoir lieu prochainement, renseignez-vous.

🛏 *La Coulée Douce :* à La Coulée (à gauche à 3 km de Saint-François). ☎ 05-90-88-48-07. ● lacouleedou ce@ifrance.com ● residence-lacouleedouce.fr ● La nuit (3 nuits min) 70-80 € ; la sem 380-425 €, pour 2 pers selon saison. Sur présentation de ce guide, un petit en-cas à votre arrivée et le 1er petit déj offerts. La Coulée Douce porte bien son nom. D'abord pour l'accueil très gentil des propriétaires, ensuite pour les 6 duplex récents qui préservent l'atmosphère familiale du site, et enfin pour les touches de couleur et les bricoles laissées par les précédents hôtes qui personnalisent le tout (coquillages, bouquins…). Bon confort global : au rez-de-chaussée, cuisine américaine, salle de séjour avec TV, douche et w-c séparés et terrasse sur jardin clos (certaines avec hamac) ; à l'étage, chambre mansardée avec moustiquaire. Il n'y a pas de vue particulière, juste le calme de la campagne et, à 100 m, l'un des plus beaux lagons de l'île.

Plus chic

🛏 |●| *Hostellerie des Châteaux :* ☎ 05-90-85-54-08. ● hostellerie-des-chateaux@wanadoo.fr ● hostellerie-des-chateaux.com ● À gauche après la plage Tarare (panneau). Resto fermé dim soir et lun. Congés de mi-sept à mi-oct. Doubles 85-95 € la nuit, 520-600 € la sem, petit déj compris. Réduc de 10 % dès la 2ᵉ sem et 15 % en basse saison. Menus 20-39 €. Digestif offert sur présentation de ce guide. Légèrement surélevé, cet établissement bien agencé profite de beaux couchers de soleil depuis sa grande terrasse, organisée autour d'une jolie piscine. Quelques chambres rénovées récemment et des bungalows indépendants, plantés dans le grand jardin. Fait aussi resto avec, le midi, *grill party* au bord de la piscine. Accueil très amical.

Où manger ?

Plus près de Saint-François, à La Coulée

|●| **Iguane Café** : route de la Pointe des Châteaux. ☎ 05-90-88-61-37. ⚒ À 2,5 km de Saint-François, sur la gauche de la route. Ouv slt le soir (sf mar) et dim. Fermé en sept. Résa recommandée. Menus 39 et 79 €, carte 50-60 € ; menu-enfants 14 €. Digestif offert sur présentation de ce guide. Qui ne connaît pas l'*Iguane Café* ? Considérée à juste titre comme l'une des meilleures tables de la Guadeloupe, cette belle adresse attire épicuriens de toujours et gastronomes d'un soir. Sous une belle charpente créole décorée avec un goût exquis et largement ouverte sur la verdure, on déguste une cuisine raffinée et haute en couleur, mijotée à feu doux avec tout le génie culinaire de Sylvain et Marie-Laure, les gentils proprios. Si vous ne devez faire qu'une seule folie durant vos vacances, ce pourrait être celle-ci. Idéal en amoureux.

|●| **Le Colombo :** au lieu-dit La Coulée. ☎ 05-90-88-41-29. En bord de route. Tlj sf dim soir et mar. Carte env 35 €. Grande salle accueillante ornée de quelques statuettes, à une enjambée de la plage. Cuisine créole au feu de bois et salade de poisson-coffre selon arrivage, mais la maison est surtout connue pour ses langoustes prélevées à la commande dans le vivier. Correct, mais un peu cher quand même.

À mi-chemin, vers l'Anse à la Gourde

|●| **Délice de l'Anse** : Anse à la Gourde. ☎ 05-90-88-54-05. À 250 m avt la plage de l'Anse à la Gourde, sur la droite. Tlj sf lun ; slt sur résa le soir en sem en basse saison. Congés en juin. Menus 15-24 €, et 40 € avec langouste. Menu-enfants 8 €. Apéro maison offert sur présentation de ce guide. Une petite auberge créole dotée d'une agréable véranda sur un parterre d'herbe, au calme. Le patron, un homme jovial et attentif, ne veut pas du resto-usine. Il fait tout lui-même avec des produits sains, dans un esprit bio. Cuisine créole mijotée et goûteuse.

À l'extrémité de la Pointe des Châteaux

|●| **Chez Man Michel :** ☎ 05-90-88-72-79. 📱 06-90-55-75-07. Tourner à gauche sur la route principale (pancarte), c'est au départ du sentier menant à la plage de l'Anse Tarare. Ouv slt le midi et les ven et sam soir. Slt sur résa dim. Plats 15-28 € et langoustes 30-38 €. Digestif offert sur présentation de ce guide. Cette grande maison ouverte aux alizés abrite un resto familial coquet, qui propose une cuisine créole maîtrisée quoiqu'un peu chère. Tous les plats sont servis avec salade, acras, riz antillais et quelques petits à-côtés, de la brochette de requin aux fameux ouassous. Parfois, soirée zouk le week-end. Service aimable.

|●| **La Paillote des Châteaux :** route de la Pointe des Châteaux. ☎ 05-90-

22-15-73. • *cindy.pelmont@wanadoo. fr* • ॐ *Sur le parking à côté de* l'Hostellerie des Châteaux, *2 km avant la pointe. Ouv slt le midi et les ven et sam soir. Menus 10-36 €, menu-enfants 8 €. Jus de fruits frais offert sur présentation de ce guide.* Loi du littoral oblige, la petite paillote d'origine a récemment quitté la Pointe et s'est métamorphosée en restaurant spacieux situé sur un grand parking, du coup plus impersonnel. Cela dit, on y trouve toujours de sympathiques menus, les spécialités de grillades et la traditionnelle langouste dans le menu le plus cher. Bons jus de fruits frais, glaces et aire de jeux pour les enfants. Soirée dansante le vendredi et déjeuner dominical en musique.

À voir. À faire

Dans l'ordre, de Saint-François vers la Pointe :

↘ **La plage des Mancenilliers,** *sur la droite de la route entre Saint-François et la Pointe des Châteaux, après le lieu-dit La Coulée.* Il y a plein d'accès faciles entre les buissons, mais les courants sont réputés hostiles. Et en cas de pluie, se méfier de ces arbres dangereux qui ont donné leur nom à la plage (voir la rubrique « Santé » dans les « Généralités »).

↘ **Anse à la Gourde :** *en venant de Saint-François, tourner à gauche à la pancarte.* Une immense plage de sable blanc protégée par la barrière de corail. Sauvage et superbe. Quelques rochers rendent cependant la baignade difficile. La plage attire une multitude de Pointois les fins de semaine.

🏃 **La Maison de la noix de coco :** *résidence Karukera.* ☎ 05-90-85-00-92. *Après l'Anse à la Gourde. Tlj 9h-18h.* Une boutique-atelier, où l'on trouve toutes sortes d'objets réalisés par une trentaine d'artisans locaux à partir de noix de coco et de calebasses. Cela va des petits objets à 6 € environ aux pièces uniques allant jusqu'à 1 000 €. Beaucoup d'art local et un peu de la Caraïbe. Également un petit musée gratuit. Dégustation gratuite de lait de coco. À côté, un magasin de madras.

↘ **Anse Tarare :** *petite plage naturiste jolie comme tout.* En venant de Saint-François, tourner à gauche, par une route assez caillouteuse, on arrive au parking (restaurant *Chez Man Michel*). Un petit chemin conduit à cette adorable crique bien protégée, entourée de collinettes. Sable immaculé. Plusieurs lecteurs adeptes des lieux se sont plaints de la présence « d'importuns »... pour faire sobre.

↘ Quand on est à la Pointe des Châteaux, sur la gauche, belle et vaste **plage des Grandes-Salines,** *de sable blanc.* Attention, elle est dangereuse par endroits : ne pas y aller en solo. En revanche, le lagon au niveau des pilotis semble complètement protégé (bien pour les enfants).

LE MOULE (97160) 21 000 hab.

Encore préservé des foules, ce port du nord-est de la Grande-Terre respire l'authenticité guadeloupéenne. La partie la plus ancienne se trouve autour de la place centrale et dans les ruelles voisines, bordées de typiques maisons créoles en bois, certes pas toujours bien entretenues. À 1 km au sud, la jolie *plage de l'Autre-Bord* est l'une des rares à bénéficier d'une surveillance de maîtres nageurs (bordée par un quartier hôtelier malheureusement un peu défraîchi ; douche et w-c sur place). Plus au nord, longeant le boulevard Maritime (digue et promenade récentes), la *plage de la Baie* livre ses spots généreux aux surfeurs aguerris, qui la plébiscitent largement parmi toutes les plages de la Guadeloupe. D'ailleurs, des compétitions internationales s'y déroulent. À déconseiller aux nageurs en raison des gros rouleaux.

UN PEU D'HISTOIRE

Fondé vers 1680 à l'endroit même d'un antique village amérindien, dont les vestiges figurent aujourd'hui au *musée de Préhistoire amérindienne Edgar-Clerc,* Le Moule affirme sa vocation maritime jusque dans son nom évoquant un « môle » (digue). Très tôt, celui-ci a protégé la rade des assauts parfois furieux de l'océan Atlantique. Au XIXe siècle, c'était le principal port sucrier de l'île. L'économie de la région reposait alors sur l'industrie de la canne, dont la fameuse *distillerie Damoiseau* demeure aujourd'hui l'un des derniers fleurons encore en activité. En 1809, une terrible bataille navale opposa Français et Anglais au large du Moule. Quelques ancres de navires témoignent encore de la violence de l'affrontement. L'association *Prépasub* mène actuellement des fouilles archéologiques sous-marines dans le port du Moule, et découvre, au fil des plongées, épaves de navires, ancres, canons, cruches, bouteilles, pipes de marin, etc. ; bref, tout un patrimoine historique englouti, que nous espérons bien voir un jour exposé au public dans un musée de la commune...

Arriver – Quitter

En bus

Pour *Morne-à-l'Eau* et *Pointe-à-Pitre,* arrêt rue Saint-Jean (place Cadenet). Les bus à destination de *Saint-François* s'arrêtent boulevard Rougé, à côté de la pharmacie et juste avant la rue Sainte-Anne. Les bus pour les *Grands-Fonds, Bellevue* et *Cocoyer* s'arrêtent à la rue Duchassaing, place du Cimetière.

En taxi

– On les trouve rue Saint-Jean, près de la place principale.

Adresses utiles

Office de tourisme : à Damencourt, au niveau du spot de surf et du resto Le Spot, bd Maritime. ☎ 05-90-23-89-03. ● info@ot-lemoule.com ● ot-lemoule.com ● Lun, mar et jeu 8h-13h, 14h-17h ; jusqu'à 16h mer et ven ; sam 8h30-12h ; fermé dim. Brochures touristiques bien faites, liste des hébergements touristiques, plan de la ville gratuit et documentation générale sur toute la Guadeloupe. Organise des journées découverte du patrimoine moulien. Accueil compétent et sympa.

Poste : rue Saint-Jean (rue principale). Fermé mer et sam ap-m.
Distributeurs de billets : à la poste, mais aussi rue Saint-Jean (rue principale) : au Crédit Agricole, à la Caisse d'Épargne, à la BRED ou encore à la BDAF.
Internet : à la Bibliothèque Multimédia, *48, rue Saint-Jean.* ☎ 05-90-23-09-30. Au coin de la rue Gaston-Monnerville. Également 2 autres cybercafés rue Duchassaing et bd Rougé.

Où dormir ?

Bon marché

🛏 *Chez l'habitant :* se renseigner auprès de l'office de tourisme. Une bonne trentaine d'adresses...

De prix moyens à plus chic

🛏 *Gîtes de Mme Lucette Promeneur (Gîtes de France) :* baie du Moule. ☎ 05-90-23-60-12. • lucette. promeneur@wanadoo.fr • En venant de Morne-à-l'Eau, c'est 800 m avt le pont en arc, panneau sur la droite. Pour 2-6 pers selon saison : nuit 45-65 € (3 nuits min), sem 275-426 €. Apéro maison offert sur présentation de ce guide. À l'écart de la route, dans un agréable jardin fleuri, 2 petites maisons rondes comprenant chacune 2 gîtes, conçus par M. Promeneur. Chambres avec AC, salle de bains, cuisine, en principe, équipée, mais l'entretien laisse à désirer. TV, terrasse et point téléphone. Très simple, voire un rien désuet. Tout au fond du jardin, également un F3 (5-6 personnes) bien aménagé aussi. Accueil très courtois. À seulement 600 m de la petite plage de la Baie.

🛏 *Cottage Résidence :* plage des Alizés, l'Autre-Bord. ☎ 05-90-23-78-38. • cottage-residence@wanadoo. fr • cottage-residence.net • ⚒ À 1 km du centre-ville ; tourner à droite au rond-point à l'entrée du Moule. Fermé en sept. Pour 2-3 pers, 360-460 € la sem, petit déj en sus. Gratuit moins de 12 ans. ½ pens possible. Une résidence hôtelière très conventionnelle mais située dans un secteur tranquille en bord de plage, avec une bonne vingtaine de duplex, spacieux (60 m²) et offrant une vue sur la mer. Cuisine équipée sur le balcon, AC, téléphone, TV... Ménage et linge de maison en supplément. Sports nautiques sur la belle plage de sable blanc, bordée de cocotiers.

🛏 *Le Moulin de la Baie, chez Mme Abaidia :* BP 145, Damencourt. ☎ 05-90-23-37-37. 📱 06-90-32-65-55. • lemoulindelabaie@wanadoo. fr • Résa et infos au resto-boîte Le Mandiana-Schiva, au niveau de la plage de la Baie, juste à gauche avant le pont. Pour l'hébergement, c'est la 1re à gauche et tout de suite à droite. Pour 2-4 pers, 300-500 € la sem selon saison. Sur présentation de ce guide, pot d'accueil et 10 % de réduc en basse saison. Quelques bungalows élégants en bois peint, blottis au pied d'un vieux moulin, avec de larges terrasses individuelles donnant sur un jardin soigné de 6 000 m². Équipement assez complet : AC, kitchenette, lit bébé, lave-linge, TV, barbecue... Tranquillité assurée, quartier résidentiel oblige, mais localisation stratégique puisque la plage vous tend la main.

Chic

🛏 *Domaine du Vieux Môle :* route de la Rosette. ☎ 05-90-88-65-69. • mtgeorge@wanadoo.fr • domaineduvieuxmole.com • À la sortie du Moule (direction Morne-à-l'Eau, Pointe-à-Pitre), prendre la D 123, c'est après le musée Edgar-Clerc et les Gîtes Promeneur. À la nuit, selon durée et saison, 60-115 € pour 2 pers et 100-190 € pour 4 pers. Le 1er petit déj est offert. Une adresse de charme originale. La pétillante Marie-Thé a d'abord choisi un très beau site le long d'une ravine en surplomb de la mer. Accès direct à la crique mais attention aux rouleaux (surtout de novembre à mars). Ça, c'est pour le côté sauvage... Ensuite, elle y a construit des bungalows en bois luxueux et de bon goût, tout confort, avec terrasse. En prime, piscine, solarium, wi-fi, bibliothèque, épicerie, hamacs, transats, lave-vaisselle, lave-linge, etc. À noter, pour les amoureux ou les célibataires, cette saintoise (bateau des Saintes) transformée en bungalow... Franchement, l'ensemble n'est pas si onéreux que ça pour le standing et le cadre proposés. Sans compter l'accueil enthousiaste de Marie-Thé.

Où dormir dans les environs ?

Prix moyens

🛏 *Gîtes chez Pierre Berlet* (label « Bienvenue à la Ferme ») : lieu-dit La Mineure, dans les Grands-Fonds du Moule. ☎ 05-90-24-00-11. 📱 06-90-49-87-34. ● berlet.pierre@wanadoo.fr ● gitesdelaferme.com ● À env 10 km. Du Moule, D 112 direction Château-Gaillard, puis D 101 jusqu'à La Mineure. Env 385 € la sem pour 2 pers ; compter 73 € la nuit. Vaches et cabris gambadent au milieu des champs autour de la ferme de M. Berlet, paysan jovial et très aimable. L'accueil étant d'ailleurs l'une de ses priorités, vous vous sentirez très vite à l'aise et en vacances chez des amis. Vous pourrez participer à la vie de la ferme, déguster les produits et les fruits du jardin. Les 3 gîtes neufs, confortablement aménagés, peuvent recevoir 2 à 4 personnes. Très propres, très calmes et bien tenus (une autre priorité). Chambres avec salle de bains, salles de séjour avec lit gigogne, moustiquaires, cuisine équipée, AC, lave-linge, TV, petite terrasse privée, barbecue et piscine.

Accueil possible à l'aéroport. Une excellente adresse de bon rapport qualité-prix-gentillesse.

🛏 *Gîtes Les Papayers* (label « Bienvenue à la Ferme ») : à Dubédou. ☎ 05-90-88-58-04. 📱 06-90-48-94-83. ● lespapayers@wanadoo.fr ● lespapayers.com ● À env 9 km. Du Moule, direction Saint-François ; tourner juste après la belle maison coloniale Zévallos, prendre la 1re route à gauche (panneau « Bienvenue à la Ferme »), longer la route principale, c'est au bout à gauche. Pour 2 pers, 320 € la sem et env 60 € la nuit. Apéro maison offert sur présentation de ce guide. Dans cette petite ferme où l'aimable famille Anoumantou élève vaches, cabris, poules et lapins, juste 2 gîtes récents avec chambre climatisée, séjour avec clic-clac, cuisine équipée, TV et terrasse ouverte sur les champs. Petite piscine. Lave-linge commun. Très simple et calme. Location de voiture possible.

Où manger ?

Bon marché à prix moyens

🍴 *Jazz Café* : rue Saint-Jean. ☎ 05-90-23-90-51. ♿ Dans le centre, accolé à la médiathèque (reconnaissable à son tour vitrée). Service tlj sf dim et lun 7h-22h env. Congés en sept. Plat du jour env 8 €, menu 15 €. Apéro maison offert (au resto) sur présentation de ce guide. Le café-resto culturel de la ville, sympa pour boire un verre en terrasse ou déguster des plats de snack, d'autres plus élaborés et de délicieux desserts.

Tout cela sous le regard inspiré de grands jazzmen noirs américains. Tables à damiers, service soigné et ambiance résolument anti-coup de blues qui détonne un peu avec la rue, généralement assoupie. Animations musicales le week-end (et karaoké en projet).

🍴 *La Tonnelle* : 86, rue Saint-Jean (rue principale). ☎ 05-90-23-25-00. À côté de la poste. Tlj sf dim 6h-16h. Sandwichs et petits plats 3-10 €.

Petit troquet populaire fréquenté par les employés et les habitués. Classique panoplie de plats antillais corrects et servis rapidement (sur place ou à emporter).

|●| **Gwada Grill** : *devant le stade de Sergent.* ☎ *05-90-23-69-00. De Saint-François, 1re route à gauche, après avoir enjambé le pont de l'Autre-Bord, puis 500 m plus haut, à gauche. Tlj sf dim 12h-15h, 18h-22h. Digestif maison offert (au resto) sur présentation de ce guide.* Un peu excentré mais c'est certainement le *lolo* le plus populaire du Moule, installé dans un cabanon-paillote à l'entrée du stade. Dans l'assiette, des plats simples et réussis avec, en vedette, les grillades fumées à la canne à sucre. La cuisse de poulet boucané à 2 € ! Sinon, souris d'agneau, gigot ou « cuisse de poulet complète » de 8,50 à 11 € environ. Pour les plus fortunés, délicieuses langoustes également, boucanées à la canne. Ambiance amicale et un brin surchauffée les jours de match.

De prix moyens à plus chic

|●| **Le Spot** : *bd Maritime, à côté de l'office de tourisme.* ☎ *05-90-85-66-02. Tlj sf lun 10h-23h30. Plats env 11-15 €.* Amateurs de surf et de mer déchaînée, bienvenue dans ce *Spot*, un rien branché mais pas trop, rendez-vous des bandes de copains du secteur. Dans cette grande salle moderne, postée comme une tour de guet au-dessus des rochers où se fracassent les vagues chevauchées par les surfeurs, il arrive que l'on ferme les volets tant les embruns frappent au carreau ! Cerise sur le gâteau, la cuisine est franchement bonne, avec des salades, des pizzas mais aussi les excellentes assiettes du pêcheur et le tartare de poisson. Bonne atmosphère pour boire un verre également.

|●| **Afrique Étoile** : *18, rue Albert-Ier, dans une rue étroite perpendiculaire à la rue principale (derrière la poste).* ☎ *05-90-23-84-23. Tlj sf dim soir et lun. Plats env 15 €, carte env 25 €.* Une adresse surprenante, un petit bout d'Afrique noire perdu en plein centre-ville, tenu par Mamadou, un Malien pur sucre. Cadre extrêmement coquet (raffiné même !) avec masques, rideaux et nappes en batik dans les tons bleus. Côté fourneaux, Mamadou concocte du bon couscous malien, l'*atiéké*, poulet braisé, ou encore l'*aloko*. À l'apéro, laissez-vous tenter par son sirop de gingembre (bangala assuré présentement !). Accueil très amical. Dépaysement garanti.

|●| **Aka Doudou** (*Restaurant de la Baie*) : *face à la plage de la Baie (sortie du Moule, direction Morne-à-l'Eau, Pointe-à-Pitre), à côté du resto-boîte* Mandiana-Schiva. ☎ *05-90-23-53-63.* 🍴 *Tlj sf lun (et dim soir hors saison). Menus 25-45 €, carte env 30 €, menu-enfants 10 €. Digestif maison ou café offert sur présentation de ce guide.* Dans ce resto gastronomique à la déco soignée, l'affable patron concocte une cuisine savoureuse aux intonations caribéennes et métro, avec des produits frais du pays et selon la pêche du jour. Également quelques bonnes salades gourmandes. Notez que le dimanche midi, quel que soit le plat choisi, l'apéro est servi à volonté (attention quand même au volant...). Dîner servi en musique le week-end en saison.

Où boire un verre ? Où sortir ?

🍷♪ **Jazz Café** : *rue Saint-Jean.* ☎ *05-90-23-90-51.* 🍴 *Dans le centre, accolé à la médiathèque (tour vitrée). Tlj sf dim et lun, jusqu'à 22h ou plus (selon affluence). Congés en* sept. Le café-resto culturel de la ville. Animations musicales le week-end (et karaoké à venir...). Voir aussi « Où manger ? ».

🍷♪ **La Bananeraie** : *9, rue Monner-*

ville. ☎ 05-90-23-66-88. *Tlj sf dim midi.* Bar-resto couleur locale dans la rue principale. Un peu en perte de vitesse ces derniers temps. On recommande de venir plutôt le samedi soir, pour profiter des concerts de jazz. En revanche, côté repas, on a vu mieux.

🍸 ♩ **Le Mandiana-Schiva :** *devant la baie du Moule.* ☎ 05-90-23-53-59. *Entrée : env 20 € (1ʳᵉ conso comprise) ; gratuit pour les filles 22h30-23h et pour ceux qui dînent sur place (resto indien et world food Le Mandiana).* Une boîte-salle de spectacle où se produisent les meilleurs chanteurs de zouk des Antilles le vendredi soir et pendant les vacances scolaires (en principe, mardi, jeudi et dimanche). Chaude ambiance.

À voir. À faire au Moule et dans les environs

🍴 *Au centre-ville, à l'angle de la rue de la République et du bd Cicéron, joli* **marché** *aux fruits et fleurs tlj (plus animé le w-e). Également un* **marché aux puces** *le 2ᵉ dim de chaque mois, sur la pl. de la Liberté. Et un sympathique* **marché des producteurs agricoles** *tous les mer de 16h à 21h, av. du Général-de-Gaulle.*

🍴🍴 **La maison Zévallos :** *à environ 6 km au sud du Moule, sur la gauche de la N 5 (1 km avant Dubédou), direction Saint-François. Elle mérite un coup d'œil en passant, mais ne se visite pas (soyez vigilant, aucun panneau ne l'indique).*
Plutôt haute et étroite, voici une maison d'époque coloniale singulière par sa forme et par son origine présumée. On raconte en effet que deux maisons de ce type auraient été commandées vers 1870 en France, à l'atelier de Gustave Eiffel, par un riche propriétaire de Louisiane. Malheureusement, le navire qui les acheminait dut faire escale à Pointe-à-Pitre pour cause d'avaries. Son capitaine les vendit alors aux enchères pour payer les réparations. L'autre maison abrite l'actuel *musée Saint-John-Perse* à Pointe-à-Pitre (voir « À voir. À faire » à Pointe-à-Pitre). Une forme rectangulaire, deux étages, des murs de brique, un toit de tuiles et une véranda soutenue par de fines colonnes métalliques. Ce détail technique est nouveau pour l'époque, car les colonnes de vérandas au XIXᵉ siècle étaient en bois. Selon la légende locale, ce serait une demeure hantée. Info difficile à vérifier...

🍴 **La sucrerie Gardel :** *de Saint-François, par la N 5, prendre à gauche la D 117 peu après la maison Zévallos.* ☎ 05-90-23-37-75. *Visites guidées (env 7 €) sur rendez-vous, slt pdt la saison de récolte de la canne à sucre, soit de fév à juin ou juil.*
Fondée en 1883, voici la dernière sucrerie de l'île encore en activité. Visite complète des installations, nourrie d'explications intéressantes sur les différentes étapes de transformation de la canne à sucre. On y apprend notamment que la combustion de la « bagasse » (résidus de canne) permet à EDF de produire une partie de l'électricité locale...

🍴 **La distillerie Damoiseau :** *à Bellevue.* ☎ 05-90-23-78-23. *Devant la baie du Moule, prendre la route face à l'hôtel* Royal Caraïbes, *puis la 1ʳᵉ à droite au carrefour ; c'est tout droit, sur la gauche. Visite libre tlj sf dim 7h-14h30. La boutique* La Cabane à Rhum *ferme à 17h30.*
Au milieu des champs de canne, cette ancienne distillerie produit l'un des rhums les plus réputés de Guadeloupe. Après la visite des installations, jalonnées d'intéressants panneaux explicatifs rappelant succinctement les origines et la technique de fabrication du rhum, on peut déguster et s'offrir de bonnes bouteilles à la boutique (rhum blanc à 55°, rhum vieux à 42° et punchs). Notez les stocks de bouteilles vides fabriquées par Saint-Gobain dans un coin de l'usine. Sur une colline, le beau *moulin à vent* restauré vaut

la photo, de même que les charrettes à bœufs venant décharger les cannes certains jours... Snack sur place.

🏃🏃🏃 *Le musée de Préhistoire amérindienne Edgar-Clerc : parc de la Rosette.* ☎ *05-90-23-57-57. Env 2,5 km après Le Moule (vers Pointe-à-Pitre), tourner à droite sur la route de Gros-Cap (D 123). Lun, mar et jeu 9h-17h ; mer et ven 9h-13h. Fermé les w-e et j. fériés. Mieux vaut toutefois téléphoner avant de se risquer...*
En attendant la fin des travaux de rénovation, qui n'en finissent pas, on peut visiter une petite expo temporaire et le jardin amérindien. Au fond d'un superbe parc, ce musée archéologique et ethnographique est dédié à Edgar Clerc, Martiniquais d'origine, qui a dirigé de 1949 à 1972 des fouilles au Moule même. Exposition de témoignages des civilisations arawak et caraïbe.

🏃🏃 *La Porte d'Enfer : à 7 km env. En direction de Saint-François, prendre à gauche dès la sortie du Moule ou alors 500 m avant la maison coloniale Zévallos (indiqué discrètement). Accès facile jusqu'au petit parking, puis suivre un étroit sentier envahi par la végétation.*
De hautes falaises en fer à cheval forment cette anse très encaissée, fermée par des récifs de coraux sur lesquels se fracassent les vagues. Sauvage et magnifique. Une vraie carte postale. Miniplage pour étrenner son masque (mais attention quand même au courant).

🏃 *L'Anse-à-l'Eau : entre Le Moule et Saint-François, à env 9 km. Depuis Le Moule, prendre la 2ᵉ à gauche après la maison Zévallos (c'est très mal indiqué, bon courage !). Après avoir passé le moulin, continuer sur le chemin (env 1 km) et prendre à droite à l'intersection.*
Une crique presque uniquement pour vous, fermée par une barrière de corail avec La Désirade en arrière-plan. Pas mal du tout avec ses eaux claires, mais la piste d'accès n'est guère carrossable : dur-dur pour les deux-roues ; pour les voitures, ça passe juste.

Sports

– **École de surf :** *Arawak Surf Club, basé sous les locaux de l'office de tourisme et du resto* Le Spot, *bd Maritime.* ☎ *05-90-23-60-68.* ● *arawak.surf@wanadoo.fr* ● *Horaires d'ouverture assez aléatoires !* Affilié à la *Fédération française de surf*, ce petit centre organise des cours et stages de surf et de bodyboard, encadrés par des moniteurs d'État. Vend, loue et répare également le matériel.

– **Canoë-kayak :** *base de canoë-kayak du Moule, à l'Autre-Bord.* ☎ *05-90-23-02-72.* ● *mg-kayak-guadeloupe.com* ● *Tlj sf dim 8h-12h, 14h-17h.* Affilié à la *Fédération française de canoë-kayak.* Balade découverte de la mangrove sur la rivière d'Audoin, au Grand Cul-de-Sac Marin, initiation en mer au kayak-surf, etc., le tout avec une équipe de moniteurs chevronnés.

– **Autres activités sportives :** *Régie des sports du Moule (*☎ *05-90-22-44-40), à l'Autre-Bord.* Organise des randos à VTT ou à pied et diverses activités sportives (beach-volley, tennis, etc.).

Plongée sous-marine

Aux antipodes des « plongées en sucre » de la côte Sous-le-Vent qui font la réputation de la Guadeloupe, Le Moule offre des spots vierges, sauvages et d'une richesse sans cesse régénérée par les vigueurs de l'océan Atlantique. Quelle santé ! À travers le masque : foule de poissons plus « maousses » qu'ailleurs et pléthore d'éponges et de coraux. Bref, un spectacle d'une beauté étonnante, réservé aux seuls plongeurs confirmés (Niveau 1 minimum). Attention, une houle trop forte peut annuler la plongée.

Nos meilleurs spots

🐠 *L'Atlantide (carte Grande-Terre : nos meilleurs spots de plongée, 36) :* au large du port. Sur ce beau tombant (- 10 à - 20 m de fond), succession de grottes et de surplombs tapissés d'éponges multicolores et de grandes gorgones qui ondulent gracieusement au gré de la houle. Foule de gros poissons-anges, pagres, gorettes, sans oublier les poissons-perroquets qui changent de sexe au cours de leur maturité pour tourner mâles ! Murènes et langoustes squattent les trous, alors que mesdames les tortues surgissent parfois du bleu pour une visite éclair. À explorer absolument.

🐠 *Le Gondor (carte Grande-Terre : nos meilleurs spots de plongée, 37) :* au large de la plage de la Baie. Étonnant méli-mélo de poissons costauds (anges, gorettes, agutis, etc.) dans cette jolie petite vallée sous-marine (- 10 à - 20 m de fond), un brin mystique et parsemée de gorgones majestueuses. Excités par cette vitalité resplendissante, quelques barracudas solitaires entament une ronde lente et bien connue : l'heure de la chasse a sonné ! Une plongée pour surprendre la vie sous-marine dans tout son éclat.

LE NORD DE LA GRANDE-TERRE

Relief moins spectaculaire, végétation plus pauvre et contrastée. Aux mangroves succèdent les champs de canne à sucre et une sorte de brousse tropicale formée d'arbustes. Beaucoup moins de constructions que dans le sud de la Grande-Terre. C'est ici que se réfugièrent les derniers Caraïbes, avant de disparaître définitivement durant la seconde moitié du XIXᵉ siècle. De-ci, de-là, pourtant, quelques sites dignes d'intérêt, comme la *pointe de la Grande-Vigie,* ou encore l'*habitation Beauport,* derrière Port-Louis, qui propose une visite au cœur de la canne à sucre, véritable patrimoine culturel local...

🏖 À une dizaine de kilomètres au nord du Moule, si l'envie de faire trempette vous prend, petite halte à l'**Anse Maurice.** Belle plage familiale protégée par une barrière de corail. Les enfants peuvent s'y baigner (sous surveillance, bien sûr), enfin... quand elle est propre, ce qui n'est malheureusement pas la règle. Attention aussi aux rochers, qui parfois gênent un peu la baignade, mais le coin est idéal pour plonger avec palmes, masque et tuba quand la mer est calme. Tables de pique-nique dispersées sous les frondaisons.

🍴 *Chez Pinpin :* ☎ 05-90-22-52-97. Ouv ts les midis. Plats 8-18 €. Ti-punch offert sur présentation de ce guide. Un petit resto bien comme il faut. Agréable terrasse avec des plats du style court-bouillon de poisson, fricassée d'ouassous et des viandes.

LA PORTE D'ENFER

Dans le nord de la Grande-Terre, à 25 km du Moule. Ça ressemble plutôt à un coin de paradis. Un endroit isolé avec un couloir d'eau qui s'enfonce profondément dans les terres. Très abritée, l'eau est calme et transparente comme un lagon, alors que tout au bout l'océan rugit de toute sa puissance. Une aire de pique-nique a été aménagée au bord de l'eau, mais les déchets éparpillés par les chiens errants gâchent parfois le paysage. Petit *lolo* sympa pour boire un verre ou manger une grillade au retour de la balade. Prendre le sentier qui

traverse le petit cours d'eau, puis suivre le rivage en direction de la haute mer pour emprunter le chemin qui mène au *trou de Mme Coco* (à 15 mn de marche). Cette impressionnante crevasse aux parois tourmentées doit son nom à une certaine Mme Coco, disparue ici avec son ombrelle à la suite d'un chagrin d'amour... Du moins d'après la légende. Après une pensée émue pour la belle, n'hésitez pas à suivre le chemin de randonnée marqué en bleu et jaune jusqu'au *trou du Souffleur,* un gouffre en pleine terre de 20 m de diamètre et 40 m de profondeur, au fond duquel on voit la mer se déchaîner. Prévoir deux heures aller-retour. Pour faire tout le *sentier de la Grande-Falaise,* compter environ 3h de marche, voire 5h si vous poussez jusqu'à la *pointe Petit-Nègre,* puis retour par les terres en passant par l'ancienne *sucrerie Mahaudière* avant de revenir à la *Porte d'Enfer.* Les vagues viennent se briser sur les falaises découpées comme du gruyère. Entre la *Porte d'Enfer* et la *pointe de la Grande-Vigie,* plusieurs points de vue admirables.
– *Attention :* ne pas confondre cette Porte d'Enfer avec un autre site portant le même nom, qui se trouve au sud du Moule (voir « À voir. À faire au Moule et dans les environs »).
– *Conseils :* chapeau de rigueur (peu d'ombre), porter de bonnes chaussures, car les rochers sont parfois très coupants et prévoir évidemment suffisamment d'eau. Se couvrir également les jambes et les bras pour se protéger des arbustes épineux. Le sentier est dans l'ensemble facile d'accès, très bien aménagé et balisé (en jaune et bleu). La partie *Mahaudière-trou du Souffleur* est cependant moins visible et il est alors possible de se perdre.

LA POINTE DE LA GRANDE-VIGIE

À 7 km environ de la *Porte d'Enfer,* à l'extrémité nord de la Grande-Terre, spectacle impressionnant de ces falaises abruptes, hautes de 80 m, fouettées par une mer houleuse. Par très beau temps, possibilité de voir La Désirade (à 50 km), Antigua (à 80 km) et Montserrat (à 70 km). Notez le nuage de fumée au sommet de cette dernière île, en éruption constante depuis plusieurs années (on aperçoit même une coulée de lave refroidie). Elle a été évacuée à 95 % ! Quelques oiseaux : frégates, pailles-en-queue, ortolans, plus rarement le fou brun. Un petit sentier mène à la pointe en 5 mn à peine. Quelques passages aux roches particulièrement affûtées. Malgré la nature très calcaire du sol, les plantes trouvent des astuces pour pousser. Noter l'enchevêtrement des racines dans les rochers et ne pas manquer le rocher de la Tortue, visible depuis la terrasse du snack. Il va y avoir querelle de biologistes car, pour nous, cela ressemble plus à un iguane...
– *Conseils :* ne pas trop se pencher, et se munir de bonnes chaussures, car le chemin est très rocailleux tout de suite après le sentier pavé.

ANSE-BERTRAND   (97121)   5 100 hab.

Un bel endroit dans l'une des régions les plus sauvages et les moins touristiques de l'île. La commune compte quelques jolies petites anses pour se baigner (mais gare à la sécurité, se renseigner avant) et une superbe plage : la *plage de la Chapelle,* située à la sortie du bourg en direction de Port-Louis. Le village lui-même se révèle authentique, à défaut d'être inoubliable. Ici, la star, c'est Lilian Thuram, le footballeur de classe internationale dont la famille habite toujours à Anse-Bertrand.
À 1,5 km en prenant vers la pointe de la Grande-Vigie, la belle *anse Laborde,* 150 m de sable blond dans un décor superbe.
– ATTENTION : LA BAIGNADE Y EST DÉSORMAIS INTERDITE. Pas de

maître nageur, ni de panneau indiquant les risques si l'on se baigne sur cette plage à certaines époques. Nombreux courants sous-marins très dangereux et vicieux, faisant chaque année des victimes.

Où dormir ?

🏠 **Gîtes de Mme Clamy Rosette** (Gîtes de France) : 2, rue Stéphane-Francisquin, section Chapelle. ☎ 05-90-22-15-43. ● gitesruraux.cvr@wa nadoo.fr ● De la mairie, direction Morne-à-l'Eau, c'est la 1re rue à gauche, puis à 60 m sur le côté droit. Congés en sept. En saison, gîtes (2-5 pers) 360-400 € la sem. Table d'hôtes (sur résa) 18 €. Attention les yeux, vous êtes accueilli par un chevalier de l'ordre national du Mérite ! Et du mérite, Rosette n'en manque pas : ses 5 gîtes (3 épis) sont nickel et vraiment tranquilles, aménagés dans plusieurs maisonnettes mitoyennes pleines de charme avec leurs vérandas pimpantes. Ils sont plus spacieux et bien équipés : cuisine américaine, AC, moustiquaire, petit salon, TV, lave-linge, terrasse... Une chambre avec accès handicapés est en projet. À table, bonne cuisine familiale, à base de poissons du jour et de légumes frais provenant de l'exploitation maraîchère de la charmante patronne. Une bonne adresse.

🏠 **Les Algues de la Chapelle :** plage de la Chapelle, au sud-ouest immédiat du bourg. ☎ 05-90-20-27-50. 🖥 06-90-62-74-23. ● sci.les.mari nes@wanadoo.fr ● 🚶 La sem env 336 € pour 2 pers et env 397 € pour 4 pers. Remise de 10 % de sept à nov sur présentation de ce guide. Tout proche de la plage de la Chapelle, un minuscule village composé de beaux bungalows (2 à 6 personnes) en bois, récents et plutôt confortables : cuisine équipée, AC dans une chambre, ventilo dans l'autre, TV. Mais si le jardin est bien agréable, la vue est en partie gâchée par les équipements sportifs et le parking d'un centre de vacances EDF voisin. Dommage. Location de voitures et de cannes à pêche. Accueil possible à l'aéroport.

Où manger ? Où boire un verre ?

|●| 🍸 **L'Anthoniïs :** pl. du Marché. ☎ 05-90-22-04-02. ● jm.balin@wana doo.fr ● Sur le port. Tlj sf dim. Salades et plats 8-14 €, menus 20-35 € (de l'apéro au digestif), menu-enfants 10 €. Très jolie situation en surplomb de la mer. On ne se lasse pas de la voir se fracasser sur le port notamment au coucher du soleil... Bon accueil du patron qui propose une bonne et savoureuse cuisine locale avec tous les classiques : délicieux crabes farcis, chatrou, ouassous, lambis, langouste sauce chien, assiette créole et bananes flambées. Parfois de la soupe de cheval le vendredi soir. Idéal aussi pour boire un verre... Excellents punchs.

|●| **Zion Train :** sur la plage de la Chapelle. 🖥 06-90-64-28-32. ● erdan. jocelyne@wanadoo.fr 🚶 ♿ Ts les midis sf mer. Congés 23 juin-12 juil et 3-16 sept. Menus (avec planteur) 17 €, sandwichs, bokit et crêpes env 4 €. Digestif offert sur présentation de ce guide. Situation de rêve pour ce petit resto de plage, dont les premières tables s'avancent jusque dans le sable. Avec un palmier en guise de parasol et un verre de jus local à la main, on a vraiment l'impression de poser pour une brochure touristique. Petits plats simples et corrects. Glaces et crêpes également.

|●| **Chez Doudou :** face à l'hôtel de ville. ☎ 05-90-20-51-74. Tlj sf lun midi. Pizzas 7-10 €, plats 9-15 €. Chèques-vacances acceptés. L'emplacement n'est pas idéal (en plein carrefour) mais on y mange de bonnes pizzas et surtout d'excellentes viandes. Tenu par un Suisse et sa femme guadeloupéenne.

PORT-LOUIS

(97117) 6 000 hab.

Village de pêcheurs et petit centre agricole, sur la côte nord-ouest de la Grande-Terre. Le centre-ville a gardé son charme caraïbe un peu rétro. La rue principale longeant le port, bordée de réverbères à l'ancienne et poétiques, aligne des maisons basses traditionnelles aux couleurs pastel. Tous les jours vers 17h, les pêcheurs rentrent au port, provoquant un rassemblement de villageois. Au café *La Corrida du Sud,* vous les verrez se requinquer après leur dure journée en mer. La balade le long du bord de mer se révèle bien agréable et se prolonge par la superbe *plage du Souffleur,* l'une des plus belles de Guadeloupe.

UN PEU D'HISTOIRE

Port-Louis a été l'un des fiefs indépendantistes de l'île. Les habitants ont toujours été anticolonialistes et solidaires. Ils sont fiers d'avoir attaqué, en 1943, la gendarmerie de l'ordre vichyste et d'avoir été le fer de lance de la révolte de 1967. En avril 1989, Port-Louis se hérissait de barricades pour réclamer la libération de conseillers municipaux arrêtés. Parmi ceux-ci, un certain Jean Barfleur, élu maire en 1995. Joli renvoi d'ascenseur de l'Histoire.

Adresses utiles

- ***Mairie :*** *rue Gambetta.* ☎ *05-90-22-44-00. Tlj sf mer ap-m 8h-13h, 14h30-17h.* Pour obtenir quelques infos touristiques, mais ce n'est pas un office de tourisme.
- ✉ ***Poste :*** *rue Gambetta.*
- ***Distributeurs de billets :*** *à la poste, mais aussi au* Crédit Agricole, *rue J.-F.-K., près du stade.*
- ***Arrêt des bus :*** *devant la poste pour Morne-à-l'Eau, Pointe-à-Pitre et aussi Anse-Bertrand.*

Où dormir ?

- ***Résidence Gloria :*** *rue Rodrigue.* ☎ *05-90-20-55-42. • bievre.hervaise@wanadoo.fr • Dans une rue donnant sur la rue Schœlcher (axe principal), vers le stade. À la sem : env 330 € pour 2 pers ; 500 € pour 4 pers ; 700 € pour 6 pers. Réduc de 10 % en mai, juin, sept et oct sur présentation de ce guide.* À 5 mn à pied de la plage du Souffleur, cette grande maison de ville sans prétention renferme quelques appartements bien entretenus comprenant kitchenette équipée, séjour, salle de bains (douche et toilettes) et 1 à 3 chambres ; l'ensemble aménagé simplement, mais de manière plutôt agréable. Jardin. On peut venir vous chercher à l'aéroport. Parking privé gratuit. La propriétaire possède également des gîtes aux Abymes.

Où dormir dans les environs ?

- ***Studios Kaladja :*** *Pelletan-Plaisance.* ☎ *05-90-22-38-98. • kaladja@wanadoo.fr • kaladja.com •* ♿ *De Port-Louis, gagner l'usine sucrière de Beauport et prendre la petite route en face pour Pelletan. Au bout, traverser la N 8, prendre la rue en face et à gauche à la fourche. Studio (2 pers) 55 € la nuit et 290 € la sem. F3 (4-6 pers) 110 € la nuit et 600 € la sem. ½ pens env 15 € par pers. Réduc de 10 %*

sur l'hébergement mai-oct et apéro maison offerts sur présentation de ce guide. Accueil chaleureux et pas compliqué de Marie-Claire, qui entretient soigneusement ses 4 studios et son F3 disposés autour d'une agréable piscine. Salle de bains, lit double, cuisinette et terrasse donnant sur un joli jardin tranquille. Vous pourrez visiter les champs de canne aux alentours en char à bœufs et découvrir la culture et l'histoire du pays. Le vendredi, soirée *gwoka* à 20 €, repas inclus (sur résa). Accueil à l'aéroport et location de voitures possibles.

Où manger ?

GRANDE-TERRE

I●I *La Corrida du Sud :* rue Zéphir, sur le port de pêche. ☎ 05-90-22-92-33. ⚓ À côté du centre de plongée Blue Dive. *Ts les midis sf dim. Formule apéro + crudités + acras 7 € ; menus 12,20-13,80 €. Digestif maison offert sur présentation de ce guide.* C'est le rendez-vous attiré des pêcheurs et des plongeurs. Quelques formules sympathiques concoctées par la gentille patronne pour se caler le midi. Très simple, mais très correct pour le prix.

I●I *Marina-Grill :* rue Pasteur, tout près du port. ☎ 05-90-22-98-63. *Ts les midis et certains soirs. Menus 12-17 €.* Cuisine soignée à des prix raisonnables. Goûtez au *bokit* (beignet au poulet) ; avec ça et un soda, vous pouvez rester un certain temps sans rien manger ! Sert également des plats à emporter.

À voir. À faire à Port-Louis et dans les environs

⌇ *La plage du Souffleur :* beaucoup de baigneurs en fin de semaine, mais délicieuse atmosphère familiale avec une eau très calme. Seul inconvénient : les redoutables yen-yens qui sévissent en fin d'après-midi et le courant à certaines périodes. Derrière la plage, beaucoup d'espace, des douches, un parking (payant le week-end : 2 € ! merci pour l'accueil) et deux ou trois petits camions à sandwichs bien pratiques. Au-delà de la plage, insolite cimetière marin aux tombes de sable ornées de coquilles de lambis, et dont les bordures de zinc les font curieusement ressembler à des baignoires !

⌇ *L'anse Lavolvaine :* à 2 km de la plage du Souffleur, vers le nord. Au bout du parking, dépasser le cimetière et le pont (piste) et aller jusqu'au bout. Des carbets (pour les pique-niques) sont disséminés le long de la plage, dans les arbres. Eaux claires et calmes, peu fréquentées, et l'on peut observer les poissons dans les coraux à moins de 100 m de la plage. De l'autre côté, c'est la mangrove. En revanche, bonjour les yen-yens en fin d'après-midi : ils fondent sur vous sans crier gare.

⚒⚒ *Le pays de la canne (usine sucrière de Beauport) :* un peu avant Port-Louis en venant du sud par la N 6, sur la droite. Panneaux. ☎ 05-90-22-44-70. *Tlj sf lun 9h-17h. Le train (facultatif) effectue 2 à 3 rotations en sem (en fonction de l'affluence, à 10h, 11h, 14h30 ou 15h30) et fonctionne tant qu'il y a du monde le w-e. Entrée : env 6 €, ou 9 € avec la balade en petit train ; réduc enfant. Compter env 2h de visite et 50 mn pour le train.* Fondée en 1863, l'usine de Beauport fut le cœur économique du nord de la Grande-Terre jusqu'à sa fermeture en 1990. Elle produisait alors le tiers du sucre guadeloupéen. C'est aujourd'hui le point d'orgue d'une visite découverte sur le thème de la canne à sucre, véritable patrimoine historique, scientifique et culturel, profondément ancré dans l'identité des habitants de la région. Un audioguide promène le visiteur à travers une vingtaine de pavillons évoquant l'histoire de l'usine et de ses ouvriers depuis le XIXe siècle (on ne visite pas encore les bâtiments de production qui feront l'objet d'une restauration ultérieure). Plusieurs « espaces découverte », comme l'audio-visio-canne, qui permet de « feuilleter » un livre sonore et de visualiser deux films. On apprend notamment que le *Saccharum officinarum* (la canne à sucre quoi) est originaire de la Crète qui portait autrefois le nom de... Candie ! Esclavage, constante « guerre des deux sucres » avec la betterave, poids des guerres mondiales (la « goutte du soldat », ce rhum de 1914-1918 était produit aux Antilles)... Intéressant de mesurer l'importance du sucre dans l'économie et l'histoire mondiale. Petite pause en haut du vieux moulin pour profiter de la vue d'ensemble, puis la visite reprend dans les vieilles installations, avant de s'enfoncer dans un petit labyrinthe cannier où sont présentées une trentaine de variétés de canne et une station météo. Pour ne pas rester sur sa faim, toute scientifique soit-elle, le restaurant gastronomique est chargé de valoriser toutes les recettes à base de sucre. On peut aussi bien se contenter du snack spécialisé dans les *bokit*. Enfin, une balade en petit train suit le parcours historique des rails qui sillonnaient les plantations pour acheminer les cannes.

Plongée sous-marine

Peu fréquentée par les hommes-grenouilles, Port-Louis offre pourtant de bien belles plongées insolites, parmi des dédales de grottes et d'arches joliment cambrées. Débutants et confirmés seront saisis par la richesse de certains sites vraiment sauvages, où s'ébattent faune et flore classiques des Caraïbes, mais aussi parfois quelques dauphins ! On vous a dégoté un petit centre de plongée très sympa – dont le proprio a immergé un avion *Cessna* au beau milieu d'un jardin de corail (on vous le dit au cas où vous trouveriez un affreux squelette aux commandes !). Sachez enfin que la visibilité excellente est due à un petit courant qui ne compromet pas la plongée pour autant. À découvrir absolument.

Club de plongée

■ *Gwadive : au port de pêche.* ☎ 05-90-22-86-47. 📱 06-90-50-95-91. ● gwa dive@wanadoo.fr ● gwadivemania. com ● 🍴 *Juste derrière le resto* La Corrida du Sud. *Tlj sf dim (ou alors sur rendez-vous). Congés en sept. Baptême env 45 € ; plongée-exploration env 38 € ; forfaits dégressifs 3, 5 et 10 plongées. Réduc de 10 % sur les baptêmes et plongées simples sur présentation de ce guide.* Accueil très chaleureux d'Olivier Thomet, moniteur d'État, responsable de ce petit centre (FFESSM, ANMP, PADI). Avec son équipe, il guide vos toutes premières bulles et assure les formations jusqu'au Niveau 3. Embarquement en comité restreint (8 à 10 plongeurs maximum) pour rejoindre les meilleurs spots du coin (de Grand Cul-de-Sac Marin jusqu'à la pointe de la Grande-Vigie). Deux départs par jour, avec parfois 2 plongées par sortie (façon américaine). Plongée de nuit, initiation enfants à partir de 8 ans et inoubliable journée *snorkelling* (ouverte à tous) à la pointe de la Grande-Vigie. Équipement complet fourni. Forme également en permis mer et aux brevets de secourisme. Ambiance amicale et très pro. Possibilité d'hébergement.

Nos meilleurs spots

🤿 *L'Aquarium (carte Grande-Terre : nos meilleurs spots de plongée, 22) :* devant la plage du Souffleur. Idéal pour les baptêmes. Poissons-anges, -perroquets, -papillons, diodons, demoiselles, etc., seront vos fidèles compagnons de plongée sur ce petit récif isolé (- 4 à - 6 m) dans un océan de sable clair. Si les poissons-trompettes nagent à la verticale, c'est pour mieux se camoufler parmi les jolies gorgones qui ondulent au gré des vagues. Belle tactique de chasse ! Également pas mal de coquillages rares (pas touche !). Une plongée exquise et vraiment fastoche.

Le Tombant de la pointe d'Antigues (carte Grande-Terre : nos meilleurs spots de plongée, 23) : à quelques encablures au nord de Port-Louis (5 mn de trajet). Pour plongeurs Niveau 1 et confirmés. Danses étonnantes des raies-aigles devant vos yeux éblouis par cette rencontre du 3e type. Conseil : posez-vous sur le sable et, sans bouger, laissez-les évoluer majestueusement autour de vous. Ce petit tombant corallien (- 12 à - 22 m) compte aussi de belles éponges colorées que survolent les classiques et nombreux poissons des Antilles, dans une frénésie totale. Également des barracudas et thazars en pleine eau. À proximité, l'épave de l'avion *Cessna* posée dans un jardin de corail...

La Grotte et l'Arche aux barracudas (carte Grande-Terre : nos meilleurs spots de plongée, 24) : un peu plus au nord de Port-Louis (15 mn de trajet). Pour plongeurs Niveau 1 minimum. Sur ce plateau corallien, amusante balade sous une arche monumentale, donnant accès à un cratère où batifolent des barracudas de belle taille et fuselés comme des torpilles. Dans la continuité du tombant (- 12 à - 20 m), une grotte peuplée de langoustes, que l'on aperçoit comme des ombres chinoises. Ensuite, seuls les confirmés entrent dans une seconde grotte, où la sortie prend l'allure d'une lucarne bleue, traversée par des gorettes, poissons-anges français... Une belle plongée.

Les Arches (carte Grande-Terre : nos meilleurs spots de plongée, 25) : toujours plus au nord, vers Anse-Bertrand (20 mn de trajet). Pour plongeurs Niveau 1 et confirmés. Descente dans un cirque et passage sous une arche, pour accéder à ce tombant (de - 12 à - 20 m) richement doté de coraux variés, éponges et gorgones. On y croise pas mal de barracudas et thazars dont la ronde trahit un appétit vorace (pas de panique !). Parfois des tortues curieuses, mais aussi des carangues à plumes et des tarpons sous une seconde arche que l'on atteint en fin de plongée.

La pointe de la Grande-Vigie et la grotte Amédien (carte Grande-Terre : nos meilleurs spots de plongée, 26 et 27) : à l'extrême nord de la Grande-Terre (40 mn de trajet). Deux plongées successives, pour plongeurs de Niveau 2 minimum. À la *pointe de la Grande-Vigie,* dans un décor de carte postale, plongée extra dans les éboulis des falaises blanches (de 0 à - 25 m), baignées d'eaux turquoise et très claires. Ici, tortues, barracudas, thazars et même parfois des dauphins se partagent le monopole de votre curiosité. Bref, une plongée suprême, très sauvage (attention au courant). *Snorkelling* possible dans le coin. Ensuite, par seulement 8 m de fond, exploration sans souci de la *grotte Amédien,* un impressionnant dédale de tunnels et de cavités, peuplé de nombreux poissons, langoustes et crabes. On peut même quitter ses palmes et visiter une caverne à pied sec. Mais aucune trace des Indiens arawaks par ici ! Vraiment original et sympa.

PETIT-CANAL

(97131)   6 200 hab.

Si le bourg a peu d'attraits touristiques, il demeure pourtant un haut lieu historique de la Guadeloupe. En effet, c'est par ce « canal » que l'on débarquait les esclaves. Une bonne partie d'entre eux était immédiatement dirigée vers les exploitations sucrières dont Petit-Canal était l'un des principaux centres au début du XIXe siècle. À côté de l'église, on peut voir l'émouvant escalier aux marches irrégulières, édifié par les esclaves eux-mêmes. Chaque marche porte le nom des différentes ethnies africaines qui les ont gravies : Congos, Yorubas, Ibos, Ouolofs, Peuls, Bamilékés. En haut de l'escalier, une stèle commémore cet épisode historique douloureux avec ce simple mot « liberté ». En bas de l'escalier, au carrefour, un tam-tam posé sur un socle de marbre est érigé à la mémoire de l'esclave inconnu ; en retrait, dévoré par le « figuier maudit », l'ancien entrepôt où les esclaves étaient parqués en attendant d'être vendus.

À voir. À faire

🍴 *Le Parc paysager :* rue du Parc-Paysager (bien indiqué depuis le centre). ☎ 05-90-22-76-18. Tlj sf lun 9h-17h. Entrée : env 5 €.
Jusqu'à présent, ses 2,5 ha permettaient de découvrir un jardin médicinal riche d'une cinquantaine de plantes au pouvoir reconnu, ainsi qu'un arboretum de 300 essences d'arbres, présentes notamment dans la zone nord de la Grande-Terre, une collection de cerisiers des Antilles et un joli point de vue sur la mangrove. Les travaux d'extension du parc en 2007 devraient dorénavant offrir au visiteur un jardin des Indes, un jardin potager, des arbres fruitiers et une rivière. Propose enfin des cours de jardinage et des balades en charrette. Aire de jeux et de pique-nique.

🍴 *Musée de la Vie d'antan :* à l'entrée sud du village, près de l'église. ☎ 05-90-83-33-60. Tlj sf dim 9h-12h, 14h30-17h. Entrée : env 2,50 € ; réduc.
Ce musée a pour vocation de faire connaître, au travers d'expos temporaires, le patrimoine culturel de la Guadeloupe. Chapeau à la petite équipe locale qui se donne à fond et fouille dans les greniers des grands-mères de la région. Les chanceux qui ont vu les expos précédentes ont déjà appris pas mal de choses sur les outils traditionnels, les fêtes, les récipients d'autrefois, etc. En principe, l'expo 2007 est consacrée au thème du transport.

➤ *Visite de la mangrove, avec Clarisma Tour :* 3, chemin Gros-Cap. ☎ 05-90-22-51-15. 📱 06-90-55-12-56. ● clarisma-gp@wanadoo.fr ● clarisma-gp.com ● De 15 à 50 € par pers. Une manière simple de découvrir la mangrove et la barrière de corail en 2h, avec un bateau à fond de verre, ou à la journée, avec le repas inclus. Départ à 9h. Également une sortie pour voir le coucher de soleil (moins chère). On passe par l'île aux Oiseaux, le canal des Rotours et l'îlet Rousseau (le matin seulement). Matériel de plongée fourni pour les escapades plus longues. Minimum 4 personnes.

MORNE-À-L'EAU   (97111)   20 000 hab.

Petit bourg pas morne du tout. La Guadeloupe authentique avec ses baraques en bois, sa place du village, ses petits commerces animés. Célèbre pour son cimetière classé, qui s'étage sur une colline et donne l'impression d'un immense jeu de dames (avec ses tombes à damier noir et blanc), splendide quand on le découvre en venant du nord par la N 6. Tableau impressionnant, bien sûr, à la Toussaint, avec les petites lumières installées sur les tombes. À remarquer aussi, l'église et la poste construites en 1934 par l'architecte Art déco Ali Tur.
Insolite : la ville revendique le titre de « capitale du crabe », tant il est présent dans son environnement. Ainsi, chaque année en avril, le *Festival du crabe,* mets culinaire par excellence, sensibilise le public à la protection de la mangrove, écosystème exceptionnel que l'on peut visiter toute l'année, en petit comité...

Où dormir ? Où manger ?

Prix moyens

⌂ **Gîtes de M. et Mme Baudelot :** 12, lot. Desvarieux, section Bosrédon. ☎ 05-90-24-51-43. ● michel.baude lot@wanadoo.fr ● En venant des Abymes par la N 5, sortie Bosrédon, puis à gauche au rond-point de l'école (direction Vieux-Bourg), et tout de suite à droite puis à gauche ; grimper toujours à gauche, les gîtes sont sur la droite (ouf !). Pour 2 pers, 334-435 € la sem selon confort. Réduc de 5 % sur présentation de ce guide. Cette agréable villa, avec vue sur la campagne vallonnée et un jardin tropical, possède 2 gîtes bien tenus, confortables et paisibles. Équipements et aménagements de qualité. Piscine à débordement, pas très grande mais suffisante si l'on considère le petit nombre d'hôtes. Compter 20 mn pour atteindre les premières plages (bon réseau routier). Une adresse idéale si l'on veut rayonner en Grande-Terre.

⌂ |●| **Hôtel Le Relax :** à Bonne-Terre. ☎ 05-90-23-93-13. ● lerelax@ wanadoo.fr ● hotel-le.relax.net ● Vers Petit-Canal par la N 6, à droite direction Bonne-Terre ; c'est à 2 km de Morne-à-l'Eau. Doubles 50-55 € selon saison ; bungalow 90 € la nuit pour 2 pers et 160 € pour 4 pers. Repas 15-20 €. Réduc de 10 % en basse saison sur présentation de ce guide. Isolé dans un village perdu de la Grande-Terre, cet hôtel familial propose une douzaine de chambres simples et sans fioritures, ainsi qu'une quinzaine de bungalows, le tout correct, sans plus. Piscine pour ceux qui n'auraient pas le courage d'aller jusqu'aux plages. Atmosphère relax, cela va sans dire.

VIEUX-BOURG

(97111)

Encore un village de pêcheurs tranquille, qui a conservé son caractère authentique. Peu de touristes. Promenade charmante par la route vers la *plage de Babin,* à 2 km du bourg. Bien indiquée en montant vers l'église. Paysage très serein. Pas de plage à proprement parler, car l'herbe vient jusqu'au rivage, mais eau chaude. Les abords sont parfois sales, bien que les gens de la région s'attachent à conserver le coin intact, car c'est un lieu de villégiature populaire pour les familles de Vieux-Bourg et de Morne-à-l'Eau qui viennent y prendre des bains de boue. Tables de pique-nique sur une pelouse veloutée bien ombragée.

Où manger ?

|●| **Chez Monique :** sur le quai des Pêcheurs. ☎ 05-90-20-30-92. Ts les midis sf dim ; le soir, slt sur résa. Congés de mi-oct à mi-nov. Carte 15-30 €. Gratuit pour les 2 à 6 ans. Apéro ou café offert sur présentation de ce guide. Le petit resto-bistrot du port, tenu par la très accueillante Monique, personnage haut en couleur qui ne s'en laisse pas compter. Dans l'assiette, cuisine à prix raisonnable, rondement mijotée selon « ce que la mer lui donne ».

À faire : découverte de la mangrove

– **Archipel - Aventure des Îles** (VTT des mers ; label Parc national de la Guadeloupe) : ☎ 05-90-98-03-88. 📱 06-90-36-60-30. ● contact@archipel-aventure.com ● archipel-aventure.com ● Balades au départ de Vieux-Bourg, mais ne vous déplacez pas sans avoir réservé au moins quelques jours avant.

Tlj sf dim et j. fériés 9h15-17h. Congés 15 sept-15 oct. Excursions en petit comité (10 pers max) à la journée. Env 66 € par pers, repas compris. Tarif de groupe et réduc importante pour les enfants.

À ne manquer sous aucun prétexte ! Visite approfondie de la mangrove (avec Guy, Raoul ou d'autres guides et ornithologues très appréciés), traversée d'un lagon, escale aux îlets aux oiseaux (aigrettes, frégates, pélicans, etc.), baignade sur une superbe plage déserte, traversée de « l'étang bois-sec » aux berges mouvantes de milliers de crabes, avec une halte-repas comme il faut (ti-punch, poulet au barbecue, salade de riz composée, ananas, café, vin rosé). Sympa, non ? Mais encore plus sympa avec le *VTT des mers* (marque déposée !). Comme le dit la pub, c'est « Hélice au pays des merveilles » ! Une machine géniale mise au point par François Pessin, ancien ingénieur en aéronautique, Géo-Trouve-Tout jamais en manque d'idées. Le principe moteur (ah, la blague facile !) est d'avoir adapté l'hélice au bateau à pédales. Optimisé par tous les moyens (démultiplication, carène, hélice relevable, insubmersibilité, etc.), le *VTT des mers* file 2 ou 3 fois plus vite qu'un pédalo classique. Vraiment, c'est une formidable invention : les 15 km de balade sont à la portée de tout le monde. Petit avertissement quand même : il faut pédaler sur tout le trajet, en attendant le futur pédalo, à énergie solaire celui-là ! Alors échauffez vos mollets... et en route ! Attention, prévoir vêtements couvrants, chapeaux, coussin ou serviette pour ménager ses fesses, crème solaire, écran total (le soleil cogne dur sur l'eau), crème anti-moustiques pour la fin de journée et un sac étanche pour protéger l'appareil photo.

– **La Saintoise :** *contacter Serge Lecomte.* ☎ *05-90-24-69-25.* ● *serge.le comte4@wanadoo.fr* ● *http://monsite.wanadoo.fr/mangrove* ● *Tlj sf dim et en sept. Résa obligatoire.* Le sympathique Serge propose une balade en bateau (10 personnes maximum) à la découverte de la mangrove et de ses 4 sortes de palétuviers, ses crabes et ses barracudas (mais on ne va pas tout vous dévoiler !) ; compter autour de 15 € par personne pour 1h30 (départ vers 16h pour le coucher des oiseaux). Il organise aussi une demi-journée, de 9h30 à 14h, avec, en plus de la mangrove, la découverte de la barrière de corail (avec palmes, masque et tuba) et un arrêt-détente sur une plage tranquille ; environ 30 € par personne. Si vous faites la totale, la journée entière, vous aurez en plus droit au repas du pêcheur (poisson grillé), à déguster sur une plage déserte ; environ 50 € tout compris.

– **Le Bateau Tioto :** *contacter Lucien.* ☎ *05-90-24-95-29.* ▯ *06-90-50-27-76.* À peu près les mêmes prestations que le précédent avec cet aimable marin pêcheur du coin, qui semble être bien apprécié, lui aussi, par nos lecteurs... Si vous ne le trouvez pas, Hippolyte, qui ne quitte jamais son chapeau saintois, pourra aussi vous embarquer.

– **Clarisma Tour :** *avec Rony Mitel.* ☎ *05-90-22-51-15. Se reporter à « À voir. À faire » à Petit-Canal.*

LA BASSE-TERRE

Pour la carte de la Basse-Terre, se reporter au cahier couleur.

Moins bétonnée que la côte sud de la Grande-Terre, nettement moins monotone, et même si elle n'est pas totalement à l'abri des foules en haute saison, avouons-le : la Basse-Terre nous a énormément séduits. Nous conseillons à nos lecteurs de ne pas manquer cette région où la nature montre l'étendue de sa générosité, et de lui consacrer peut-être plus de temps qu'ailleurs. On y découvre une Guadeloupe luxuriante et surprenante, loin des complexes touristiques, marinas et autres supermarchés ; ici, les gîtes s'intègrent (souvent) merveilleusement bien dans une nature encore intacte, et qui semble pousser sans plan de carrière ni concertation. Comme on dit par ici, il suffit de planter un bâton pour que ça pousse ! Cette abondance se perçoit souvent à travers la chaleur de l'accueil et, en réalité, à travers ce plaisir que l'on a, visiblement, de vivre en Basse-Terre.

– **Attention,** il n'y a pas beaucoup de possibilités de se restaurer après 20h en basse saison.

LES VOLCANS ET LA FORÊT TROPICALE HUMIDE

Contrairement à ce que son nom pourrait laisser supposer, la Basse-Terre est une zone très montagneuse, coupée seulement par la route de la Traversée. D'ailleurs, évitez les voitures trop basses de caisse car dès que vous grimperez et que vous redescendrez, vous risquez d'arracher la plaque d'immatriculation !

Le volcan de la Soufrière retenant souvent les nuages, la pluviosité y est plus importante – du moins dans sa partie orientale – qu'en Grande-Terre. Les innombrables sources qui jaillissent des versants favorisent une végétation luxuriante, et les sentiers (traces) ainsi ombragés composent un véritable paradis pour les randonneurs. Sur la côte maritime, forts, batteries, anciennes habitations créoles, petits ports de pêche pittoresques témoignent avec charme des temps anciens. Il est vrai que la Basse-Terre n'est vraiment sortie de son isolement qu'en 1967, après la construction de la route du littoral et celle, magnifique, de la Traversée. La Basse-Terre a le gros avantage d'être en grande partie protégée par le Parc national de la Guadeloupe. Il s'y développe actuellement une nouvelle forme de tourisme vert, particulièrement tourné vers la découverte et le respect des milieux naturels. Ce Parc national est maintenant classé par l'Unesco au *Réseau mondial des réserves de la biosphère*.

LES PLAGES DISCRÈTES ET LES FONDS MARINS

La côte Sous-le-Vent – de Vieux-Fort à Deshaies – compte de jolies plages qui conservent, aujourd'hui encore, tout leur attrait naturel. De même, les fonds marins livrent aux plongeurs débutants et confirmés un environnement d'une richesse exceptionnelle.

Transports

➢ **Les bus :** s'il y a pour l'instant peu de bus passant par la route de la Traversée (en moyenne toutes les 2h), en revanche, nombreux sont ceux effectuant la boucle de l'île. N'oubliez pas qu'une réorganisation totale du réseau de bus est prévue en principe pour la mi-2007 (voir la rubrique « Transports » des « Généralités »). Il faut dire que jusqu'à aujourd'hui, si le bus est un moyen de transport économique, il est réservé aux routards peu pressés : il n'existe pas toujours d'arrêts de bus, les horaires et fréquences sont plutôt désordonnés, et les autocars s'arrêtent donc à chaque fois qu'on le leur demande. À suivre...

PETIT-BOURG (97170) 20 600 hab.

Ouvert sur le Petit Cul-de-Sac Marin, Petit-Bourg est la commune la plus étendue de Guadeloupe et sert de banlieue résidentielle à Pointe-à-Pitre (20 mn en voiture). Rien de particulier à y voir, si ce n'est peut-être le quartier résidentiel de Vernou où, dans les années 1950, les notables du coin construisirent de vastes villas en béton, fortement inspirées du style Art déco... Vous trouverez aussi dans les environs, et notamment sur les hauteurs, quelques gîtes très agréables et bien situés. De plus, les coteaux, vallées et cours d'eau à proximité se prêtent admirablement aux randonnées. Il y a aussi, toute proche, la *plage de Viard,* mais rarement nickel. Dommage.

Adresse utile

🛈 **Office de tourisme :** *dans la rue principale.* ☎ *et fax : 05-90-38-69-02. Lun-ven 8h-17h, sam 8h-12h.*

> ## DANS LES ENVIRONS DE PETIT-BOURG

🍴 🚶 **Ferme Ti-Bou** (label « Bienvenue à la Ferme ») **:** à **Arnouville.** ☎ 05-90-95-26-94. 📱 06-90-50-87-23. ● *contact@lafermetibou.com* ● *lafermetibou. com* ● *En venant de Petit-Bourg, direction Pointe-à-Pitre, sortir à « Prise d'Eau », c'est tout de suite à droite (panneau). Tlj 9h30-17h30. Plusieurs tarifs d'entrée selon les options choisies (piscine, bain, jeux, aire de pique-nique, balade en charrette et toboggan aquatique) : de 5 à 12 € ; réduc enfants.*
Ferme guadeloupéenne spécialisée dans l'élevage des vaches du Limousin. Entre prairies verdoyantes et champs de canne à sucre, on découvre aussi canards, oies, poules, ânes, moutons, sans oublier de rigolos crabes de cocotier et autres bestioles venues d'ailleurs, comme les autruches, cochons de Chine, un pauvre macaque en cage... Sinon, beaucoup d'animaux en liberté, attirés par les visiteurs qui distribuent du pain (remis à l'accueil). Sur place, piscine et aire de jeux pour les enfants. Les petits citadins qui n'ont jamais mis les pieds à la campagne apprécieront sûrement.
🍽 Également une *table d'hôtes* sur réservation avec spécialités indiennes (environ 20 € et seulement le midi). Souvent prise d'assaut par les groupes. Pique-nique possible.

🍴 🚶 **La distillerie Montebello :** à **Montebello,** au sud de Petit-Bourg. ☎ 05-90-95-41-65. *De fév-juin env (quand la distillerie fonctionne), visite libre et gratuite 7h-12h.*
Cette distillerie produit l'un des rhums blancs les plus médaillés aux concours agricoles français. Visite fort intéressante des installations, suivie des procédés de transformation et conseils pour réaliser vos punchs. Boutique sur place.

🍴 🚶 **Le domaine de Valombreuse, parc floral de la Guadeloupe :** à **Cabout.** ☎ 05-90-95-50-50. ● *info@valombreuse.com* ● *valombreuse.com* ● *En venant de Pointe-à-Pitre, sortir à « Grande-Savane » ; le parc se trouve à 5 km, bien fléché. Tlj 8h-18h. Entrée : env 9 € ; réduc.*
Ouvert depuis 1990, ce parc abrite environ 500 espèces de fleurs et de plantes, provenant de tous les endroits du globe situés à la même longitude que la Guadeloupe. Sur les sentiers, outre les arbres qui parlent (il faut nous croire !) on découvre alpinias roses et rouges, héliconias, anthuriums, roses de porcelaine, mais aussi des arbres fruitiers, papyrus, nymphéas... Quelques nouvelles attractions : mini ferme, pédalos, balades à poney, pêche à la ligne et toboggan géant. On peut également faire une balade en forêt avec baignade dans une cascade. Cela dit, l'entretien laisse parfois un peu à désirer, surtout pour le tarif. Possibilité de rapporter des fleurs en métropole : composition de beaux bouquets disposés dans un emballage spécial avion

(pouvant être mis en soute). Livraison possible à votre hôtel, à l'aéroport ou à la maison en 48h par *Chronopost*. Resto en self-service sur place.

➤ **Le saut de la Lézarde :** une superbe balade d'environ 1h aller-retour. Avant Petit-Bourg en arrivant de Pointe-à-Pitre, mais après la route de la Traversée. Prendre sur la droite la D 1 en direction de Roche-Blanche et Vernou. À partir de là, c'est fléché. Parfois un petit manque de propreté à l'entrée du site, dommage. Munissez-vous de bonnes chaussures de marche, voire de solides bottes en caoutchouc, car le terrain est très glissant et se transforme en pataugeoire boueuse s'il pleut.

En une demi-heure à travers la forêt, on parvient à un superbe site où la végétation est luxuriante. Une cascade rafraîchissante de 10 m de haut tombe dans un large bassin de 50 m de diamètre. Possibilité de se baigner, mais attention : tourbillon dangereux au milieu du bassin ; restez sur les bords.

DE PETIT-BOURG À TROIS-RIVIÈRES

La route ne cesse d'hésiter entre terre et mer, livrant de-ci de-là un clin d'œil historique, un site célèbre ou un panorama époustouflant.

Où dormir ?

🏠 **Les Villas Pastel** (label « Bienvenue à la Ferme ») : à Hauteur-Douville. ☎ 06-90-53-15-33. ● *villas.pastel@wanadoo.fr* ● *http://perso.wanadoo.fr/villas.pastel* ● *Un peu avant Goyave, à droite direction Douville. Filer tout droit (1 km), puis à droite encore, le chemin après le petit pont (boîtes aux lettres), et 1 km à nouveau. Pour 2-4 pers, 340-490 € la sem. Apéro offert sur présentation de ce guide.* Isolés entre bananeraies et nature sauvage, dans une petite vallée dominant un charmant torrent, les amoureux de la nature seront séduits par ces 3 gîtes modernes et ronds aux couleurs... pastel, évidemment. Tout confort : cuisine, AC, ventilo, terrasse... Un petit coup de peinture sera sans doute le bienvenu un de ces quatre, mais c'est un lieu sympa pour les amateurs de calme et de randonnées, qui découvriront aussi l'exploitation de bananes plantain de M. Magaly, le proprio. Piscine avec des parasols bien agréables.

🏠 **Lamatéliane** : rue des Ananas, Belair, sur les hauteurs de Sainte-Marie (97130). ☎ 05-90-86-31-37. ☎ 06-90-39-35-39. ● *loc@lamateliane.com* ● *lamateliane.com* ● *De la sortie de Sainte-Marie, par la N 1, tourner à droite à 1 km en direction de Belair, Neuf-Château, après 1 km de montée, tourner à droite rue des Ananas, c'est à 300 m à gauche. Selon le nombre de pers, 446-529 € la sem en basse saison et 525-623 € en hte saison. Lit supplémentaire gratuit pour les moins de 16 ans et réduc pour les longs séjours. Réduc de 10 % sur présentation de ce guide (le signaler lors de la résa).* Sur un grand terrain planté de palmiers, de fleurs et d'arbres, deux beaux gîtes en bois, spacieux et indépendants l'un de l'autre. Le tout récemment construit et impeccable. Chacun possède une chambre, un salon, douche, w-c et une cuisine très bien aménagée. Le tout pouvant accueillir de 1 à 5 personnes. Également une grande terrasse donnant sur le jardin et la piscine avec une table pour prendre les repas dehors. Pour compléter le tout, belle piscine avec un deck planté de palmiers.

🏠 **Habitation Latentouasie** : rue de la Distillerie, au lieu-dit Mon Repos, sur les hauteurs de Sainte-Marie (97130). ☎ 05-90-86-41-26. ● *latentouasie@wanadoo.fr* ● *http://perso.wanadoo.fr/latentouasie* ● *De Sainte-Marie par la N 1, à droite au panneau « Belair-Plantation Grand-Café », puis à droite dans la rue de la Distillerie ; c'est à 200 m à droite. Selon saison et durée, 60-90 € la nuit. Chèques-vacances acceptés. Sur présentation de ce guide, réduc de*

10 %, transfert à l'aéroport et apéritif de bienvenue offerts. Il ne s'agit pas d'une « habitation historique », ne vous y trompez pas, mais de 4 gîtes récents pour 2-4 personnes, perdus parmi les bananeraies et les champs de canne à sucre. Tout en bois et confortablement aménagés, avec chambre climatisée, séjour ventilé et lits gigognes, clic-clac et cuisine donnant sur la belle terrasse couverte. Lave-linge commun à jetons. Table d'hôtes sur demande (plat à 8 € et menu à 14 €). Les proprios, un couple de métros sympa, mettent une jolie piscine à votre disposition et un bateau en location.

🏠 *Ferme de séjour chez Dame Jeanne Cassée* (label « Bienvenue à la Ferme ») : *rue de la Consolation, à Sainte-Marie (97130).* ☎ 05-90-86-45-24. ● svasseaux@yahoo.fr ● gite-vasseaux.com ● En venant du nord, entrer dans Sainte-Marie et prendre à droite toute à la 1re intersection (panneaux), pour repartir en sens inverse sur 2 km. La sem : 335 € pour 2-4 pers ; 610 € pour 4-6 pers. Réduc de 10 % à partir de 3 sem. On est bien à la campagne, mais pas vraiment à la ferme. En fait, il faut partir en balade pour trouver les plantations d'ananas des proprios. Leurs 3 gîtes à la queue leu leu sont fonctionnels, spacieux et confortables mais sans charme particulier : 1 ou 2 chambres, 1 ou 2 salles de bains, séjour avec clic-clac, AC, cuisine équipée, terrasse et piscine. On vient plutôt ici pour le calme de la campagne. Les proprios vous expliqueront avec beaucoup de gentillesse comment ils cultivent l'ananas et comment celui-ci finit flambé dans votre assiette. Piscine sur place. Accueil à l'aéroport.

Où manger ?

|●| *L'Eau à la Bouche* : *resto du Jardin d'eau (rubrique « À voir. À faire »). Ouv slt dim midi. Plat du jour env 15 € ; carte env 20 € ; « Club nounours » 10 €.* Terrasse zen et ombragée dans un environnement aux mille attraits. Plats locaux, acras, boudin créole, etc., mais ce serait un péché de ne pas goûter aux ouassous élevés sur place. La grande réussite : les accompagnements. Service délicieux. Et pour digérer, allez flâner dans le jardin onirique qui vous tend les bras (tarif réduit dans ce cas). Pas de doute, vous repartirez encore plus relaxé qu'en arrivant.

|●| *Beach Paradise* : *plage de la Batterie, à Sainte-Marie.* ☎ 05-90-95-16-64. 📱 06-90-72-88-28. *De la stèle, prendre la direction de la mer, puis à gauche pour longer la plage sur 200 m env (panneaux). Tlj sf mar ; résa le soir. Congés de mi-sept à mi-oct. Plats 15-18 €.* Cela dirait de déjeuner (ou de dîner) à peu près à l'endroit où aurait débarqué Christophe Colomb ? Aujourd'hui, c'est Julien, un rasta poète très cool, et sa petite famille, qui vous accueillent avec la décontraction qui sied aux héritiers de Bob Marley. Quelques tables sous les cocotiers, une ambiance à la Robinson Crusoé et, dans l'assiette, c'est vendredi tous les jours avec de bons poissons grillés au feu de bois qui n'ont jamais connu la chaîne du froid. Bon colas fumé, notamment, avec une petite sauce maison bien trouvée. Excellent accueil.

|●| *Le Rivage* : *plage de Salée, à Bananier.* ☎ 05-90-86-02-40. 📱 06-90-65-02-32. *Un peu après Trois-Rivières par la N 1, direction Capesterre-Belle-Eau. Ouv slt le midi ; sur résa le w-e. Premier menu 16 €, dim 20-30 € (fricassée, langouste ou vivaneau), formule enfants 8 €.* Agréable resto qui installe ses clients sous une grande paillote plantée à la lisière de la plage, avec vue sur les Saintes, Marie-Galante et les gamins du coin qui surfent gentiment (école de surf sur place). Dans l'assiette, des spécialités créoles de la mer bien mitonnées (thazard, espadon, dorade, ouassous, etc.). La délicieuse langouste (sortie du vivier sur place) est cuisinée avec une sauce chien dont la maison garde le secret... Très bon accueil.

À voir. À faire

🍴 Pour ceux que cela intéresse, on peut visiter une petite *manioquerie* familiale qui se trouve près de la rivière Pérou. À l'entrée de Petit-Bourg en venant de Capesterre, suivre la direction de Morne-Bourg sur la gauche ; après 3 km, vous verrez sur votre droite un grand hangar, c'est là. Toutes les opérations qui aboutissent à la préparation du *kassav* (galette de manioc encore vendue, environ 2 € pièce, au bord des routes) se font manuellement. Mais il vous faudra attendre 17h pour pouvoir y goûter.

🍴🍴🍴 **Le Jardin d'eau** *(label Parc national de la Guadeloupe) : pépinières de Blonzac, entre Petit-Bourg et Goyave.* ☎ *05-90-95-95-95.* ● *jardin.deau@wanadoo.fr* ● *De la N 1, prendre à droite à l'embranchement pour Blonzac, c'est 700 m plus haut, sur la gauche (indiqué). Tlj sf lun et mar 9h-17h. Entrée : env 6 € ; réduc sur présentation de ce guide.*
« À l'évidence, le Jardin d'eau a été créé pour que les dieux de la nature s'y reposent. » Christiane Berthelot de Kermadec (aurait-elle quelque ascendance bretonne ?), propriétaire des lieux, propose une gracieuse promenade dans son jardin d'eau, riche de nombreux petits « paysages » harmonieux (le petit bois aux épices, la roche qui pleure, la rivière La Rose, la Pépinière, etc.). Les enfants pourront parler aux poissons et faire des vœux en lisant un poème. Une petite fée, Manman Dlo, voyage entre Afrique et Brésil et fait toujours étape dans sa petite case en cuivre au milieu des nénuphars, parmi les canards migrateurs tropicaux. La rivière La Rose, qui descend du massif de la Soufrière, vous massera dans son jacuzzi naturel. Le jeudi matin, vous pourrez aider à tirer la senne des pêcheurs pour puiser des ouassous aux pinces bleues de leur bassin d'élevage. En juin, fête à Manman Dlo, sur un thème chaque année différent (en 2007, la faune et la flore d'un lac).
🍽 Pique-nique ou resto possibles (voir « Où manger ? »).

🍴 En descendant vers Sainte-Marie et Capesterre, vous pouvez passer à **Goyave,** dont le grand-père du poète béarnais Francis Jammes fut maire de 1847 à 1857. Le village, en raison de l'absence de belle plage, n'a pas bénéficié de l'essor touristique. À voir : l'estuaire de la rivière La Rose, juste au nord du bourg.

🍴 **La stèle de Christophe Colomb** : *à la sortie de Sainte-Marie (commune de Capesterre-Belle-Eau), sur la gauche de la nationale en venant du nord.* Le site est un peu gâché par le bruit de la route. La stèle aurait dû regarder la mer. Elle commémore le débarquement (supposé) du célèbre navigateur génois le 4 novembre 1493, le lendemain de son passage éclair à Marie-Galante. On dit que, de sa caravelle, il aperçut les chutes du Carbet. C'est Colomb qui baptisa l'île du nom de *Karukera*. Resto pittoresque sur la plage, le *Beach Paradise* (voir « Où manger ? »).

△ **La plage de Roseau** : *un peu au sud de Sainte-Marie. Accès payant en voiture (env 2 €), en principe le mer, les w-e et j. fériés et pdt les vac scol.* Plage assez jolie (de petites anses, de l'ombre). Ambiance familiale le dimanche.
🍽 Petits *camions à sandwichs* sur la plage ou *resto* à l'entrée *(La Vague d'Argent,* ☎ *05-90-86-94-25 ; tlj le midi sf lun ; plats 15-18 €).*

🍴🍴 **La distillerie Longueteau** : *à Bel-Air, Sainte-Marie.* ☎ *et fax : 05-90-86-79-03. À 1 km après Sainte-Marie, en venant du nord. Lun-ven 9h-18h ; en hte saison, slt mat et w-e. Visite libre.*
La plus ancienne distillerie de l'île encore en activité et fonctionnant uniquement à la vapeur. On y produit un rhum à... 80° ! Impossible de vous dire le goût qu'il a, se contenter d'aspirer les effluves suffit déjà à brûler les entrailles ! Plus sérieusement, on se balade au gré de son inspiration dans ce très beau site naturel (étendues de champs de canne à sucre, avec la mer en ligne

d'horizon), avant de faire un petit tour dans les installations. Une petite doc explicative est distribuée à l'entrée, mais le sympathique patron et ses ouvriers se font un devoir de répondre à n'importe quelle question. Boutique sur place.

🍴 *La plantation Grand-Café :* à **Bel-Air.** ☎ 05-90-86-33-06 ou 91-69. À la sortie de Sainte-Marie vers Capesterre-Sainte-Marie prendre à droite, c'est indiqué. Lun-ven 9h-17h, sam 9h-12h. Juin-oct fermé dim et sam. Entrée : env 12 € pour la visite guidée (en tracteur), la promenade dans le parc et la dégustation ; 6 € sans la visite guidée ; réduc.

Rien à voir avec le café, vous êtes au royaume de la banane ! Pour tout connaître des mystères de ce fruit, autant visiter une vraie exploitation... Ici, ce sont les anciens ouvriers du domaine qui, à tour de rôle, accompagnent les visiteurs qu'ils trimbalent dans un énorme char à bancs couvert, tiré par un tracteur. En 1h30, on sait tout sur la naissance des bananiers, leur culture, la récolte, le mûrissement et même l'empaquetage. Après, il arrive qu'on discute avec le patron de cette plantation de 30 ha qui emploie une vingtaine de personnes. On comprend enfin pourquoi tous les régimes que l'on peut apercevoir dans les champs sont enveloppés dans d'affreux sacs en plastique. Ce n'est pas uniquement pour les faire mûrir, mais aussi pour les protéger d'une variété d'insectes piqueurs, dont les attaques provoquent une altération qualitative du fruit ainsi que de vilaines taches de rouille (ce qui déplaît fort au consommateur !). Évidemment, l'intérêt est nettement plus limité sans la visite guidée. Dégustation à volonté de jus et café locaux, liqueurs, ti-punch et... bananes, dans une ancienne et charmante habitation. 🍽 Fait aussi table d'hôtes le midi : autour de 20 €.

🍴 Peu avant Capesterre-Belle-Eau, en venant du nord, sur la droite de la nationale, *temple hindou de Changy,* à la façade ornée de statues polychromes, témoignage de la forte présence indienne dans la région. Ne se visite pas. Les curieux sont d'ailleurs découragés par la hauteur du mur et le cerbère en fonction.

🍴 *L'allée Dumanoir :* peu après Capesterre-Belle-Eau, en allant vers le sud, la route longe sur plus de 1 km deux doubles rangées de palmiers immenses et majestueux. Les palmiers d'origine furent plantés vers 1850 par Pinel Dumanoir, auteur dramatique et traducteur-adaptateur du célèbre roman La Case de l'oncle Tom. Mais ceux que vous voyez ont été replantés, pour les plus vieux, après le cyclone dévastateur de 1928. Ce grand jardinage continue toujours. Et les ravages des cyclones aussi. La preuve, les dégâts causés par Lenny (1999) sont toujours visibles. L'allée longe la route principale, mais c'est une impasse, on peut donc s'y balader assez tranquillement.

À proximité, dans une belle bananeraie, se trouve le *domaine de Bois-Debout,* dont le propriétaire actuel est le 13e descendant d'une famille apparentée à la famille Leger. Leur plus célèbre représentant, Saint-John Perse (Alexis Saint-Léger Léger), y passa une partie de son enfance. Entrée et visite interdites.

Randonnée pédestre

➤ *Trace des chutes de la rivière Moreau :* aussi belles que celles du Carbet, mais devenues inaccessibles depuis le séisme de novembre 2004. Actuellement, la route forestière est coupée à environ 2,5 km du point de départ du sentier. D'importants éboulements sur la dernière portion de la trace ont conduit les autorités à interdire l'accès des chutes. Se renseigner sur une éventuelle remise en état du parcours.

LES CHUTES DU CARBET ET LE GRAND ÉTANG

Le Carbet prend sa source à 1 300 m d'altitude, sur le flanc de la Soufrière et de l'Échelle, et parcourt une dizaine de kilomètres avant de se jeter dans la mer, au sud de Capesterre-Belle-Eau. Les trois chutes consécutives sont les conséquences de l'échec du Carbet à entamer les roches très dures nées de diverses éruptions volcaniques. La route pour s'y rendre livre de très belles échappées sur les immenses bananeraies. Pour les balades, se reporter à la carte du massif de la Soufrière.

Comment s'y rendre ?

🚌 Au départ de Capesterre-Belle-Eau, plusieurs *lignes de bus* desservent le village de l'Habituée (à 6 km), puis le parking de la 2ᵉ chute (à 7 km de l'Habituée).
– *En voiture,* depuis la N 1, prendre la D 4 à la hauteur de Saint-Sauveur et parcourir 9 km.

Adresse utile

■ *Randonnées guidées dans la région :* voir notre rubrique « Adresses utiles » au volcan de la Soufrière. Contacter également *Vert Intense* (voir « À faire » à Saint-Claude).

Où dormir ?

🛏 *Gîtes de l'Habituée, Chez Volpi :* route de Morne, lieu-dit l'Habituée, Capesterre-Belle-Eau. ☎ 05-90-98-68-95. 📱 06-90-31-24-00. ● gites-ha bituee@wanadoo.fr ● gitesdelhabituee.fr ● À l'entrée de l'Habituée, prendre à gauche au carrefour (chemin É.-Baron), puis à gauche au bout de la rue. Pour 2 pers selon saison : 35-45 € la nuit ; 210-270 € la sem. Bungalows (4-6 pers) : 55-75 € la nuit ; 300-350 € la sem. Apéro maison offert sur présentation de ce guide. Dans un jardin tropical fleuri à souhait, voici trois beaux chalets en bois rénovés et agrandis par les nouveaux propriétaires, un couple de professeurs qui transforment le lieu en camp de base pour les randonneurs. Une ou deux chambres ventilées, séjour avec clic-clac, livres, BD, jouets, TV, wi-fi, cuisine (très) équipée et terrasse privée. Barbecue dans le jardin. Bon état d'esprit et ambiance familiale.
🛏 *Gîtes des Chutes du Carbet, chez Mme Neuilly (Gîtes de France) :* lieu-dit l'Habituée. ☎ 05-90-86-46-55. Dans le centre du lieu-dit, sur la droite. La nuit : 40-50 € pour 2-4 pers et 100 € pour 6 pers ; formules w-e 80-200 €. Sur présentation de ce guide, réduc de 15 % avr-août et de 20 % avr-oct à partir de 2 sem. Derrière la maison blanche des proprios, une poignée de gîtes convenables, propres, confortables et pas très chers, plantés au fond d'un jardin en retrait de la route. Chambre, séjour (avec canapé convertible) et TV.

Où manger ?

– Attention aux *lolos* qui se trouvent sur le parking des chutes et sur la route qui y mène, notamment en ce qui concerne les jus de fruits frais (hygiène douteuse).

Coin Mahogany : à l'Habituée. 06-90-99-82-42. Dans le village, sur la droite de la route. Ouv slt le midi. Fermé dim. Bokit env 3 € et formule 15 € (plat, dessert et boisson). Dans une petite case en bambou tenue par un rasta sympa, voici un *lolo* proposant une bonne formule avec chiquetaille de morue, acras, crudités et plat du jour accompagné de frites maison ou de racines locales. Ouassous sur demande. De toute façon, il vaut mieux commander avant. Bon accueil.

❖ L'Oasis de la 3ᵉ chute du Carbet : 06-90-30-75-76. De Capesterre-Belle-Eau, prendre la D 3 vers Routhiers, suivre Marquisat-Fonds-Cacao depuis la station Texaco et tailler la route sur 5 km. C'est le dernier resto en bout de route, au niveau du parking, mais attention, le chemin est cahoteux, être bien chaussé. Tlj le midi ; le soir sur résa. Menu 15 €, carte 10-30 €. Apéro maison offert sur présentation de ce guide. C'est le *lolo* à côté du parking payant. Sa spécialité est le poulet fumé à la canne à sucre, différent du poulet boucané. Le patron, très affable, est épatant. Commandez par téléphone avant de venir ou passez commande auprès de l'amusante Denise, en matinée, avant de monter à la 3ᵉ chute (mais pas sûr qu'elle soit là très tôt hors saison). Pour la balade, location de bottes. Le parking (surveillé et payant) est gratuit si l'on mange au retour de la promenade. Une bonne adresse, ambiance garantie.

Achats

❀ **Les Jardins de Saint-Éloi** : 2 km après le lieu-dit l'Habituée sur la route des chutes du Carbet. ☎ 05-90-86-39-22. Boutique à l'aéroport Pôle-Caraïbes et au Carrefour de Baie-Mahault. ● jardins-st-eloi.com ● Tlj sf dim 9h-17h. Ce fleuriste réputé propose des fleurs tropicales, emballées dans des cartons, qui voyagent en soute. Tellement réputé pour son savoir-faire et son sérieux qu'il décrocha la déco florale des J.O. d'Albertville ! Les fleurs sont livrées gratuitement à l'aéroport le jour de votre départ (paiement par CB, espèces ou chèque, ici ou à l'aéroport) ou direct en métropole par *Chronopost*.

❀ **Boutique Ti'Punch** : route des chutes du Carbet. ☎ 05-90-92-96-68. Env 2,5 km après le lieu-dit l'Habituée. Tlj 10h-17h ; slt en saison. Boutique d'artisanat et produits locaux installée dans un ancien hangar à bananes. Accueil gentil comme tout et de bonnes idées de cadeaux (de bon goût, pour une fois). Possibilité de se restaurer (sauf en juin et de septembre à novembre). Snack proposant des pâtés salés ou sucrés ainsi que des tourments d'amour... Environ 15 € le repas. Le mieux est de commander en montant aux chutes et de consommer au retour.

À voir

🎋 🚶 **Le jardin de Cantamerle, circuit des épices** : chemin É.-Baron, au lieu-dit l'Habituée. ☎ 05-90-86-44-13. Petite route à gauche à l'entrée de l'Habituée (panneau). Tlj 9h30-17h. Entrée : env 5 € ; réduc enfants.
Un beau parc floral de plus de 500 espèces (étiquetées) de palmiers, plantes, fleurs, épices et arbres tropicaux de tous les continents, mis en valeur par une agréable visite guidée (de 30 à 40 mn minimum).

Randonnée pédestre

➤ **Trace du Grand Étang** : 2 km après le lieu-dit l'Habituée, les randonneurs apprécieront ce sentier de découverte du Grand Étang, quand il est praticable (se renseigner au parking de la 2ᵉ chute du Carbet). Belle promenade de 1h, bien agréable et moins fréquentée que le reste (bonnes chaussures obligatoires). Du petit parking, on atteint le *Grand Étang* en 5 mn de marche. Voici donc la plus grande étendue d'eau de la zone, où le Parc national a récemment installé un observatoire flottant destiné aux ornithologues en herbe ou avertis (un conseil : arriver tôt et se montrer silencieux, la patience est récompensée à coup sûr). De nombreuses plantes aquatiques, joncs, bambous, etc., se développent ici. Le Grand Étang accueille quelques espèces de poissons, de nombreux mollusques et crustacés, et malheureusement des colonies de moustiques (vous êtes prévenu !). En marchant sur les sentiers, peut-être aurez-vous la chance de croiser quelques kios (genre de petits échassiers) ou des martins-pêcheurs. Attention aux sangsues. Sachez enfin que le Grand Étang est le point de départ de la *trace des Étangs* qui vous mènera jusqu'à l'*étang As-de-Pique,* en passant par l'*étang Roche* et l'*étang Madère* en 2h15 de marche environ (penser au retour). Difficilement praticable par temps de pluie. Pour la petite histoire, une légende raconte qu'une femme fut assassinée par son méchant mari dans une étendue d'eau des environs, *l'étang Zombi,* pour avoir contribué à l'évasion d'esclaves maltraités par celui-ci. Comble du scandale, elle aurait agi avec l'aide du contremaître de la plantation !

LES TROIS CHUTES DU CARBET

En débarquant en Guadeloupe, Christophe Colomb fut impressionné par ces chutes. On ne sait pas s'il les a toutes vues, car en fait il y en a trois. En tout cas, il en fit une description enthousiaste dans son journal de bord. À environ 2,5 km après le Grand Étang, on arrive au parking et à l'aire de pique-nique des chutes. On est accueilli par des gardes qui répondent à toutes vos questions et, à partir de là, quatre randonnées pédestres sont possibles.

Soyez prudent au sujet des traces, car elles peuvent être modifiées à la suite de pluies violentes et, de ce fait, ne plus suivre l'ordre que nous vous indiquons, ni le balisage initial. Renseignez-vous AVANT d'entreprendre toute balade. Prévoir impérativement de bonnes chaussures, ainsi qu'un imperméable ou un parapluie (le temps change très vite) et de l'eau. Certaines randonnées sont réservées aux plus sportifs.

➤ *Deuxième chute du Carbet :* la plus proche (20 mn de marche en forêt, compter au maximum 1h aller et retour). Chemin bien balisé. En raison de sa proximité, c'est l'itinéraire favori des groupes. Sachez toutefois que le pied même de la cascade n'est plus accessible depuis les pluies torrentielles et le séisme de 2004. On doit donc s'arrêter avant le pont suspendu, ce qui réduit la visibilité de la chute et l'intérêt de la marche. Une plate-forme d'observation sera mise en place sous peu, afin de contempler ce site spectaculaire en toute sécurité. La chute mesure 110 m de haut. Nombreux arbres intéressants, dont le châtaignier grandes feuilles (qui peut atteindre 40 m de haut), le gommier blanc, le bois résolu, les choux-palmistes (petits palmiers) et le philodendron à feuilles géantes. En cours de route, carrefour important indiquant le début du sentier pour la première chute (à 2h de marche) et la troisième (à 2h45). À gauche, petite cascade avec des bassins à différentes températures, réchauffés par les volcans.

➤ *Première chute du Carbet :* chapeau aux agents du Parc national pour leur remarquable boulot d'aménagement des traces. Superbe balade de 4h aller-retour, bien moins fréquentée que la deuxième chute, mais réservée aux bons marcheurs, surtout dans la dernière partie. Attention : la trace a malheureusement subi des éboulements importants et présente de sérieux dangers (sentier instable et crues brutales par temps de pluie). Bonnes chaussures obligatoires et débutants s'abstenir absolument.

➤ *Troisième chute du Carbet :* très peu fréquentée, mais moins spectaculaire que les deux précédentes (la chute ne mesure que 20 m de haut), elle

BASSE-TERRE

demeure intéressante pour son débit et son beau bassin qui invite à la baignade. Le plus simple pour s'y rendre est de passer par la D 3 depuis le bourg de Capesterre-Belle-Eau, direction Routhiers. Ensuite, il faut 1h de marche difficile depuis *Routhiers-Petit-Marquisat.* Accès ainsi plus facile que par le parking de la deuxième chute (de là, il y a deux rivières à traverser).

TROIS-RIVIÈRES

(97114)   8 900 hab.

À l'extrémité sud de la Basse-Terre, un peu en dehors des sentiers battus, Trois-Rivières est une vaste commune composée de hameaux dispersés sur un grand versant de montagne, couvert d'une végétation luxuriante, qui descend dans la mer. On aime bien ce petit havre à découvrir quand on connaît déjà les « classiques » de Basse-Terre. Le bourg compte quelques belles maisons créoles. Gentille animation en fin d'après-midi, quand les enfants sortent de l'école, et que les employés des plantations de bananes, perchées dans les collines, regagnent leurs pénates. Côté mer, on trouve la belle *plage de Grande-Anse,* bordée des classiques cocotiers de carte postale. Séjour agréable en perspective, ponctué de somptueux couchers de soleil sur les monts Caraïbes... Et puis si l'appel des îles est irrésistible, un bateau-navette vous conduira à Terre-de-Haut depuis l'embarcadère situé en contrebas du village (à deux bons kilomètres du centre du bourg ; voir ci-dessous « Arriver – Quitter »). Le magnifique archipel trône au large, posé sur l'horizon.

UN PEU D'HISTOIRE

Trois-Rivières doit son nom au nombre de cours d'eau qui la traversent : la rivière de Grande-Anse, la rivière du Petit-Carbet et la rivière du Trou-au-Chien. Bien avant l'installation des colons en 1640, l'endroit était un haut lieu de la culture amérindienne (vers 300 apr. J.-C.), dont le *parc archéologique des Roches gravées* apporte aujourd'hui d'ultimes témoignages.

Arriver – Quitter

En bus

🚌 *Arrêts de bus* devant l'église et à droite de la mairie. Liaisons avec Basse-Terre et les communes de la côte Sous-le-Vent. Également vers Pointe-à-Pitre et les villages de la Côte-au-Vent. Sachez aussi qu'il existe un service local de minibus vers les hauteurs du village, l'autre poussant jusqu'à la plage de Grande-Anse. Horaires et fréquences à l'office de tourisme.

En bateau pour les Saintes

⛴ Les compagnies *CTM-Deher* (☎ 05-90-92-06-39), *Brudey Frères* (☎ 05-90-92-69-74 ou 05-90-90-04-48, ● brudey-freres.fr ●) et *Société maritime des Îles du Sud* (☎ 05-90-98-30-08) assurent ensemble plusieurs traversées quotidiennes avec Terre-de-Haut et Terre-de-Bas. Pour information, *Brudey* propose au minimum 2 allers-retours par jour (le matin et en milieu d'après-midi). À certaines périodes de pointe, rotations plus nombreuses. Attention, les horaires changent souvent ou varient simplement de 15 à 30 mn, sans prévenir personne. Se renseigner sur place, à la billetterie des compagnies ou à l'office de tourisme (☎ 05-90-92-77-01). Environ 22 € l'aller-retour : c'est bien moins cher que de Pointe-à-Pitre. Parking payant près de l'embarcadère. Autour de 20 mn de navigation seulement.

Adresses utiles

ℹ️ *Office de tourisme :* *rue Gerville-Réache (rue principale), à gauche de l'église.* ☎ 05-90-92-77-01. • *si tr114@wanadoo.fr* • *hebernet.net/otsi/trois-rivieres* • *Lun, mar, jeu et ven 7h15-16h45 ; mer 7h15-12h30 et 14h30-17h15 ; sam 8h15-12h15. Fermé dim.* Organise, deux dimanches par mois, une sortie randonnée en compagnie d'un guide, sur Basse-Terre, Grande-Terre ou les autres îles. Brochure complète avec liste des hébergements, restos, activités culturelles, loisirs, points d'intérêt dans la région. Également des cartes gratuites, les horaires des bus et des bateaux, etc. Vente de timbres, d'enveloppes et de cartes de téléphone. Hôtesses gentilles et compétentes. Il y a également un point info au débarcadère.

✉️ *Poste :* *rue Gerville-Réache (un peu plus bas que le centre, direction Vieux-Fort).*

■ *Distributeur de billets :* *au* Crédit Agricole, *à côté d'*Ecomax.

ⓐ *Internet :* *à la bibliothèque municipale, dans le centre (derrière la mairie).* ☎ 05-90-92-35-60. *Assez bon marché.*

■ *Randonnées guidées dans la région :* *voir plus loin notre rubrique « Randonnées de la Soufrière » au chapitre sur ce volcan.*

Où dormir ?

De bon marché à prix moyens

🛏 *Gîtes des Roches Gravées :* *cité Bellemont.* ☎ 05-90-92-83-47. • *le blanc.laura@wanadoo.fr* • *À gauche après la poste. Pour 2 pers selon saison, 230-250 € la sem. Env 45 € la nuit en hte saison. Pour 1 sem de loc, 1 bouteille de punch offerte sur présentation de ce guide.* À deux pas du bourg et du débarcadère, voici 4 bungalows en bois, récents, parfaitement tenus et plantés dans le jardin de la maison des proprios, une aimable famille de pêcheurs. Simple mais confortable : cuisine, salle d'eau, TV, ventilo et vue imprenable sur les Saintes. Très calme, car suffisamment en retrait de la rue, et bon rapport qualité-prix-gentillesse.

🛏 *Bungalows de La Coulisse, chez M. et Mme Robert Bernus :* *La Coulisse.* ☎ 05-90-92-99-88 *(avant 7h et après 19h, ainsi que le w-e).* ♿ *En venant de Capesterre-Belle-Eau, prendre la route à gauche, 100 m après la 1re station-service, puis suivre les panneaux « Gîtes ». À la sem : studio (2 pers) env 186 € ; gîtes (2-6 pers) 234-460 €. Sur présentation de ce guide, 1er petit déj offert.* Bel ensemble de bungalows créoles isolés dans une nature foisonnante et tranquille, avec vue sur les Saintes, au milieu de cocotiers, d'avocatiers et de calebassiers (entre autres). On y trouve même une roche gravée. Gîtes confortables : cuisine, ventilo, TV et lave-linge commun. Certains avec mezzanine. Eau chaude solaire. Accueil très attentionné du patron. Son épouse, peintre à ses heures, confectionne et vend des patchworks et des chapeaux en feuilles de cocotier...

🛏 *Les Gîtes de Rosy :* *chemin de Roussel.* ☎ 05-90-92-90-59. *Fax : 05-90-92-95-66. Prendre la 1re à gauche après la poste, en allant vers Vieux-Fort (fléché sur la route principale). La sem : 300 € pour 2 pers, 360 € pour 4 pers. N'accepte de louer à la nuit qu'en dépannage : env 50 € pour 2 pers ; 60 € pour 4 pers.* Sur le site d'une ancienne sucrerie esclavagiste (voir le cachot à l'entrée), une série de petits gîtes F2 et F3 qui descendent en file indienne vers la mer avec une belle vue sur les Saintes. Tous en bois, repeints en blanc, pas bien grands pour le prix mais avec kitchenette, salle de bains, ventilo, mini-terrasse privée (plus grande pour le dernier de la rangée), et TV (câble). Point téléphone. Pas très intime, mais au bord d'un jardin avec piscine.

Gîtes Le Gommier : section Gommier. ☎ 05-90-92-71-36. ● gites-le gommier@wanadoo.fr ● *En arrivant de Capesterre-Belle-Eau, tourner à droite face au sens interdit ; c'est ensuite la 1re entrée à gauche. Pour 2 pers, env 40 € la nuit.* En plein centre de Trois-Rivières. Ce n'est pas un lieu pour passer des vacances mais éventuellement un dépannage pour ceux qui prennent le bateau pour les Saintes tôt le lendemain. Environnement et entretien moyens. Trois gîtes fonctionnels (2-6 personnes), avec cuisine, AC et TV. Si vous êtes là en été, demandez à goûter au sorbet coco de Micheline.

De prix moyens à plus chic

Gîtes L'Îlot Fruits, chez Évelyne et Éric Mazingant (labels Parc national de la Guadeloupe et « Bienvenue à la Ferme ») : route de La Regrettée. ☎ 05-90-92-79-70. ▤ 06-90-54-93-00. ● ilofruit@outremer.com ● ilotfruits.com ● ♿ *De Capesterre-Belle-Eau, par la N 1, prendre la seule sortie à droite vers « La Regrettée » ; c'est 500 m plus loin, sur la gauche, une route cimentée qui monte à pic (panneau). Prévoir 560 € la sem pour 1-4 pers, puis 480 € la 2e sem. Apéro maison offert sur présentation de ce guide.* Sur une ancienne plantation de bananes, perdue dans les collines qui surplombent Trois-Rivières, 4 beaux gîtes en bois, avec vue plongeante et époustouflante sur l'archipel des Saintes, les monts Caraïbes et la plage de Grande-Anse. Chambre double (clim' naturelle), séjour avec canapé-lit, salle de bains, cuisine, TV (électricité solaire), barbecue et belle terrasse privée avec hamac pour rêver. Également 2 chambres d'hôtes avec terrasse commune (et donc la vue), salle de bains et coin petit déj. À disposition des hôtes, une piscine, une bibliothèque et une malle de jeux. Tranquillité absolue. La famille Mazingant fait parfois visiter l'exploitation, ainsi que le verger créole (400 arbres fruitiers et 20 types de fruits). Également un élevage bovin et une cabane dans un arbre pour étonner les routards en culotte courte. Possibilité de randos en Basse-Terre avec l'association *L'îlot randos* basée ici.

Le Paradis Vert, chez Delphine et Yannick Suzineau : Le Petit-Carbet. ☎ 05-90-92-61-61. ▤ 06-90-76-61-45. ● paradis-vert@wanadoo. fr ● http://perso.wanadoo.fr/paradis-vert ● *De la N 1, prendre la 2e sortie « Trois-Rivières » et suivre les panneaux. La sem 350-420 € selon saison pour 2-4 pers ; la nuit 60 € pour 2 pers, 80 € pour 4 pers.* Sur les hauteurs de Trois-Rivières, au calme et dans un environnement verdoyant, avec vue ma-gni-fi-que sur les Saintes et la Dominique, cette villa compte 4 F2 (2 adultes, 2 enfants), pas bien grands mais correctement aménagés et décorés. Une chambre pour deux, un canapé-lit (lit d'appoint possible pour un enfant), kitchenette, TV, terrasse privée avec fauteuils suspendus, barbecue et lave-linge commun. Piscine. Les proprios habitent à côté, dans une ancienne demeure coloniale. Plats créoles sur commande et planteur disponible. Accueil très sympathique.

Gîtes Coco & Zabrico : domaine de Duquery, à 800 m du centre-ville. ☎ 05-90-92-83-50. ▤ 06-90-67-71-73. ● cocoetzabrico@wanadoo.fr ● http://cocoetzabrico.monsite.wana doo.fr/ ● *De l'office de tourisme, prendre la direction de Pointe-à-Pitre et quitter la route juste avant le Crédit Agricole, sur la droite (pancarte). Pour 2 pers : 70 € la nuit (60 € à partir de la 2e nuit) ; 400 € la sem en hte saison. Table d'hôtes (sur résa) 20 €. Sur présentation de ce guide, un dîner d'accueil offert pour 1 sem de loc.* Au calme, 3 magnifiques bungalows (2 personnes), dont un en bois plus petit au fond du jardin, tous couleur saumon, avec AC, cuisinette équipée et terrasse privée. Également 2 autres gîtes (4-6 personnes), de même confort, avec 2 chambres en duplex (AC en bas et ventilo à l'étage), 2 salles de bains, cuisine équipée, TV. Piscine flanquée d'un carbet, jeux pour les enfants dans le grand jardin, mais pas de vue particulière.

Très chic

🏠 |●| *Le Jardin Malanga :* section l'Hermitage. ☎ 05-90-92-67-57. ● jardinmalanga.com ● Résa en métropole : 120, rue La Boétie, 75008 Paris. ☎ 01-42-56-46-98. ● info@deshotelsetdesiles.com ● deshotelsetdesiles.com À 3 km du centre, sur les hauteurs de Trois-Rivières (bien fléché). Fermé de juin à mi-juil et de sept à mi-oct. Doubles 235-260 € la nuit selon saison, petit déj inclus ; suite 325 €. Table d'hôtes (slt sur résa et pour les résidents) env 34 €. Cette superbe maison coloniale de 1927 est perchée sur un versant de montagne, au milieu des plantations de bananes et d'agrumes (tranquillité absolue), avec une vue étendue sur les Saintes. Elle abrite 2 chambres (2 ou 3 personnes) à l'étage, et une autre au rez-de-chaussée pouvant accueillir un couple et 2 enfants. Les 3 cottages à flanc de colline sont également très beaux, avec bois exotique, lits grand format, AC, ventilo et une grande terrasse avec hamac. Piscine panoramique à débordement. Côté cuisine, la direction a eu la riche idée de s'attacher les services de Joël Kichenin, chef reconnu ayant participé à des concours internationaux et « ambassadeur de la cuisine créole ». C'est son élégante épouse qui s'occupe de l'hôtellerie, ce qui donne décidément une certaine unité à cette adresse de charme.

Où manger ?

De bon marché à prix moyens

Pour manger correct, local et pas trop cher avant de prendre le bateau, nous vous conseillons le *Fétou Kréyol* (face à l'embarcadère et au *Blue Caraïbe*).

|●| *Pizzeria Total Végétal :* rue Général-Delacroix. ☎ 05-90-92-05-81. Quasiment face au Crédit Agricole, *dans le virage en montant du centre. Ouv slt le soir sf dim.* Pizzas env 8 €, crêpes sucrées env 2,50 €. Un trio de rastas sympas et leurs copines crêpières proposent des crêpes et pizzas à emporter, mais pas n'importe lesquelles. On choisit d'abord la taille, puis la pâte (classique ou farine complète), et enfin les ingrédients. Et là, c'est le choc, il n'y a pas de limite ! La nôtre alignait plus d'une dizaine d'ingrédients, formant une palette d'un genre nouveau, mais délicieuse. Évidemment, l'attente est souvent à la hauteur de sa réputation (au moins 20 mn). Mieux vaut commander par téléphone.
|●| *La Paillote du Pêcheur :* entre Trois-Rivières et Grande-Anse. ☎ 05-90-92-94-98. ✂ *Tourner à gauche sur la route de Grande-*Anse, c'est au bout de la route, à gauche au bord de l'eau. *Ts les midis et le soir sur résa (sf dim et lun).* Formule 15 €, menus 32-45 € (1/2 langouste ou langouste entière), menu-enfants 7 €. Punch et café offerts sur présentation de ce guide. On aime bien ce resto aéré, situé juste à côté d'une rampe, où Jean-Claude – un solide pêcheur barbu – échoue son embarcation quand il rentre de mer. Dans l'assiette, poisson grillé, langoustines ; fruit de la pêche du jour. Simple et bon, la fraîcheur et l'authenticité en prime. Accueil et cadre très agréable. Si c'est un bon jour, demandez-lui sa recette du poisson farci et du mouton à la créole, tout un poème !
|●| *Les Cocotiers :* plage de Grande-Anse. ☎ 05-90-92-94-05. *Tlj sf dim soir et lun soir.* Menus 16-25 €. Face à la plage, sous une grande paillote avec piste de danse pour les

fins de semaine, quelques menus très honorables proposant tous les classiques de la cuisine créole. Service prévenant. Plus d'ambiance le week-end qu'en semaine.

À voir

🗡 *Le parc archéologique des Roches gravées* (a la marque de confiance du Parc national de la Guadeloupe) : *sur le chemin de l'embarcadère pour les Saintes. Bien fléché depuis le centre de Trois-Rivières.* ☎ *05-90-92-91-88.*

En cours de restauration, le parc devrait ouvrir à nouveau en 2007 mais qui sait... Il faut reconnaître qu'il a bien besoin d'un coup de balai : les fameuses « roches gravées », témoignages des Indiens Arawaks, ont beaucoup souffert des intempéries, et les sentiers noyés dans une exubérante végétation manquent malheureusement d'entretien. À suivre...

➤ À partir du parking, le *sentier de l'Acomat* vous conduit jusqu'à l'anse Duquery, sur un chemin côtier (vue sur les Saintes) et à travers la forêt. Compter 45 mn pour accomplir les 2 km de marche facile.

➤ *DANS LES ENVIRONS DE TROIS-RIVIÈRES*

🗡🗡 *Le musée de la Banane :* plantation Bureau, La Regrettée. ☎ *05-90-92-70-75.* ▯ *06-90-69-21-59. Au bord de la N 1, juste après la sortie « La Regrettée ». Lun-sam 9h30-17h, dim sur résa. Entrée : env 6 € ; réduc.*

Les propriétaires de l'exploitation assurent eux-mêmes les visites. Explications un peu succinctes sur la culture de la banane, de la récolte à l'emballage. Projection d'un petit film documentaire, visite de la bananeraie, du jardin des plantes médicinales et du petit musée abritant photos et documents sur ce fruit qui requiert beaucoup de soins. La plantation se trouvant à flanc de montagne, sur les hauteurs, la vue est superbe. À la boutique, créations confectionnées avec des feuilles de bananes (poupées, bracelets...). Bien sûr, ne manquez pas la publicité légèrement macho et délicieusement surannée de l'entrée... Visite un peu chère tout de même !

🗡 *Kananga (la voie des Graines) :* à l'habitation Duquery. ☎ *05-90-25-34-31.* ▯ *06-90-50-13-98.* • *kananga@wanadoo.fr* • *En venant de Capesterre-Belle-Eau, prendre la route à gauche, 100 m après la 1ʳᵉ station-service. Tlj sf lun 9h-17h. Entrée : 4 € ; réduc.*

Installé dans d'anciens bâtiments en pierre, voici un artisan sympa et habile qui cultive des pépinières et un jardin botanique afin de produire des graines, qu'il utilise pour composer de jolis tableaux.

⌂ *La plage de Grande-Anse :* située sur la route de Vieux-Fort. La plus populaire du coin, mais de sable noir, il faut aimer. Belle vue sur les Saintes. Superbe environnement. En revanche, les douches publiques sont un peu délabrées et à l'hygiène douteuse. Prudence, cependant : la mer, assez mouvementée, est dangereuse par endroits.

Randonnée pédestre

➤ *Trace de la Grande-Pointe :* jolie promenade bien balisée, sans difficulté (juste un passage les pieds dans l'eau) qui permet d'aller de l'*anse Grande-Ravine* à l'*anse Duquéry* en longeant le littoral (vue sur les Saintes) en 1h15 aller. Départ (ou arrivée selon le sens choisi) au bas du chemin de la *Grande-Pointe* que l'on prend sur la N 1, 2,5 km avant Trois-Rivières quand on vient de Capesterre.

Sur le parcours, vestige d'une batterie et d'une poudrière du XVIIIᵉ siècle, d'un ancien moulin à vent du XIXᵉ (unique en Basse-Terre) dont les murs ne tiennent debout que grâce au « figuier maudit » qui les enserre. Différents paysages se succèdent : une côte austère, soumise à l'érosion marine et aux vents, puis le sous-bois où domine la forêt tropicale humide.

Inconvénient, le parcours n'étant pas en boucle, il faut faire l'aller et le retour sauf si l'on peut se faire déposer en voiture à l'une de ses extrémités. De l'*anse Duquéry,* on peut aussi suivre la petite route qui conduit directement à l'embarcadère de Trois-Rivières (ou qui remonte, dans l'autre sens, vers Trois-Rivières par le *chemin de la Coulisse*).

VIEUX-FORT   (97114)   1 700 hab.

Belle portion de route de Trois-Rivières à Vieux-Fort, avec une vue remarquable sur les Saintes et les monts Caraïbes. Aller jusqu'au phare de Vieux-Fort, qui domine un éperon rocheux et marque l'entrée de la rade de Basse-Terre. Mer agitée, paradis des véliplanchistes. Le village s'étale sur le flanc d'une colline, avec les toits rouges de ses maisons et le bleu de la mer en toile de fond.

UN PEU D'HISTOIRE

En 1635, les colons français L'Olive et Du Plessis s'y installèrent, après avoir combattu (et massacré) les Indiens Caraïbes qui s'y trouvaient. Ils construisirent un fort qui devint plus tard « Vieux-Fort », quand celui de Basse-Terre, l'imposant Fort Delgrès, fut édifié.

Où manger dans le coin ?

|●| *Ti Mèd Grill – En Bas Voûte Là :* de Vieux-Fort, direction Basse-Terre, sur la droite de la route, face à la mer. ☎ 05-90-81-32-04. Tlj sf dim soir. Plats 9-15 €. Un grand *lolo* amélioré, dont l'immense avantage est de profiter d'une terrasse surélevée braquée sur le grand large. Pas mal de locaux, venus bien sûr pour le cadre, mais aussi pour ses honnêtes farandoles de grillades : poulet rôti, brochettes de bœuf, *ribs,* poisson, langouste... Également une piste de danse le week-end.

À voir

🕯 *L'église :* le clocher du XVIIIᵉ siècle, fort bien restauré, a la particularité d'avoir été construit hors des murs.

🕯 *L'ancien fort :* dans les ruines du fort, on trouve un *Centre de broderie* (☎ 05-90-92-04-14 ; en principe, tlj sf dim ap-m 9h-18h). Cette tradition s'est transmise ici de génération en génération depuis près de 300 ans. Expovente intéressante dans de vieux bâtiments, et prix justifiés, étant donné le travail formidable de ces dames. Joli site avec vue sur un phare et sur la mer.

Balades dans le coin

Les monts Caraïbes, qui protègent la région des quintes de toux de « la dame Soufrière », proposent quelques balades intéressantes. Celles-ci se font en aller simple et non en boucle.

➤ L'une d'elles démarre à **Champfleury,** hameau au sud-est de Gourbeyre, et dure environ 3h jusqu'à Vieux-Fort. De Vieux-Fort jusqu'à Champfleury : emprunter la route du stade jusqu'à un petit pont. Le chemin part sur la droite. Emporter de l'eau. Sentier mal balisé, réservé aux bons marcheurs.

Traversée d'une belle forêt, parsemée de boqueteaux de bambous et de balisiers, avant de parvenir au *col du Grand-Acajou* (1h environ). Du col part un autre sentier de randonnée, vers la *marina de Rivière-Sens*. Pour Vieux-Fort, prendre à gauche. Peu après, belle vue sur les Saintes et les mornes environnants. Quelques passages assez raides avant de rejoindre *Ravine-Déjeuner*. Plus loin, à *Ravine-Grand-Fond*, nombreux palmiers royaux. Ne pas emprunter le chemin de gauche qui descend, mais suivre à droite le sentier qui grimpe sur le *morne La Voûte*. Plus tard, ignorer le sentier qui part à gauche et continuer à travers ce qu'on appelle ici une forêt sèche ou xérophile (nombreux arbustes de la famille des acacias). Un peu plus tard, ignorer de nouveau le sentier à gauche. Continuer en montant sur la droite. Peu de temps après, on parvient à la route qui mène à Vieux-Fort. Avec un peu de chance, on aura rencontré un iguane en cours de route.

BASSE-TERRE (VILLE)   (97100)   12 700 hab.

Sur la côte sud-ouest de la Basse-Terre, au bord de la mer, dominée par la masse imposante des monts verdoyants, voici la capitale administrative de la Guadeloupe, qui abrite le conseil régional et la préfecture de l'île. Même si la ville a été classée, en 1995, « Ville d'art et d'histoire » (comme Pointe-à-Pitre en 2002), son charme reste assez relatif pour le touriste de passage (à moins d'approfondir la visite avec la *Maison du patrimoine* ; voir les « Adresses utiles »). Il faut dire que l'actuelle cure de jouvence ne lui est pas vraiment destiné. Que ce soit l'aménagement du port autonome, du front de mer et des quartiers donnant sur la mer ou ce rond-point central, avec ses chevaux géants, qui n'atteint pas vraiment des sommets d'esthétisme... Bref, Basse-Terre vaut sans doute un petit coup d'œil en passant, mais bonne chance pour vous garer !

UN PEU D'HISTOIRE

L'actuelle capitale administrative de la Guadeloupe fut, au moment de sa fondation, en 1643, la première ville des Antilles françaises. Elle fut longtemps un enjeu majeur des guerres franco-anglaises et fut plusieurs fois détruite. Son rôle de capitale diminua peu à peu, du fait de la fondation de Pointe-à-Pitre en 1759 et de son développement important. Car Basse-Terre, coincée entre mer et montagne, ne présenta jamais les conditions idéales pour devenir un grand port commercial. Et, aujourd'hui encore, quasiment tout le trafic maritime s'effectue par Pointe-à-Pitre.

Lors de l'éruption de la Soufrière en 1976, Basse-Terre et ses environs (plus de 70 000 personnes) furent évacués totalement pendant cinq mois. Toute la vie économique, mais surtout administrative et juridique, se déplaça à Pointe-à-Pitre. Il y eut alors de violentes querelles entre scientifiques et autorités. Le célèbre vulcanologue Haroun Tazieff fut l'un des rares à pronostiquer l'extinction progressive de l'éruption et à critiquer l'excès des mesures de sécurité. De nombreux habitants de la région vendirent leur maison pour une bouchée de pain. La dramatisation de l'événement ne fut, dit-on, pas négative pour tout le monde !

La Soufrière rentra effectivement dans le rang, et les gens revinrent chez eux. Pas tous, bien entendu, et Basse-Terre n'a toujours pas retrouvé sa population initiale. Nombre de petites entreprises qui avaient fermé ne redémarrèrent pas. Dans l'aventure, la capitale perdit sa position économique. Sombrant dans une douce léthargie, elle prit le rythme d'une aimable sous-préfecture de province lointaine. Les samedi après-midi et dimanche, la ville joue aux alertes atomiques : plus un chat dans les rues. Les soirs de semaine ne sont d'ailleurs guère plus animés. C'est pourquoi on ne séjourne guère à Basse-Terre.

Arriver – Quitter

En bus

🚌 De la *gare routière principale (plan B2)*, près du grand marché, les bus desservent toutes les villes des côtes est et ouest de la Basse-Terre. Également des bus quotidiens directs pour Pointe-à-Pitre. Enfin, *un arrêt devant le palais de justice (plan B2)* pour se rendre à Saint-Claude. En attendant le grand changement prévu dans les transports pour 2007 (lire la rubrique « Transports » des « Généralités »), notez que pour le moment les bus circulent de 5h à 18h environ, du lundi au samedi (pas le dimanche, ni les jours fériés).

En bateau pour les Saintes

⛴ Au départ du port autonome, les compagnies **Brudey Frères** (☎ 05-90-90-04-48) et **Deher** (☎ 05-90-99-50-68) assurent 2 traversées en milieu de journée (tlj sf dim). Se renseigner sur place ou à l'office de tourisme car les horaires varient régulièrement. Prendre le billet sur le bateau même : autour de 20 € l'aller-retour ; réduc enfants. Environ 30 mn de navigation. Pour le retour, 2 bateaux tous les matins sauf le dimanche.

Adresses utiles

🛈 **Office municipal de tourisme** (plan A1) : dans l'Auditorium, pl. de la Mairie. ☎ 05-90-80-56-48. Lun, mar et jeu 8h-12h, 14h-17h ; mer et ven 8h-12h ; fermé w-e. Liste des hébergements sur Basse-Terre, renseignements sur les points d'intérêt de la région, mais aussi des plans de la ville gratuits, des circuits découverte, des cartes et des infos générales sur la Guadeloupe. Organise aussi chaque vendredi *Les Rendez-vous de l'accueil* (voir « À faire »).

🛈 **Maison du patrimoine** (plan A1) : 24, rue Baudot. ☎ 05-90-80-88-70 ou 76. • patrimoine.bt@wanadoo. fr • Visites guidées du fort et de la ville, sur réservation.

✉ **Poste** (plan C3) : rue Amédée-Fengarol.

🛈 **Distributeurs de billets** (plan A1, B2, C3) : nombreux et concentrés en centre-ville : BDAF, *cours Nolivos* ; BRED et BFC, *rue du Dr-Cabre* ; Crédit Agricole, *rue des Normands* ; BNP, *pl. de la Mairie* ; Caisse d'Épargne, *cours Novilos* ; à la poste, *rue Amédée-Fengarol*.

@ **Internet :** chez Web@rt (plan C3), 42, rue Amédée-Fengarol, face au lycée Gerville-Réache. ☎ 05-90-86-25-11. • cybercafe@webartcafe. net • Lun-ven 9h-18h, sam 14h-18h. Sympa et moderne. Possibilité de boire un verre en consultant ses mails.

🛈 **Centre hospitalier de Basse-Terre :** rue Daniel-Beauperthuy, sous la rocade Nord. ☎ 05-90-80-54-54. Urgences : ☎ 05-90-80-54-00. SMUR : ☎ 05-90-80-54-01.

■ Adresses utiles

- 🛈 Office municipal de tourisme
- ✉ Poste
- 🚌 Gares routières
- ⛴ Port autonome
- @ Web@rt

🛏 Où dormir ?

- **10** Gîtes Le Colibri,
  chez M. Fred Blanchet
- **13** Le Domaine de Castel

◖◗🍸 Où manger ? Où boire un verre ?

- **20** L'Estrade
- **21** Le Phœnix
- **22** Caribbean Café

MER   DES   ANTILLES

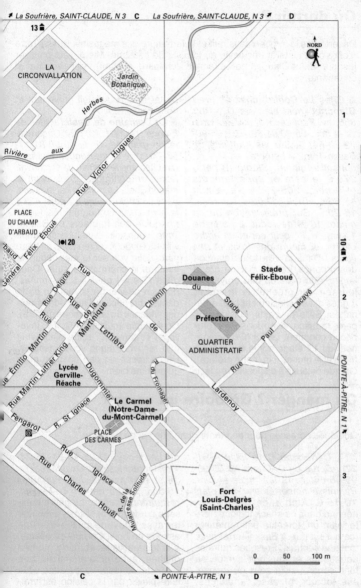

BASSE-TERRE (VILLE)

Où dormir ?

Déserte dès la tombée de la nuit et la fermeture des magasins, Basse-Terre n'offre qu'un intérêt très limité au touriste de passage. Mieux vaut pousser jusqu'à Saint-Claude, par exemple (chapitre suivant), ville voisine et charmante.

🛏 *Gîtes Le Colibri, chez M. Fred Blanchet* (hors plan par D2, **10**) : 886, av. Paul-Lacavé, à Petit-Paris. ☎ et fax : 05-90-81-89-70. 📱 06-90-72-80-64. ✗ Sur les hauteurs de Basse-Terre, à peu près en face du conseil régional. Studio (2 pers) 270 € la sem et appartements (4-6 pers) 305-385 € ; à la nuit 45-65 €. Table d'hôtes sur résa, 15-20 €. Sur présentation de ce guide, 10 % de réduc à partir de 1 sem, le 1er petit déj et un apéro offerts, et même des fruits et des fleurs ! Dans la villa toute blanche des proprios, cernée par un grand jardin fleuri mais un peu bruyant la journée car proche de la route, 3 gîtes assez spacieux et bien aménagés. Salle de bains, cuisine, TV, petite terrasse privée, kiosque et barbecue commun. Le F3 (6-8 personnes) du 1er étage a vue sur la Soufrière et la mer au loin (notre préféré). Grande pelouse à disposition en face de la maison. Accueil prévenant et bons conseils.

🛏 *Le Domaine de Castel* (Gîtes de France ; plan C1, **13**) : à la Circonvallation (panneaux). ☎ 05-90-81-14-67. De la rue Victor-Hugues, tourner à gauche dans le chemin de Circonvallation, en contrebas, juste avant la station Shell. La maison est plus loin, dans un angle. Jusqu'à 4 pers, 435 € la sem. Dans un quartier résidentiel tranquille des hauteurs de Basse-Terre, vous voici dans une ancienne villa de l'évêché retirée dans un beau parc. Jolie vue sur la mer depuis le jardin et le charmant kiosque. Deux gîtes (3 épis) pour 4-5 personnes, dont un attenant à la maison de la gentille proprio, et l'autre dans une dépendance du jardin (notre préféré). Confortable (cuisine, AC, TV, lave-linge) et correct. Piscine qui devrait être rénovée quand vous passerez. Une adresse un rien désuète mais qu'on aime bien.

Où manger ? Où boire un verre ?

Quelques adresses pour dépanner quand on est de passage.

🍽 🍸 *Caribbean Café* (plan A-B1, **22**) : 5, rue du Dr-Cabre. ☎ 05-90-95-45-64. ✗ Ts les midis sf dim. Paninis à emporter env 4 €, plats 10-15 €. Ambiance méditerranéenne dans ce snack tonique, renfermant un agréable patio intérieur (ce qui est rare à Basse-Terre) avec fontaine centrale. Fresques murales aquatiques et musique sympa en fond sonore, style zouk ou reggae. Jus locaux, pizzas, sandwichs, ti'pâtés, poisson et plats créoles... Idéal pour faire une pause. Soirée caribéenne en principe un samedi par mois. Allez leur rendre visite car ils ont bien du mérite d'essayer de faire bouger un peu la capitale !

🍽 *L'Estrade* (plan C2, **20**) : 3, rue de Lardenoy. ☎ 05-90-81-75-74. ● restaurant.lestrade@wanadoo.fr ● Tlj sf sam midi et dim. Formules 15-35 € ; carte env 25 €. Tickets-restaurant acceptés. Le genre brasserie sur fond d'exotisme, avec une terrasse couverte posée sur une estrade en bois. Cuisine excellente, à la fois antillaise et métro, un brin raffinée, avec notamment un bon choix de viandes. Venez donc vous faire plaisir car la cuisine est vraiment bonne et l'endroit, tenu par un Martiniquais très sympathique, souffre injustement du manque de touristes à Basse-Terre. Comme son nom l'indique, le lieu est aussi réputé pour ses soirées – piano-bar ou mini-concerts – du week-end.

I●I *Le Phœnix (plan A1, 21)* : 3, rue Victor-Schœlcher. ☎ 05-90-81-50-56. À deux pas de l'office de tourisme. *Ouv slt le midi ; fermé dim. Plats et salades 14-18 €.* Un petit resto de quartier sympa, où se retrouvent avec plaisir les employés de bureau du coin. Dans l'assiette, belles salades-repas, cuisine créole ou métro. Plats à emporter. Accueil très cordial.

I●I Pour ceux qui possèdent un véhicule, également des restos à Saint-Claude (voir le chapitre suivant).

Achats

🕸 *Boutik La (plan B-C2)* : 22, rue du Champ-d'Arbaud. ☎ 05-90-81-12-81. Une charmante petite boutique qui mêle artisanats créole et africain.

🕸 *Negus (plan B1)* : 14, rue Maurice-Marie-Claire. Une autre boutique d'artisanat, objets en coco, madras, etc.

🕸 *Les madras (plan A-B1-2)* : sur le cours Nolivos et rue de la République. Plusieurs magasins de tissus proposent un très bon choix de madras à prix raisonnables. Idées cadeaux en perspective !

À voir

🏃‍♀️ *Le centre-ville (plan A1)* : vous pouvez vous promener dans les rues Baudot, Christophe-Colomb, Peynier et Père-Labat (maison des Corsaires). Vous pouvez également faire une intéressante visite guidée avec la *Maison du patrimoine* (voir plus haut « Adresses utiles »).

🏃‍♀️ *Le grand marché (plan B2)* : *entrées rue de la République ou par le front de mer. Tlj sf dim 5h-13h ; fermé l'ap-m, chaleur oblige !* Il s'étend jusqu'au boulevard du front de mer. Particulièrement animé le samedi matin. Moins touristique que le marché Saint-Antoine de Pointe-à-Pitre ; les punchs et les épices y sont sensiblement moins chers. En effet, la municipalité ne facture pas aux marchands leurs emplacements contrairement à la politique de la municipalité de Pointe-à-Pitre ! Demander « chez Johnny », le vendeur d'épices qui semble continuer à tenir ses promesses ; dégustations (punch, noix de coco confite...) et, en cadeau, un sachet d'épices si vous en achetez beaucoup !

🏃 *Le fort Louis-Delgrès (plan D3)* : *entrée par la rue Charles-Houël, 1re à droite après la poste, puis à gauche.* ☎ *05-90-81-37-48. Tlj 8h-16h30. Entrée gratuite. Parking à l'extérieur du fort (ne rien laisser de visible dans les voitures). Visite guidée possible avec la* Maison du patrimoine.
Datant de 1649, ce magnifique fort se distingue par ses remparts colossaux, ses nombreux bâtiments militaires, avec de vieux canons et une citerne. Amusante table d'orientation où l'on vous indique même la direction de la tour Eiffel, juste derrière la Soufrière ! Dans le cimetière des soldats reposent le fameux amiral Gourbeyre, ancien gouverneur de la Guadeloupe, ainsi que le général Richepance, envoyé de Napoléon pour rétablir l'esclavage et décédé de la fièvre jaune après sa victoire sur Delgrès. Notez l'ultime discours de ce dernier contre l'esclavage et l'émouvant monument érigé en 2002, en hommage aux larmes et au sang versés lors du suicide collectif, avec 300 de ses compagnons. On n'a rien à ajouter...

🏃 *La cathédrale (plan B1)* : *tlj 8h-11h30.* Construite au milieu du XIXe siècle par les jésuites, Elle surprend par son inhabituelle façade baroque très XVIe siècle. Intérieur à voir.

🏃 *La place du Champ-d'Arbaud (plan C1-2)* : grande esplanade dominée par son monument aux morts tout blanc. Quelques demeures coloniales, et surtout le jardin Pichon, où l'on trouve la *Scène nationale,* bâtiment en forme de Soufrière qui abrite spectacles, pièces de théâtre et expos.

À faire

– *Les Rendez-vous de l'accueil :* avec l'office municipal de tourisme. Tous les vendredis, à partir de 19h30, pot d'accueil des touristes, place Gerty-Archimède *(plan B2).* Acras, danses et... ti-punch, ah ben ça alors !

– *Cours et stages de voile, plongée... :* au *Centre départemental de pleine nature (CDPN ; hors plan par D3),* à la marina de Rivière-Sens. ☎ 05-90-81-39-96. ● cnbt@wanadoo.fr ● Centre agréé par le ministère de la Jeunesse et des Sports. Propose des cours et des stages de voile (planche, cata, Optimist), plongée sous-marine (formation FFESSM), VTT, randonnée pédestre, beach-volley et canoë-kayak de mer. Pas très cher.

Plongée sous-marine

Peu fréquenté, le sud de la côte Sous-le-Vent livre des fonds marins particulièrement préservés et souvent d'une richesse étonnante. De belles plongées palpitantes en perspective, où débutants et confirmés découvriront la faune et la flore classiques des Antilles, dans des tranches de vie bien sauvages. Contactez les clubs de Malendure, car il n'y a plus de club à Basse-Terre... Et à vos palmes !

Nos meilleurs spots

🐚 *Les Trois-Pointes (carte Basse-Terre : nos meilleurs spots de plongée, 20) :* sur la côte, tout proche du phare de Vieux-Fort. Idéal pour les baptêmes et plongeurs de tous niveaux. Déluge de poissons coralliens au fond de cette crique protégée. Entre rochers volcaniques et sable clair, laissez-vous mener par les poissons multicolores qui virevoltent joyeusement autour de vos moustaches... de bulles ! Poissons-perroquets, demoiselles, papillons, mérous, balistes, trompettes, etc., sont ici vos fidèles compagnons de plongée ; et parfois – oh surprise ! – rencontre inattendue avec de mignonnes petites tortues... Une plongée fastoche qui se poursuit – pour les plongeurs confirmés – le long d'une coulée de lave (- 20 m maximum) enrobée d'éponges et de gorgones colorées et survolée par une famille de barracudas. Sans aucun doute, le bonheur est à portée de palme !

🐚 *Le Tombant du Fort (carte Basse-Terre : nos meilleurs spots de plongée, 19) :* en contrebas du fort de Basse-Terre. Pour plongeurs de Niveau 1 et confirmés. Magnifiques tranches de vie sous-marines sur ce petit tombant riche et très sauvage (de - 6 à - 24 m). Évoluant entre éponges, gorgones et coraux resplendissants, on est vite dépassé par des bancs compacts de gorettes rayées jaune et bleu, avant de surprendre quelques raies endormies sur le sable. Voici maintenant une tortue curieuse, qui déboule de nulle part. Elle nous frôle en douceur, et ses gros yeux semblent fascinés par notre allure d'homme-grenouille ! Joli bal frénétique des poissons-coffres, perroquets, papillons, etc., que des barracudas solitaires et quelques thazars reluquent avec avidité ; miam-miam ! Très belle plongée, avec un peu de courant.

🐚 *La pointe du Vieux-Fort (carte Basse-Terre : nos meilleurs spots de plongée, 21) :* au sud du phare de Vieux-Fort. Pour plongeurs de Niveau 1 minimum. Quelle chance ! On a vu des lambis vivants, en explorant ce gentil plateau corallien survolé par les classiques poissons des Antilles ; avant de dévaler un magnifique tombant vertigineux, où une armada de langoustes et

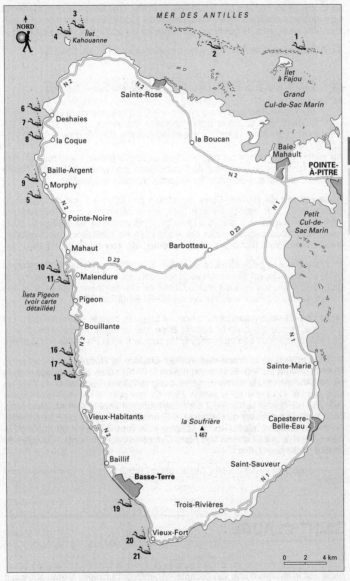

LA BASSE-TERRE : NOS MEILLEURS SPOTS DE PLONGÉE

de murènes se cache dans les failles du corail. Également des gorgones et éponges aux couleurs vives, où de mignons hippocampes se reposent parfois. Une plongée côté bonheur, qui conduira les confirmés « plus profond ».

🐟 ***Autour des Saintes :*** voir « Nos meilleurs spots » aux Saintes.

➤ *DANS LES ENVIRONS DE BASSE-TERRE*

🏃 **La distillerie Bologne** *(hors plan par A1)* **:** à la sortie de la ville, en direction de Baillif, sur la droite après le stade (panneau). ☎ 05-90-81-12-07. • rhum.bologne@wanadoo.fr • rhumbologne.fr • Boutique ouv de fév à fin juil, lun-sam 8h-13h.
Au milieu des champs de canne, cette distillerie familiale produit l'un des rhums blancs les plus réputés de Guadeloupe, en version 50° et 55°. Visite libre des installations possible (quelques panneaux explicatifs).

🏃 **La marina de Rivière-Sens** *(hors plan par D2)* **:** à 2 km du centre de Basse-Terre, une marina récente faite, selon certains, pour « regarder les bateaux en suçant des glaces à l'eau ! ». Peut accueillir les yachts de 20 m maximum. Tous services pour les équipages de passage : ravitaillement, météo, assistance technique, téléphone-fax, etc. (contact sur VHF 68).

➤ ***Randonnées pédestres :*** à quelques kilomètres seulement, ***Gourbeyre*** est le point de départ de nombreuses randonnées, soit en direction du massif de la Soufrière, soit vers les monts Caraïbes. Renseignements sur l'état des traces auprès du *Parc national* (☎ 05-90-80-86-00 ou 39).

➤ Si l'on ne veut vraiment pas trop se fatiguer, balade facile jusqu'au col d'Acajou ; sinon direction le ***bassin Bleu,*** par la route du Palmiste (2 km). Les plus courageux continueront vers la *cascade de la Parabole* (1h30 aller).

➤ Plus physique, la ***trace des étangs Madère et Roche.*** De Gourbeyre, aller en voiture au lieu-dit Moscou (fin de la D 10) où se situe le départ de la rando. Alternance de portions plates et de raidillons, végétation de plus en plus dense. On traverse la rivière *Petit-Carbet* puis, à l'étang *As-de-Pique* (alt. 732 m), quitter la trace qui continue tout droit vers le *Grand Étang* (voir, plus haut, « Les chutes du Carbet et le Grand Étang ») pour prendre à droite. Après un raidillon, c'est l'étang *Madère* puis l'étang *Roche* où apparaît la pierre de lave qui lui donne son nom. Nymphéas sur les bords. Compter de 1h15 à 1h30 pour l'aller.

➤ Au départ de Rivière-Sens, petite rando (1h30) vers le ***mont Houëlmont*** (428 m).

SAINT-CLAUDE
(97120)　　　　　10 300 hab.

À 530 m d'altitude, sur le versant sud de la Soufrière, cette charmante bourgade est entourée d'une exubérante végétation tropicale. Même s'il y fait plus frais qu'ailleurs (22 °C en moyenne), Saint-Claude est considéré comme la « banlieue » résidentielle de Basse-Terre, à seulement 6 km. On peut y voir, le long d'allées bordées de cocotiers majestueux, de superbes propriétés et villas de style créole enfouies dans la verdure. On y trouve le siège du *Parc national de la Guadeloupe* (voir plus loin « Le volcan de la Soufrière »), dont les informations et les conseils sont précieux aux nombreux randonneurs de la région.

BASSE-TERRE

UN PEU D'HISTOIRE

Ici, il convient de rappeler l'un des épisodes les plus sinistres du colonialisme français. En 1802, sous la pression des *Békés* de Guadeloupe et de Martinique (et de la femme de Bonaparte, Joséphine, elle-même issue d'une grande famille martiniquaise), Bonaparte charge le général Richepanse de rétablir l'esclavage, pourtant aboli sur l'île en 1794. Ainsi, après avoir désarmé les troupes composées d'Antillais à Pointe-à-Pitre, Richepanse gagne Basse-Terre et y rencontre la résistance de Louis Delgrès, officier noir commandant la place et républicain convaincu. De poursuites en affrontements meurtriers, Delgrès et trois cents de ses hommes sont finalement retranchés sur l'habitation d'Anglemont à Matouba, juste au-dessus de Saint-Claude. Et plutôt que de se rendre, ils se font sauter au cri de « Vivre libre ou mourir » ! Dans les décombres, on trouva une seule survivante que l'on appela « la mulâtresse Solitude ». Comme elle était enceinte, on attendit la naissance de son enfant, six mois plus tard, avant de l'exécuter. Un court récit d'André Schwartz-Bart, le mari de Simone Schwartz-Bart (voir la rubrique « Livres de route » dans les « Généralités »), sobrement intitulé *La Mulâtresse Solitude*, raconte cette histoire. Ainsi, en juillet 1802, l'esclavage fut rétabli, mais deux ans plus tard naissait Victor Schœlcher... Un monument situé à Matouba (voir plus bas « Dans les environs de Saint-Claude ») commémore aujourd'hui l'héroïsme de ces hommes.

Adresses utiles

🛈 *Bureau d'information de la mairie :* dans la jolie mairie, donc, en attendant un nouveau syndicat d'initiative. ☎ et fax : 05-90-80-00-16. Lun, mar et jeu 7h30-12h, 14h-17h30 ; mer et ven 7h30-12h30 ; fermé w-e. Liste des hébergements, studios et chambres chez l'habitant. Infos sur les traces de randonnées et les sites à visiter dans le coin. Plan gratuit et bien fait du village et de ses environs. Documentation abondante et sens du service.

✉ *Poste :* route du Camp-Jacob (D 11), dans le bourg, sur la droite en montant vers la Soufrière.
■ *Distributeurs de billets :* à la poste et au supermarché Cora, situé à Desmarais, en descendant vers Basse-Terre.
■ *Randonnées guidées dans la région :* voir la rubrique « Adresses utiles » au volcan de la Soufrière.
🚌 *Arrêt des bus :* autour de la place du Marché, à destination de Basse-Terre essentiellement.

Où dormir ?

Pas mal de bonnes adresses à Saint-Claude, plutôt abordables et dans un cadre agréable.

Prix moyens

🛏 *Gîtes Karambol :* 49, résidence Gabriel-Belfond. ☎ 05-90-80-33-71. ● giteskarambol@wanadoo.fr ● hebernet.net/karambol ● De Basse-Terre par la N 3, route de Belfond à droite (panneau), puis la 1re à droite ; c'est un peu plus loin sur la gauche. Pour 2 pers : 300-320 € la sem (60-62 € par pers supplémentaire ; 4 pers max) ; 55-60 € la nuit selon l'équipement. Sur présentation de ce guide,

1er petit déj offert pour 1 sem de loc. Dans une maison blanche, entourée d'un jardin fleuri avec vue sur la campagne généreuse, 3 studios (2-4 personnes), agréables et bien tenus, ainsi qu'une chambre d'hôtes. Bien équipés : salle de bains, cuisinette, mezzanine (dans un des gîtes), ventilo, TV, etc. Petite piscine paisible et gentil coin lecture en terrasse. À côté, un autre gîte, *Le Pichouri* (☎ 05-90-

BASSE-TERRE

80-20-89 ; env 280 € la sem pour 2 pers), si un seul ne suffit pas.

🏠 **Gîtes Les Colibris, chez Mme Jeanine Ramassamy** (Gîtes de France) : à Matouba. ☎ 05-90-80-03-10. 📱 06-90-58-27-40. ● nouvelles-antilles.com/guadeloupe/gite/colibri ● ♿ À 2 km du bourg, sur la route de Matouba, à gauche. Nuit à partir de 65 € pour 2. Sur présentation de ce guide, apéro maison et 1er petit déj offerts. En contrebas de la « vieille dame Soufrière », dont on aperçoit le sommet par temps clair, voici 3 gîtes (4 épis) pimpants et éclatants, pour 2 à 6 personnes. Très confortables : 1 ou 2 chambres (jolie déco), séjour avec clic-clac, cuisine, salle d'eau, lave-linge, TV, terrasse avec vue sur la mer et, summum du luxe : climatisation naturelle de la montagne ! Excellent entretien et les draps sont changés 2 fois par semaine. Petit jardin fleuri entretenu avec passion par la gentille patronne, aux petits soins pour ses hôtes. Une excellente adresse.

Plus chic

🏠 **Habitation Matouba** (label Parc national de la Guadeloupe) : Petit-Parc-Saint-Claude. ☎ 05-90-80-09-28. ● habitation.matouba@wanadoo.fr ● http://perso.wanadoo.fr/habitation.matouba/indexhabitation.htm ● Entre Saint-Claude et Matouba, après le pont de la rivière Noire mais avant celui des Écrevisses (à 1,5 km). Gîtes : pour 2 pers 65-90 € la nuit, 420-450 € la sem. Sur présentation de ce guide, apéritif maison offert. Vous succomberez certainement au charme de cette vieille habitation entretenue avec goût et en même temps conservée dans son jus. Un rêve de maison de campagne ou de maison de famille... Trois gîtes (2-5 personnes) sont aménagés dans un bâtiment annexe, au cœur d'un superbe parc floral de 3 ha en dénivelée (merci Lucien, le magicien du jardin). Cuisine équipée, salle d'eau, meubles en acajou de notaire, terrasse ouverte sur la nature. Également une très belle et spacieuse chambre d'hôtes attenante à l'habitation et nichée dans un délicieux pavillon colonial, à 90 € la nuit (80 € à partir de 2 nuits), petit déj compris. Une adresse exceptionnelle. D'ailleurs, pour faire face à la demande, une vieille case d'esclaves en forme de longère est en cours de restauration. Accueil chaleureux de la facétieuse Nicole qui vous fera lire le « dérèglement intérieur » de la maison...

🏠 **Hôtel Saint-Georges** : rue Gratien-Parize. ☎ 05-90-80-10-10. ● info@hotelstgeorges.com ● hotelstgeorges.com ● ♿ De la N 3 qui monte à Saint-Claude, tourner à droite après la gendarmerie, au niveau de l'hôpital de Montéran, avant le bourg (pancarte lumineuse). Doubles 90 € ; petit déj 10 €. Réduc enfants et tarifs séjours possibles. C'est un hôtel « moderne » sans grand charme mais situé dans un quartier calme. En tout, une quarantaine de chambres fonctionnelles, avec AC, TV et balcon. La plupart (sauf les suites) donnent sur une grande piscine. Les couloirs et les portes auraient tout de même besoin d'un bon coup de peinture... Billard, squash et salle de fitness. Réseau wi-fi. Petit snack-resto près de la piscine ouvert le midi (plat du jour créole à environ 12 € avec boisson) et resto plus gastro, Le Lamasure, ouvert le soir (voir « Où manger ? »).

🏠 **Les Cycas** : route de Matouba. ☎ 05-90-32-56-26. ● les.cycas@wanadoo.fr ● lescycas.com ● ♿ À env 1 km, sur la droite après le 1er pont vers Matouba. Fermé en sept. Réception tlj 8h-13h. Pour 2-4 pers, prévoir 95-140 € la nuit et 595-840 € la sem. Une dizaine de beaux logements disséminés dans un vaste parc rythmé par des cascades et un plan d'eau entouré de cycas centenaires, des arbres d'origine préhistorique. Un très beau site au pied de la Soufrière, où la végétation prolifère. Quatre studios et 4 duplex avec mezzanine absolument superbes, dans un style néo-créole, avec des lits en bois du Brésil et un beau mobilier. Tous confortables (cuisine, AC, TV satellite, wi-fi) et parfaitement tenus.

Buanderie et lave-linge communs. Ambiance un brin confidentielle qui prête à la rêverie et très bon accueil. Café offert.

Où manger ?

Prix moyens

lol **Le Tamarinier :** *au bourg, pas loin du marché.* ☎ 05-90-80-06-67. *Tlj sf dim soir et mer. Trois plats au choix chaque j. avec une entrée 12 €.* Cuisine créole familiale et copieuse, agrémentée à l'occasion de saveurs originales. Terrasse verdoyante en contrebas de la rue ou grande salle à charpente, plus calme. Accueil sympathique des proprios. Bon rapport qualité-prix.

lol **Chez Paul :** *Rivière-Rouge, à Matouba.* ☎ 05-90-80-01-77. *Bien fléché. Ouv slt le midi. Plat du jour env 12 €, menus 16-18 €. CB refusées. Digestif maison offert sur présentation de ce guide.* Une petite institution locale. Au 1er étage d'une grande maison des années 1950, dans un décor suranné et printanier à la fois (rideaux verts et nappes jaunes !), on déguste une cuisine familiale créole, simple et savoureuse. Excellents crabe farci et coquille de poisson, bons poissons sauce Paul et lapin marengo, le tout maison évidemment. Accueil cordial et service attentif. Parfois quelques groupes en goguette.

lol **Cynt'Place :** *route de la Soufrière.* ☎ 05-90-80-42-65. 📱 06-90-44-77-16. *Ts les midis sf lun, sur résa le soir ven et sam.* Excellent accueil de Marilyne qui vous servira acras de morue, brochettes d'ouassous, lambis ou chatrou. Sympa au retour de la rando.

Plus chic

lol **Le Lamasure :** *resto de l'école hôtelière et de l'hôtel Saint-Georges (voir « Où dormir ? »).* ♿ *Ouv slt le soir. Plat du jour env 12 €, carte 30-40 €.* Un resto gastronomique renommé dans la région pour la fraîcheur et le raffinement de sa cuisine d'inspiration métro. La carte change tous les 3 mois, mais on retrouve régulièrement le navarin de langouste ou encore le suprême de vivaneau, entre autres. Le tout servi dans un cadre récemment rénové mais pas très folichon.

➤ **DANS LES ENVIRONS DE SAINT-CLAUDE**

À voir. À faire

🎋🎋🎋 **La Bonifierie** (label Parc national de la Guadeloupe) : *route de Petit-Paris, à* **Morin.** ☎ 05-90-80-06-05. ● ticafe@wanadoo.fr ● ♿ *Du bourg, prendre à droite devant la poste ; c'est indiqué. Tlj sf lun 10h-16h. Visites guidées à 11h30 et 14h30. Entrée env 10 € ou visite libre env 7 € ; réduc.* L'habitation Espérance, dont les bâtiments rénovés datent de 1760, était une ancienne sucrerie avant d'être reconvertie en caféière, puis en un musée du Café et du Chocolat. Alimentée en eau par un grand aqueduc, une impressionnante roue à godets active un antique moulin qui servait au décorticage des cerises de café (séparer les grains de la chair). Ainsi, de la cueillette à la torréfaction, on apprend comment le café de Guadeloupe, 100 % arabica, finit dans la tasse. Rayon chocolat, on parle commerce équitable à tout bout de champ et le maître chocolatier de service vous emmènera peut-être récolter le cacao, à la bonne saison. La visite s'achève par une dégustation, puis une petite balade dans un joli parc floral au bord de l'eau (caféiers, bananiers, cannes à sucre, arbres fruitiers...).

➤ Jamais en panne d'idées, la *Bonifierie* s'est diversifiée et a développé le **Mango Fil.** *Tlj sf lun 9h-16h (tlj pdt vac scol). Compter env 20 € par adulte et*

BASSE-TERRE

15 € par enfant (parcours spécial). Cause d'orientation ou mur d'escalade env 5 €. ● mangofil.net ● Parcours-aventure de 1h30 en pleine nature, suspendu dans les arbres et à travers une végétation tropicale luxuriante. Sensations garanties grâce aux tyroliennes, ponts de singe et autres murs d'escalade. En revanche, les randos en quad nous ont paru nettement moins écolos...

●I●I Sur place, un resto, le *Ti Café,* propose des spécialités créoles. Entrées environ 7 €, plats 13-23 €, formule entrée + plat du jour ou plat du jour + dessert 25 € (ou 30 € avec la visite dont un apéro).

🌿 *Le site historique du 28 mai 1802 :* une plaque commémore le sacrifice du commandant Delgrès et de ses hommes, le 28 mai 1802 (voir plus haut la rubrique « Un peu d'histoire » de Saint-Claude). Elle se trouve dans le secteur de *Matouba*, à l'intersection de la route N 3 et de la route de Morne-Savon, à environ 1,5 km au nord de Saint-Claude. C'était l'emplacement de l'ancienne habitation d'Anglemont.

🌿 *L'habitation La Joséphine :* à env 3 km au nord-ouest du bourg de Saint-Claude, par la route de Morne-Savon. Tourner à gauche devant le site historique du 28 mai 1802 (voir ci-dessus). Mais très difficile à trouver sans des explications précises, car on risque de s'égarer dans les chemins.

Sur un versant montagneux, entourée de bananeraies, l'habitation La Joséphine fut l'une des deux demeures de jeunesse d'Alexis Saint-Léger Léger, plus connu sous le nom de Saint-John Perse, prix Nobel de littérature en 1960. Il y passa des vacances vers 1890-1895. Emportée en 1984 par un cyclone, reconstruite sur sa butte fleurie, la maison actuelle (privée) ne se visite pas. Ne pas y aller exprès donc, sinon pour la balade sympa parmi les bananiers. Un sentier mène au petit cimetière familial de la fin du XVIII⁰ siècle, enfoui dans la végétation, où reposent les Le Dentu et les Dormoy, ancêtres en ligne directe de l'écrivain. Jacqueline Kennedy vint sur les lieux en 1967, pour voir ce qui restait de l'habitation. Elle rapporta au poète un souvenir émouvant : un morceau de fer de lance de la grille entourant le cimetière. Un livre d'or de la maison conserverait la trace du passage de la première dame des États-Unis.

➤ À partir de l'habitation, on trouve un sentier de randonnée, réputé tout public, qui vous mènera jusqu'à Saut-d'Eau (50 mn de marche aller-retour).

➤ *Randonnées pédestres :* avec le Bureau des guides de Randonnées pédestres, *cité Brunet.* ☎ 05-90-81-98-28. ● *irene.henrimarie@wanadoo.fr* ● Contacter M. Henri Marie (☎ 05-90-80-16-09 ; 📱 06-90-58-27-18), guide de montagne, responsable de l'association et spécialiste de la Soufrière. À partir de 20 € par pers pour 5 randonneurs et plus (ou 25 € pour moins de 5 randonneurs). Une panoplie complète de randonnées pédestres, encadrées par des guides de montagne diplômés d'État. Au programme, des marches « à l'assaut du volcan » (à partir de Saint-Claude), « sur les traces des Amérindiens » (Trois-Rivières), mais aussi autour des chutes du Carbet, du Galion et sur les grandes traces de la Basse-Terre (traces des Contrebandiers, des Falaises, des Étangs, du Boeing, etc.).

➤ *Randonnées aquatiques, canyoning et VTT :* avec Vert Intense (label Parc national de la Guadeloupe), route de la Soufrière, Morne Houël. ☎ 05-90-99-34-73. 📱 06-90-55-40-47. ● info@vert-intense.com ● vert-intense. com ● Bureau ouv tlj sf w-e. Compter env 45 € par pers pour la journée. Propose de belles « aqua-randos » accessibles à tous. On commence par 1h30 de marche dans la forêt puis, une fois équipé d'une combinaison, on suit le lit d'une rivière. Également de bons plans canyoning, VTT et des randonnées pédestres à la Soufrière (boucle de 4h). Groupes jusqu'à 12 personnes en randonnée et 10 personnes en canyoning.

➤ *Balades à cheval :* avec Manade, section Saint-Phy. ☎ 05-90-81-52-21. ● poulet.la.manade@wanadoo.fr ● Env 25 € pour 1h à 1h30 de balade (grou-

pes de 2 à 20 pers). Du débutant au confirmé, propose de belles chevauchées dans la végétation tropicale.

– Voir également la rubrique « À faire » à Basse-Terre.

Randonnées

Au-dessus du restaurant *Chez Paul,* point de départ de plusieurs randonnées, notamment celle du Saut d'Eau. À noter que l'accès à la **cascade Vauchelet,** devenu dangereux, est aujourd'hui interdit au public.

➤ **Le Pas du Roy :** pour tout public. Au départ des Bains Jaunes, ce sentier, pavé par l'armée coloniale en 1887, fut longtemps le seul accès au volcan. Végétation assez rase. À la bifurcation, prendre à gauche pour arriver enfin à la Savane-à-Mulets. Compter 30 mn de marche aller simple. Attention : pavés glissants en cas de pluie.

➤ **Trace Carmichael :** compter 5h de marche. Point de départ soit du parking de la Savane-à-Mulets, soit de la maison forestière de Matouba (ce sont les deux extrémités). Il y a moins de montée si l'on débute de la Savane-à-Mulets ; on conseille donc ce point de départ. Dans ce sens, compter 4h ; dans l'autre, 5h. Avoir une voiture qui vous attend à l'arrivée, car ce n'est pas une boucle. Climat très humide. Être bien chaussé. Vue fantastique sur les tourbières et les savanes. Près de Matouba, belle forêt et possibilité de se baigner prudemment à la rivière Rouge.

➤ **Traces Victor-Hugues et Merwart :** ces traces rejoignent Montebello et Vernou en 8 à 10h. Point de départ commun : maison forestière de Matouba (677 m). Se munir d'une carte IGN, emporter de l'eau, un bon pique-nique, des vêtements de rechange et un imper. Traces réservées aux bons randonneurs. Sauvage et souvent boueux. Niveau difficile : il faut 5h pour atteindre le refuge de Matéliane, après avoir traversé la Savane-aux-Ananas et avoir longé les mornes Bontemps et Sans-Toucher ; peu après Matéliane, une bifurcation : prendre à droite en direction du morne Belvédère (à gauche, c'est la *trace Merwart* qui se poursuit en direction de Vernou). On longe la rivière Palmiste, on traverse la forêt Sarcelle avant de descendre sur la Côte-au-Vent (Montebello).

BASSE-TERRE

LE VOLCAN DE LA SOUFRIÈRE

C'est le point culminant des Antilles (1 467 m). Peu de chance d'apercevoir son sommet, éternellement dans la brume. Sur ses pentes, il tombe près de 10 m d'eau par an. Un des records de pluviométrie dans la région. Dans la journée, il arrive que le sommet soit dégagé soudain quelques instants. C'est alors un merveilleux spectacle, surtout si vous n'êtes pas loin de l'atteindre. En juin, le *Vulcanotrail* rassemble des randonneurs de haut niveau pour une course sportive de 42 km dans tous les massifs autour de la Soufrière et au sommet du volcan.

UN PEU D'HISTOIRE

La Soufrière connut trois éruptions au XVIIᵉ siècle, deux au XVIIIᵉ, une demi-douzaine au XIXᵉ. Au XXᵉ siècle, deux seulement : en 1956 et 1976. Cette dernière fut de type phréatique, c'est-à-dire que l'éruption n'était pas la conséquence d'une poussée violente du magma du centre de la Terre (ce fut le cas de la montagne Pelée, en Martinique, en 1902), mais de la rencontre du magma avec l'eau d'une grande nappe phréatique.

Cette fusion de l'eau et du feu provoqua une énorme accumulation de vapeur, sous une pression considérable. Lorsque la vapeur se libéra, les conséquences géophysiques furent, bien sûr, extrêmement spectaculaires : expulsions de cendres et jets de pierres. Elles furent moins dramatiques que dans le cas d'une éruption magmatique. C'est ce qu'avait analysé le vulcanologue Haroun Tazieff, mais il ne fut pas suivi dans ses conclusions. La Soufrière reste malgré tout aujourd'hui le centre d'activités « fumerolléennes » permanentes, qui dégagent des odeurs soufrées caractéristiques (œuf pourri). Aucun danger, rassurez-vous, le volcan est sous surveillance permanente.

Adresses utiles

■ **Siège du Parc national de la Guadeloupe :** habitation Beausoleil, Montéran, 97120 Saint-Claude. ☎ 05-90-80-86-00 ou 39. ● guadeloupe-parcnational.com ● Tlj sf dim 8h30-12h, 14h-17h. Les contacter pour tout renseignement sur le parc, et notamment l'état des traces (sentiers de randonnée dans le parc), en perpétuel changement. Se procurer leur intéressant topoguide décrivant une vingtaine de randonnées sur toute la Basse-Terre (payant), dans les maisons du Parc, au syndicat d'initiative ou en librairie. Ils publient une lettre d'information trimestrielle...

■ **Prévisions météo :** ☎ 0892-680-808 (prix d'un appel local). Répondeur 24h/24. Bulletin climatologique au ☎ 05-90-89-60-60 ou 63.

■ **Randonnées guidées :** club des Montagnards, BP 45, 97120 Saint-Claude. ☎ 05-90-94-29-11. ● clubdesmontagnards.com ● Également le Bureau des guides de Randonnées pédestres de la Guadeloupe (se reporter à la rubrique « À voir. À faire » à Saint-Claude).

Randonnées de la Soufrière

Toute la région est, bien entendu, propice à la randonnée pédestre.

Cartes détaillées et fiches de randonnées

Nous recommandons l'achat des brochures, cartes et fiches décrivant les randonnées possibles sur toute la Basse-Terre. Très bien faites. Points de vente : librairies et points-presse des supermarchés.

Pour des randonnées guidées

Vous pouvez partir avec des accompagnateurs en moyenne montagne expérimentés, ils vous donneront des explications sur la faune et la flore. Voir la liste complète des guides professionnels que nous recommandons dans le chapitre « Généralités », à la fin de la rubrique « Sports et loisirs ».

Conseils

Avant de partir, informez-vous sur la météo et vérifiez l'état des traces en téléphonant au siège du Parc national de la Guadeloupe (voir ci-dessus « Adresses utiles »). En raison du séisme de 2004, certains accès de randonnée ont été modifiés. RESPECTEZ ABSOLUMENT LES PANNEAUX D'INTERDICTION. Munissez-vous de bonnes chaussures, car la grimpette n'est pas aisée, ainsi que de bons vêtements de pluie, le crachin là-haut détrempant tout. Prévoyez aussi des vêtements de rechange (à laisser au sec dans la voiture).

➢ En voiture, on traverse d'abord une forêt dense et on aboutit aux **Bains Jaunes,** sur la route D 11 de Saint-Claude à la Soufrière. L'ancien parking étant désormais fermé au public, c'est ici qu'il vous faudra laisser votre véhicule. On emprunte alors le sentier du *Pas du Roy* pour rallier le pied du dôme du volcan. Sans voiture, bus jusqu'à Saint-Claude, puis à pied ou en stop. Des Bains Jaunes, superbe balade aller-retour de 2h30 jusqu'à la **chute du Galion** ; la cascade n'a rien d'extraordinaire, mais la promenade à travers la forêt est sympa, bien que boueuse. Chaussures de marche indispensables (la dernière ascension à l'aide des cordes demeure dangereuse !).

➢ **Tour de la Soufrière :** y aller dès l'aube, vous aurez davantage de chance de trouver le beau temps et vous éviterez la foule. Le point de départ de la balade se trouve à l'aire de stationnement des *Bains Jaunes.* Tout le long vous trouverez des panneaux avec devinettes sur la faune, la flore et l'histoire du volcan. La réponse se trouve au panneau suivant : ça motive ! Commencez l'ascension par le *chemin des Dames.* À l'intersection de la *Grande Faille,* grimpez jusqu'à la partie sommitale (fléché, environ 1h30 de marche). Là-haut, nombreux gouffres, crevasses et pitons, où le volcanisme actif de la Soufrière se manifeste de façon spectaculaire (le cratère sud, soupape de sécurité du volcan, est une petite fissure qui rejette des fumerolles chaudes (vapeurs et terre bouillantes) et sulfureuses dans un bruit comparable à celui d'un réacteur d'avion). Cette promenade sur le sommet demande environ 30 mn. Pour le retour, deux possibilités : redescendre par le même chemin (45 mn), ou revenir en faisant le tour complet du dôme à partir de la *Grande Faille.* Ce sentier plutôt facile mais un peu plus long (1h) traverse une très belle savane d'ananas-montagne et mène au parking en passant par le *col de l'Échelle* et la *ravine Matylis,* principaux théâtres de l'éruption de 1976. Au milieu de ce véritable chaos minéral, remarquez donc la *Roche Fendue,* énorme rocher coupé en deux par un bloc détaché du sommet lors de cette éruption.

Une fois sur la route du retour, faites un crochet sur la gauche pour voir les nombreux solfatares, sortes de cheminées volcaniques laissant échapper des fumerolles à l'odeur d'œuf pourri, caractéristiques de la Soufrière... Attention, en raison des dégagements acides très dangereux de certains gouffres, il arrive souvent que le sommet, ou du moins plusieurs secteurs de la partie haute de la Soufrière, soit interdit.

➢ **Balade au cratère de la Citerne :** à environ 2 km des Bains Jaunes. Sur les bas-côtés à droite, quelques fumerolles (vapeurs et terre bouillantes). La *Citerne* est un ancien volcan avec un lac au fond. Par temps maussade, on ne peut malheureusement pas en voir le fond. C'est ici que s'élève le relais de télévision de l'île avec, à côté, toutes les antennes des radios libres.

➢ **Pour les randonneurs expérimentés :** avec la carte IGN 1/25 000 (réf. 4605GT) et les fiches du Parc national, d'autres randonnées sont possibles, comme celle de la *grande chute du Galion* (au moins 2h aller-retour). Après cette trace, possibilité de poursuivre sur la *trace de l'Armistice* jusqu'à la *Citerne.* C'est fléché. Compter 2h de plus (donc 4h aller-retour).

VIEUX-HABITANTS

(97119)   7 900 hab.

Bourgade paisible, la plus ancienne de Guadeloupe comme son nom le suggère. Elle fut fondée en 1636 par les premiers colons de la *Compagnie des Isles d'Amérique* qui, libérés de leur contrat de 36 mois, furent autorisés à s'y établir. Le terme « habitant » désignait alors celui qui a reçu une concession, exploite une terre et y installe une habitation. D'où le nom de Vieux-Habi-

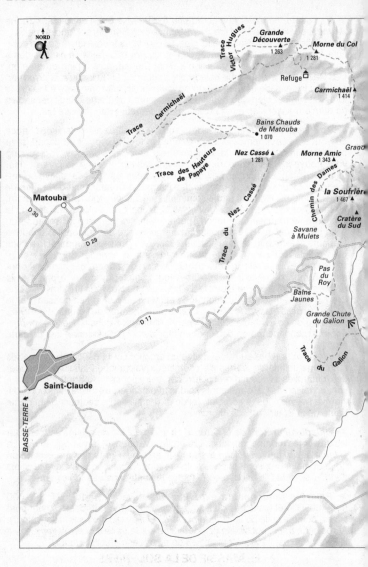

tants, par opposition aux nouveaux arrivants. La seule curiosité du village est son église (ouverte uniquement à l'heure de la messe), édifiée au XVIIe siècle par des ouvriers bâtisseurs francs-maçons du Limousin, et qui possède un curieux clocher à plusieurs toits... À cette époque, la culture du café assurait l'essentiel des ressources locales. Aujourd'hui encore, trois habitations caféières perpétuent la tradition artisanale de cet excellent arabica très doux. À visiter absolument. Signalons que l'association *Verte Vallée (La Grivelière)* œuvre à la sauvegarde de ce véritable patrimoine communal

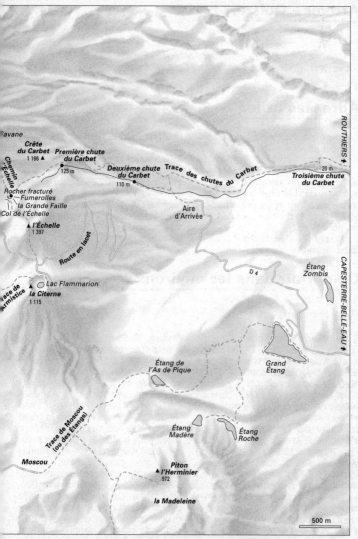

Crête du Carbet
1 166 ▲
Première chute du Carbet
125 m
Chemin l'échelle
Rocher fracturé
Fumerolles
la Grande Faille
Col de l'Échelle
▲ l'Échelle
1 397
Route en lacet
Trace de l'Armistice
Lac Flammarion
▲ la Citerne
1 115
Deuxième chute du Carbet
110 m
Trace des chutes du Carbet
Troisième chute du Carbet
20 m
Aire d'Arrivée
D 4
Étang Zombis
Grand Étang
Étang de l'As de Pique
Trace de Moscou (ou des Étangs)
Moscou
Étang Madère
Étang Roche
Piton l'Herminier
▲ 972
la Madeleine
500 m

ROUTHIERS ↑
BASSE-TERRE
CAPESTERRE-BELLE-EAU ↑

LE MASSIF DE LA SOUFRIÈRE

et joue aussi un rôle social non négligeable en fournissant du travail à pas mal de bras dans le cadre de contrats d'insertion. Pour en savoir plus : ● vertevallee.net ● Également à découvrir, le 1er vendredi après l'Avent (soit fin novembre-début décembre) : le *Noël Kakado* qui fait revivre un certain nombre de festivités traditionnelles, et attire pas mal de visiteurs de toute la Guadeloupe. Au fait, qu'est-ce que c'est qu'un *kakado* ? Réponse : une écrevisse noirâtre plus petite que le ouassou, soit un « petit habitant » des rivières...

Arriver – Quitter

En bus

➤ Liaisons avec *Pointe-à-Pitre*, *Bouillante* et *Pointe-Noire* (arrêt devant la boulangerie *Colombo*). Également des bus reliant *Basse-Terre* (arrêt devant l'église).

Adresses utiles

🛈 *Office de tourisme :* bd Habissois-Souverains. ☎ 05-90-98-33-43. Dans le centre, face à la mairie. Lun, mar et jeu 8h30-17h30 ; mer et ven jusqu'à 16h. Brochure complète avec liste des hébergements, restos, cartes du bourg et de ses environs, pôles d'intérêt du coin... Et des cartes générales.
✉ *Poste :* bd Habissois-Souverains, devant le cimetière.

■ *Distributeur de billets :* à la poste.
■ *Objectif plongée* (label Parc national de la Guadeloupe) : route de Rocroy. ☎ 05-90-98-63-96. 🗎 06-90-65-94-77. ● objectif-plongee@wanadoo.fr ● objectif-plongee.net ● Baptême env 40 €, plongée exploration à partir de 35 €. Bon club local, sérieux et dynamique.

Où dormir dans les environs ?

Bon marché

🛏 *Dampierre Locations :* plage de l'Étang, BP 15. ☎ 05-90-98-53-91. ● alain.dampierre@wanadoo.fr ● dampierre-locations.com ● ♿ Sortie nord de Vieux-Habitants à gauche. C'est indiqué depuis la N 2, dans un virage. Ne pas craindre la piste qui y mène : aller jusqu'à la plage, puis continuer sur la piste à droite qui s'éloigne de la mer, pdt env 400 m. Pour 2 pers, 215-260 € la sem selon taille ; 34-40 € la nuit. Petit déj 5 €. Plats 8-13 €, plat + entrée 20 €. Dominant mer et campagne, voici 4 gîtes (2 à 4 personnes) bien aménagés et vraiment nickel. Équipement très complet : kitchenette, salle d'eau, ventilo, TV... et même des lecteurs DVD (location de films au bourg voisin). Ici, tout marche au solaire (en attendant l'éventuel raccordement de la fée EDF ?). Seul bémol, le bruit du groupe électrogène. Rapport qualité-prix honnête pour cette adresse côté verdure car, côté mer, la plage de l'Étang n'est pas franchement folichonne.
🛏 *Gîtes Les Nids de la Vallée, chez Mme Gamblin :* vallée de Grande-Rivière. ☎ 05-90-98-55-90. ● gamblin-patricia.ed@wanadoo.fr ● À moins de 1 km sur la route de La Grivelière ; au niveau du panneau de sortie de Vieux-Habitants sur la droite. La sem : pour 2 pers 250-280 €, pour 4 pers 350-380 €. La nuit 40-65 €. Un gîte récent sur la route de la célèbre habitation. On le repère à ses deux bungalows en bois naturel au toit rouge, récents et confortables : clim', moustiquaires, cuisine-bar ouverte, terrasse avec hamac, TV, wi-fi. Lave-linge commun. Parking fermé. Certes, on est dans le petit bourg, et non en pleine nature, mais le confort, l'accueil et les possibilités de balades dans le coin ont achevé de nous convaincre. Accueil à l'aéroport et location de voitures possible.
🛏 *Les Gîtes de Rochers, chez M. et Mme Beaugendre* (Gîtes de France) : à Cousinière, fléché depuis la N 2 (mais attendez-vous à demander votre chemin). ☎ 05-90-98-44-46. ● giterochers@minitel.net ● La sem : pour 2 pers 237 €, pour 4 pers 336 €. La propriété domine les hau-

teurs du village, avec une vue imprenable sur la mer Caraïbe et la belle campagne environnante. Beau jardin agrémenté d'une piscine et de nombreux arbres fruitiers. Plantation familiale de christophines visitable.

Prix moyens

🛏 *Gîte de Vanibel, chez M. Victor Nelson* (Gîtes de France et label Parc national de la Guadeloupe) : à Cousinière. ☎ 05-90-98-40-79. • va nibel@wanadoo.fr • vanibel.com • ♿ À 5 km à l'est de Vieux-Habitants. Prendre direction Cousinière et suivre les panneaux « Domaine de Vanibel ». La sem : pour 2 pers env 300 €, pour 4 pers env 500 €. Réduc de 15 % en basse saison. Dans cette belle plantation perchée à 350 m d'altitude (donc avec ventilation naturelle), en pleine nature, 5 gîtes (3 épis) avec 1 ou 3 chambres, dont l'ancienne habitation du gérant de la plantation (mais très rénovée) et un duplex pour 6 personnes. Suffisamment confortable mais refait à moindres frais, dommage. Salle de bains, cuisine, TV, terrasse ou balcon, barbecue. Belle piscine entourée de fleurs et d'arbres fruitiers. Environnement de rêve et calme total. Accueil cordial de la famille Nelson, qui se consacre à la culture de la banane, de la vanille et du café, et ouvre sa plantation de 28 ha au public pour d'intéressantes visites guidées (voir plus bas « Dans les environs de Vieux-Habitants »).

🛏 *Bungalows Les Cocotiers, chez Anne Marty* (label Parc national de la Guadeloupe) : plage de l'Étang. ☎ 05-90-98-33-18. • info@bunga lows-cocotiers-guadeloupe.com • bungalows-cocotiers-guadeloupe. com • Sortie nord de Vieux-Habitants à gauche. C'est indiqué depuis la N 2, mais sur un virage. Ne pas craindre la piste qui y mène : aller jusqu'à la plage, puis continuer sur la piste à droite qui s'éloigne de la mer, pendant 400 m. À la sem : env 280 € pour 2 pers ; 490 € pour 4 pers. À la nuit : 45 € pour 2 pers ; 75 € pour 4 pers. Wi-fi. Un repas d'accueil (pour 1 sem sur place) et une plongée ou

Néanmoins, si les 3 gîtes et le bungalow en bois (de 2 à 5 personnes) sont convenables, on a trouvé l'entretien tout de même assez moyen dans l'ensemble. Cuisinette, salle de bains, TV et terrasse privée.

une rando accompagnée, de mai à mi-déc, offerts sur présentation de ce guide. Les adeptes du tourisme vert vont être séduits. Dans un cadre fleuri et agréable, 2 studios (bungalow commun, pratique pour les familles) confortables et bien tenus, avec vue sur le bleu des Caraïbes entre les cocotiers. Joliment aménagés : chambre avec moustiquaire et ventilo, salle de bains, et cuisine équipée en terrasse. Électricité solaire. Calme garanti et accueil très prévenant de la propriétaire. À proximité, plage de l'Étang, pas terrible malheureusement.

🛏 *Gîte de l'Îlet, chez Nicole Gagneux* : vallée de Beaugendre, à Marigot. ☎ et fax : 05-90-98-99-36. Téléphoner avant de venir. À 5 km au nord de Vieux-Habitants. En arrivant dans Marigot depuis Bouillante, après le pont et la boulangerie, prendre à gauche toute, puis encore à gauche à la fourche (pas indiqué du tout). C'est au bout, la 2e maison après la rivière sur la gauche. À la sem, env 336 € pour 2 pers, puis tarif dégressif. Ti-punch servi à l'arrivée sur présentation de ce guide. En périphérie du Parc national, dans une nature généreuse que sillonne un joli torrent (baignade possible), voici un gîte pour 2 personnes, avec lit d'appoint. Très rustique et isolé (d'où la meute de chiens parfois postée à l'entrée !), mais bien équipé : terrasse, kitchenette, barbecue, TV. Chauffe-eau solaire et lave-linge. Superbe environnement propice aux balades.

🛏 *Habitation Dieudonné* : vallée de Beaugendre, à Marigot. ☎ 05-90-98-35-79. • habitation.dieudonne@lapos te.net • http://habitationdieudonne. free.fr • Téléphoner avant de venir. À 5 km au nord de Vieux-Habitants. En arrivant dans Marigot depuis Bouillante, après le pont et la boulangerie, prendre à gauche (vallée de Beaugendre), à droite à la fourche, puis à gauche (virage en épingle à cheveux) avant le château d'eau (structure basse et ronde). Longer la rivière sur 300 m. Ouf ! Pour 2 pers : nuit 40-60 €, sem 300-450 €. Littéralement noyés dans la magnifique forêt tropicale sillonnée par un torrent, vous adorerez à coup sûr ces deux beaux bungalows, ainsi que la villa pour 6 personnes, construits en bois dans le style créole, et décorés avec goût. Tout confort : salle d'eau, cuisine équipée, grande terrasse, et accueil chaleureux de Maryline et Christian, les proprios, qui vous parleront avec passion de cette Guadeloupe authentique qu'ils aiment tant, un punch aux fruits du jardin à la main. Une adresse séduisante côté nature, calme et idéale pour de belles randos... qui s'achèvent par une baignade dans la rivière pour se délasser.

Où manger ?

Bon marché

|●| **La Grillade, chez Louisiane et Robert :** sur la N 2, à Marigot. ☎ 05-90-98-49-32. ♿ En allant vers Bouillante, c'est à gauche, un peu après la station Total. Tlj sf dim soir et lun soir (plus les dim midi et j. fériés hors saison). Congés 15 août-15 sept. Plats env 9-17 €, menu 12 € et formule enfants. Madame est aux fourneaux et monsieur au service. Il s'en sort d'ailleurs parfaitement, en douceur et avec le sourire. Carte alignant tous les classiques créoles, copieux et bien ficelés : acras excellents, brochette de poissons, ouassous... Honnête et simple. Une bonne quinzaine de punchs maison à siroter sur une terrasse tranquille, juste au-dessus des vagues et des galets. La bonne adresse du coin.

|●| **Restaurant « Au Coin du Stade » :** dans le bourg. ☎ 05-90-98-18-46. Un peu avant l'office de tourisme. Tlj sf dim. Plats 8-10 €. Une minuscule salle toute simple, presque une gargote, avec juste quelques tables. Adresse controversée : la cuisine est vraiment bonne, mais il est vrai également que l'hygiène est un peu juste (il suffit de visiter les toilettes pour s'en convaincre). Précisons tout de même que le patron – Roselande Bonnet, ancien champion de boxe ! – est un grand gourou de la cuisine créole. Sur place ou à emporter. Souvent de l'ambiance en soirée.

|●| Également quelques **restos sur la plage de Simaho,** au sud du bourg, après l'office de tourisme. Qualité et prix comparables, mais nos lecteurs semblent apprécier particulièrement *L'Arc-en-Ciel Tropical,* situé au pied d'un vieux tamarinier propice aux amoureux... (☎ 05-90-53-96-30. Fermé lun et en sept. Plats classiques 6-10 €. Ti-punch offert sur présentation de ce guide.)

➤ DANS LES ENVIRONS DE VIEUX-HABITANTS

🌿🌿🌿 **La plantation de café Vanibel** (label Parc national de la Guadeloupe) : voir coordonnées et accès dans la rubrique « Où dormir dans les environs ? Prix moyens ». Fermé dim et j. fériés. Congés en sept-oct. Attention, slt des visites guidées : à 14h, 15h et 16h janv-avr ; et slt à 15h mai-déc. Entrée : 6 € ; réduc.
Depuis 1974, la famille Nelson cultive 15 ha de caféiers et 1,5 ha de vanilliers sur son domaine, et produit environ 5 tonnes par an d'un café artisanal 100 % Guadeloupe, variété arabica. L'un des meilleurs de l'île d'après nous (et d'après *Malongo*). La visite de l'exploitation (compter 1h), nourrie de commentaires pertinents, évoque tour à tour le café, la banane, puis la vanille, en insistant à chaque fois sur leur histoire et les techniques d'exploitation. La balade elle-même permet d'approcher un vieux moulin restauré, avant de sillonner les

différentes plantations. On en apprend pas mal, de la récolte des « cerises de café » à la main jusqu'à la « bonification », en passant par la décérisation et la fermentation (car le café récolté est gluant et acide). Vous apprendrez aussi ce qu'est un *tarare*, une petite chose très très légère... Sachez qu'auparavant on séchait le café sur les toits et dans d'immenses tiroirs disposés sous les maisons... comme c'est toujours le cas ici. La visite s'achève sur la traditionnelle et indispensable séance de dégustation de café (et des fruits de saison).

🏃🏃🏃 *L'habitation La Grivelière, Maison du café* (label Parc national de la Guadeloupe) : indiqué depuis Vieux-Habitants. À env 5 km de la côte, par une route très étroite (faire attention) qui s'enfonce dans la forêt de la vallée de la Grande-Rivière de Vieux-Habitants. ☎ 05-90-98-34-14. • vertevallee. net • Excellente visite guidée (env 1h) tlj et ttes les heures 10h-16h ; plus une dernière à 16h30 déc-avr et en juil-août. Fermé en sept et la 1re sem d'oct. Entrée : env 6,50 € ; réduc enfants. Certains dimanches, organise des petits événements autour du café ou d'autres thèmes (cuisine, musique, etc.).
Le site (jardin, vallée, rivière...) est vraiment magnifique et domine la vallée. Ancien domaine de 90 ha qui produisait principalement du café, du cacao et de la vanille. Laissés à l'abandon pendant de nombreuses années, plusieurs bâtiments, dont la maison de maître, ont été rachetés par la région Guadeloupe et rénovés par l'association *Verte Vallée*. L'habitation est classée Monument historique depuis 1987 et constitue aujourd'hui l'un des ensembles patrimoniaux les mieux conservés de Guadeloupe, même si elle est toujours en partie en cours de restauration. L'excellente visite guidée donne une idée très précise de ce que pouvait être une manufacture de café au XIXe siècle, vivant pratiquement en autarcie avec son four à pain, son jardin médicinal, etc. Voir notamment la maison de maître, les moulins à café (la décériseuse et la bonifierie devraient prochainement fonctionner à nouveau), la case des esclaves et le domaine forestier, mis en valeur par trois sentiers de découverte. Dégustation de café (la production suffit juste à la dégustation des visiteurs), de bananes quand il y en a, ou de nectars de fruits maison. La restauration totale du domaine devrait en faire, à terme, un véritable *écomusée*.
|●| *Table d'hôtes* sur réservation le midi. Formule visite et repas à 22 € tout compris ; 12 € pour les enfants.

🏃 *Le musée du Café, établissements Chaulet :* section Le Bouchu, à la sortie nord de Vieux-Habitants. ☎ 05-90-98-54-96. • cafechaulet.com • Tlj 9h-17h. Entrée : 6 € ; réduc enfants.
Visite ludique et didactique d'un petit musée historique, contenant de vieilles machines étonnantes, des maquettes et des panneaux bien faits illustrant anecdotes et procédés techniques (de la plantation à la torréfaction des grains), ainsi qu'une belle collection de moulins à café (retrouvez donc celui de votre grand-maman !). Ne manquez pas de faire le quizz et ne comptez pas sur nous pour vous fournir les réponses ! La délicieuse odeur qui titille vos narines provient des machines modernes à torréfier le café (100 % arabica), en service dans un bâtiment annexe. Boutique de produits locaux, à voir en fin de visite, avant la dégustation de rigueur offerte.

🏃🏃🏃 *Anse à la Barque :* sur la côte, au nord de Vieux-Habitants. Jadis lieu de rendez-vous des flibustiers, cette baie protégée, avec ses vestiges de batteries côtières et ses deux petits phares, offre un panorama d'une beauté exceptionnelle. Les plaisanciers des Caraïbes la considèrent aujourd'hui comme l'un des plus beaux et des plus sûrs mouillages des Antilles. Sous la surface limpide de l'Anse à la Barque, les plongeurs archéologues de l'association *Prépasub* fouillent actuellement les restes de deux navires napoléoniens – *La Seine* et *La Loire* – coulés en 1809 lors d'une attaque anglaise... Ce chantier accueille des lycéens passionnés, qui souhaitent faire de l'archéologie sous-marine une option au baccalauréat. Original, non ? En tout cas, *Prépasub* (☎ 05-90-26-34-03. • prepasub@wanadoo.fr •) défend ce projet auprès du rectorat de Guadeloupe.

BOUILLANTE
(97125)   7 400 hab.

Baptisé « Îlet-aux-Goyaves » lors de sa fondation au XVIIe siècle, c'est l'un des plus anciens bourgs de la Guadeloupe, qui s'étend sur 15 km le long du littoral, en passant par Pigeon et Malendure, là où se situent la plupart des hébergements (en fait, nous n'indiquons quasiment aucune adresse dans le bourg de Bouillante même). Son nom actuel provient des nombreuses sources d'eau chaude (80 °C environ) qui jaillissent un peu partout dans le coin, y compris sous la mer. On en trouve une, appelée « bain du curé », à la plage de l'anse à Sable, tout près de l'*UCPA*, et une autre au lieu-dit Thomas (2,5 km au sud), dans les rochers du littoral... Si les habitants y ont longtemps fait cuire leurs œufs, cette véritable richesse naturelle a conduit à l'implantation d'une centrale géothermique dans le bourg. L'électricité ainsi produite – par de la vapeur entraînant des turbines – est absolument propre et éclaire les « chaumières » de Pointe-Noire à Vieux-Habitants. L'autre ressource naturelle de Bouillante, c'est la beauté de ses fonds marins. La commune est ainsi devenue le site majeur de la plongée sous-marine en Guadeloupe. L'activité est concentrée sur la plage de Malendure (voir plus loin). Les touristes viennent en masse, mais on est encore loin du grand bétonnage.

Adresses utiles

◼ Office de tourisme *(hors plan par B2)* : dans le bourg de Bouillante. ☎ et fax : 05-90-98-73-48. Lun 13h-17h30 ; mar-jeu 9h-13h, 14h-17h30 ; ven 9h-13h30. Liste des hébergements, horaires des bus, plan du coin bien fait et gratuit, renseignements sur l'emplacement des sources chaudes, documentation touristique diverse... Également un autre bureau sur la plage de Malendure *(plan A1 ; lun-sam 9h-16h, dim et j. fériés 10h-14h)*.
◼ Poste, pharmacie, boucher, supérettes et minuscule marché *(hors plan par B2)* : dans la rue du bord de mer. Également une poste *(plan A-B2)* et un centre commercial *(plan A-B2, 1)* à Pigeon.
◼ Distributeurs de billets *(hors plan par B2)* : à la poste de Bouillante et à côté de la station Total, *à la sortie sud du bourg.*
◙ Internet *(hors plan par B2)* : si vous ne dépassez pas les 15 mn, l'office de tourisme vous autorisera en principe à consulter gratuitement votre courrier électronique.
▭ Arrêts des bus *(hors plan par B2)* : tout près de la pharmacie et partout au bord de la route, d'un côté ou de l'autre, selon votre destination.

Où dormir ?

Au sud de Bouillante

▲ Gîtes Alamanda *(hors plan par B2)* : section Matone, lieu-dit Coreil. ☎ 05-90-98-84-82. • ala manda@wanadoo.fr • quicksoft.fr/guadeloupe/alamanda • ✍ Au sud de Bouillante, juste avant la descente qui mène au resto Les Tortues, prendre à gauche en direction de Matone, puis monter ; c'est à 300 m à droite (panneau bleu peu visible au fond de la ruelle). La sem : 380 € pour 2 pers ; env 470 € pour 4 pers. Nuit 55-70 €. Table d'hôtes pour env 12-15 €, menu-enfants 8 €. Le 1er petit déj et 10 % de réduc en basse saison offerts sur présentation de ce guide. Vue plongeante sensationnelle sur l'anse aux Tortues, pour ces 5 beaux bungalows (2-4 personnes) en bois exotique. De plus, ils sont bien décorés (avec toutes sortes de bibelots) et confortables : 2 pièces, cuisinette, salle de bains, terrasse privée, hamac...

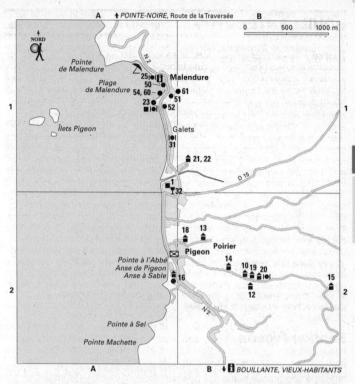

BASSE-TERRE

PIGEON ET MALENDURE (COMMUNES DE BOUILLANTE)

■ Adresses utiles

🛈 Office de tourisme
de Malendure
✉ Poste de Pigeon
1 Centre commercial

â Où dormir ?

10 Gîtes du Bois d'Inde
12 Gîtes Koumbala
13 Rêve et Alizé
14 Gîtes Les Petites Fleurs de
Poirier, chez M. Florent Félix
15 Gîte Le Soleil Latino
16 Centre UCPA
18 Gwo Caillou
19 Le Jardin Tropical
20 Hôtel Le Paradis Créole
21 Chambres d'hôtes Mayo
22 Gîtes Bajapo

|●| Où manger ?

20 Le Paradis Créole
23 Le Rocher de Malendure
25 Chez Mélo
31 Chez Dada

Y Où boire un verre ?

32 Le Ranch

● À faire

16 Centre UCPA
23 Les Heures Saines
50 Caraïbe Kayak
51 Canopée
52 Évasion Tropicale
54 Vert et Bleu
60 CIP Bouillante
61 Plaisir Plongée

Piscine et barbecue. Tout est pimpant, éclatant, et l'accueil des proprios vraiment extra.

🏠 |●| *Habitation Massieux, habitation du XVIIe siècle* (label Parc national de la Guadeloupe ; hors plan par B2) : route de Marquis, à Thomas. ☎ 05-90-98-89-80. ● francois. fauchille@wanadoo.fr ● habitation-massieux.com ● ♿ À 1 km au sud de Bouillante. De Vieux-Habitants, tourner à droite à la pancarte « Marquis » ; c'est à 600 m sur la gauche, sur les hauteurs. Pour 2 pers 84 € la nuit, petit déj compris. En écolodge, 100-130 € la nuit selon nombre de pers. Table d'hôtes (le soir slt) 35 €, menu-enfants 10 €. Apéro maison offert sur présentation de ce guide. Fofo, après 10 ans de *Club Med*, a décidé avec Monique de jeter l'ancre dans cette ancienne sucrerie, devenue ensuite une plantation de café, de la restaurer en 1970 et d'en faire un gîte magnifique. Vue unique sur la mer. Dans deux corps de bâtiments en bois des îles, 3 chambres doubles avec salle de bains et clim', à un prix raisonnable compte tenu du charme et de l'intimité du lieu. Pour les solitaires ou les familles, un *écolodge* superbe et original, tout en bois : 2 chambres séparées par une salle de bains astucieuse et une grande terrasse couverte, à la fois cuisine, salon et salle à manger. Lave-linge et connexion internet. Simple et beau, le rêve quoi ! D'ailleurs, cet *écolodge* a fait des petits dans la région, et plusieurs autres gîtes s'en sont inspirés. Vous l'aurez compris, c'est notre adresse préférée, bohème et branchée, dans cette catégorie. Gentillesse de l'accueil. Cinquante espèces de palmiers dans le jardin. Tous les soirs, sauf les mercredi et jeudi, possibilité d'y dîner (réservation obligatoire). Menu unique (dans les deux sens du terme), préparé par Fofo, qui assure comme un chef. Et du vin qui se boit bien. Bref, une bonne table. Longue vie à l'*Habitation Massieux* !

Section Pigeon

Hameau à peu près à mi-chemin entre Bouillante et Malendure, Pigeon regroupe une grande partie des bonnes adresses du coin, disposées en épi de part et d'autre des rues grimpant vers la montagne. Et plus on se rapproche du sommet plus la vue est époustouflante, logique !

Prix moyens

🏠 *Gîtes Koumbala* (plan B2, 12) : 9, résidence du Soleil Couchant, Pigeon. ☎ 05-90-26-43-79. ● isabel. perrais@wanadoo.fr ● koumbala. com ● Remonter la route de Poirier et tourner à la résidence Soleil Couchant. C'est tout au fond du chemin (en haut à la fourche). Prévoir 320-360 € la sem pour 2 pers ; 525-590 € pour 4 pers. Un vrai nid douillet au bord d'une petite rivière chantante. N'hésitez pas à réserver l'un de ces 2 bungalows en bois joyeusement colorés, très coquets et isolés dans un beau jardin. Ils sont bien conçus, notamment grâce à d'agréables terrasses avec cuisine ouverte et hamac. Mais la piscine panoramique est un plus non négligeable, de même que l'accueil très souriant... Si c'est plein ou si vous êtes en famille, la voisine du *Gîte Macanao* (● gite-macanao.com ●) loue un grand bungalow juste à côté.

🏠 *Gîtes du Bois d'Inde* (plan B2, 10) : route de Poirier. ☎ 05-90-98-94-96. ● delacruz.annick@wanadoo.fr ● gitesduboisdinde.com ● À 300 m env sur la gauche. Selon saison, la sem 240-300 € pour 2 pers, 320-400 € pour 4-5 pers. Sur présentation de ce guide, 1er petit déj offert. Sur un versant, dans une sorte de nid de verdure agréable, au milieu d'un jardin adorable. Trois gîtes simples et propres pouvant accueillir de 2 à 5 personnes. Cuisine équipée, salle de bains, TV, ventilo et petite terrasse sur le jardin. La piscine en contrebas fait un bel arrondi, comme plongée au cœur de la végétation, avec la mer en arrière-plan. Très beau. L'ensemble est petit, mais très soigné. N'oubliez pas de saluer les superbes aras multicolores et le gris du Gabon (il se pourrait d'ailleurs qu'il vous réponde). Accueil sympathique.

🛏 *Le Jardin Tropical* (plan B2, **19**) : route de Poirier. ☎ 05-90-98-77-23. 📱 06-90-36-73-73. • rocher-malendure@wanadoo.fr • au-jardin-tropical.com • ♿ Selon confort et saison, pour 2 pers : 53-61 € la nuit ; 320-380 € la sem. ½ pens possible. Réduc de 10 % à partir de la 2e sem en hte saison. Associé au *Rocher de Malendure* (voir « Où manger ? » sur la plage de Malendure), le *Jardin Tropical* prend la forme d'une petite résidence, séduisante et bien organisée, mais surtout avec une vue époustouflante sur les îlets Pigeon et la mer Caraïbe ! Ses beaux bungalows (2-4 pers) se révèlent bien entretenus et confortables : cuisine, AC, terrasse privée avec vue pour tous. Également une maisonnette pour 10 personnes, dans le même ton. Jolie piscine panoramique avec solarium et une terrasse pour s'adonner au billard. Les petits déjeuners sont préparés sur place, tandis que les dîners sont servis au *Rocher de Malendure*.

🛏 *Gîtes Les Petites Fleurs de Poirier, chez M. Florent Félix* (Gîtes de France ; plan B2, **14**) : route de Poirier. ☎ 05-90-98-77-49. • petitesfleursdepoirier@wanadoo.fr • ♿ La sem : pour 4 pers 480-550 €, et 540-610 € pour le gîte (4-6 pers) accessible aux personnes handicapées. Sur présentation de ce guide, on vous offre une petite bouteille de punch local décorée à la main. Située dans un jardin dépouillé, voici une sorte de résidence néocréole proposant 4 gîtes (4 épis), récents, identiques et mitoyens. Très confortable : 2 chambres, séjour avec clic-clac, salle d'eau, TV, lave-linge, téléphone, cuisine américaine et terrasse avec jolie vue sur la mer Caraïbe, qui berce délicatement les îlets Pigeon. Également un autre gîte indépendant et tout aussi agréable. Piscine commune, aire de jeux et barbecue.

🛏 *Gîte Le Soleil Latino* (plan B2, **15**) : route de Poirier, au morne Michot. ☎ 05-90-98-64-61. • soleil.latino@free.fr • soleil-latino.com • Monter sur 2 km env, c'est le dernier gîte de la route. Doubles 41-48 € la nuit (2 nuits min) et 252-301 € la sem. Sur présentation de ce guide, 1er petit déj (pour 1 sem en saison) et apéro maison offerts. Une sorte de nid d'aigle perché à flanc de montagne, qui domine la mer et la forêt tropicale. Là aussi, et peut-être plus qu'ailleurs, une vue époustouflante. Plus haut que ce soleil-là, il n'y a que le sommet des montagnes. Une adresse pour les routards dans l'âme (mais pas adaptée aux enfants) et notamment pour ceux qui, comme le proprio, ont pas mal bourlingué. André Paume a posé ses valises ici et fait tout lui-même, joue de la guitare et de la harpe sud-américaine comme au bon vieux temps. Ce gîte très simple et plus coloré qu'une palette de peintre comprend 3 chambres décorées avec des tentures et des couleurs de ce continent qu'il aime tant, avec salle de bains, ventilo et coin cuisine séparés, toutes donnant sur la grande terrasse (hamacs) au-dessus dudit merveilleux paysage, endroit idéal pour goûter à l'excellent punch maison.

🛏 *Centre UCPA* (plan A2, **16**) : chemin de l'Anse-à-Sable. Résa en métropole : ☎ 0892-680-599 (0,34 €/mn). • ucpa-guadeloupe.com • ucpa.com • Sur place : ☎ 05-90-98-89-00. • ucpa.bouillante@wanadoo.fr • Du nord, prendre la petite route devant l'église, juste avant la gendarmerie. Fermé 25 juin-16 juil et 27 août-1er oct. De Paris, la sem tt compris env 740-1 000 € par pers selon saison ; sur place, env 350-400 €. Nuit env 48 € pour 2 pers. Buffet 11 €. Sur présentation de ce guide, réduc de 12 % sur les tarifs de plongée. ATTENTION : les stagiaires venant de métropole ont priorité sur les gens de passage ; c'est souvent complet, surtout en période de congés scolaires, alors n'arrivez pas la bouche en cœur ! Un village de bungalows colorés, face à la mer.

Chambres simples pour 2 ou 3 personnes, avec mezzanine, sanitaires et terrasses bien orientées. Les blocs 7 et 8 ont la vue sur les îlets Pigeon. Stages sportifs en tout genre. Réseau wi-fi (payant).

Plus chic

🏠 *Rêve et Alizé* (plan B2, **13**) : rue de la Glacière. ☎ 05-90-98-94-54. ● reve. et.alize@wanadoo.fr ● reveetalize. com ● La sem selon saison : 357-435 € pour 2 pers ; 653-735 € pour 4 pers ; 1ᵉʳ petit déj inclus à partir de 5 nuits. Sinon, nuit 51-62 € sans le petit déj. Également des forfaits avec loc de véhicule incluse (se renseigner). Apéro maison offert sur présentation de ce guide. Noyés dans un grand jardin tropical paysager, où coule une rivière, 4 charmants bungalows (2-4 personnes) en bois dans le plus pur style créole : chacun comporte 2 ou 3 chambres, une cuisine semi-ouverte tout équipée, un salon et une vaste terrasse avec hamac. Barbecue. Belle piscine entourée d'arbres fruitiers et de fleurs. Réseau wi-fi. Possibilité de se faire livrer des repas 2 fois par semaine. Une véritable adresse de charme. Transfert à l'aéroport et réservation de voiture sur demande.

🏠 *Gwo Caillou* (label Parc national de la Guadeloupe ; plan B2, **18**) : rue de la Glacière. ☎ 05-90-98-99-97. ● gwocaillou.com ● La sem selon saison : 395-520 € pour 2 pers ; 685-810 € pour 4 pers. Apéro et réduc de 10 % sur les chambres en mai, juin et sept offerts sur présentation de ce guide. Dans un superbe et paisible jardin tropical, vous serez séduit par ces spacieuses cases créoles (1 ou 2 chambres, pour 2 à 4 personnes), construites en bois exotique rouge autour d'une piscine camouflée dans la verdure. Déco soignée, mobilier de style et équipement exemplaire : cuisine complète et coquette, lave-linge, AC, connexion wi-fi, beau salon avec bar (pour les plus grandes), et terrasse agréable avec hamac. Toutefois, les groupes de fêtards préféreront sans doute la coquette villa *Désirade*, à deux pas de la maison principale. Accueil chaleureux de Jean-Marc et Suzy, d'anciens dentistes qui en avaient marre de jouer à la roulette... Pour les repas, Huguette la voisine concocte chaque week-end une délicieuse cuisine créole qu'elle livre à domicile (autre prestataire possible en semaine). Pas de doute, nos lecteurs repartent tous le cœur *gwo* !

🏠 🍽 *Hôtel Le Paradis Créole* (plan B2, **20**) : route de Poirier. ☎ 05-90-98-71-62. ● p-creole@outremer. com ● guadeloupe-hotel.net ● Monter sur env 1 km. Congés : 15 j. en juin et 15 j. en sept. Pour 2 pers 52-70 € la nuit selon saison. Studios ou bungalows (2-4 pers) 315-665 € la sem selon saison. Petit déj 7,50 €. Chèques-vacances acceptés. Accroché à la colline surplombant la mer, dans un quartier résidentiel très verdoyant, un petit hôtel tout confort, avec piscine. En tout, une dizaine de chambres climatisées dans un bâtiment moderne avec terrasse (vue sur la mer ou sur le jardin). Également 2 bungalows (2-4 personnes) de même confort, kitchenette en plus, mais moins convaincants selon nous. Réseau wi-fi. Fait aussi resto le soir et le dimanche midi (voir « Où manger ? »). Accueil très gentil et atmosphère décontractée. La maison tient d'ailleurs le centre éco-touristique et club de plongée *Les Heures Saines* (voir la rubrique « Plongée sous-marine » à la plage de Malendure). Sympa pour ceux qui recherchent la tranquillité.

Où manger ?

Au sud de Bouillante

🍽 *Les Tortues* (hors plan par B2) : à l'anse des Trois-Tortues, quelques kilomètres au sud de Bouillante (panneau). ☎ 05-90-98-82-83. Fermé lun soir et dim soir. Menus 20-23 €, menu-enfants 10 €. Un resto style paillote très bien situé, avec une terrasse les pieds dans l'eau surplombant les chaloupes des pêcheurs au mouillage. On y a dégusté une cuisine créole soignée et sans reproche, essentiellement à base de poisson frais et de salades en tout genre pour les petites faims. Également des grillades au feu de bois. Service attentif mais qui pourrait être plus souriant.

Section Pigeon

|●| *Le Paradis Créole (membre de l'Union des arts culinaires de la Guadeloupe ; plan B2, 20) : à l'hôtel du même nom (voir « Où dormir ? »). Ouv ts les soirs (sf lun) et le midi mer et dim. Formule 20 €, menu 27 €, carte 35 €. En terrasse, dans un cadre romantique à souhait et don-*nant sur la piscine, ce resto réputé propose une cuisine métisse, à base d'épices et de fruits, mitonnée avec des produits frais du pays et selon la pêche du jour. Idéal pour un tête-à-tête en amoureux ou pour arroser avec des bulles son baptême de plongée.

Où boire un verre ?

▼ *Le Ranch (plan A1-2, 32) : ZAC Losteau.* ☎ 05-90-98-95-58. ● christ fred.le-ranch@wanadoo.fr ● ♨ *Au niveau de la station-service Shell et du supermarché* Match. *Tlj sf mar, mer midi et de mi-mai à mi-juin.* On aime bien cette grande terrasse en bois, aux tables délimitées par des bambous peints de toutes les couleurs. Bonne ambiance de saloon en soirée et clientèle d'habitués. Fait aussi resto *(formule 10 € le midi et menus 14-18 €)* mais on est moins convaincus. Accueil très aimable. Une adresse chaleureuse, assez incontournable dans son genre.

À faire

– *Découverte des sources chaudes :* renseignements auprès de l'office de tourisme. Si vous êtes hébergé en gîte, vos logeurs vous indiqueront certainement quelques sources hors des sentiers battus (alors, chuuut !).

Plongée sous-marine

À deux brassées de palmes des superbes spots de Malendure, haut lieu de la plongée en Guadeloupe, massivement fréquentés, les environs immédiats de Bouillante recèlent également des beautés sous-marines inattendues. Comme quoi, il n'y a pas que la réserve Cousteau dans la vie ! Les clubs de Malendure seront les premiers à vous le dire, c'est d'ailleurs à eux que vous pourrez vous adresser.

Nos meilleurs spots

⚓ *La pointe des Trois-Tortues (carte Basse-Terre : nos meilleurs spots de plongée, 18) :* au sud de Bouillante. Idéal pour les baptêmes. Innombrables bébés poissons-perroquets, papillons, anges, etc., sur cette langue rocheuse qui part de la côte en pente douce (0 à - 27 m). Une plongée haute en couleur avec beaucoup de coraux et d'éponges, pour en prendre plein les mirettes. Parfois des tortues. Les confirmés s'y régalent aussi.

➤ *La pointe Quesy (carte Basse-Terre : nos meilleurs spots de plongée, 17) :* au sud de Bouillante. Pour plongeurs de Niveau 1 minimum. Chouette succession d'éboulis, arches et tunnels, recouverts de coraux (cerveau de Neptune, fil de fer, charnu, etc.) et largement peuplés de langoustes royales qui viennent s'y reproduire (0 à - 15 m). Visez un peu ce champ d'antennes ! Quelques poulpes malicieux partagent les failles, survolées par de classiques poissons coralliens multicolores et des barracudas solitaires. Une belle plongée facile. À proximité, sur fond de sable, repose l'épave de l'*Augustin-Fresnel* (27 m), un régal...

➤ *La Pointe Joubert (carte Basse-Terre : nos meilleurs spots de plongée, 16) :* au sud de Bouillante. Pour plongeurs de tous niveaux. Pas mal d'hippocampes rigolos sur cette coulée de lave envahie par le corail, avec de belles gorgones, des éponges tubulaires et des cratères multicolores. Dans les failles, murènes, langoustes et poulpes semblent narguer les bancs de demoiselles farouches. Une plongée riche en découvertes, à proximité de la source d'eau chaude de la Ravine-Thomas.

➤ *Autour des îlets Pigeon :* voir plus loin « Nos meilleurs spots » à Malendure.

LA PLAGE DE MALENDURE (97125)

Sur la commune de Bouillante (7 km au nord), cette plage de sable noire est réputée pour son magnifique espace sous-marin. Tout le monde l'appelle la « réserve Cousteau », mais elle n'en a pas encore officiellement le statut, même si un buste du plus célèbre marin à bonnet rouge repose depuis janvier 2004 au pied des îlets. L'immersion a eu lieu en présence de ses proches et a marqué la reconnaissance du monde des plongeurs à son porte-voix. Nombreux sont ceux qui viennent s'initier ici à la plongée (par cars entiers), à tel point que Malendure et ses fameux îlets Pigeon sont devenus le haut lieu de la plongée en Guadeloupe. Un peu le genre usine, avec son cortège de boutiques à touristes ! Mais il serait dommage de ne pas s'y arrêter pour chausser les palmes... Alors, rendez-vous sans plus tarder dans notre rubrique « Plongée sous-marine » !

ET SI ON RESPECTAIT L'ÉCOSYSTÈME MARIN ?

Malheureusement, la coexistence accrue d'activités subaquatiques et de surface s'avère de plus en plus difficile à concilier. Les bateaux à fond de verre slaloment entre les nageurs à palmes et tuba disséminés ici et là, et la pression sur l'écosystème marin devient problématique. Il semble néanmoins que les autorités maritimes et les acteurs commerciaux du site s'attachent progressivement à trouver des solutions pour garantir la sécurité des plongeurs et baigneurs autour des magnifiques îlets Pigeon : interdiction de naviguer à tout navire non muni d'hélice carénée, interdiction des mouillages sur ancre, réduction du nombre de plongeurs dans un même espace – en proposant notamment de nouveaux spots plus au large (comme l'épave du navire *Augustin-Fresnel* coulée au large de Bouillante en juillet 2003). Mais en ce qui concerne la protection de l'environnement, on est encore loin de la panacée. Le classement des îlets en « réserve naturelle » (projet en cours et qui, nous l'espérons, aboutira bientôt) permettrait d'en « réguler l'accès commercial » et d'adopter une réelle démarche de sensibilisation à la protection des fonds marins. Est-il vraiment raisonnable, de la part de certains « professionnels », de nourrir les poissons avec du pain pour épater la galerie ? À bon entendeur...

Adresses utiles

🛈 Office municipal de tourisme (plan A1) **:** sur la plage. ☎ 05-90-98-86-87. Tlj sf dim 9h-16h. Liste des nombreux hébergements du coin, horaires des bus, infos diverses sur les sites à voir et les différentes manifestations ponctuelles du coin. Carte du secteur, bien faite et gratuite.

✉ **Poste** (plan A-B2) **:** le bureau le plus proche est à Pigeon, un peu plus au sud.

▮ Distributeur de billets : AUCUN ! Se rendre au bourg de Bouillante (hors plan par B2).

🚌 **Arrêts des bus :** partout au bord de la route, d'un côté ou de l'autre, selon votre destination. Faire de grands signes au chauffeur ! Horaires et fréquences : se renseigner à l'office municipal de tourisme.

▮ **Centre commercial** (plan A1, **1**), avec pharmacie et boutiques.

Où dormir ?

Voir aussi plus haut toutes nos adresses à Pigeon et Bouillante, à quelques kilomètres.

▮ Gîtes Bajapo (plan B1, **22**) **:** morne Tarare. ☎ 05-90-98-72-76. ● bajapo@wanadoo.fr ● hebernet. net/bajapo ● À la station Shell, prendre à droite et entrer dans l'ex-Domaine de Malendure, puis en bas à gauche au grand parking, le petit chemin en pente. Env 270-370 € la sem pour 2, selon taille et saison. Compter 50 € la nuit pour 2. Sur présentation de ce guide, l'apéro maison, le 1ᵉʳ petit déj (à partir de 5 nuits) et 10 % de réduc (mai-déc) sont offerts. CB refusées, chèques-vacances acceptés. Au rez-de-chaussée, les 2 studios en dur, simples mais très convenables (cuisine extérieure, AC, ventilo, TV, coffre-fort), se font toutefois voler la vedette par celui à l'étage : plus grand, tout en bois, davantage équipé (chaîne hi-fi et lecteur DVD en plus) mais fatalement le plus cher ! Panorama sur les îlets Pigeon vraiment grandiose depuis la terrasse commune équipée d'un bar (pas de vue depuis les gîtes du rez-de-chaussée). Accueil très chaleureux.

▮ Chambres d'hôtes Mayo (plan B1, **21**) **:** morne Tarare. ☎ 05-90-98-86-17. ● mayo-gerald@wanadoo.fr ● gite-mayo.com ● Entre Pigeon et Malendure, à droite après la station-service Shell (face au supermarché Match), direction « Domaine de Malendure » ; sur le grand parking, prendre le chemin en bas à gauche. En hte saison, doubles 50 € la nuit, petit déj compris ; studios 330 € la sem. Table d'hôtes 15 € (lun, mer et ven), réservée aux pensionnaires. Réduc de 5 % sur l'hébergement sur présentation de ce guide. Dans cet ensemble de petits bâtiments accrochés à flanc de colline et dominant la côte (vue fabuleuse sur l'îlet Pigeon pour certaines !), 5 chambres d'hôtes (2-3 personnes), la plupart côté mer ; et 2 studios (2-4 personnes). AC, balcon-terrasse ; 2 lits supplémentaires et TV pour les studios. Cuisine commune à disposition. Piscine et terrasse panoramique ! En revanche, côté accueil et entretien, c'est assez inégal ces derniers temps ; sans parler des problèmes de réservation.

Où manger ?

🍽 Chez Mélo (plan A1, **25**) **:** sous le carbet de la place centrale, face à la plage de Malendure. Tlj jusqu'à 18h env. Bons bokits (2,50-3,50 €), agréables jus de fruits frais et excellent sorbet coco pour terminer. Du

monde le midi, pas étonnant... Le plan le moins cher et le plus sympa pour grignoter sur la plage.

🍽 Chez Dada (plan A1, **31**) **:** à Galets, sur le front de mer, en bord de route. ☎ 05-90-98-13-40. Tlj midi et soir. Menus 12,50-15 €. Langouste 35 €. Ti-punch offert sur présentation de ce guide. Plats créoles rustiques, servis dans une petite salle croquignolette agrémentée de quelques plantes. Notez les jolies assiettes et les verres teintés, plutôt rares pour ce genre de petit resto. Excellents acras, colombo de cabri, raie au beurre noir et fricassée de calamars, entre autres. On s'est régalés ! Service sympa, voire amusant. Un très bon rapport qualité-prix. Seul bémol : les vroum-vroum continuels de la route le midi. Énervant !

|●| **Le Rocher de Malendure** (plan A1, 23) : au sud de la plage de Malendure, face aux îlets Pigeon. ☎ 05-90-98-70-84. ● rocher-malendure@wanadoo.fr ● VHF 72 (mouillage et ponton si vous arrivez par la mer !). Tlj sf mer et en sept. Menus 16,50-40 €, carte env 30 €, menu-enfants 9,50 €. La bonne table du coin, réputée pour ses plats des îles bien inspirés et sa situation formidable. Difficile de rester insensible à la vue panoramique depuis ses différents carbets, étagés sur le fameux rocher ! Service plus ou moins décontracté cependant (honni soit qui mal endure ?). À noter que le Rocher organise toujours de mémorables parties de pêche au gros. Il y a également 2 bungalows annexes à côté du restaurant. Mais on vous conseille plutôt le Jardin Tropical (voir « Où dormir ? Section Pigeon » à Bouillante) si vous cherchez à vous loger. C'est la même maison.

Où boire un verre ?

Pas vraiment le choix. Voir précédemment notre rubrique « Où boire un verre ? » à Bouillante.

À faire

– **Kayak de mer :** avec Caraïbe Kayak (plan A1, 50), sur la plage de Malendure. ▯ 06-90-74-39-12. Deux sorties de 3h par j. Env 31 € adulte, 21 € enfant. Loin de la foule touristique et proches de la nature, chouettes balades encadrées par un moniteur d'État (guide naturaliste) autour des îlets Pigeon, avec petite randonnée pédestre et baignade (masque-tuba) sur trois sites différents (aquarium, jardin de corail et piscine naturelle).

– **Canyoning :** avec Canopée (label Parc national de la Guadeloupe ; plan A1, 51), cabanon devant la plage de Malendure, de l'autre côté de la route. ☎ 05-90-26-95-59. ● canopeeguadeloupe@wanadoo.fr ● canopee guadeloupe.com ● Tlj sf dim ; slt sur résa. Différents parcours env 40-70 €. Pour découvrir la Guadeloupe côté nature sauvage et plutôt écolo. Voici quelques parcours de rêve, riches en sensation et gradués selon votre niveau, à la demi-journée ou à la journée. Le premier peut même être emprunté en famille. Encadrement compétent et sympa qui vous conseillera sur le parcours le mieux adapté à vos capacités. Nombreux commentaires pertinents sur la faune et la flore par des guides naturalistes.

➢ **Randonnées pédestres :** voir la rubrique « Randonnées... » au chapitre sur le volcan de la Soufrière. Au départ de la plage, la trace de Malendure offre deux bonnes heures de marche tranquille en bordure des criques sauvages et dans la forêt tropicale avec, en prime, un beau panorama sur les îlets Pigeon.

– **Écotourisme baleinier :** avec Évasion Tropicale (plan A1, 52), à Galet, musée Balen Ka Souflé, face au rocher de Malendure. ☎ 05-90-92-74-24. ▯ 06-90-57-19-44. ● evastropic@wanadoo.fr ● La sortie d'une demi-journée en partenariat avec Les Heures Saines revient à env 53 € par adulte ; la sortie avec le bateau de recherche de l'association coûte env 60 € (+ 25 € d'adhésion à l'association) ; réduc ; gratuit jusqu'à 5 ans. Pas besoin d'aller en Dominique pour voir des cétacés. Renato et Caroline étudient les mammifères marins, dont certains viennent du pôle Nord pour se reproduire dans les eaux tropicales. Travaillant en partenariat avec le centre de plongée *Les Heures Saines* de Malendure (voir plus bas), ils bénéficient de leur confortable et rapide navire, *Cata Dive* (35 passagers), équipé d'hydrophones pour écouter le chant des baleines. Mais l'association possède aussi un bateau de 16 m, équipé d'hydrophones et de caméras pour étudier les mammifères. On pourra observer différentes espèces : cachalots, dauphins, baleines à bosse. L'approche respecte scrupuleusement la nouvelle charte en vigueur concernant l'écotourisme baleinier. Une sortie originale et unique aux Antilles françaises. Attention : les observations ne sont jamais certifiées à l'avance, mais elles sont généralement couronnées de succès à 95 %.

Le musée *Balen Ka Souflé* (gratuit) est en train de s'agrandir et réunit une collection de squelettes, panneaux, vidéos et ouvrages consacrés aux tortues marines et aux cétacés.

– **Croisière en voilier :** avec Vert et Bleu *(plan A1, **54**)*, sur la plage de Malendure. ☎ 05-90-98-47-25. 📱 06-90-71-13-74. ● p.mesnier@wanadoo.fr ● vertetbleu-croisieres.com ● Compter 30 € la sortie « coucher de soleil » et 65-95 € la journée pour Deshaies ou les Saintes ; réduc. Sur ce catamaran à voile de 14 m, un moyen original de passer la journée en mer, du côté des Saintes (on y débarque à 10h30) ou de Deshaies selon le tarif, au départ de Malendure. Repas à bord avec baignade et plongée inclus pour la journée aux Saintes. Pas accessible à toutes les bourses malheureusement.

– **Pêche au gros :** contacter le resto Le Rocher de Malendure (voir « Où manger ? »), très pro. Sinon, partir avec Manolo. ☎ 05-90-90-75-49. 📱 06-90-55-63-47. ● manolo.peche.au.gros@wanadoo.fr ● En individuel : env 140 € la journée 7h-15h. Emmanuel Ricart est l'un des bons pêcheurs du coin. Prises courantes : marlin bleu, espadon et daurade coryphène. N'oubliez pas l'appareil photo (génial pour épater les collègues de bureau) !

Plongée sous-marine

Malendure est le haut lieu de la plongée sous-marine en Guadeloupe, avec, comme point d'orgue, ses fameux îlets Pigeon, tout proches de la côte et le buste de Cousteau que l'on peut admirer par 12 m de fond. Ce site paradisiaque a été rendu célèbre par le commandant dans les années 1960, lors du tournage de quelques séquences sous-marines d'un film... Depuis, les plongeurs nomment l'endroit « réserve Cousteau » et affluent en masse, totalement envoûtés par les sirènes du pacha de la *Calypso*. On parle de 50 000 à 80 000 plongées par an ! Cela dit, les fonds marins – interdits à la pêche intensive et à la chasse sous-marine – demeurent magnifiques et plutôt préservés. On y croise toutes les espèces de coraux et éponges familières des eaux tropicales, les classiques poissons des Antilles, en grand nombre, et des tortues sur tous les spots. Ainsi, on le tout est : il serait dommage de venir à Malendure sans chausser les palmes et lâcher quelques bulles de bonheur aux îlets Pigeon. Les eaux y sont très claires et les spots abrités, peu profonds et adaptés aux débutants comme aux confirmés. Bref, des conditions de plongée idéales, sans parler du sérieux des moniteurs locaux, qui sont d'ailleurs à l'origine d'un projet de vraie *réserve naturelle,* en collaboration avec le *Parc national de la Guadeloupe,* pour protéger leurs fonds marins...

Clubs de plongée

■ **Les Heures Saines** (plan A1, 23) : sur le Rocher de Malendure, à l'entrée du resto. ☎ 05-90-98-86-63. • heures-saines.gp • ♿ Baptême env 50 € ; plongée-exploration env 45 € ; snorkelling env 16 € ; réduc 8-12 ans ; forfaits dégressifs à partir de 2 plongées. Le plus grand centre (FFESSM, ANMP, PADI) de toute la Guadeloupe, réputé depuis bientôt 20 ans pour ses compétences exemplaires. Dirigée par Dominique Déramé, une sérieuse équipe de moniteurs d'État assure baptêmes et formations jusqu'au monitorat et brevets PADI. Ils encadrent aussi vos plus belles balades sous-marines, à partir d'un chalutier ou d'un gros catamaran – le *Cata Dive* – stable, rapide et confortable (pas de bouteilles à porter, ouf !). Trois sorties tous les jours et parfois 2 plongées par sortie (façon américaine), dont une au *Nitrox*. Plongée de nuit, initiation enfants à partir de 8 ans, plongée avec scooter sous-marin (comme dans *James Bond* !), plongée au recycleur, plongée aux mélanges *(Nitrox)* et croisières aux Saintes à la journée (2 plongées + visite) en famille (non-plongeurs acceptés). Équipement complet fourni. Également des sorties à la rencontre des cétacés, guidées par *Évasion Tropicale* (voir plus haut la rubrique « À faire »), des randos kayak + palmes et des randos terrestres. Bref, il y en a pour toutes les attentes et c'est ultra-professionnel.

≋ |●| Hébergement et restauration possibles au **Paradis Créole** (voir « Où dormir ? » et « Où manger ? Section Pigeon » à Bouillante), avec d'intéressants forfaits nuits + plongées.

■ **CIP Bouillante** (plan A1, 60) : sur la gauche de la plage, à proximité du ponton d'embarquement. ☎ 05-90-98-81-72. • cip-guadeloupe.com • Baptême env 45 € ; plongée-exploration env 35 € ; snorkelling env 16 € ; réduc enfants. D'inoubliables explorations sous-marines – à la carte et en comité plutôt restreint – vous attendent dans ce centre (FFESSM, ANMP, PADI), où Philippe et Claude Gonzalès, épaulés par des moniteurs d'État, proposent des baptêmes, bien sûr, mais aussi toutes les formations jusqu'au monitorat et brevets PADI. Embarquement sur les deux bateaux rapides du club, pour 3 sorties par jour. Plongées de nuit et initiation enfants à partir de 8 ans. Également des excursions à la journée vers le canal des Saintes (Sec-Pâté). Équipement complet fourni.

■ **Plaisir Plongée** (Chez Caroline et Franck ; plan A-B1, 61) : devant la plage, de l'autre côté de la route. ☎ 05-90-98-82-43. 🖥 06-90-56-37-10. • plaisir-plongee-karukera.com • Baptême env 43 € ; plongée-exploration env 34 € ; snorkelling env 16 € ; réduc enfants ; forfaits 3, 6 et 12 plongées. Réduc de 10 % sur présentation de ce guide. Embarquement immédiat sur le *Chambord*, ancienne annexe du paquebot *France,* où Caroline et Franck, les sérieux moniteurs d'État du centre (FFESSM, ANMP, PADI) guident vos premières bulles et assurent les formations jusqu'au monitorat et brevets PADI. À partir d'un second navire rapide, le *Dieulidou,* ils encadrent aussi de bien belles explorations, dont vous garderez les plus vifs souvenirs, notamment au Sec-Pâté (Niveau 2). Trois sorties par jour et escapades aux Saintes à la journée. Plongée de nuit et initiation enfants à partir de 8 ans. Matériel complet fourni (pas de bouteilles à porter). Hébergement et location de voitures sur demande.

■ **Centre UCPA** (plan A2, 16) : chemin de l'Anse-à-Sable, à Pigeon-Loquet. ☎ 05-90-98-89-00. • ucpa. com • En venant du nord, prendre la petite route devant l'église, juste avant la gendarmerie. Fermé de sept à mi-oct. Résa obligatoire. Baptême env 35 € ; plongée-exploration env 30 € ; forfaits dégressifs 5 et 10 plongées. Le moins cher. Dans le village *UCPA,* juste au-dessus d'une petite plage abritée, ce club associatif (FFESSM) compte une petite dizaine de moniteurs d'État, qui encadrent

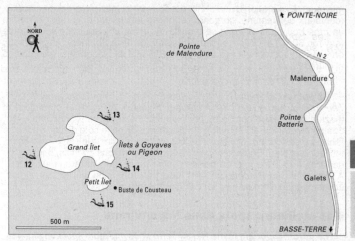

LES ÎLETS PIGEON : NOS MEILLEURS SPOTS DE PLONGÉE

baptêmes et formations jusqu'au Niveau 3 et vous emmènent explorer les meilleurs sites des îlets Pigeon. Deux sorties par jour et une plongée de nuit chaque semaine. Initiation enfants à partir de 12 ans. Matériel complet fourni, que l'on embarque soi-même sur l'un des deux bateaux, et entraînement du « parfait plongeur » rondement mené ! Hébergement possible (voir « Où dormir ? Section Pigeon » à Bouillante) ainsi que des randonnées sur Basse-Terre avec du canyoning.

Nos meilleurs spots autour des îlets Pigeon

Le Jardin de Corail *(carte des îlets Pigeon : nos meilleurs spots de plongée, 14) :* à l'est du Grand Îlet. Idéal pour les baptêmes. Dès qu'on met la tête sous l'eau, le corail est partout ! Plongée tranquille sur ce monticule corallien (de - 2 à -10 m) très riche et survolé d'une multitude de petits poissons multicolores. Nombreux poissons-perroquets familiers, petites demoiselles à pois bleus, provocantes et chamailleuses ; amusants poissons-trompettes en position verticale pour mieux se dissimuler parmi les gorgones et les belles éponges colorées. Souvent des tortues curieuses. Une plongée éblouissante, même pour les confirmés qui croiseront au fond (- 18 m) des bancs de platax peu craintifs. À la sortie du jardin, vers la *pointe Carangue,* se trouve le buste immergé de Cousteau.

La pointe Barracuda *(carte des îlets Pigeon : nos meilleurs spots de plongée, 12) :* à la pointe ouest du Grand Îlet. Pour les plongeurs de Niveau 1 minimum. Ici, les tortues ont accompagné notre descente tranquille (de - 5 à - 38 m), le long de la pente naturelle de l'îlet, parmi les éboulis et les failles, abritant langoustes et murènes. Nombreux poissons coralliens classiques, dont quelques gentils diodons qui se gonflent comme des ballons sous l'emprise de la peur, et peuvent mourir de stress (ne pas jouer à ça !). On a vu aussi des balistes noires, très rares, qui font leur vie sans se préoccuper des plongeurs ; et encore des barracudas, pagres et colas en pleine eau...

Les sources d'eau chaude *(carte des îlets Pigeon : nos meilleurs spots de plongée, 13) :* au nord-est du Grand Îlet. Pour plongeurs brevetés Niveau 1 minimum. Exploration d'une pente douce (- 23 m maxi) très riche en coraux (cerveaux de Neptune, gorgones, éponges tubulaires, etc.), pour rejoindre un gros trou où la visibilité se brouille. Au fond, une source d'eau chaude (environ 80 °C) et douce, véritable résurgence de la Soufrière. Attention aux brûlures en approchant vos patounes ! Pas mal de langoustes, gros crabes et murènes cachés dans les trous, et au-dessus de nos têtes, valse lente des thazars, barracudas et gros pagres.

🐠 *La pointe Carangue (carte des îlets Pigeon : nos meilleurs spots de plongée, 15) :* au sud du Petit Îlet. À partir du Niveau 1. Aujourd'hui, carangues et thazars sont venus nombreux pour admirer notre palmage « pépère », sur une pente douce (- 20 m max.), prolongement de cette côte de carte postale. Richesse des coraux. Quelques petites grottes, terrain de jeu favori des gorettes jaune et bleu. Également pas mal de petits mérous craintifs, des pagres gaillards et puis ce mignon poisson-coffre qui ressemble à un petit jouet... À proximité : *La Piscine,* un spot idéal pour une plongée de nuit sympa, accompagnée d'amusantes tortues somnolentes.

Nos meilleurs spots dans les environs

🐠 *Le Jardin japonais (carte Basse-Terre : nos meilleurs spots de plongée, 10) :* un peu plus au nord de la pointe de Malendure. Pour plongeurs débutants et confirmés. Un beau récif qui descend en pente douce (de - 2 à - 20 m), avec des coulées de sable blanc, alternées de langues de coraux avec des failles, où se blottissent de nombreuses langoustes. Pas mal de belles gorgones. Charmante petite arche sans danger. Et puis de magnifiques poissons-anges français, des thazars et barracudas en pleine eau, sans oublier mesdames les tortues qui vous frôlent de leurs nageoires... On s'est régalés ! Baptême possible.

🐠 *Le Franjack (carte Basse-Terre : nos meilleurs spots de plongée, 11) :* face au *Domaine de Malendure.* Pour plongeurs Niveau 1 et confirmés. Chouette balade sur l'épave de cet ancien sablier, posé bien droit sur du sable immaculé, par seulement 22 m de fond. À partir de la belle étrave, survol des superstructures ornées de coraux, avec de nombreux compagnons de plongée : sergents-majors, poissons-perroquets, colas, pagres... Coup d'œil sympa sur l'hélice, colonisée par des barbarins blancs et murènes vertes. Également quelques balistes et parfois des tortues. Une plongée lumineuse et très agréable.

LA ROUTE DE LA TRAVERSÉE

Cette belle route traverse les hauteurs de la Basse-Terre d'est en ouest, au milieu d'une forêt tropicale humide, sorte de jungle dense et bien préservée. La route D 23 débute à Mahaut sur la côte ouest, entre Pointe-Noire et Bouillante, et grimpe en tournant jusqu'au col des Mamelles (615 m). Puis elle redescend vers la côte est de la Basse-Terre en offrant de très belles vues sur les versants, la plaine côtière et la mer au loin. Ce trajet donne l'occasion de voir de près la forêt primaire de Guadeloupe telle qu'elle était quand les Européens débarquèrent au XVIIe siècle. Nous vous recommandons la prudence sur cette route, dont l'accès peut être entravé lors d'intempéries. Tout au long, plusieurs installations recommandées ou gérées par le *Parc national de Guadeloupe,* dans la forêt, à la découverte de cascades, à la cime des arbres ou le long de sentiers de randonnées pédestres.

Où dormir ? Où manger ?

🛏 |●| **Gîtes du Dynaste :** *à 7 km après le départ (à l'ouest) de la route de la Traversée, sur la gauche.* ☎ 05-90-98-89-59. *En face du parc des Mamelles.* Pour 2 pers, env 45 € la nuit ; à la sem, la nuit revient à 35 ou 40 € selon la saison. Resto tlj le midi (sf lun et mar) : menus 16-25 €, menu-enfants 10 €. Nul besoin de machette pour dormir ici, soit au cœur de la forêt. Ces 3 gîtes tout simples et colorés, étagés à flanc de colline, donnent l'occasion aux amateurs de profiter des mélodieuses nuits tropicales. Joli mobilier indonésien. Parc illuminé le soir pour la balade digestive. En projet, 2 gîtes pour 4 personnes avec AC, lave-vaisselle, TV et lecteur DVD. Vos hôtes adorables ne sont autres que les proprios du *Tapeur* (voir ci-dessous).

|●| **Snack du parc des Mamelles :** mêmes coordonnées et horaires que le parc (voir ci-après). Tlj 9h-17h. Snacks 3-6 €. C'est ici que l'on prend sa boisson comprise dans le prix du billet d'entrée. Également une petite restauration du style part de quiche, salades, sandwichs, etc. Quelques tables sous une véranda qui ouvre sur la jungle tropicale et une superbe vue sur la mer. C'est l'un des rares endroits de Guadeloupe où l'on peut se restaurer au cœur de la forêt vierge. Les sucriers l'ont bien compris !

À voir. À faire

Dans l'ordre, de l'ouest vers l'est (Pointe-à-Pitre) :

🎭🚶🚶 **Le parc des Mamelles :** *à 4 km env après le départ (à l'ouest) de la route de la Traversée, sur la gauche. En arrivant de Pointe-à-Pitre, c'est à 1 km après Morne-à-Louis, sur la droite.* ☎ 05-90-98-83-52. ● zooguadelou pe.com ● Tlj 9h-18h ; jusqu'à 17h en basse saison. Entrée : adulte 12,50 € ; enfant 3-12 ans 7,50 € ; boisson au bar comprise. Réduc de 1 € par adulte sur présentation de ce guide.

Ce parc a le grand avantage d'être installé en plein cœur de la forêt tropicale humide de Guadeloupe, ce qui permet de découvrir *in situ* la flore et la faune de « l'île papillon ». La balade (d'environ 1h30) emprunte un sentier sécurisé à travers la végétation luxuriante, jalonné d'étapes pédagogiques (panneaux) et d'enclos ou de cages abritant mangoustes, iguanes, crabes, ou encore le raton laveur, mascotte de l'île appelé *racoon* en créole (ce qui signifie « avare », du fait de sa rapidité à manger). Le parc veille en effet à la reproduction des animaux en captivité, avant de les rendre à la vie sauvage. À mi-chemin, le « royaume des tout-petits » se définit comme un insectarium original, où chaque spécimen (phasme, dynaste, scolopendre...) se balade dans un amusant décor. Puis vient l'étape aventure du parcours : un pont suspendu à 20 m de hauteur permet aux visiteurs de monter dans la canopée, c'est-à-dire de grimper dans la cime d'un bouquet d'arbres afin d'observer la jungle d'en haut. Assez impressionnant pour les paysages, mais malheureusement on ne voit pas grand-chose, la faune préférant les heures paisibles où l'*Homo touristicus* cesse de se prendre pour Icare... À déconseiller aux personnes sujettes au vertige. Un petit circuit entièrement protégé par des filets a été aménagé pour les enfants de moins de 1,20 m. Parmi les arbres, l'acomat et le laurier-rose figurent au nombre des espèces les plus rares.

Également un arboretum (on apprend à reconnaître les arbres des Antilles, qui s'élèvent à près de 30 m au-dessus de nos têtes) et une grotte aux chauve-souris. Enfin, en 2007, la nouveauté sera la *Serre aux Papillons*. Sur place, boutique artisanale et snack (voir plus haut) sur un emplacement très agréable. Notez les nombreux colibris qui s'ébattent à l'entrée du parc...

🎒🎒🎒 🚶 ***Le Tapeur, parc aventure en forêt tropicale*** *(label Parc national de la Guadeloupe) : face au parking du parc des Mamelles.* 📱 *06-90-44-17-51. Tlj (sf lun et mar hors saison) 10h-17h. Entrée : env 16 € pour le parcours classique (le Tapeur, en 1h) et 20 € avec l'extension « gli-gli » ; réduc enfants 3-6 ans.*

Un parcours sportif à 10 m du sol dans le même esprit que celui du parc en face, mais en nettement plus casse-cou (en toute sécurité et fort bien encadré cela dit). Ponts de singe ou népalais, poulies, tyroliennes seront vos gentils bourreaux pendant 30 à 45 mn. Et pour vraiment ressentir le grand frisson, l'extension « gli-gli » est un must incontournable, avec ses trois tyroliennes de 105 à 140 m de long frôlant la cime des arbres, à 30 m de haut. Gli-grisant ! Nocturne sympa 2 fois par mois en saison. Un parcours pour les petits de 3 à 6 ans (accompagnés par un parent) était en cours d'aménagement fin 2006, renseignez-vous. Enfin, on peut séjourner sur place (voir « Où dormir ? Où manger ? » plus haut).

🍖 ***Le Morne-à-Louis :*** *peu après le* parc zoologique de Guadeloupe, *sur la gauche, bifurcation menant à ce morne (colline de 745 m), d'où l'on embrasse, par très beau temps, un vaste et magnifique panorama... quand la végétation n'empêche pas de le voir ! Ce qui est tout de même fréquent.*

🚶 ***La Maison de la forêt :*** *sur la droite de la route de la Traversée, à env 4 km après le col des Mamelles. Tlj sf mar 9h-17h janv-août ; 9h-13h, 14h-16h30 le reste de l'année. Entrée gratuite.* Porte-parole du Parc national de Guadeloupe, cette petite maison abrite une exposition illustrée sur les forêts tropicales, leur vie, leurs problèmes. Vous serez accueilli par des pros de la rando qui vous renseigneront sur le parc.

➤ ***Randonnées dans la forêt tropicale :*** *la* Maison de la forêt *marque aussi le point de départ de deux balades superbes (20 mn ou 1h de marche). Renseignez-vous sur place sur l'état du terrain, avant de faire la balade, c'est plus sûr. Difficile de se perdre, les deux sentiers étant parfaitement balisés autour du site de* Bras David, *spécialement aménagé par le Parc national de Guadeloupe. Par contre, les pancartes sont parfois cassées ou manquantes. Elles permettent en principe d'apprendre à distinguer les différents arbres : marbri, sapotillier bâtard, corossolier, goyavier, bois brésilette, mapou baril, côtelette blanc. En cours de randonnée, on longe un torrent impétueux encombré de blocs rocheux. Deux autres circuits, l'un de 1h30, appelé* Trace des ruisseaux, *et l'autre de 3h,* Trace de la rivière Quiock, *sont recommandés aux randonneurs. Attendez-vous dans tous les cas à un festival de couleurs, d'odeurs et de bruissements ou autres stridulations. Un vrai plaisir des sens !*

➤ ***La cascade aux Écrevisses :*** *à 2 km après la* Maison de la forêt. *Courte balade de 10 mn aller-retour qui aboutit à une belle petite cascade. Site plutôt charmant et possibilité de baignade (eau pas toujours nickel). Aire de pique-nique avec tables et bancs, au bord de la rivière, de l'autre côté de la route. Très touristique, n'espérez pas y jouer les Robinson.*

➤ ***Le saut de la Lézarde :*** *sur la route de la Traversée, tourner à l'Orée du Parc, direction Vernou, puis c'est indiqué. Superbe balade. Voir le texte au chapitre « Dans les environs de Petit-Bourg ».*

POINTE-NOIRE
(97116)　　　　　7 700 hab.

Pointe-Noire, gros bourg animé, étiré le long de la mer, au pied des monts boisés de la côte ouest de la Basse-Terre, doit son nom aux roches noires volcaniques qui l'encerclent. On y trouve encore quelques jolies maisons créoles en bois et, du côté de la mairie, une Marianne polychrome, ainsi qu'un curieux monument aux morts. Les habitants de cette bourgade tranquille ont longtemps été considérés comme des gens indépendants et rebelles (un groupe de planteurs armés obtint, en 1715, la suppression d'un impôt instauré par le roi, « l'Octroy par tête de noir »...). Aujourd'hui, les Ponti-Neris vivent de la pêche, de l'exploitation de la forêt, de l'ébénisterie, et se consacrent aussi à la culture du café – un pur arabica très doux – qui fait le bonheur des routards. Une aubaine : la région de Pointe-Noire est riche en sites à visiter. Malheureusement, elle est aussi la région qui a le plus souffert du cyclone Jeanne en septembre 2004 (glissements de terrain essentiellement), ce qui a mis en péril pas mal de lieux à vocation touristique.

Arriver – Quitter

En bus

🚌 Arrêts face à l'église *(plan A1)* pour les liaisons avec *Pointe-à-Pitre* (par la route de la Traversée), *Bouillante* et *Basse-Terre*. Autre arrêt à l'angle des rues Baudot et de la République *(plan A1)* pour les liaisons avec *Deshaies* et *Sainte-Rose*.

Adresses utiles

📧 **Poste** *(plan A-B1)* : rue Baudot, au nord du bourg.
■ **Distributeurs de billets :** à la poste ; au Crédit Agricole *(plan A1, 1)*, pl. de l'Église ; et à la Caisse d'Épargne *(plan A1, 1)*, pl. de la Mairie.
@ **Internet :** chez Cybersaf *(plan A1, 2)*, au 133, rue de la République. Tlj sf w-e et lun ap-m 8h30-12h, 14h-17h.

Où dormir à Pointe-Noire et dans les environs ?

Secteurs centre et sud

De bon marché à prix moyens

⊠ **Kaz la Traversée** *(hors plan par B2)* : Anse de la Grande-Plaine. ☎ 05-90-98-21-23. ● erwan@kazla traversee.com ● kazlatraversee. com ● À 3 km au sud du bourg, en direction de Bouillante, sur la droite, au niveau de la Maison du cacao. *Case 35 € la nuit, 195-210 € la sem ; bungalow (4 pers) 55 € la nuit ; 12 € par pers supplémentaire. Noix de coco offerte à l'arrivée.* Le dernier camping de l'île, inondé par les intempéries de ces dernières années, a jeté l'éponge... mais a joliment réussi sa reconversion. Désormais, les routards de passage peuvent dormir dans des cases en bois sur pilotis, toutes simples mais élégantes, accessibles par des passerelles et noyées au milieu de la végé-

tation. Sans doute parmi les moins chères de l'île et toutes avec kitchenette de base (1,50 € par jour en plus), sommiers, moustiquaires et anti-moustiques. Le bloc douches, sanitaires et coin vaisselle est resté opérationnel (eau froide, sauf en fin d'après-midi quand le soleil a fait son boulot). Un grand bungalow en bois pour les familles ou les copains. D'autres sont en projet, mais il faut être patient car le proprio, un ancien Parisien en rupture de ban avec le monde des *start-up,* très sympa, fait tout lui-même... En tout cas, l'endroit séduira les amoureux de nature puisque le grand terrain est situé sur un bord de mer sauvage, avec plage de galets.
🏠 **Le Tiki-Tan** *(hors plan par B2)* :

sur la plage Caraïbe, au sud du bourg. ☎ 05-90-98-24-37. ● *pasca lexcaraibe@wanadoo.fr* ● *En venant du sud, prendre à gauche vers la plage Caraïbe, c'est indiqué. À la sem selon saison : studios (2 pers) env 255-300 € ; apparts (2-4 pers) 340-390 € ; maisonnette (4-6 pers) 530-610 €.* Dans un beau jardin luxuriant (environ 50 espèces de plantes), 2 studios fonctionnels tout à fait convenables, l'un climatisé et l'autre ventilé. Également 2 appartements coquets, avec vue sur la mer, ainsi qu'une charmante maisonnette. Tous les hébergements sont confortables et équipés. Plage en accès direct et plongées « tiki-tanesques », paraît-il. Accueil attentionné de Pascal et Béatrice. On y voit parfois quelques iguanes...

🛏 *Villa Mahogany, chez M. et Mme Judith* (plan B1, 10) : 504-510, rue Baudot, dans le centre du village.* ☎ 05-90-98-02-54. ● *judith.*

se@wanadoo.fr ● *http://perso.wana doo.fr/villamahogany* ● ♿ *En venant de Bouillante, après la boulangerie à droite puis au niveau du 1er dos-d'âne. La sem de 230 € pour 2 pers à 400 € pour 4 pers selon la taille du logement. Nuitée 40 €.* Ti-punch de bienvenue et vrai repas créole offerts à la table familiale pour 1 sem de loc. La gentille et rigolote Jocelaine, son mari Saint-Éloi et leurs enfants se mettent en quatre pour vous accueillir. La décoration est vraiment désuète, mais l'enthousiasme est garanti. On les a même vus donner leur propre chambre à des touristes qui voulaient absolument revenir chez eux... De toute façon, vous ne serez jamais bien loin, puisque leur gîte modulable (pour 2 à 4 personnes) est situé dans la maison. Il se compose de 3 chambres, 2 salles de bains et 2 cuisines. Également 2 chambres à part.

Prix moyens

🛏 *Habitation Colas, chez Sandrine et Serge Simonneau* (hors plan par B2) : chemin Colas, à Mahaut.* ☎ 05-90-98-34-76. ● *habita tion-colas@wanadoo.fr* ● *habitation-colas.com* ● *Au sud de Pointe-Noire et proche de la route de la Traversée (panneaux sur la N 2). Pour 2 pers selon saison, 350-380 € la sem, 50-60 € la nuit.* Apéro de bienvenue sur présentation de ce guide. Perchée en haut d'une côte bien raide (prendre à droite à la fourche), cette charmante propriété profite d'un environnement de choix, entre montagne luxuriante et vue plongeante sur la mer. Les nouveaux propriétaires, fort sympathiques au demeurant, proposent 3 bungalows coquets de 2 à 5 personnes, colorés et bien aménagés (meubles choisis, jeux de société à disposition...). Grandes terrasses et beaucoup de bois. Chouette, on aime ça ! Belle piscine à débordement, rivière Colas à proximité... Calme olympien, dépaysement complet.

🛏 *Les Terrasses d'Acomat* (hors plan par B2) : chemin de Thomy.

☎ 05-90-98-65-19. ● *http://monsite. wanadoo.fr/terrasses.acomat* ● *Au sud du bourg, entrée à proximité immédiate de la Caféière Beauséjour, fléchée depuis la N 2. La sem pour 2 pers env 400-500 € et pour 4 pers 595-700 €. Nuitée possible. Le 1er petit déj est offert.* Perchées dans une nature calme et sauvage, une poignée de magnifiques maisonnettes en bois pour 4 personnes, avec 2 chambres indépendantes et sans vis-à-vis réunies par la terrasse. Confortable : moustiquaires, salle d'eau, grande terrasse couverte avec cuisine équipée, hamac et ventilation naturelle. Tout est neuf et décoré avec un goût exquis. Possibilité de livraison de repas. Une très bonne adresse côté nature, membre de l'*Association guadeloupéenne d'écotourisme.*

🛏 *Art des Îles* (hors plan par B2) : à 2 km au sud de Pointe-Noire, à l'entrée de la plage Caraïbe.* ☎ 05-90-98-07-45. ● *artdesiles@wanadoo. fr* ● *artdesiles.fr* ● *Prévoir de 395 à 745 € la sem pour 2 à 6 pers.* Au rez-de-chaussée de l'atelier de tableaux

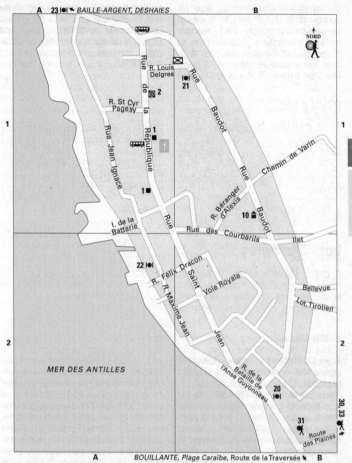

POINTE-NOIRE

■ **Adresses utiles**

   ⊠ Poste
   🚌 Arrêts des bus
   1 Distributeurs de billets
   @ **2** Cybersaf

🏠 **Où dormir ?**

   10 Villa Mahogany,
       chez M. et Mme Judith

|●| **Où manger ?**

   20 Boulangerie de la Reberdière

   21 Les Gommiers
   22 Aka Tolé
   23 Le Naturel

🥾 **À voir**

   30 Le Parc aquacole –
       écloserie de ouassous
   31 La Maison du bois et le
       musée du Coquillage
   33 Notre-Dame-des-Larmes

de sable, 2 gîtes mitoyens, à la fois en bois et en dur, le tout donnant sur un joli jardin tropical. Tout l'équipement nécessaire, 1 chambre et 1 mezzanine équipée de 2 lits simples. Ventilation, terrasse et hamacs. Four, lave-linge. Et la plage Caraïbe qui vous tend les bras. Location de voiture et transferts vers l'aéroport. Bref, une bonne option... à condition toutefois de ne pas dépasser 4 occupants. Au-delà, on manque un peu d'intimité.

Plus chic

🛏 *La Caféière Beauséjour (label Parc national de la Guadeloupe ; hors plan par B2) :* coordonnées dans la rubrique « À voir. À faire dans le coin ». Env 560-700 € la sem pour 2-4 pers, et 80-120 € la nuit (2 nuits min). À l'écart de la magnifique habitation des planteurs, face à la nature et surplombant la mer, beau bungalow en bois, genre *écolodge,* avec 2 chambres climatisées, un superbe lit à baldaquin, moustiquaire, cuisine équipée sur une grande terrasse, et lave-linge dans la salle de bains. Du charme à revendre. On aime beaucoup, vous l'aurez compris !

Vers Deshaies

🛏 *Gîtes Fanelie* et *Au Ti Sucrier (hors plan par A1) :* deux bonnes adresses dans le hameau de Ferry, à mi-chemin entre Pointe-Noire et Deshaies (voir à Deshaies « Où dormir dans les environs ? Sur la route de Pointe-Noire »).

Plus chic

🛏 |●| *Chambres d'hôtes Beaugendre, chez Annette et Adrien (hors plan par A1) :* chemin de Morphy, à Beaugendre. ☎ 05-90-98-29-41. ● beaugendre.annette.adrien@wanadoo.fr ● http://gitebeaugendre.free.fr ● Depuis Pointe-Noire, suivre Deshaies et tourner à gauche sur la route côtière de Morphy ; la suivre sur 2 km (pancartes) ; la maison se trouve en contrebas à gauche. Doubles env 63 €, triple 80 €, petit déj compris. Plat du jour le soir 10 €. Apéro maison offert sur présentation de ce guide. Deux anciens libraires belges ont décidé de poser leurs bagages sur ce magnifique terrain tranquille, face à la mer, planté de manguiers, de bambous et de flamboyants. Adeptes du tourisme vert, ils sont membres actifs de l'*Association guadeloupéenne d'écotourisme.* En tout, 3 chambres d'hôtes (2 doubles et 1 triple), indépendantes, confortables et aménagées avec goût, dans une jolie maison en bois des îles, avec vue sur la mer. « Bio-climatisation », moustiquaire, coffre-fort, hamacs sur la grande terrasse commune et amusante salle de bains « exotique et chic », qui séduira tous les routards qui se respectent ! En contrebas, une autre maison splendide, celle des chaleureux proprios, avec une immense terrasse en teck pour écouter de la musique classique en buvant un ti-punch. Une adresse de charme exceptionnelle.

🛏 *Le parc aux Orchidées :* 723, route de Trou-Caverne. ☎ et fax : 05-90-38-56-77. ● contact@parcauxorchidees.com ● parcauxorchidees.com ● À 4 km au nord de Pointe-Noire, en plein virage, juste avant Beausoleil. Prévoir 300-520 € la sem pour 2 pers ; 550-805 € pour 5 pers. Pour ceux qui aimeraient profiter tous les jours de ce beau parc (voir plus loin), location de 2 bungalows coquets et confortables noyés dans la végétation. Piscine et jacuzzi à disposition.

Où manger ?

Bon marché

|●| Boulangerie de la Reberdière (plan B2, 20) : sur le front de mer, près du supermarché Huit à 8, et avant d'entrer dans le bourg, en arrivant de Bouillante. ☎ 05-90-98-05-45. Lun-sam 5h30-19h et dim jusqu'à 13h. Excellentes tartes, alléchantes viennoiseries, savoureux gâteaux coco, des sandwichs, des friands et même quelques pâtés de crabe et de morue dont vous nous direz des nouvelles.

|●| Le Reflet (hors plan par B2) : sur la plage Caraïbe, au sud du bourg. ☎ 05-90-98-11-51. Tlj le midi, et le soir sur résa. Menu env 13 €, menu-enfants 7 €. Café offert sur présentation de ce guide. Ce *lolo* familial quasiment sur la plage, avec nappes en madras et quelques tables dehors, propose de bons menus complets (dessert inclus) à prix doux, qui font la joie de nos lecteurs. Poisson et langouste grillés, colombos variés... le tout très bien cuisiné.

|●| Aka Tolé (plan A2, 22) : rue Maxime-Jean. ☎ 05-90-98-19-52. Direction Bouillante, avant le pont, rejoindre la mairie par la droite, puis tourner à gauche ; c'est 50 m plus loin. Ouv lun-sam ; sur résa le soir et dim. Plat du jour env 8 €. Dans ce petit *lolo* rustique, juste quelques tables recouvertes de toile cirée pour accueillir les locaux, qui viennent y boire l'apéro dans une bonne humeur partagée. Plats traditionnels mitonnés par le patron, notamment les poissons rôtis. Pour manger, il faudra être patient. Ici on joue avant tout aux dominos ! Une adresse simple et très authentique.

Prix moyens

|●| Les Gommiers (Chez Desplan ; plan B1, 21) : rue Baudot. ☎ 05-90-98-01-79. Prendre la 1re à gauche vers la poste, c'est en face du collège. Tlj sf dim soir et lun soir. Résa conseillée le soir. Menus 11 € (le midi) et 15,50-25 €. Dans un petit décor sans prétention aucune, avec une terrasse voisinant la cantine d'une école (donc un peu bruyante le midi). Pourtant, le rapport qualité-prix est vraiment impeccable. On y a goûté une excellente christophine farcie, ainsi qu'un un court-bouillon de poisson et un cabri à l'antillaise qui n'étaient pas en reste ! La clientèle locale ayant eu vent de la bonne affaire, le service est parfois un peu débordé mais reste très souriant.

|●| Le Naturel (hors plan par A1, 23) : lot. Cato. ☎ 05-90-99-96-05. De Pointe-Noire, direction Deshaies ; à 1 km du centre-ville, prendre à gauche vers la pointe Cimetière-Cato ; c'est à droite, un peu plus loin. Ts les midis, le soir sur résa. Fermé la dernière sem de sept. Menu 20 €. Façade enfouie sous les fleurs tropicales, intérieur agréable et cuisine classique goûteuse qui mérite toute votre attention. Menu unique comprenant tout, de l'apéro au vieux rhum. Goûtez aux ouassous sauce piquante ou à la marmite maison. Excellent accueil des serveuses, le plus souvent en tenue créole traditionnelle. Très sympa, mais sachez toutefois que de nombreux groupes en ont fait leur cantine.

|●| Le Mambo (hors plan par B2) : à Mahaut, au sud du bourg, à mi-chemin de Bouillante. ☎ 05-90-98-04-90. ♿ Tlj en saison jusqu'à 21h ; hors saison, le soir sur résa. Menu 16 € le midi ; carte env 25 € ; menu-enfants 8 €. Apéro maison offert sur présentation de ce guide. En retrait de la route, au milieu de quelques maisons et en contrebas d'un petit bar-épicerie très animé le soir, voici un vrai resto couleur locale, bien tenu par Marcelle, une Antillaise souriante et consciencieuse. Mignonne terrasse ouverte sur la mer et traversée d'arbres qu'on n'a pas voulu couper (ouf !). Dans l'assiette, une excellente cuisine créole, copieuse et parfumée (gratin de légumes, court-bouillon de poisson, coquille de lam-bis, côte de porc à l'antillaise, etc.). Très bon rapport qualité-prix et accueil impeccable.

Plus chic

|●| *La Caféière Beauséjour (label Parc national de la Guadeloupe ; hors plan par B2) : coordonnées dans la rubrique « À voir. À faire dans le coin ». Ouv slt le midi ; le soir sur résa pour les groupes. Fermé lun et de sept à mi-oct. Résa conseillée. Plat du jour env 19 €, menu 48 € (ticket d'entrée inclus dans les deux cas), menu-enfants env 12 €.* Une table d'hôtes de choix dans le cadre raffiné de cette XVIIIᵉ plantation de café à l'ancienne. Tout droit sortis des fourneaux : viande ou poisson à la vanille ou à la citronnelle et, en dessert, soufflé glacé au corossol ou moelleux au chocolat décorés de fruits confits par le chef. Service un peu lent (normal, il s'agit exclusivement de produits frais), mais on profite ainsi mieux du cadre.

À voir. À faire dans le coin

Ces différents sites et attractions touristiques sont cités dans leur ordre d'apparition géographique du sud vers le nord.

🍴 🏃 *La Maison du cacao (hors plan par B2) : à 3 km avant Pointe-Noire à gauche, au niveau de la Kaz la Traversée.* ☎ *05-90-98-25-23. Tlj sf dim janv-avr, 9h30-17h. Entrée : 5 € ; réduc enfants.* Quelques panneaux didactiques et outils exposés dans un minijardin tropical. Tout sur l'histoire, la récolte et la transformation du cacao. On y apprend, si on ne le savait pas, qu'il a pour origine l'Amérique du Sud, et qu'il contient une substance, la sérotonine, qui combat le stress. L'intérêt de la visite est surtout lié à la petite dégustation (chocolat chaud) et à l'humour sympathique du patron (mais il n'est généralement présent que lorsqu'il guide un groupe). En fait, la balade est plutôt chère. On peut se contenter d'une collation dans le salon adjacent et, évidemment, acheter les produits de la boutique (chocolat en boisson, en pâtisserie, en tablettes, etc.). Compter environ 3 € pour un chocolat chaud au salon de thé. Pardon, au salon de cacao... Très bon accueil.

🍴 *La Casa Vanille (hors plan par B2) : sur les hauteurs d'Acomat.* ☎ *05-90-98-22-77. À 3 km avant Pointe-Noire, prendre à droite après la Maison du cacao, direction Acomat ; à la fourche, direction Caféière Beauséjour, puis grimper jusqu'au bout. Visites guidées les ven, sam et dim en principe (mais horaires aléatoires). Fermé en sept. Entrée : env 5 €.* Petit parcours dans une plantation, où l'on découvre la culture de la vanille (une orchidée, le saviez-vous ?) et de son fruit délicieusement parfumé. Compter 45 mn de visite (rien d'exceptionnel cela dit), qui se conclut par une dégustation de jus de fruits.

🍴🍴🍴 *La caféière Beauséjour (label Parc national de la Guadeloupe ; hors plan par B2) : sur les hauteurs d'Acomat (à env 2,5 km de la N 2).* ☎ *05-90-98-10-09.* ● *cafeierebeausejour@wanadoo.fr* ● *cafeierebeausejour.com* ● *Tlj sf lun 10h-17h. Fermé de sept à mi-oct. Entrée : 6 € ; réduc. Visite libre.* Ce qui fait de la *caféière Beauséjour* une visite incontournable, c'est à la fois le site, un promontoire à 300 m d'altitude avec une vue absolument époustouflante sur la mer Caraïbe et les monts alentour (véritable invitation à la méditation), mais aussi son atmosphère d'antan, admirablement respectée... Lorsque l'on pénètre dans cette petite habitation du XVIIIᵉ siècle, transformée en musée et presque entièrement d'origine (c'est-à-dire en partie restaurée après le cyclone Hugo de 1989), on effectue une plongée en apnée dans l'histoire même du site, notamment au travers d'une jolie collection de moulins à café anciens, entre autre mobilier. Une bonne mise en condition avant d'aller découvrir *in situ* la plantation de café traditionnelle, déroulée sur 4 ha de terrain parfois scabreux. Un sentier (évitez les escarpins !) sillonne le coteau planté, ponctué de panneaux racontant l'histoire du café, sa culture, sa fabrication, et attirant votre attention sur la flore et la faune rencontrées... Des explications instructives qui complètent bien le petit film projeté à l'entrée du site. Après la balade, dégustation raffinée du café de la maison dans le charmant salon.

🛏 ▮●▮ Possibilité de manger à la *table d'hôtes* de la plantation le midi (voir « Où manger ? »), ou le soir pour les groupes, et même d'y dormir dans un beau bungalow en bois (voir « Où dormir ? »).

🐾 *La cascade Acomat* (hors plan par B2) : à environ 3 km avant Pointe-Noire, prendre à droite direction Acomat ; poursuivre sur 1,5 km en tout ; à la 1ʳᵉ fourche, prendre sur la droite (la route qui descend) ; au niveau de la 2ᵉ fourche, se garer ; en contrebas, sur la gauche, un petit chemin mène à un bassin et à une belle cascade. Prévoir de bonnes chaussures, même par temps sec, le terrain est souvent boueux. Possibilité de baignade. Attention, des glissements de terrain ont comblé ce bassin. Autrefois, on pouvait y plonger ; ce n'est plus le cas. Prudence en cas de fortes pluies, le niveau d'eau pouvant rapidement monter.

🐾🐾🚶 *La Maison du bois* (plan B2, 31) : route des Plaines. ☎ 05-90-98-16-90. Au sud du bourg, juste au croisement de la N 2. Abrite également le musée du Coquillage (voir ci-après). Tlj sf lun 9h30-17h. Fermé théoriquement en sept. Visite guidée (conseillée, vu le tarif d'entrée) : tlj, sf lun et sam, à 12h et 15h. Entrée : 9 €, ou ticket combiné avec le musée du Coquillage à 11 € ; réduc enfants.

Une autre réalisation réussie du *Parc national de Guadeloupe,* passée aujourd'hui aux mains d'une gestion mixte, à la fois communale et privée. Bien conçue, cette exposition intelligente s'intéresse bien sûr au travail du bois, mais insiste également sur la tradition de l'exploitation forestière qui marque encore l'identité des habitants. Thématiques, les différentes collections détaillent les essences caractéristiques de la région, les outils usuels (reconstitution d'un atelier), le tout agrémenté d'animations sonores et, bien entendu, d'une belle sélection de meubles et d'objets en bois. Évidemment, du beau travail comme ça, ce n'est pas donné... mais on peut payer en 3 fois, comme chez *Confo* ! Sérieusement, le lieu se veut aussi une vitrine du développement durable de la filière bois en Guadeloupe et tente d'en montrer les nouvelles applications techniques en accord avec l'environnement. Pour terminer, petit sentier d'interprétation dans le parc, jalonné de panneaux instructifs. Une visite vraiment intéressante de 1h30. Resto et boutique sur place.

🐾🐾🚶 *Le musée du Coquillage* (plan B2, 31) : ☎ 05-90-98-69-37. *Le musée est situé juste derrière la* Maison du bois. Tlj sf lun 9h30-18h. Entrée : 5 €, ou ticket combiné avec la Maison du bois à 11 € ; réduc enfants. Visite guidée de 45 mn env.

Ça n'a pas l'air comme ça, mais cette collection scintillante est constituée de plus de 2 500 espèces de coquillages (dont 300 de Guadeloupe), rassemblée par un couple de profs, M. et Mme Desjardins, et un jeune étudiant de Mayotte qui n'ont de cesse de dénicher de nouvelles perles rares. C'est ce dernier, véritable passionné installé ici, qui vous commentera la visite. Et comme ses connaissances s'apparentent aux abysses des fonds marins, il y a toujours un nouveau chapitre à aborder, une anecdote à partager... Il vous parlera sûrement des « coquillages qui tuent » comme les *conus,* dont la piqûre équivaut à 40 piqûres de guêpes. Et n'oubliez pas de jeter un œil à la bouteille d'une célèbre marque de soda retrouvée par M. Desjardins lors d'une plongée sur le paquebot *President Coolidge,* coulé par les Japonais pendant la dernière guerre...

ᛘᛝ *Le Parc aquacole – écloserie de ouassous* (label Parc national de la Guadeloupe ; hors plan par B2, **30**) **:** route des Plaines. ☎ 05-90-98-11-83. ● parc-aquacole.com ● Situé 800 m après la Maison du bois. Tlj sf lun 9h-17h. Entrée du parc env 3 € ; entrée + visite guidée env 6 € ; réduc. Loc de pêche à la ligne env 4 €.

François et son équipe sont des passionnés. De la larve à l'assiette, vous saurez tout sur le ouassou (grosse crevette d'eau douce) d'élevage en Guadeloupe. L'endroit compte une dizaine de bassins d'élevage, qui alimentent quelques producteurs couvrant eux-mêmes 15 % des besoins de l'île. On peut même apprendre quels restaurants s'approvisionnent en frais ! Le vendredi, à 9h30, pêche des ouassous et marché aux épices. Également un parcours de pêche à la ligne, histoire de titiller le rouget créole.

|●| Sur place, une *table d'hôtes* propose de déguster, les vendredi et dimanche midi seulement, les produits de l'exploitation aquacole : ouassous, rouget créole et loup caraïbe (venus de leur parc d'élevage en mer), mitonnés savoureusement façon créole. Prudent de réserver, notamment en basse saison.

ᛘᛝ *Notre-Dame-des-Larmes* (hors plan par B2, **33**) **:** en continuant cette route en voiture, arrivée après quelques kilomètres à une jolie chapelle en plein air, au bord d'une rivière. Charmant et bucolique. Un aménagement permet l'accès à la statue de Notre-Dame-de-Guadeloupe, devant laquelle a lieu, tous les dimanches à 10h, une messe en latin. Bougies partout et mantille fournie si on n'en a pas. Il faut le vivre au moins une fois !

➤ De là, départ de la *trace des Contrebandiers,* randonnée pédestre de 5h jusqu'à Duportail (environ 12 km de Sainte-Rose). Assez difficile quand même ; ne convient pas à tous les mollets ! Guide très conseillé.

ᛘᛝᛝ *Le parc aux Orchidées :* 723, route de Trou-Caverne. ☎ et fax : 05-90-38-56-77. ● parcauxorchidees.com ● À 4 km au nord de Pointe-Noire, en plein virage, juste avant Beausoleil. Résa demandée sf dim mat. Visite guidée complète (2 à 3h) sam tte l'année à 10h ; entrée : 16 € ; réduc. Visite simplifiée (1h ; env 9 €) : en hte saison, jeu et ven à 10h et 14h, dim à 10h (sans rendez-vous) ; en basse saison, ven à 10h et 14h.

C'est la seconde collection d'orchidées de la Caraïbe, juste après le Costa Rica, avec plus de 400 variétés du monde entier, dont 40 % des espèces de Guadeloupe (on en dénombre 97 dans l'archipel). Mais il s'agit bien plus d'un prétexte pour détailler par le menu l'univers des plantes et leurs propriétés. Sachez qu'il y a des floraisons toute l'année, même si elles sont plus réduites de février à juin. La balade prend l'allure d'un cours magistral, avec juste ce qu'il faut d'humour pour rendre le sujet accessible à chacun. On croise de nombreux arbres fruitiers, ainsi qu'une multitude de plantes tropicales, dont certaines produisent les fameuses épices, et d'autres sont reconnues pour leurs vertus médicinales... Bien sûr, la visite du samedi est beaucoup plus fouillée, c'est le cas de le dire, et donne droit à une 3e mi-temps autour d'une dégustation de punchs et d'acras, avant de se pencher sur les petites collections de dynastes hercules et d'objets des Indiens Caraïbes ou Arawaks. Pour ceux qui aimeraient profiter tous les jours de cet univers odorant et coloré, voir plus haut « Où dormir ? ».

Festival

– *Festival des nuits caraïbes :* en février, 5 concerts à la *caféière Beauséjour*. Musique de chambre dans un cadre tropical.

Plongée sous-marine

Club de plongée

■ *Anse Caraïbe Plongée* (hors plan par B2) *: plage Caraïbe, dans un cabanon bien visible.* ☎ 05-90-99-90-95. ● *jasor.rene@wanadoo.fr* ● *anse-caraibe-plongee.com* ● *Baptême env 43 € ; plongée-exploration env 34 € ; tarifs dégressifs et 10 % de réduc si résa. Baptême à prix réduit en demi-saison.* La première cliente de ce petit centre (ANMP, PADI) aurait été... Dominique Voynet, avant qu'elle ne devienne ministre. Plongée en petit comité (quasi incognito !) et à la carte, telle est l'ambition de René Jasor, le sympa-thique moniteur d'État, qui encadre baptêmes et enseignements jusqu'au Niveau 3 et brevets PADI. À partir d'une vedette rapide, *Jazz* (pour les intimes !) vous fait aussi découvrir les fonds autour des fameux îlets Pigeon (voir « Nos meilleurs spots » à Malendure), ou vous promène sur quelques spots choisis dans les environs. Deux départs quotidiens. Sortie à la journée (5 personnes minimum) et plongée de nuit possible. Équipement complet fourni, et parfois même, grillades sur la plage.

DE POINTE-NOIRE À DESHAIES

Toute cette côte n'est ni bétonnée, ni trop envahie par les touristes. Tant mieux pour vous ! D'autant que la plage de Grande-Anse est l'une des plus longues et séduisantes de toute la Guadeloupe.

🦐 *Le trou Caverne :* chemin très mal indiqué, mais c'est à l'arrivée de la *trace Belle-Hôtesse.* Nous, nous n'avons vu aucune hôtesse à l'arrivée, ni belle ni moche.

🦐🦐 *Beausoleil :* point d'arrivée de la *trace Baille-Argent,* chouette chemin de randonnée qui met Beausoleil à 6 ou 7h de Sofaïa dans le sens ouest-est, 5h dans l'autre sens. Assez rude quand même ; marcheurs du dimanche s'abstenir ! Guide conseillé. Renseignements auprès du *Parc national de la Guadeloupe :* ☎ 05-90-80-86-00 ou 39.

⌂ *La plage de Petite-Anse :* peu avant Ferry, dans un virage en épingle à cheveux. Pas très grande, mais mignonne et ombragée par quelques arbres et cocotiers. Très joli coin. Idéal pour le *snorkelling,* au bord ou au large ; l'eau n'est jamais très profonde, et on voit des tas de jolis poissons à peine émus qu'on les surprenne dans leur intimité. Dommage, des villas ont poussé sur la plage et leurs tentacules de vilains parpaings n'en finissent pas de grignoter le peu de place qui reste. Certes, ce n'est pas Le Gosier, et la tranquillité du lieu n'en pâtit guère, mais le site n'est plus le même.

⌂ *La plage de Leroux :* juste avant de descendre sur Ferry. Joli croissant doré, pas trop fréquenté, en contrebas de la route. En prime, un *lolo* familial qu'on aime bien, *Le Bon Accueil.* Formule « je commande, je me baigne et je reviens pour manger » à toute heure de la journée. Des frites maison déli-cieuses et également d'exquis jus locaux.

DESHAIES   (97126)   4 100 hab.

Deshaies (prononcer « Déhé ») est un petit village de pêcheurs cerné de hautes collines verdoyantes. Vraiment charmant, même si quelques légères fautes de goût architecturales se sont glissées à l'arrière du village ces der-

BASSE-TERRE

nières années. Mais passons, car on y trouve de nombreuses maisons en bois de style caraïbe, dont les plus pittoresques s'ouvrent sur la jolie petite baie abritée, qui fait le repos des marins depuis le temps des corsaires, et des tortues (mais là depuis toujours). Face au soleil couchant, gentiment assis à la terrasse d'un resto les pieds dans l'eau, on se laisse bercer par la douceur du lieu... L'un des plus tranquilles de Guadeloupe, à moins que le grandiose cinq-mâts *Club-Med 2*, le *Star Clipper* (un mât de moins) ou encore le *Seabourn Legend* n'aient choisi de faire escale au moment de votre passage, puisqu'ils y jettent régulièrement l'ancre (un événement à chaque fois !). On raconte que Robert Charlebois et Coluche aimaient aussi l'endroit... Bref, un de nos villages coup de cœur. Sans parler des environs (pourquoi croyez-vous que les croisières s'arrêtent ici ?) !

Arriver – Quitter

🚌 **En bus** *(plan A1)* **:** derrière la mairie pour *Sainte-Rose* et *Pointe-à-Pitre*. Devant la mairie pour *Basse-Terre* et les communes de la côte ouest *Sous-le-Vent*. Se renseigner au syndicat d'initiative.

Adresses utiles

🛈 **Syndicat d'initiative** *(plan A1)* : kiosque rose en face de la mairie, dans la rue de la Vague-Bleue, entre le Coin des Pêcheurs et L'Amer. ☎ et fax : 05-90-68-01-48. *Lun, mer et ven 8h-13h, 14h-17h ; mar, jeu et sam 8h-12h*. Plan du village et des environs gratuit, horaires des bus, brochure avec liste complète des hébergements, restos, commerçants, loisirs, guides touristiques gratuits... En janvier et février, pot de bienvenue avec groupe de musique traditionnelle tous les mardis à partir de 17h30.

Accueil dynamique et charmant.
✉ **Poste** *(plan A1)* : bd des Poissonniers.
◼ **Distributeurs de billets** *(plan A1, 1)* : au Crédit Agricole *situé au nord du bourg et à la poste.*
@ **Internet :** *connexion possible chez Secré-Com (plan A1, 2), au nord du bourg* (☎ 05-90-28-55-55). *Également quelques postes au Service développement (plan A1, 3), face à la mairie, entre L'Amer et le poste de police.*
◼ Pour les marins : ***point d'eau*** devant le syndicat d'initiative.

Où dormir dans les environs ?

Sur la route de Pointe-Noire

De bon marché à prix moyens

🏠 **Fanelie Location, chez Mylène Marcel** (Gîtes de France ; hors plan par A2) : impasse Bougainvilliers, à Ferry, Leroux. ☎ 05-90-28-52-11. ● info@fanelie.fr ● fanelie.fr ● À 7 km au sud de Deshaies, sur la gauche juste après la plage Leroux ; prendre l'impasse Bougainvilliers. Pour 2-6 pers, 35-105 € la nuit selon saison ; 210-700 € la sem. Menu 12 € livré au gîte (tlj sf

mar), menu langouste dim 20 €. Apéro maison offert sur présentation de ce guide. Dans un jardin fleuri en retrait de la route, une bonne dizaine de gîtes spacieux et fonctionnels avec 1, 2 ou 3 chambres (climatisées pour certaines), pour 2 à 6, voire 8 personnes. Séjour, cuisine équipée, téléphone, TV, terrasse privée et barbecue. Lit bébé sur demande. Vue sur la mer

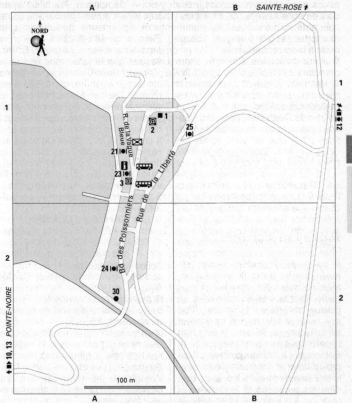

DESHAIES

■ Adresses utiles

ℹ Syndicat d'initiative
✉ Poste
🚌 Arrêts des bus
1 Distributeur de billets
@ 2 Secré-Com
@ 3 Service développement

⌂ Où dormir ?

10 Les Gîtes Bleu Outremer
12 Habitation Tendacayou

13 Résidence de la Pointe Batterie

|●| Où manger ?

12 Le Poisson Rouge
21 Le Coin des Pêcheurs
23 L'Amer
24 Chez Lélette
25 Créoline Traiteur

● Clubs de plongée

30 La Note Bleue

SAINTE-ROSE ↑

BASSE-TERRE

POINTE-NOIRE

↑ 10, 13 POINTE-NOIRE

↑ 🚌 ⌂ |●| 12

R. de la Vague Bleue

Rue de la Liberté

Bd des Poissonniers

NORD

100 m

pour certains et jolies plages Leroux ou de Petite-Anse à 500 m. Réservation de voitures possible, et intéressant forfait gîte + voiture. Accueil à l'antillaise remarquable.

🛏 *Au Jardin des Colibris (hors plan par A2)* : à Villers. ☎ 05-90-28-52-68. 📱 06-90-58-62-11. ● *aujardin descolibris @ orange.fr ● aujardindescolibris.com ● À 1,5 km au sud de Deshaies ; chemin à gauche, juste après le* Jardin botanique*, c'est tout de suite après les* Gîtes Zan'tille. *Selon saison et nombre d'occupants, 275-400 € la sem ou 45-65 € la nuit. Petit déj possible 6 €.* Ti-punch et jus de fruits offerts à l'arrivée sur présentation de ce guide. Fraîchement débarqués de métropole, Sophie, Mathieu et Batman (enfin, les vols sont encore en rodage...) ont repris récemment ces gîtes coquets (à chacun son thème et sa couleur), confortables et joliment noyés dans la végétation. Mais pour tout dire, on a eu un gros faible pour la villa en bois avec sa cuisine ouverte sur la nature... Pas que nous, d'ailleurs : un navigateur de la Route du Rhum s'y est offert récemment un petit séjour à la Robinson. Quant aux colibris, on les croise dans le charmant jardin, prélevant leur dîme dans les fleurs bordant les terrasses et la piscine. Et pour ceux qui aiment jouer avec la souris, il y a un réseau wi-fi (oui, même ici). Une belle adresse.

🛏 *Les Balisiers* (chez Joan et Gérard Rafinon ; hors plan par A2-B2) : à Ferry. ☎ 05-90-28-58-67. ● *les.balisiers @ wanadoo.fr ● http:// perso.wanadoo.fr/les.balisiers ● À la sortie sud de Ferry, sur la droite. Studios et apparts env 220-375 € la sem selon saison. Possible à la nuit.* Une adresse située à la pointe de Ferry, non loin des plages de Petite-Anse et Leroux. Tenu par un couple franco-canadien paisible, en provenance de Vancouver. Leurs studios, dans un jardin gentiment touffu, sont équipés de cuisine, AC, coffre, terrasse et TV. Les appartements aussi, mais avec une chambre, un salon avec clic-clac ou 2 lits simples. Eau chaude solaire. Lave-linge (payant), lit bébé et réseau

wi-fi à disposition. Transfert aéroport inclus à partir de 6 nuits. Location de voiture possible : une *Twingo*, de 161 à 231 € environ la semaine selon saison. Enfin, sachez que le fiston loue une villa, **Couleur Soleil,** située sur un grand terrain tranquille où coule une rivière. Tourner avant Ferry sur la gauche, direction Fond-Héliot, c'est après le petit pont. La villa, qui devrait être rénovée, comprend 4 chambres et 2 salles de bains au rez-de-chaussée (en dur) plus un F3 et deux F2 à l'étage (en bois), loués ensemble (environ 700 € la semaine pour 6 personnes). S'adresser aux *Balisiers* ou consulter leur site internet.

🛏 *Les Gîtes Bleu Outremer (hors plan par A2, 10)* : pointe Batterie. ☎ 05-90-28-45-62. 📱 06-90-57-34-84. ● *gitebleu@outremer.com ● hebernet.net/gitebleu ● À 1 km au sud de Deshaies, direction Pointe-Noire ; entrée sur la droite, à proximité de la* résidence Pointe Batterie. *Selon saison et nombre d'occupants, 250-450 € la sem.* Perchés sur la colline en haut d'une côte bien raide et perdus dans la végétation tropicale, 2 gîtes assez récents, l'un pour 2, l'autre pour 4 personnes. Possibilité de louer les 2 gîtes ensemble (terrasses communicantes). Bois exotique, grande terrasse avec cuisine, équipement de qualité. Très calme et belle vue sur la mer Caraïbe avec, au loin, l'île de Montserrat. Excellent accueil de Dominique et Nathalie qui offrent l'apéritif à l'arrivée.

🛏 *Au Ti Sucrier (hors plan par A2)* : chemin Bornave, à Ferry. ☎ 05-90-28-91-29. ● *info@autisucrier.com ● autisucrier.com ●* ♿ *En venant de Deshaies, prendre à gauche, à 200 m après le lieu-dit Ferry ; c'est à 50 m au-dessus de la plage Leroux, sur un versant de colline. Congés 10 juin-10 juil. Env 60-120 € la nuit pour 2 pers selon confort et saison. Min 4 nuits hors saison et 7 nuits en hte saison. Petit déj possible 9 €. Transfert à l'aéroport offert à partir de 7 j.* Petite résidence hôtelière de style néocréole franchement sympa tenue par les non moins accueillants Bruno et Paola Dutto, un couple d'Italiens en provenance de Turin, enthousiastes et adorables. Une quinzaine de bungalows spacieux (1 ou 2 chambres), clairs, aménagés avec goût, et bien équipés : AC, kitchenette extérieure, terrasse, téléphone, coffre-fort ; le tout dans un jardin verdoyant avec piscine. Vue superbe et étendue sur Montserrat et Antigua. Bonne adresse pour un couple avec enfants. Réseau wi-fi à la réception. Location de voitures possible.

🏠 *Gîtes du Domaine Karaïbes* (hors plan par A2) : section La Coque. ☎ 05-90-28-58-88. 🖥 06-90-42-44-40. ● valladon @ karaibes. com ● karaibes.com ● À 3 km au sud de Deshaies ; prendre à droite la rue du Plaisir, dans la descente avant l'hôtel Le Rayon Vert, *puis tout de suite le chemin à droite. Pour 2-4 pers env 335-510 € la sem selon saison ; 53-78 € la nuit. Tarifs dégressifs selon durée. Table d'hôtes le soir en sem sur résa 15 €. Apéro et 1er petit déj offerts sur présentation de ce guide.* Agréable propriété bien calme, avec jardin luxuriant doté d'une piscine, face à la montagne et à la mer. Cinq gîtes en bois quelque peu noyés dans la végétation (ça, on aime) et bien équipés : cuisine, sanitaires complets, 1 ou 2 chambres, terrasse privée avec vue sur la mer. Accueil sympa, très branché « écotourisme », ce qui n'est pas pour nous déplaire. Le soir, Michel est aux fourneaux. Bref, une adresse intimiste où l'on se sent bien. Néanmoins, quelques détails ici et là nous ont un peu chiffonnés (une gouttière en plastique très visible sous les arbres et des dessus-de-lits vraiment *cheap*). Mais bon, ce sont des détails...

🏠 *Gîtes Zan'tille* (hors plan par A2) : à Villers (BP 3). ☎ 05-90-28-54-34. ● lolyade @ mediaserv.net ● im-carai

bes.com/gitezantille ● *À 1,5 km au sud de Deshaies ; chemin à gauche, juste après le* Jardin botanique. *Selon confort et saison, 259-680 € env la sem pour 2-7 pers. Table d'hôtes le soir sur résa 13-20 €. Apéro maison offert sur présentation de ce guide.* Au calme et en bordure du joli *Jardin botanique de Deshaies,* un petit ensemble de studios (2-3 pers) et d'appartements (4-6 pers) confortables (1 à 3 chambres, salle de bains, cuisine équipée, ventilo, terrasse...) et fonctionnels. Piscine et bar de plage dans un jardin agréable. Depuis peu, une villa toute neuve pour 6 personnes est à louer tout près de la plage. Et pour bien faire, la maison propose une foule de prestations (parfois des forfaits) intéressantes en supplément : transfert aéroport, petit déj, table d'hôtes, lave-linge, plongée, location de voitures... Accueil très gentil et pas compliqué.

🏠 *Bleu des Îles* (hors plan par A2) : chemin Bornave, à Ferry. ☎ 05-90-23-76-93. 🖥 06-90-45-12-37. ● bleu desiles @ wanadoo.fr ● bleudesiles. com ● *De Deshaies, prendre à gauche, à 200 m après le lieu-dit Ferry ; c'est juste au-dessus de la plage Leroux et de Ti Sucrier. Pour 2 pers selon saison, env 441-756 € la sem. Réduc de 10 % sur présentation de ce guide en le précisant à la résa.* Reprise récemment par un jeune couple de Toulousains, cette adresse propose 4 bungalows séparés par des pelouses avec une belle vue sur la mer et une piscine. Très propres, chacun avec une déco bleu et blanc dans l'esprit marin, une cuisine, 2 chambres, une clim' en bas et un ventilo à l'étage. Un peu cher tout de même en haute saison... Location de kayak. En bas de la rue, deux restos très honnêtes d'après le proprio, le *Pied Marin* et le *Bon Accueil.*

Plus chic

🏨 *Résidence de la Pointe Batterie* (hors plan par A2, **13**) : à 1 km au sud de Deshaies sur la droite. ☎ 05-90-28-57-03. ● pointe-batterie.com ●

♿ *Pour 2-6 pers env 110-300 € la nuit selon standing et saison. Petit déj 8 €.* La nouvelle direction a procédé à une rénovation générale des différents studios et villas situés sur ce très beau site classé de l'ancien fort de Deshaies. La vue sur la mer depuis les terrasses individuelles n'est donc pas le moindre de ses atouts, son autre qualité étant que chaque villa (donc pas les studios) possède sa petite piscine privée ! Tout confort avec clim', cuisine, TV, etc. Cerise sur le gâteau, le spa (payant) et son élégante cabine de massage avec vue sur la mer. Pour les plongeurs, signalons quelques tortues dans la baie...

🛏 *Hôtel Le Rayon Vert* (hors plan par A2) : La Coque, Ferry. ☎ 05-90-28-43-23. • rayon.vert@wanadoo.fr • http://hotel.lerayonvert.free.fr ⚓ Sur un promontoire dominant la mer et la plage de Ferry (tourner avant à gauche), direction Pointe-Noire. Congés 4 juin-14 juil et en sept. La nuit pour 2 pers env 138-158 € selon confort et saison, petit déj inclus. Promos intéressantes sur le site internet. ½ pens 30 € par pers. Sur une hauteur verdoyante, un hôtel, une fois n'est pas coutume, dont le charme principal est sans conteste cette vue imprenable sur l'Anse Ferry. Une vingtaine de chambres climatisées, confortables mais pas très grandes, avec terrasse privée et donc une fameuse vue. Certaines, plus spacieuses mais plus chères aussi, sont aménagées dans des bungalows (sans cuisine, 2 lits simples et un canapé-lit 1 place). Pas toujours bien insonorisé, mais l'accueil est aimable et quel plaisir d'observer le fameux rayon vert depuis la piscine à débordement qui semble se jeter dans la mer... Fait aussi resto (voir « Où manger ? »).

Vers le nord

Plus chic

🛏🍽 *Habitation Tendacayou* (hors plan par B1, **12**) : à la sortie nord du bourg, prendre la route de la gendarmerie, c'est fléché. ☎ 05-90-28-42-72. • tendacayou@wanadoo.fr • tendacayou.com • Bungalows (2-4 pers) 55-120 € la nuit. Pour la maison dans l'arbre (6 pers) env 205 € la nuit. Table d'hôtes (Le Poisson Rouge) du ven soir au dim midi avec menu complet env 40 €, apéro inclus. Toujours l'une de nos meilleures adresses à Deshaies, même si les tarifs évoluent au gré de la notoriété grandissante de la maison. Mais il faut reconnaître le caractère exceptionnel de cet endroit délicieux, perché sur les collines enrobées de végétation tropicale et surplombant la magnifique baie, où quelques navires se balancent au mouillage. Juste une poignée de superbes bungalows (2 à 6 personnes) de style créole, en bois, aux couleurs pastel, très bien agencés et décorés avec un goût exquis. Le patron, un ancien charpentier, a presque tout fait lui-même. Lit suspendu avec moustiquaire, hamac sur chaque terrasse privée, cuisine équipée. La chambre la plus insolite de Guadeloupe est perchée dans les branches d'un gros manguier du jardin. En plein ciel, dotée d'une douche et d'un grand lit rustique en bois et en planches, on y dort presque à la belle étoile, comme dans un nid en compagnie des oiseaux ! Jolie piscine alimentée en eau de source et entourée d'un solarium. Accueil chaleureux des proprios, Sylvie et Georges. Côté table d'hôtes, vos papilles seront sans doute séduites par une cuisine réputée, concoctée avec les produits frais du terroir et de la pêche du jour. Assez chère, mais l'une des meilleures tables des parages, dans un cadre cosy de voyageur au long cours (cheminée, barque suspendue...).

Où manger à Deshaies et dans les environs ?

Quelle chance, à Deshaies, ce ne sont pas les bonnes adresses qui manquent...

De bon marché à prix moyens

I●I *Créoline Traiteur* (plan B1, *25*) : résidence du Marais. ☎ 05-90-68-08-82. Pas loin du Spar *(enseigne clignotante)*. Ouv midi et soir sf dim, lun et en juin ; slt le soir hors saison. À partir de 7 € par pers pour un copieux plat chaud, desserts 2-3 €. Plats créoles variés à des tarifs avantageux, à réserver la veille. En dernière minute, il y a (quasiment) toujours des plats sur le feu. Ne soyez pas surpris, on est bien chez des particuliers. On patiente dans le salon devant un punch pendant que la famille s'active en cuisine. À emporter uniquement (livraison possible sur Deshaies, gratuite à partir de 15 €), ce n'est donc pas un resto. Mais, à l'unanimité, c'est vraiment délicieux...

I●I *Le Coin des Pêcheurs* (plan A1, *21*) : rue de la Vague-Bleue. ☎ 05-90-28-47-75. ⚓ Fermé en sept. Plats 10-20 €, menu 16,50 €. Une assiette d'acras offerte sur présentation de ce guide. Petite auberge portuaire et familiale, où l'on vous servira des plats créoles classiques mais savoureux à base de fruits de mer. Et comme la qualité de leur gentille cuisine n'est jamais prise en faute, la jolie terrasse donnant sur la baie ne désemplit pas ! Bon rapport qualité-prix. Un petit bar à l'entrée où l'on croise parfois M. Damman, un pirate de Dunkerque qui se dit descendant de Napoléon !

I●I *Chez Lélette* (plan A2, *24*) : bd des Poissonniers. Tlj sf mer soir. Menu créole env 13 €, avec langouste 28 €. Chez Lélette, c'est exactement ce que l'on attend d'un petit resto de pêcheurs aux Antilles. Un cadre de carte postale, face à la grande bleue, une terrasse sans fioritures dans une authentique maison de pêcheur et un menu simple et savoureux qui remplit parfaitement son rôle : la bouteille de rhum posée sur la table pour l'apéro, en attendant la petite assiette d'acras et de boudins, enchaînés avec le poisson puis le dessert du jour. Le tout servi avec une vraie gentillesse et, souvent, dans la bonne humeur générale...

Plus chic

I●I *L'Amer* (plan A1, *23*) : rue de la Vague-Bleue, face à la mairie. ☎ 05-90-28-50-43. Pour les marins : VHF canal 72. Ts les soirs (services à 19h et 21h) sf dim. Congés 10 sept-20 oct. Menus antillais 19,50 € et langouste 39,50 €, carte 35-40 €. Directement sur la jolie baie, voici une adresse discrète comme on aime en dénicher. Quelques tables sur une terrasse au bord de l'eau, musique de fond bien choisie, déco soignée avec maquettes de bateaux, éclairage délicat. Accueil attentionné. À la carte, on découvre des spécialités de poisson délicieusement raffinées et inscrites selon la pêche du jour. Une table de référence à ne pas manquer.

I●I *Le Meltipot* (hors plan par A2) : villa la Doudou Douce, entre La Coque et Ferry. ☎ 05-90-68-06-63 ou 08-63. ● a.ortet@ool.fr ⚓ À 5 km au sud de Deshaies, sur la droite dans la descente vers Ferry. Ouv ts les soirs sf mer, midi et soir le w-e. Congés de mi-oct à mi-nov. Carte 35 €, menu-enfants 12 €. Apéro maison offert sur présentation de ce guide. Un resto chic assez singulier, à la façon d'une table d'hôtes cosy, aménagée dans la maison même de ce couple attachant, très « melting-pot » : une Savoyarde et un Cap-Verdien. On est reçu comme à la maison, sur la terrasse dominant le superbe parc et la mer des Caraïbes. Cuisine métisse innovante, joliment tournée (le chef a fait ses armes dans une école hôtelière suisse). Service qui prend son temps, mais ici tout est frais et maison. Parfait pour une soirée en amoureux.

I●I *Le Rayon Vert* (hors plan par A2) : voir « Où dormir ? ». Ouv ts les soirs (sf lun) et dim midi. Congés 4 juin-14 juil et en sept. Carte 30-35 €, menu-enfants 8,50 €. Ti-punch offert sur présentation de ce guide. En terrasse, sous une belle charpente en teck, devant la piscine à débordement qui a l'air de ruisseler dans la mer, vous dégusterez de savoureux plats, mitonnés par le chef, qui confectionne aussi les pâtisseries (un plus très appréciable), et fume lui-même le poisson. Service agréable.

|●| *Le Poisson Rouge (hors plan par B1, 12) :* table d'hôtes de l'*Habitation Tendacayou.* Voir « Où dormir ? Vers le nord ».

À voir

🍴🍴🍴🚶 *Le jardin botanique de Deshaies (ex-propriété de Coluche ; hors plan par A2) :* lieu-dit Villers. ☎ 05-90-28-43-02. ● jardin-botanique.com ● ♿ À 1,5 km au sud de Deshaies sur la route de Pointe-Noire. Tlj 9h-17h30. Entrée : 13,50 € ; 5-12 ans 9,50 €. Visite : 1h à 1h30. Sur présentation de ce guide, un verre de jus de fruits offert à la fin de la visite (valable pour 2 pers). Poussette prêtée pour les petits, fauteuil roulant pour les personnes handicapées et parapluie pour tout le monde s'il pleut !

L'un des principaux site de Guadeloupe... à ne pas manquer ! Ouvert depuis 2001, ce parc botanique et animalier de 5 ha compte plus de 1 500 espèces tropicales. On découvre à pied ce qui fut la propriété de Coluche, sur un sentier tortueux à souhait noyé dans une végétation luxuriante, qui mène notamment à une volière de très beaux loriquets (des petits perroquets d'Australie peu farouches qui grimpent parfois sur les épaules), ainsi qu'à des perroquets aras multicolores (tous disparus de l'île depuis des lustres)... Sans oublier les cabris !

De belles surprises attendent également les amateurs de plantes rares. Michel Gaillard, pépiniériste et actuel propriétaire du site, a su merveilleusement paysager l'ancien domaine de Coluche. Avalanches de bougainvillées, superbes roses de porcelaine, baobab ventru, arbres à saucissons, arbres du voyageur... et bien d'autres essences comme le curieux *talipot*. Quand vous arriverez, le vieux talipot aura sans doute succombé à son âge, mais les responsables du jardin en ont déjà planté un autre. En attendant qu'il prenne son essor, sachez tout de même que ce palmier géant, originaire du Sri Lanka, donne des fleurs entre 50 et 70 ans d'âge et, à maturité, des feuilles pesant chacune près de 50 kg ! Il meurt après maturation de ses fruits. En projet, une collection de *Victoria regia,* soit les plus grands nénuphars du monde (dont un exemplaire à maturité peut, en principe, supporter le poids d'un enfant). Et puis ne manquez pas d'admirer la cascade, ni de passer sous le brumisateur (génial quand il fait chaud). Également un espace de jeux pour les enfants.

|●| 🏠 Sur place, restauration possible au *snack* (bon marché), ou au *resto panoramique* que nos lecteurs semblent bien apprécier *(formule 16 € le midi).* La belle villa en bois rouge où habitait Coluche, que l'on devine à peine au détour du jardin, se compose de 5 chambres *(pour les routards fortunés, de 2 700 à 3 400 € env la sem ; ● villa-du-jardin.com ●).*

Plongée sous-marine

Touchés de plein fouet par les vagues du cyclone Lenny en 1999, les spots de Deshaies se sont magnifiquement régénérés. Ils affichent aujourd'hui une beauté tout à fait enviable et s'imposent aussi comme sites de reproduction privilégiés. Nous vous proposons de belles plongées en eau claire, et toujours accompagnées par de nombreux bébés poissons. Au programme, donc, « vol au-dessus d'un nid de poissons » ! Seconde bonne nouvelle, les tortues aussi font une nette réapparition...

Clubs de plongée

■ *La Note Bleue* (plan A2, *30*) : sur le port, à proximité du resto du même nom. ☎ 05-90-28-53-74. ● http://plongeenotebleue.free.fr ● Ouv slt au moment des départs ; téléphoner avant. Baptême env 40 € ; plongée-exploration 35 € ; forfait dégressif 7 plongées. Réduc de 10 % sur présentation de ce guide. Ambiance amicale dans ce petit centre (FFESSM, ANMP), où Thiébault Denuelle, moniteur d'État, assure baptêmes et formations jusqu'au Niveau 4. Et puis, vous partirez explorer les meilleurs spots du coin à bord de *La Palanquée*, un bateau tout jaune, rapide et confortable. Deux départs par jour pour les spots de Deshaies et sorties à la journée pour Malendure (voir la rubrique « Nos meilleurs spots » à Malendure). Plongée de nuit et initiation enfants à partir de 8 ans. Équipement complet fourni.

■ *Les Baillantes Tortues* (hors plan par A2) : sur le port de Baille-Argent, bien au sud de Deshaies. ☎ 05-90-98-28-38. ▯ 06-90-37-36-17. ● lesbail lantestortues.com ● Ouv slt au moment des départs. Tlj sf sam ap-m et en août. Baptême env 42 € ; plongée-exploration env 36 € ; forfaits dégressifs 5 et 10 plongées ; tarifs préférentiels pour les personnes munies de leur propre matériel. Réduc de 5 % sur les stages de formation sur présentation de ce guide. Gentil petit club (FFESSM, PADI), rondement mené par Chantal et Cor de Munnik, tous deux moniteurs d'État polyglottes (français, anglais, allemand et néerlandais). Ils encadrent les baptêmes, bien sûr, mais aussi les formations jusqu'au Niveau 3 et brevets PADI. À bord d'un bateau rapide, vous pourrez faire 2 sorties par jour – à la carte et en petit comité – pour mieux apprécier encore les beautés sous-marines des environs, ou des îlets Pigeon (voir « Nos meilleurs spots » à Malendure). Plongée de nuit et initiation enfants à partir de 6 ans. Équipement complet fourni. Location d'appareils photo.

Nos meilleurs spots

◟ *Morphy* (carte Basse-Terre : nos meilleurs spots de plongée, *5*) : face à Morphy, à 20 mn au sud de Deshaies. Idéal pour les baptêmes et plongeurs de tous niveaux. Fabuleux incendie de couleurs (inutile de faire le 18 !) dans cette chouette succession de canyons (entre 0 et - 28 m) richement tapissés d'éponges et de coraux affichant une santé olympique. Certainement la plus belle plongée du coin, où langoustes, poissons-perroquets, anges, gorettes, mérous, etc., se disputent aussi le monopole de votre curiosité insatiable. Souvent, on tombe nez à nez avec des tortues peu farouches. D'autres, impassibles, font une petite sieste sous une patate corallienne... À découvrir absolument.

◟ *Le Gros Morne* (carte Basse-Terre : nos meilleurs spots de plongée, *6*) : à la pointe Gros-Morne, à 5 mn au nord de la baie de Deshaies. Idéal pour les baptêmes et plongeurs de tous niveaux. « Danse avec les tortues » assurée lors de cette chouette plongée fastoche (de - 2 à - 18 m) le long de la côte, dans des éboulis rocheux partiellement recouverts de coraux. Au-dessus des belles éponges tubulaires jaunes, majestueux survol de poissons-perroquets, papillons, anges, sergents-majors, gorettes... Un spectacle coloré où quelques barracudas solitaires se tailleraient volontiers de jolies bouchées ! Ainsi va la vie sous-marine... Petit tunnel sans surprise. Idéal pour une plongée de nuit.

◟ *L'Ancre* (carte Basse-Terre : nos meilleurs spots de plongée, *8*) : entre Deshaies et Ferry. Idéal pour les baptêmes et plongeurs de tous niveaux. Toute la biodiversité de la mer Caraïbe est ici réunie. Sur ce beau platier corallien (de 3 à 16 m de fond), rendez-vous avec les murènes tachetées et les poissons-anges français. Classiques poissons-trompettes, diodons, coffres, papillons, perroquets, etc., autour d'une vieille ancre de bateau, noyée dans le corail.

🐠 *La pointe Batterie* (carte Basse-Terre : nos meilleurs spots de plongée, **7**) **:** au sud immédiat de la baie de Deshaies. Idéal pour baptêmes et plongeurs de tous niveaux. Laissez-vous descendre gentiment dans ce mélimélo de roches et de coraux (de 0 à - 20 m maximum) posés sur du sable blanc immaculé. Une multitude de charmants bébés poissons accompagnent cette plongée vraiment sympa. Un joli monde miniature débordant de vitalité, où l'on croise une foule de poissons-perroquets, anges, mérous, gorettes... en couche-culotte ! Souvent des tortues.

🐠 *Le Sec aux pagres* (carte Basse-Terre : nos meilleurs spots de plongée, **9**) **:** au large, face au port de Baille-Argent, à 15 mn de Deshaies. Pour les plongeurs de Niveau 2 minimum. Un site particulièrement riche et sauvage, où les pêcheurs ne calent jamais leurs filets. Sur ces deux gros rochers posés sur du sable clair (de - 20 à - 27 m), beaucoup de petits pagres à queue jaune, craintifs, détalent vers les failles à votre approche. En revanche, les poissons de coraux – classiques compagnons de plongée – déchaînent leurs couleurs vives devant vos yeux émerveillés. Les éponges et autres coraux affichent une vitalité remarquable. Une plongée vraiment exceptionnelle, où l'on rencontre parfois des tortues. Attention au courant fréquent.

LA PLAGE DE GRANDE-ANSE (97126)

Juste à 2 km au nord de Deshaies. Ourlée de cocotiers, Grande-Anse est vraiment l'une des plus belles plages de la Basse-Terre. La plus vaste, la plus large et la plus populaire. Elle s'étire majestueusement au pied d'un grand versant de colline, enrobée par la forêt tropicale. Sachez cependant que le fond descend très rapidement, et que l'on perd vite pied. La baignade peut en outre se révéler dangereuse à certaines périodes de l'année en raison des vagues fortes et du courant puissant. Dans tous les cas, on conseille de se baigner avec prudence, et de ne laisser les enfants barboter que sous surveillance... Beaucoup viennent y tenter leur chance et essaient d'apercevoir le furtif rayon vert, au coucher du soleil. Le principal attrait de la plage réside dans la quasi-absence de béton. Les baraques en tôle des pêcheurs et les barques colorées en garantissent le côté sympa et authentique. Plusieurs *lolos* pour déguster du poulet boucané et autres délices créoles en bordure de plage, sous les cocotiers. Et aussi un très grand choix d'hébergements de bon rapport qualité-prix à proximité. Alors, qu'est-ce qui vous retient de poser vos valises à Grande-Anse ?

Où dormir à Grande-Anse et dans les environs ?

Bon marché

🏠 *Gîtes Villa Rous, Le Nid* (Gîtes de France) : 1175, route de Caféière. ☎ 05-90-28-43-98. À 1,5 km de la plage, dans un virage sur la gauche (très mal indiqué, mais les proprios accrochent au portail un drapeau blanc lorsqu'ils attendent des hôtes). *250 € la sem pour 2 pers et 330 € pour 4 pers. En tout, 2 gîtes (2 épis) vieille école agréables, entretenus avec soin par des gens qui prennent à cœur leur rôle d'hôtes. Celui pour* quatre est au rez-de-chaussée de la villa des proprios avec une petite terrasse, et celui pour deux dans un bungalow également avec une jolie terrasse. Simple, confortable (cuisine, machine à laver, etc.) et absolument nickel. Beau jardin et accueil antillais très prévenant. Les présentations se font d'ailleurs autour d'un ti-punch... comme il se doit ! Bon rapport qualité-prix.

Villa Le Safran-Le Triskell, chez Laurence et Denis Herpe : *213, impasse Ziotte.* ☎ *05-90-28-52-77.* ● *deherpe@wanadoo.fr* ● *http://perso.wanadoo.fr/lesafran* ● *Emprunter l'impasse sur la gauche à 150 m du carrefour de la plage, direction Deshaies ; c'est l'avant-dernière maison à gauche. Selon saison, 155-735 € la sem pour 2-8 pers. Apéro offert sur présentation de ce guide.* La famille Herpe habite un coin calme et résidentiel, dans une grande villa moderne et confortable. Quatre logements indépendants et modulables, aux noms d'États américains, pour 2 à 8 personnes, situés en rez-de-jardin fleuri. Accueil très jovial.

Gîtes Les Lucioles, chez Claudine et André Pallant : *chemin de Ziotte.* ☎ *05-90-28-58-64.* ● *andre.pallant@locantilles.com* ● *locantilles.com* ● *Repérer le panneau « Chemin de Ziotte » à la sortie de Grande-Anse vers Deshaies. À la sem, selon saison : studios 260-290 € pour 2 pers, bungalows 310-340 € pour 4 pers, et villa 520-760 € pour 4-8 pers. Table d'hôtes env*

15-18 €. Jolie situation en hauteur avec une belle vue sur la baie de Grande-Anse. Plusieurs types d'hébergement : du studio (2 adultes et 2 enfants) à la villa en dur et en bois (4 chambres, 2 salles de bains et une grande terrasse avec vue), en passant par les bungalows (2 chambres), le tout avec le confort habituel. Bon rapport qualité-prix et bon accueil du couple dijonnais, installé en Guadeloupe depuis près de 15 ans.

Gîtes Les Manguiers, chez Brigitte et Gilbert : *allée du Cœur, à Ziotte.* ☎ *05-90-28-41-33 et 0873-302-342 (prix d'un appel local).* ● *gilbert.le-bronec@wanadoo.fr* ● *manguiers.com* ● *À 200 m de la plage de Grande-Anse. Prendre la route au niveau de la station Total, et c'est à 100 m sur la gauche. Pour 2 pers, env 245-350 € la sem ; 35-50 € la nuit. Apéro et confitures maison offerts sur présentation de ce guide.* Maison basse comprenant 6 gîtes de 2 à 6 personnes, avec AC, douche, toilettes, cuisine extérieure, terrasse privée et barbecue. Nos préférés donnent sur l'agréable jardin tropical, enserrant une piscine traitée au sel et flanquée d'un carbet communautaire. Cela dit, l'entretien laissait un peu à désirer ces derniers temps ; heureusement une rénovation partielle est prévue pour 2007. Réseau wi-fi. Proprios très sympas qui peuvent vous obtenir des prix chez les loueurs de voitures.

BASSE-TERRE

Prix moyens

Bungalows Piton, chez Nathalie et Dominique : *à Caféière.* ☎ *05-90-28-47-55.* ● *bungalows.piton@wanadoo.fr* ● *bungalows-piton.com* ● *À 3 km de Grande-Anse. Prendre la route en face de la plage de Grande-Anse ; grimper dans les hauteurs, c'est indiqué. Pour 2 pers, env 370-430 € la sem selon saison ; ajouter 61-80 € par pers supplémentaire. Tarifs dégressifs à partir de la 2ᵉ sem. Ti-punch offert sur présentation de ce guide.* Dans un jardin escarpé et planté de nombreux hibis-

cus, bananiers et bambous qui s'épanouissent au fil de nos passages, 8 bungalows en bois, bien conçus et très esthétiques. Quelques attentions sympas comme le petit coin de verdure dans la salle de bains et le fond musical en terrasse... Pièce commune avec téléphone, boissons, bouquins, lave-linge, TV. Barbecue à disposition. La voisine peut aussi vous livrer des plats sur commande. Accueil chaleureux des proprios. Une adresse qu'on aime beaucoup.

🏠 *Habitation L'Escale, chez Jean-Paul Mainière :* 5, rue de Maya, Ziotte. ☎ 05-90-24-43-96. ● teissier. JC971@orange.fr ● À env 1 km de Grande-Anse. Prendre la route face à la plage, puis à droite à la fourche. On y monte en première ! Compter 295-395 € la sem selon saison pour 2 pers, et jusqu'à 495 € pour 4 pers. Réduc de 10 % à partir de 3 sem et de 15 % à partir de 4 sem. Sur les hauteurs, une villa de charme avec 2 appartements de 2 personnes, absolument ravissants. Confort convenable (ventilo un peu bruyant), jolie terrasse avec vue imprenable. Accueil sympa. Cherchez donc le rayon vert, on peut l'observer une bonne partie de l'année...

🏠 *Bungalows Arsenault, chez Gisèle et Réginald* (label Parc national de la Guadeloupe) : route de Caféière, lieu-dit Ziotte. ☎ 05-90-28-47-74. ● gisele.arsenault@wanadoo.fr ● bungalows-arsenault.com ● Prendre la rue face à la plage ; c'est à 300 m sur la droite. Pour 2 pers : 455-525 € la sem ; 65-75 € la nuit (3 nuits min). Pour 4 pers : 630-770 € la sem ; 90-110 € la nuit. Réduc de 10 % en juin et sept sur présentation de ce guide. On a succombé sans résistance au charme de ces 3 bungalows en bois (2 pour 2 personnes, l'autre pour 4), magnifiquement situés sur la colline, en bordure de la forêt tropicale, avec vue plongeante sur la mer et la campagne luxuriante. Calmes et confor-

tables : cuisine, grande terrasse, moustiquaire et une douche très spéciale qui amusera tous les routards qui se respectent ! Accueil généreux des patrons – un couple germano-canadien – qui ont construit eux-mêmes ces adorables maisonnettes, très bio (panneaux solaires, réserves d'eau chaude sur le toit, tri sélectif et compost, etc.). En bordure de propriété, un torrent où l'on peut faire trempette avec les ouassous... Une très bonne adresse.

🏠 *Ti Paradis, chez Catherine et Félix :* allée du Cœur. ☎ 05-90-28-25-15. ● info@ti-paradis.com ● ti-paradis.com ● ♿ Sur la gauche en montant la route face à la plage. Selon saison, env 350-420 € la sem pour 2 pers ; 490-630 € pour 4 pers. Petit déj possible 6 €. Table d'hôtes sur résa de 17 à 30 € (langouste). Planteur de bienvenue offert. À moins de 300 m de la plage de Grande-Anse, vous trouverez ici 7 gîtes récents (2 à 6 personnes), réunis dans une sorte de petite résidence. On est quand même un peu les uns sur les autres et les gîtes n'ont pas d'originalité particulière, mais l'ensemble est planté dans un petit jardin tropical bordé d'un torrent que surplombe un agréable carbet. Tout confort : clim', kitchenette extérieure, mezzanine pour certains, terrasses, et piscine avec tout petit bassin pour les personnes handicapées. Lave-linge, transfert aéroport (services payants).

Plus chic

🏠 *Fleurs des Îles :* au bord de la plage de Grande-Anse. ☎ 05-90-28-54-44. Fax : 05-90-28-54-45. ♿ En face de l'Habitation Grande-Anse. Réception : lun-sam 9h-12h30, 15h-19h, dim et j. fériés 10h-12h, 17h-19h. Pour 2 pers, 427-950 € env la sem selon saison ; compter env 25 € la nuit par pers supplémentaire. Petite résidence hôtelière composée d'une vingtaine de bungalows aux couleurs pastel, disséminés dans un

jardin entourant une petite piscine. Pas cossu mais très confortable, clair, net et propre : kitchenette sur la grande terrasse à l'extérieur, TV, AC et ventilo, chambre avec 2 lits ; également 2 lits superposés pour des enfants. Mais son principal atout, c'est évidemment sa situation de choix au bord de la magnifique plage de Grande-Anse. Accueil professionnel. Une bonne adresse.

🏠 *Résidence Les Bananiers,*

chez M. et Mme Hilaire : allée du Cœur. ☎ 05-90-68-47-11. • frantz-claudia@wanadoo.fr • À 100 m du carrefour avec la plage de Grande-Anse, c'est la 2ᵉ maison à gauche. Villa (4-6 pers) 110-269 € la nuit. Bungalow (2-4 pers) 59-139 € la nuit. À partir de 15 nuits, réduc de 10 %. Apéro maison offert à l'arrivée. Les proprios ont entièrement rénové cette agréable villa bordée d'une belle pelouse plantée de bananiers, manguiers et arbres à pain, ceinturant une piscine. Sur un seul niveau, 3 chambres climatisées, une cuisine, un beau et vaste salon avec parquet, TV, téléphone, chaîne hi-fi... Sans oublier une annexe avec clim' et baignoire, bon complément pour une famille nombreuse ou un groupe. Également un bungalow orange avec 2 chambres (dont une en mezzanine), mais loué à part, proche de la villa et sans accès à la piscine si celle-ci est louée. En conclusion, les tarifs ont augmenté depuis la rénovation, mais cela reste encore intéressant si l'on recherche un lieu entier à louer.

🛏 **Caraïb'Bay Hotel :** allée du Cœur, Ziotte. ☎ 05-90-28-41-71. • caraibbayhotel@free.fr • caraib-bay-hotel.com • ✆ Prendre la route face à la plage ; c'est 300 m plus haut, sur la droite. Congés en sept. La nuit pour 2 pers 104-146 € selon saison, petit déj inclus. Consulter aussi les promos estivales. Apéro maison offert sur présentation de ce guide. Résidence hôtelière de charme, dont l'une des principales qualités est de maintenir sa capa-cité d'accueil dans des proportions raisonnables, histoire de préserver l'intimité de ses hôtes. Ses confortables duplex en dur de 72 m², avec kitchenette camouflée dans un placard, mezzanine et terrasse, sont dispersés dans un parc paisible et bien entretenu. Réseau wi-fi. Service traiteur. Soirées à thème à l'occasion pour dynamiser le tout, organisées dans le bar surplombant la grande piscine. Accueil dynamique et très sympa.

🛏 **Habitation Grande Anse :** lieu-dit Ziotte. ☎ 05-90-28-45-36. • info@hotelhga.com • hotelhga.com • ✆ En venant du sud, passer la plage de Grande-Anse, emprunter le petit pont, prendre le 1ᵉʳ chemin sur la droite (panneaux). Studio pour 2 pers 52-165 € la nuit selon standing et saison. Également 2 villas à louer en hauteur, une avec jardin et l'autre avec piscine privée, 200-350 € la nuit selon saison et nombre d'occupants. Apéro maison offert sur présentation de ce guide. À 5 mn à pied de la plage de Grande-Anse, une véritable résidence hôtelière d'une cinquantaine de logements (studios et apparts) à flanc de colline, avec vue sur mer pour certains, pouvant accueillir de 2 à 6 personnes chacun. Bon standing : AC, TV, coffre, joli mobilier en rotin, cuisine équipée sur la terrasse privée et piscine commune. Service pro et prestations annexes (bar, resto italien, laverie, location de voitures, Internet) plutôt intéressantes. Nombreuses activités sportives proposées en liaison avec agences et centres de plongée.

Très chic

🛏 **Taïnos Cottages :** au bord de la plage de Grande-Anse. ☎ 05-90-28-44-42. • info@tainoscottages.com • tainoscottages.com • À l'extrémité nord de la plage. Fermé en juin. Pour 2 pers, 150-245 € la nuit, petit déj compris. Repas env 35 € le soir. Vous aimez l'exotisme et l'originalité ? Alors, imaginez un village de magnifiques maisons créoles entièrement cons-truites en tek d'Indonésie, sur le flanc d'une colline verdoyante bordant la plage... Le bois sculpté des façades mérite la photo, mais les intérieurs ne sont pas en reste, spacieux et meublés avec un goût exquis. Le soir, en saison, restauration possible pour les résidents, avec coucher de soleil 365 jours par an. Une adresse de charme à découvrir absolument.

Où manger ?

De bon marché à chic

|●| *Chez Liline :* plage de Grande-Anse. Ts les midis sf sam. Plats env 5-10 €. Une petite perle dans son genre. Toute la côte Sous-le-Vent connaît ce gentil resto de plage hors du commun, où le touriste n'est pas considéré comme un gogo de passage mais comme un vrai convive. Alors Liline s'applique à préparer des plats créoles tout simples mais de qualité, proposés en fonction du marché (fricassées de lambis ou de chatrous, poissons, brochettes...). Attention, c'est souvent plein pour les raisons énoncées ci-dessus !

|●| *Table d'hôtes Chez Annette :* à Caféière. ☎ 05-90-28-42-02. À 2 km, prendre la route face à la plage et monter. Ouv slt le soir et sur résa (la veille). Menu du terroir env 20 €. Sur la gauche de la route principale, une maison moderne et spacieuse, abritant aussi un grand appartement à louer. Accueil exceptionnel de la patronne – la charmante Annette – qui mitonne des dîners délicieux à prix raisonnables. Très agréable terrasse pour déguster les légumes-pays, la banane flambée et, bien sûr, siroter l'incontournable ti-punch. Une excellente adresse qui vaut le déplacement.

|●| *Le Karacoli :* plage de Grande-Anse. ☎ 05-90-28-41-17. ● lekaracoli@wanadoo.fr ● ♿ Ouv slt le midi (dim sur résa). Congés 10 sept-15 oct. Plats 15-25 €, menu 80 € pour 2 pers (langouste de 1 kg env), menu-enfants 8 €. Digestif maison offert sur présentation de ce guide. Pas de doute, l'adresse est éclectique et un rien anachronique, tant au niveau des heures d'ouverture que du décor, une grande salle ventilée un rien cossue avec une terrasse ombragée qui se déroule sur la plage. Carte avec des classiques (poisson, langouste) et des plats du marché qui suivent l'humeur du jour. L'adresse chic du coin.

|●| Voir également nos adresses à Deshaies, situé à seulement 2 km de Grande-Anse.

À voir. À faire

➤ *Balade à pied :* longez la plage de Grande-Anse vers la gauche, où un sentier mène à l'entrée du bourg de Deshaies. Le soir, ne manquez pas d'observer le furtif rayon vert au moment où disparaît le soleil à l'horizon, quand le temps et la saison s'y prêtent. Vous ne serez d'ailleurs pas les seuls à admirer le spectacle.

➤ *Autre promenade :* suivre la plage de Grande-Anse sur la droite. Traverser les plages de Rifflet et de la Perle. Un sentier plus ou moins bien entretenu monte sur la falaise et conduit à la plage de Fort-Royal.

➤ *Excursion à l'îlet de Kahouanne :* pas de service régulier. Il faut demander aux pêcheurs ou se renseigner sur la plage. À éviter cependant par temps orageux, sous peine d'être sans cesse importuné par de petits insectes très désagréables. Attention, à Kahouanne, la plage est bordée de mancenilliers, très dangereux. Possibilité également de pêcher, contacter l'office de tourisme de Deshaies. Pour de chouettes balades en mer, voir aussi « Découverte de la mangrove et des îlets sauvages » à Sainte-Rose.

➤ *La montagne aux Orchidées :* route du Boeing (ainsi nommée depuis qu'un 707 s'est écrasé là en 1962), à Caféière. ☎ 05-90-28-54-99. Monter vers Caféière (route face à la plage de Grande-Anse), puis prendre à droite dans le bourg ; c'est encore à 1,7 km. Tlj sf w-e 9h-17h30. Entrée : env 7 € ; réduc enfants.

Plus que pour les orchidées (visibles principalement en mai ou juin, période de floraison), on grimpe jusqu'ici pour profiter de la superbe vue sur la mer Caraïbe et du cadre très colonial de cette belle demeure posée dans un jardin soigné. Intéressante pépinière de bonsaïs dont le plus ancien affiche 300 ans. Salon dégustation dans la charmante habitation créole du propriétaire. Sur réservation le midi, table d'hôtes (plus chic).

DE DESHAIES À SAINTE-ROSE

Plages

△ **La plage de l'Anse de la Perle :** *juste après Rifflet.* Superbe plage de sable protégée par une barrière de corail, ombragée, propre et beaucoup moins fréquentée que celle de Grande-Anse. Vue sur l'île de Montserrat. ATTENTION, elle peut être dangereuse à certaines périodes de l'année, quand les grosses vagues passent la barrière de corail.

BASSE-TERRE

🛏 **La Colline Verte :** *section Bas-Vent.* ☎ 05-90-28-40-74. • theopha ne.nomertin@wanadoo.fr • lacollineverte.fr.st • *Téléphoner avant de venir (personne sur place). Pas bien indiqué : en venant du sud, panneau vert très discret sur la droite, tourner tout de suite à gauche et encore à gauche après le petit pont (ou à droite pour trouver les proprios aux gîtes Les Corallines). Du nord, tourner vers Bas-Vent à gauche, grimper tout droit puis tourner à gau-* che. *Pour 2 pers, env 270-430 € la sem selon saison.* En tout, une dizaine de bungalows multicolores en bois à flanc de colline, groupés deux par deux, récents et profitant d'une vue superbe sur la mer et l'îlet de Kahouanne. Kitchenette, chambre ventilée, terrasse privée. Environnement calme et aéré, avec piscine. On est à 2 km de la plage de la Perle, et à 5 km de celle de Grande-Anse. ◗◖ Petits *lolos* sur la plage.

△ Environ 1 km après le domaine du Petit-Bas-Vent, chemin sur la gauche pas indiqué du tout et peu visible, menant à une belle ***plage*** où les naturistes sont acceptés (bien que le nudisme soit théoriquement interdit en Guadeloupe).

△ Ensuite, jolie route côtière jusqu'à la ***plage de Clugny*** (attention, la route est parfois en mauvais état).

◗◖ **Chez Francine :** *à l'extrémité droite de la plage de Clugny, en regardant la mer.* ☎ 06-90-43-48-32. *Tlj le midi sf mar ; le soir, slt sur résa. Bons plats garnis env 12 €. ½ langouste env 22 € et entière env 30 €.* Dans une cabane en bois toute simple, au bord de l'eau, des recettes antillaises en fonction des arrivages et du marché. Également des sorbets aux parfums locaux : goyave, maracuja..., ainsi qu'un excellent flan coco et un délicieux café maison. On est les pieds dans le sable, sous les cocotiers et Francine vous gratifiera certainement d'un beau sourire. Beaucoup d'habitués.

SAINTE-ROSE   (97115)   20 000 hab.

Sainte-Rose est une grosse commune agricole, spécialisée dans la canne à sucre, dont les faubourgs s'étendent de plus en plus. Mais le centre-ville autour de sa grande place – la place Tricolore, qui rappelle l'ancien nom de la cité – est dénué de charme. En revanche, on aime bien son port de pêche pittoresque. L'atmosphère devient authentique en fin de matinée, lorsque les pêcheurs rentrent de mer avec dans leur sillage de majestueux pélicans voraces. Aussitôt les barcasses hissées sur la grève, la vente des poissons, coquillages et crustacés sur le front de mer provoque une effervescence générale à peine contenue... En fait, l'attraction principale de Sainte-Rose, ce sont ces îlets déserts et paradisiaques qui s'inscrivent dans la fameuse *réserve naturelle du Grand Cul-de-Sac Marin,* seule « réserve mondiale de la Biosphère » aux Antilles (classée par l'Unesco). Elle est fermée par une barrière de corail de 25 km de long (la plus longue des Antilles, paraît-il) et habitée par de nombreuses espèces (algues, coraux, mollusques, crustacés, poissons, oiseaux, reptiles, végétaux, etc.). Inoubliables balades nature en perspective...

Arriver – Quitter

🚌 **En bus :** arrêt en face de la *pharmacie Battaglia,* à proximité immédiate de la place Tricolore, pour les liaisons avec Pointe-à-Pitre. Pour Deshaies et les communes de la côte Sous-le-Vent, prendre un bus face au supermarché *Champion.*

Adresses utiles

🛈 **Office de tourisme :** pl. Tricolore, sur l'esplanade de verdure, face à la station Shell. ☎ 05-90-68-00-00. *Lun-ven 8h-17h30, sam 8h-13h. Fermé dim et l'ap-m mai-sept.* Liste des hébergements, cartes et documentations variées sur la ville, ses environs et toute la Guadeloupe. Également des infos pour visiter la réserve naturelle du Grand Cul-de-Sac Marin. Accueil souriant et efficace.

✉ **Poste :** pl. Tricolore.
◼ **Distributeurs de billets :** concentrés autour de la pl. Tricolore, à la poste, dans les banques BRED, BDAF et au Crédit Agricole.

Où dormir dans les environs ?

De bon marché à prix moyens

🏠 **Gîtes du Jardin créole de la Guadeloupe** (Écomusée de la civilisation caribéenne ; label « Bienvenue à la Ferme ») **:** coordonnées dans la rubrique « À voir ». *Fermé de mi-août à mi-sept. Deux gîtes (2-4 pers) 285-345 € la sem.* Noyés dans la végétation luxuriante de ce très beau jardin, les 2 gîtes donnent l'impression d'îlots perdus dans la canopée. Ils sont récents, impeccables et bien équipés (pas de clim', le site étant suffisamment ventilé) : l'un peut accueillir 2 personnes, et l'autre, familial, de 2 à 4 personnes. Cuisine et TV. Terrasses en projet. Excellent accueil.

🏠 **La Créolina, chez Isabelle et Dominique Caille** (label Parc national de la Guadeloupe) **:** chemin de Lachaise. ☎ 05-90-28-84-21. ● *lacreo lina@wanadoo.fr* ● *lacreolina.com* ● ♿ *Se diriger vers Lamentin (N 2), puis direction « collège Lachaise » et toujours tout droit ; c'est à 2 km sur la gauche. Selon saison : studios (2 pers), appart F2 (2-4 pers) et F3 (4-6 pers) 245-750 € la sem. Apéro maison offert sur présentation de ce guide.* En pleine campagne, 2 beaux studios et 2 charmants appartements, jouxtant la maison des gentils proprios (lui propose des activités de pleine nature ; elle, des cours de remise en forme). Confortables, entièrement rénovés, meublés avec goût dans le style des îles et parfaitement équipés : cuisine, salle de bains, ventilo et terrasse privée donnant sur un jardin fleuri d'essences rares et odorantes. Très calme. Piscine et jacuzzi. Réseau wi-fi. Possibilité de location de voitures à tarif intéressant. Excellent rapport qualité-prix-charme. Un endroit exceptionnel à ne pas manquer.

🏠 *L'Accueil Créole, chez M. Saint-Marc :* à Desbonnes, Belle-Allée, chemin du Piton. ☎ 05-90-28-63-27 ou ☎ et fax : 05-90-83-03-23. De Pointe-à-Pitre, passer Sainte-Rose puis prendre la D 18 à gauche ; Desbonnes se trouve à 5 km. Dans la rue à droite avant le dernier dos-d'âne, face à l'école (mur orangé), c'est la maison rose et blanche sur la gauche. Studio (2 pers) et F2 (3 pers) env 260-300 € la sem ; F3 (4 pers) env 400 €. À 5 km environ de la belle plage de Grande-Anse et non loin de Deshaies, 3 logements très bien équipés (cuisine, salle de bains, ventilo et AC pour certains) dans la grande villa du proprio, donnant sur un joli jardin. Sinon, se renseigner sur la disponibilité (ponctuelle) du bel appartement sur le côté de la maison, qui ne manque pas de charme avec sa grande mezzanine et sa terrasse. Accueil très prévenant.

Plus chic

🏠 *Habitation Séverin :* au domaine du même nom (voir plus loin), Cadet. ☎ 05-90-23-50-66. ● habitationseverin@wanadoo.fr ● habitation-severin.com ● ♿ Congés en sept. Doubles 86-96 €, petit déj 8 € ; apparts et gîte (2-4 pers) 420-530 € la sem. Table d'hôtes 13-21 € ; menu-enfants 9 €. Sur présentation de ce guide, réduc de 10 % sur l'hébergement (juin-sept) et apéro maison offert à la table d'hôtes. Une résurrection. L'habitation du domaine, reconstruite en 1940 par le père Marsolle à la suite du cyclone de 1929, est à nouveau prête à accueillir ses hôtes. Restaurée et soigneusement décorée avec du mobilier rétro, le parquet ancien, les beaux volumes et la galerie entretiennent une atmosphère d'antan, renforcée par les paysages de plantations qui environnent le domaine. Selon la période, un ou deux appartements avec 2 chambres, une superbe salle de bains ancienne, cuisine, AC et terrasse avec vue sur le jardin et la piscine. Également 3 chambres d'hôtes dans le ton avec salle de bains et un gîte aménagé dans une case colorée avec cuisine extérieure, ventilo et TV. Réseau wi-fi. Accueil sympathique.

Très chic

🏠 *Aquarelle's Villas :* 1, domaine de Nogent, 97115 Sainte-Rose. ☎ 05-90-68-65-23. ● info@aquarelles-villas.com ● aquarelles-villas.com ● ♿ À env 5 km, en direction de Deshaies. Resto ts les soirs sf lun et mar. Congés de mi-sept à mi-oct. Pour 4-10 pers, 150-625 € la nuit selon saison. Pour les familles ou groupes d'amis qui souhaitent se poser, voici un joli bouquet de villas luxueuses aux noms de peintres, colorées et de style néocréole, comprenant 2 à 5 chambres chacune. Résidence touristique située dans un récent quartier résidentiel assez impersonnel, mais en bordure de mer. Et tout le confort est là : parquet en bois exotique, mobilier en teck et fer forgé, lave-linge, TV et piscine privée pour chaque villa. Service traiteur dans les villas ou belle table sur place à prix chic, histoire de ne pas dépareiller...

BASSE-TERRE

Où manger à Sainte-Rose et dans les environs ?

Plusieurs restos de Sainte-Rose arborent des pancartes *Guide du routard*, mais certains ne sont plus recommandés depuis belle lurette... À bon entendeur !

De bon marché à plus chic

|●| *Le Jardin créole de la Guadeloupe* (Écomusée de la civilisation caribéenne) : coordonnées dans la rubrique « À voir ». ⚒ *Ts les midis sf lun. Congés de mi-août à mi-sept. Plats env 12 €, carte env 27 €.* Les non-visiteurs devront s'acquitter en plus du droit d'entrée au jardin. Si la visite du fameux jardin botanique vous a mis en appétit, suivez le guide ! Jocelyn mitonne, aux côtés de sa compagne, de délicieux petits plats comme la roucouyade de poisson, servie avec des gratins de légumes cueillis le matin même. Un gentil plaisir culinaire qui mettra vos papilles en émoi. Atmosphère chaleureuse, tout à fait dans l'esprit d'une table d'hôtes.

|●| *Le Poulpe* : bd Maritime. ☎ 05-90-28-74-21. *Sur le bord de mer, à l'extrémité ouest de la ville. Tlj sf le soir des lun, dim et j. fériés. Congés en sept. Menu 13 €, plats env 13-20 €.* Digestif maison offert sur présentation de ce guide. Terrasse couverte avec une vue dégagée sur la mer, impeccable pour découvrir la bonne cuisine créole familiale de la maison. Spécialités traditionnelles hermétiques aux effets de mode, comme la fricassée de chatrou. Service un peu lent quand il y a du monde, mais c'est bon signe... Bon accueil.

|●| *L'Arbre à Pain* : rue Saint-Charles. ☎ 05-90-28-70-87. ⚒ *En retrait du bord de mer, derrière Chez Mannoul. Tlj sf mar et dim soir. Plats env 10-20 €.* Ce petit resto ne manque pas de coquetterie avec sa salle toute blanche et son élégante patronne. Sélection de spécialités créoles honorables. Cependant, on aimerait un peu plus de saveur dans les plats que dans la décoration.

|●| *Chez Clara* : à Sainte-Rose, en bord de mer. ☎ 05-90-28-72-99. ⚒ *Tlj sf dim soir et mer. Formule 12 € le midi, carte env 30-35 €.* Clara est une ex-Claudette qui a retenu du maître l'art de la mise en scène : lunettes de star, robe immaculée, coquettes serveuses vêtues de blanche dentelle... Côté cuisine, d'intéressantes spécialités maison, notamment les poissons (salade de poisson-coffre et colombo de raie) et les plats aux influences métros. Un peu cher le soir et accueil pas toujours souriant.

À voir

※※※ 🏃 *Le Jardin créole de la Guadeloupe* (Écomusée de la civilisation caribéenne ; labels Parc national de la Guadeloupe et Jardin remarquable du ministère de la Culture) : route de Pont-Canal-Sofaïa (D 19), Ravine Cheval. ☎ 05-90-28-67-98. ⚒ *À 2 km de Sainte-Rose (indiqué) sur la gauche. Tlj sf lun 9h-16h30. Fermé de mi-août à mi-sept.* ATTENTION, le Jardin créole doit se transformer en Écomusée de la civilisation caribéenne fin 2007. Après travaux et transformation de la visite, l'entrée devrait passer de 6 à 15,50 € ; réduc enfants.

Cet étonnant jardin botanique, réputé pour l'accueil exceptionnel et la faconde de son propriétaire, Jocelyn, va prochainement se transformer en un lieu encore plus ambitieux. Dieu merci, nous aurons toujours droit aux explications savoureuses de Jocelyn. Il n'a pas son pareil pour valoriser les produits du terroir, tout en indiquant les essences en voie de disparition, comme le poivrier, le muscadier, le wawa giga, sorte de grosse liane qui pousse à côté des plus belles fleurs de Guadeloupe, sans oublier toute la pharmacopée locale et le savoir-vivre des ancêtres qu'il tient de ses grands-parents. Et puis, chaque jour, un atelier différent (se renseigner avant), comme la fabrication traditionnelle du cacao, du café, du manioc, ou encore l'art de faire *on ti lessiv pressé*... La grande nouveauté ? Ce devrait être ces vitrines offertes à chaque commune de Guadeloupe pour mettre en valeur leur patrimoine, et ces « scènes de vie » consacrées à la civilisation cari-béenne. Ces dernières vont illustrer les grandes étapes de l'histoire ainsi que les différentes populations de la Caraïbe : l'arrivée de Christophe Colomb en Guadeloupe, les Amérindiens, les Antillais, les colons, les Indiens, le *lolo* traditionnel ou encore l'esclavage, le tout représenté par des personnages en résine avec des reconstitutions d'habitat traditionnel. Bref, quelques arguments supplémentaires pour ne pas manquer ce petit « jar-din extraordinaire » de la Guadeloupe.

I●I 🏠 Fait aussi *resto* à l'heure du déjeuner, et propose *2 gîtes* avec vue sur ce joli coin de verdure tranquille (voir plus haut).

🐒🐒 🧍 *Le musée du Rhum :* à Bellevue. ☎ 05-90-28-70-04 ou 79-92. ● museedurhum@wanadoo.fr ● De Sainte-Rose, direction Pointe-à-Pitre puis Bellevue sur la droite (panneaux) ; c'est à 400 m sur la gauche. Tlj sf dim 9h-17h. Entrée : env 6 € (dégustation comprise) ; tarif spécial sur pré-sentation de ce guide.
C'est le musée de la distillerie *Reimonenq,* maison très connue pour son excellent et surprenant rhum blanc « cœur de chauffe ». Mais patientez donc jusqu'à la fin de la visite pour la dégustation... Pour l'instant, on ne visite pas les installations de la distillerie, mais c'est en projet, renseignez-vous. En attendant, le musée propose des panneaux et des vitrines inté-ressantes sur l'histoire du rhum et les différentes étapes de la plantation de la canne à sucre, jusqu'à la mise en bouteilles. Exposition de matériel, dont un alambic, et projection d'un film de 15 mn sur la fabrication du rhum.
– Profitez également de l'éclectisme du musée et visitez cette superbe *gale-rie des plus beaux insectes du monde,* à l'étage. Très intéressante expo-sition en 180 boîtes et panneaux vitrés. Ne pas manquer les *Dynastes her-cules* (les plus longs coléoptères au monde), les *Macrodontia,* ou phasmes, insectes imitant une branche ou une feuille, tel le phasme géant de Mada-gascar ou encore celui dit « effrayant », sans oublier les « sauterelles-feuilles » du Brésil, les papillons grands comme nos pieds, etc.
– Également à l'étage, une expo sur les *grands voiliers du monde,* qui retrace rapidement l'histoire de la navigation à voile, en présentant une qua-rantaine de maquettes, et une petite galerie consacrée aux *métiers d'antan* et aux *costumes traditionnels* en Guadeloupe...

🐒🐒 🧍 *La distillerie du domaine de Séverin :* à Cadet. ☎ 05-90-28-91-86. ● domaine.de.severin@wanadoo.fr ● Entre Sainte-Rose et Lamentin, à l'inté-rieur des terres. Depuis la N 2, tourner à droite au rond-point de Boucan (panneaux). Tlj sf dim 8h30-17h. Balade (45 mn) en petit train (non obliga-toire) : à 15h30 mai-août ; à 9h30, 10h45 et 11h30 le reste de l'année ; plus 14h30 et 15h45 janv-avr). Entrée : autour de 7 € ; réduc enfants.
Le domaine n'a pas lésiné sur les moyens : rien de moins qu'un petit train avec commentaires audio sur l'île, son histoire et les techniques de distilla-tion, pour profiter pleinement des paysages superbes qui composent le site. Le parcours traverse les bassins d'élevage de ouassous et les champs de canne, avant de s'intéresser aux différents bâtiments du domaine. Puis on revient gentiment sur ses pas, à pied cette fois, pour mieux détailler l'habitation, une ancienne case d'ouvrier, et voir de plus près les installa-tions. Car Séverin est la seule distillerie de Guadeloupe fonctionnant encore avec sa roue à aubes (depuis 1802). On assiste alors avec plaisir au broyage (de 7h à 13h en saison) et à la mise en bouteilles. La dégustation

BASSE-TERRE

qui clôt la visite est la bienvenue. De quoi inciter les amateurs à s'approvisionner en bons rhums agricoles et punchs aux fruits du pays.
– Outre le rhum, il y a aussi une petite fabrique de sauces aux piments, dont la recette (tenue secrète) est due à dame Henri Besson, une tante de la famille. Également un élevage de ouassous (écrevisses géantes). On peut assister à la pêche le vendredi matin. Achat possible.

🛏 Possibilité de loger dans l'ancienne habitation de la propriété (voir « Où dormir dans les environs ? » à Sainte-Rose).

🍴 On peut également se restaurer sur place, au resto *Tilolo* (☎ 05-90-28-28-11. *Ts les midis sf dim. Plats 13-21 €).* À la carte de ce petit *lolo*

dynamique plus coloré qu'une palette de peintre : poulet coco, grillades, poissons frais, ouassous du domaine flambés au vieux rhum, le tout escorté de légumes locaux et de fruits du jardin. Tartes maison et jus de fruits frais.

À faire

➢ **Promenades en carriole à cheval** (label Parc national de la Guadeloupe) : avec les Attelages du Comté, comté de Lohéac. 🖥 06-90-56-61-12. *Différentes balades de 1h à la journée, env 15-65 € par pers. Demi-tarif pour les moins de 12 ans.* Une formule tranquille et sympa pour découvrir la campagne verdoyante de Sainte-Rose, ses plantations de cannes à sucre, ses maisons coloniales, avant de défiler sur une magnifique allée de cocotiers de 850 m de long ou de piquer une tête ! À tenter en couple ou en famille.
– Les accros du cheval pourront aussi chevaucher au *Domaine de Belle Plaine*, à Boucan. 🖥 06-90-58-01-09. ● *cheval-guadeloupe.com* ● *Promenades env 40 € pour 2h, 55 € la demi-journée et 90 € la journée (repas inclus).*

Découverte de la mangrove et des îlets sauvages

Au départ de Sainte-Rose, on trouve le meilleur choix d'excursions à la découverte des îlets de carte postale du Grand Cul-de-Sac Marin, sans oublier l'exploration étonnante de la mangrove et des baignades mémorables avec palmes, masque et tuba sur la barrière de corail. Tous les moyens sont bons : kayak, bateau à moteur, zodiac, pédalo (voir aussi à Vieux-Bourg)... Impossible de tous les citer (demander à l'office de tourisme). C'est plutôt cher, mais nos lecteurs ne le regrettent jamais, et certains prestataires proposent des formules à la demi-journée. Un conseil pour tous : pensez à réserver.

– **Tam Tam Pagaie :** *La Ramée, à Sainte-Rose.* ☎ 05-90-28-13-85. 🖥 06-90-75-70-02. ● *franck@guadeloupe-kayak.com* ● *guadeloupe-kayak. com* ● *Compter 30 € par pers la demi-journée et 50 € la journée, déjeuner compris (min 2 ou 4 pers selon le circuit) ; demi-tarif pour les moins de 12 ans ; 8 € pour les moins de 8 ans.* Franck, diplômé d'État, propose des balades en kayak de mer à la demi-journée ou à la journée dans la réserve de Grand Cul-de-Sac Marin. Départ de Morne Rouge pour l'îlot Mangue à Laurette (observation des oiseaux), déjeuner à l'îlet La Biche et plongée avec masque et tuba. Ou découverte de l'îlet aux Oiseaux, navigation sur les herbiers et au milieu de la mangrove. Ou encore, descente de la Grande Rivière à Goyave et repas sur l'îlet Christophe. Bref, de jolis circuits qui plaisent bien à nos lecteurs.

– **Rando Passion** : port de Morne-Rouge à Sainte-Rose. ☎ 05-90-28-98-73 (18h-20h). ▯ 06-90-49-83-77. ● randopassion@wanadoo.fr ● rando passion.fr ● Balade en kayak à la journée (8h30-16h) : env 50 € par pers, déjeuner compris ; demi-tarif pour les moins de 12 ans ; 8 € pour les moins de 8 ans. Également une formule à la demi-journée (retour à 12h30). Une manière écolo de découvrir la mangrove et ses îlets en kayak de mer (annoncé comme insubmersible) à 1 ou 2 places. Au total, une dizaine de kilomètres sur eau plate (et si l'on est fatigué à la fin, on peut se faire remorquer !). En petit groupe, avec un ou deux guides dont le sympathique Christian. Pensez à emporter masque et tuba. Propose aussi de gentilles randonnées pédestres hors circuits touristiques dans les environs de Sainte-Rose, à la journée ou à la demi-journée.

– **Nico Excursions** (label Parc national de la Guadeloupe) : 45, la Plaine Sainval. ☎ 05-90-28-72-47. ▯ 06-90-53-09-65. ● nico-excursions.com ● Excursions en mer à la demi-journée (8h-12h) env 35 € ; à la journée (8h-16h) env 60 €, repas créole compris ; réduc. Embarquement en comité restreint (10 personnes maximum) Le tout est orchestré par un couple plutôt accueillant, qui connaît bien son affaire et distille des commentaires vraiment intéressants dans une ambiance amicale. Palmes, masque et tuba sur la barrière de corail.

– **Coco Mambo** : ☎ 05-90-28-40-74. ▯ 06-90-35-92-06. ♿ Compter 50 € la journée ; réduc. Chèques-vacances acceptés. Claudius vous emmène sur l'îlet Caret, l'îlet aux Oiseaux et dans la mangrove, bien sûr, pour des balades d'une journée. Départ de Deshaies ou de Sainte-Rose. Au menu : PMT (« palmes-masque-tuba », il vaut mieux le savoir), barbecue à l'ombre des cocotiers et plein d'explications sur le milieu naturel.

– **Jean-Luc et Marie-Laure** : ☎ 05-90-28-39-61 (après 19h). ▯ 06-90-55-91-00. Au départ du port de Sainte-Rose, visite à la journée (8h30-16h30) env 50 € par pers, 30 € la demi-journée (sans repas) ou 15 € pour une simple navette ; demi-tarif pour les moins de 12 ans ; gratuit jusqu'à 4 ans. Au programme : embarquement en petit comité (pas plus de 12 personnes) pour l'îlet Caret, l'îlet Blanc, et découverte de la mangrove où s'épanouit un écosystème surprenant. Délicieux festin créole compris dans le tarif à la journée et servi sur la plage paradisiaque d'un îlet. Masque et tuba fournis, et pêche à la ligne possible sans supplément pour les amateurs. Accueil sympa.

– **Bleu Blanc Vert** : port de Sainte-Rose. ☎ 05-90-28-38-49 (après 18h30). ▯ 06-90-63-82-43. ● daniel@bleublancvert.com ● bleublancvert.com ● Pour une demi-journée (9h-13h ou 14h-18h), env 33 € ; réduc. Daniel Gauthier organise des balades en mer à bord de Zodiac, et vous fait découvrir la mangrove et la barrière de corail de très près, grâce au faible tirant d'eau des bateaux. Au passage, on voit aussi quelques îlets de rêve... L'originalité : tout se fait en petits groupes de 4 personnes par Zodiac et les 4 bateaux peuvent être pilotés par les clients eux-mêmes après un petit briefing de Daniel. Très apprécié par nos lecteurs. Loue également ses bateaux, équipés de moteurs de 6 à 80 chevaux.

Randonnées pédestres

➤ Ceux qui possèdent un véhicule et disposent d'un peu de temps aimeront le détour par **Sofaïa** (à 6 km). Là-haut, à partir du parking, **3 circuits** (compter entre 1h et 1h20 selon le parcours), dont le sentier de découverte du saut des Trois Cornes : balade dans la forêt sur un chemin entretenu par l'ONF, qui descend jusqu'à une petite rivière puis une cascade. Une autre randonnée intéressante, la *trace Sofaïa Baille-Argent* : compter 5 bonnes heures (avec passages pas évidents) pour gagner la côte Sous-le-Vent (se renseigner avant sur l'état de la trace auprès du *Parc national de la Guadeloupe* : ☎ 05-90-80-86-00 ou 39). Dès le parking, très belle forêt aux riches essences. Beau point de vue depuis la *Barre-de-l'Île* (point culminant de la balade à 758 m). Toutes ces balades sont à éviter s'il a plu récemment, les cours d'eau étant souvent en crue à ce moment-là. Près du parking également, possibilité de se doucher gratuitement en plein air sous une eau tiède et sulfureuse.

Pour redescendre, prendre la première route à droite en venant du parking ; au lieu de retourner à Sainte-Rose, on se retrouve directement à *Montplaisir*. Le spectacle que l'on a devant soi est superbe. Vue imprenable tout au long de la descente sur Cul-de-Sac Marin et tous ses massifs coralliens. La mer turquoise est enchanteresse. Le rêve ! Et en arrivant à l'anse Le Roux, vous apprécierez certainement la baignade, en guise de récompense.

Plongée sous-marine

Totalement ignorée du commun des plongeurs, qui choisit généralement Malendure pour faire des bulles, Sainte-Rose offre des spots sauvages d'une beauté étonnante. Au large, on trouve l'une des plus grandes barrières de corail des Antilles, semée de charmants îlets de carte postale (sable clair, eau turquoise). Ici, plongeurs débutants et confirmés apprécieront les richesses et couleurs des fonds. De même, à quelques encablures, la *réserve naturelle du Grand Cul-de-Sac Marin* (plongée interdite) abrite d'innombrables poissons, qui se baladent volontiers plus loin, sur les sites de plongée que nous proposons, accessibles par bateau rapide, en moins de 15 mn seulement.

Club de plongée

■ *Centre de plongée Alavama Sainte-Rose :* bord de mer, tout proche du resto L'Arbre à Pain. ☎ 05-90-28-65-49. ● info@alavama. com ● alavama.com ● ⚓ Baptême env 44 € ; plongée-exploration env 34 € ; forfaits dégressifs individuels 3, 5, 7 et 10 plongées. Réduc de 10 % (hors forfaits 5, 7 et 10 plongées) sur présentation de ce guide. Embarquez sur le bateau rapide de ce petit centre (FFESSM, ANMP, PADI) où Stéphan Cerezo – l'amical moniteur d'État – et son équipe encadrent baptêmes, formations jusqu'au Niveau 3 et brevets PADI, ainsi que d'inoubliables balades sous-marines. Plongée de nuit et initiation enfants à partir de 8 ans. Sorties à la demi-journée ou à la journée (2 par jour). Équipement complet fourni. Formule « hébergement + plongée » intéressante.

Nos meilleurs spots

⚓ *La Passe à Colas* (carte Basse-Terre : nos meilleurs spots de plongée, 1) : au nord-est du port, sur la barrière de corail, derrière l'îlet Fajou. Idéal pour plongeurs débutants et confirmés. Plongée fabuleuse (de - 3 à - 25 m) juste en bordure de la fameuse *réserve naturelle du Grand Cul-de-Sac Marin*. Exploration d'un joli plateau corallien très coloré et richement peuplé. On y a vu plusieurs espèces de poissons-anges (gris, royal, français), magnifiquement bariolés, et d'attachants diodons qu'il convient de ne pas effrayer, car ils pourraient se gonfler comme des ballons et mourir d'une crise cardiaque (à éviter absolument, donc !). Également de nombreuses langoustes pointant leurs fines antennes en dehors des failles. Les tortues soignées à l'*Aquarium de la Guadeloupe* (se reporter à la rubrique « À voir » à Pointe-à-Pitre) sont généralement relâchées ici, mais restent très discrètes...

➤ *La Tête à l'Anglais (carte Basse-Terre : nos meilleurs spots de plongée, 3) :* au nord-ouest du port. Pour plongeurs débutants et confirmés. À l'époque des guerres maritimes contre les Anglais, cet îlot servait de cible d'entraînement aux canonniers de notre marine à voile, qui y voyaient la représentation parfaite d'un casque *british* ! Aujourd'hui, c'est un site protégé pour la nidification des oiseaux. Sous l'eau, chouette succession d'éboulis rocheux, tunnels, arches, tombants, canyons, où l'on croise d'impressionnantes foules de poissons (de - 3 à - 23 m). On y voit souvent des tortues curieuses, et, parfois même, des raies pastenagues au repos sur le sable. Également d'amusants diodons peu farouches. Plusieurs plongées possibles.

➤ *L'îlet Kahouanne (carte Basse-Terre : nos meilleurs spots de plongée, 4) :* au nord-ouest du port. Pour plongeurs débutants et confirmés. Entre - 2 et - 21 m, c'est le rendez-vous des tortues qui viennent se reproduire sur l'îlet. Mais c'est aussi une plongée exceptionnelle où l'on rencontre des poissons particulièrement gros : platax, bancs de carangues, barracudas solitaires, et parfois un requin-dormeur en plein rêve (pas de panique !). Également de belles langoustes dans les failles des blocs rocheux. Vitalité resplendissante du corail. Plusieurs plongées possibles. Attention au courant.

➤ *La Passe à Caret (carte Basse-Terre : nos meilleurs spots de plongée, 2) :* sur la grande barrière de corail, face au port. Convient aux plongeurs débutants et confirmés. Plongée fastoche (- 3 m) et haute en couleur dans ce jardin corallien luxuriant, magnifique et très préservé. Délirant manège des classiques poissons-papillons, perroquets, trompettes, etc., dans une forme olympique ! Pour les plongeurs déjà brevetés, la balade se poursuit le long d'un tombant abrupt (- 22 m maximum), peuplé de langoustes et de majestueuses gorgones.

➤ ## DANS LES ENVIRONS DE SAINTE-ROSE

LAMENTIN *(97129)*

Repaire des flibustiers au XVIIIe siècle, cette commune agricole tire son nom d'un mammifère marin herbivore – semblable à un gros phoque – qui batifolait autrefois sur cette côte, et serait même à l'origine du mythe des fameuses sirènes... Sur place, on découvre un gros bourg avec quelques vieilles maisons créoles et des édifices publics construits par l'architecte Ali Tur après le cyclone de 1928. Lamentin possède ainsi l'un des rares monuments de la Guadeloupe consacrés à l'esclavage. Il s'agit de la *Maison de l'esclavage et des droits de l'homme,* qui mérite un coup d'œil. Mais attention : impossible d'y pénétrer : la toiture et l'intérieur de cette petite baraque en béton sont occupés par de gros blocs rocheux, maintenus par de lourdes chaînes, symbolisant l'esclavage. Également un *ciné-théâtre* dans cette ville qui se veut la capitale culturelle de l'archipel.

■ *Réserve naturelle du Grand Cul-de-Sac Marin :* 43, rue Jean-Jaurès, à Baie-Mahault. ☎ 05-90-60-17-33. ● guadeloupe-grandculdesac.com ● Pour tout connaître sur la réserve naturelle au large de Lamentin : infos environnementales, activités sportives, etc.

BASSE-TERRE

Où dormir ? Où manger ?

🛏 **La Roseraie** (*Gîtes de France*) : La Rosière. ☎ 05-90-25-61-31. ● gitesdefrance-gp.com ● *Réception au libre-service* Arnaud, *situé au bord de la D 31 à La Rosière. À la sem, env 280-300 € pour 2 pers ; 480-530 € pour 4 pers. Apéro maison offert sur présentation de ce guide.* À la fois proches de la route de la Traversée et de la Grande-Terre, voici 3 villas indépendantes agréables, au niveau de confort correct (cuisine, TV, point phone, etc.), pouvant accueillir de 2 à 6 personnes. L'ensemble est situé dans un grand jardin fleuri et ventilé, au calme, en retrait de la départementale. Source thermale de Ravine-Chaude à 3 km.

🍴 **Le Cercle** : *à Castel.* ☎ 05-90-25-68-66. *Vers Sainte-Rose, à env 1 km après la sortie de Lamentin, tourner à gauche (à la hauteur de la station Texaco), puis faire encore 2 km ; le resto se trouve sur la route au centre du village. Ouv slt le soir mar-sam. Résa très recommandée. Carte 35-40 €.* Ambiance tamisée dans ce resto familial réputé dans la région. Côté cuisine, spécialités traditionnelles créoles de bonne tenue.

LES ÎLES
DE LA GUADELOUPE

D'île en île, au regard de leur histoire, superficie, relief, climat, population, les routards avisés seront vite séduits par le caractère unique et bien trempé de ces purs joyaux posés sur l'écrin azuré de l'Atlantique. Au large de la Guadeloupe, on croise d'abord les Saintes, incontestablement sublimes, mais dont le succès touristique a fait perdre tout le charme de leur tranquillité. Ensuite, majestueuse et sauvage, La Désirade offre l'occasion d'une escapade formidable... au bout du monde. Puis il y a Marie-Galante, la reine des îles guadeloupéennes, selon nous. À ne manquer sous aucun prétexte, pour son cachet, son atmosphère et ses plages magnifiques.

LES SAINTES

Pour la carte des Saintes, se reporter au cahier couleur.

Une vraie merveille ! Les Saintes se composent de deux petites îles – Terre-de-Haut et Terre-de-Bas – et de quelques îlets rocailleux et inhabités. Le climat est plutôt sec, les pluies rarissimes, et les sources d'eau inexistantes. La végétation qui enrobe leurs hautes collines est donc aux antipodes de la luxuriante Basse-Terre, distante de seulement quelques kilomètres. Voilà qui fait quand même le bonheur des iguanes, en pleine bronzette aux alentours du stade de Terre-de-Haut, au fort Napoléon, mais aussi à Petites-Anses sur Terre-de-Bas...

Terre-de-Haut possède une rade splendide, particulièrement appréciée des plaisanciers. Hyperboles et superlatifs sont utilisés pour en vanter la beauté : « le Gibraltar des Indes occidentales », « la troisième plus belle baie du monde », « un Rio miniature »... rien que ça ! En tout cas, superbe arrivée par bateau ou par avion. Port et village, avec leurs blanches maisons aux toits rouges, sont d'une totale homogénéité architecturale.

Le plaisir est hélas un peu gâché par le vacarme des scooters qui parcourent l'île de Terre-de-Haut dans tous les sens et sans interruption. De plus, les gros bateaux en provenance de la Guadeloupe amènent dès le matin leur cargaison de touristes qui envahissent le centre. Ils repartent vers 16h et, le calme revenu, on peut alors vraiment profiter pleinement de l'ambiance et des habitants.

Descendants de Bretons, Normands et Poitevins, les Saintois sont pour la plupart blancs de peau (avec quelques nuances). En effet, la canne ne poussant pas sur leur sol aride, on n'eut pas recours aux esclaves, et le mélange des populations fut donc limité. Largement tournés vers la mer, les Saintois, peuple de pêcheurs (les meilleurs de toutes les Antilles, dit-on !) isolés sur leur île, ont ainsi conservé leur particularisme à travers les siècles. Du point de vue de l'accueil, on rencontre en général une curiosité tranquille, une certaine indifférence, voire parfois un sentiment d'agressivité. Pendant longtemps les Saintois arborèrent fièrement le *salako,* chapeau de paille d'inspiration tonkinoise. Les charpentiers de marine furent longtemps réputés pour la qualité de leurs bateaux, les fameuses *saintoises,* légères et rapides, qui pouvaient mesurer jusqu'à 10 m de long. Aujourd'hui, bien sûr, les bateaux à moteur ont pratiquement remplacé les blanches voiles triangulaires, et seuls quelques vieux habitants portent encore le *salako.*

Une remarque en passant : le week-end du 15 août (durant la fête patronale), les routes de l'île sont fermées pour cause de fête. Il n'y a donc aucun mini-bus. Pour la découverte tranquillou de l'île, mieux vaut choisir un autre moment.

UN PEU D'HISTOIRE

C'est Christophe Colomb (encore lui !) qui découvrit l'archipel début novembre 1493 et le baptisa *Los Santos,* en l'honneur de la Toussaint. En 1648, les Français occupèrent les Saintes, mais la trentaine de colons envoyée par Charles Houël ne résista pas longtemps à la sécheresse ambiante. La deuxième tentative, en 1652, fut la bonne. Le 15 août 1666, la flotte anglaise fut battue (cette victoire est, depuis, commémorée chaque année à l'occasion de la fête patronale). Les Français se firent alors aider par les Indiens Caraïbes pour chasser les Grands-Bretons. Cela n'empêcha pas les Saintes de rester sous-peuplées : en 1671, on ne dénombrait à Terre-de-Haut que 43 Blancs et 10 esclaves. En revanche, en 1782, ce furent les Anglais qui, à leur tour, provoquèrent un Trafalgar avant la lettre, terrassant la flotte de l'amiral de Grasse et s'emparant de l'île. Terrible bataille mettant aux prises près de 70 vaisseaux armés de plus de 5 000 canons et faisant 7 000 morts ! Les Saintes ne redevinrent françaises qu'en 1816, au moment où les Anglais reconnaissaient l'indépendance des États-Unis... Petit à petit la population augmenta (500 habitants au milieu du XIXe siècle), pour atteindre environ 3 000 îliens aujourd'hui.

21 NOVEMBRE 2004, 7H41... LA TERRE TREMBLE

Les secousses, les Saintois y sont habitués. Mais ce jour-là, à 7h41 exactement, un séisme d'une magnitude de 6,3 sur l'échelle de Richter secoua le petit archipel, l'épicentre se situant entre la Dominique et Terre-de-Bas. Un tremblement de terre qui surprit les habitants au réveil et vida les maisons de leurs occupants en quelques secondes. À Terre-de-Bas, l'île la plus durement touchée, 60 habitations furent endommagées (dont la moitié détruites), une partie de l'église de Petites-Anses s'effondra. Heureusement la messe avait « miraculeusement » lieu ce jour-là dans l'autre église de l'île, à Grande-Anse.

Les Saintois connurent l'isolement les premiers jours (en particulier à Terre-de-Bas où le collège flambant neuf fut réquisitionné) et les nuits blanches sur des matelas installés dans la rue ou sous des tentes de l'armée, au rythme des secousses comme des coups de canon. Plusieurs milliers de répliques suivirent pendant... plusieurs semaines, à raison d'une trentaine par heure les premiers jours ! Et, histoire d'achever le tableau, une grève de plusieurs semaines des dockers de Pointe-à-Pitre vida les étalages des magasins, privant la population des produits de première nécessité ! Un véritable choc psychologique, et on ne doute pas que, désormais, dans l'histoire des Saintes, il y aura l'avant et l'après 21 novembre 2004.

Arriver – Quitter

En bateau

Autant prévenir : ça tangue pas mal et on doute que les personnes sensibles en mer apprécieront la traversée. Trois conseils : prendre un comprimé contre le mal de mer (c'est efficace, croyez-nous !), traverser à partir de Trois-Rivières sur Basse-Terre (si vous le pouvez, c'est la distance la plus courte à parcourir en bateau) ou « tout simplement » prendre son mal en patience.

🛥 *De la gare maritime de Bergevin à Pointe-à-Pitre :* les compagnies *Brudey Frères* (☎ 05-90-90-04-48 et 05-90-91-60-87. ● *brudey-freres.fr ●*) et *Express des Îles* (☎ 05-96-42-04-05, 05-90-83-12-45 et 05-90-91-11-05) assurent 1 traversée tous les matins. Tarifs similaires : environ 39,50 € l'aller-retour ; réduction. Arriver tôt pour acheter son billet. Compter 1h de traversée jusqu'à Terre-de-Haut. Toutefois, concurrence commerciale oblige, surveillez d'éventuelles promotions. Retour quotidien vers Pointe-à-Pitre en fin d'après-midi.

🛥 *De Trois-Rivières :* les compagnies *CTM-Deher* (☎ 05-90-92-06-39 ou 05-90-99-50-68. ● *ctm.deher@voila.fr ●*), *Brudey Frères* (☎ 05-90-90-04-48 et 05-90-92-69-74) et *Express des Îles* (☎ 05-96-42-04-05 ou 13-43), assurent ensemble plusieurs traversées quotidiennes. À certaines périodes de pointe, rotations plus nombreuses au départ de Trois-Rivières que de Bergevin. Attention, les horaires peuvent parfois changer, se renseigner sur place, à la billetterie des compagnies ou au syndicat d'initiative (☎ 05-90-92-77-01). Tarifs proches : autour de 21-22 € pour un aller-retour (c'est bien moins cher que de Pointe-à-Pitre). Parking payant près de l'embarcadère. Autour de 20 mn de navigation seulement. Avec *CTM-Deher,* départs tous les jours autour de 8h45 et 16h15 ; 4 € de réduc sont accordés sur présentation de ce guide. Pour le retour, embarquement à Terre-de-Haut ou Terre-de-Bas : 2 bateaux par jour ; le premier tôt le matin (vers 6h), et l'autre en milieu d'après-midi (vers 16h).

🛥 *De Basse-Terre :* au départ du port autonome, les compagnies *Brudey Frères* (☎ 05-90-90-04-48 ou 05-90-92-69-74) et *CTM-Deher* (☎ 05-90-92-06-39) assurent 2 traversées (l'une à l'aube, l'autre vers midi), tous les jours sauf dimanche. Se renseigner sur place, car les horaires peuvent varier. Prendre le billet sur le bateau même : autour de 25 € l'aller-retour ; réduc enfants et 4 € de réduc accordés par la compagnie *CTM-Deher* sur présentation de ce guide. Entre 30 et 45 mn de navigation. Pour le retour, en moyenne 2 bateaux tous les matins sauf le dimanche.

🛥 *De Saint-François :* au départ de la marina, 1 liaison par jour en haute saison pour les Saintes, à bord de l'*Iguana Beach* (☎ 05-90-22-26-31. ▪ 06-90-50-05-10). En basse saison, départs plus ou moins un jour sur deux. Et aussi *Comatril* (☎ 05-90-91-02-45), avec escale à Saint-Louis de Marie-Galante. Compter 45 mn de navigation pour Marie-Galante, et autant ensuite pour gagner les Saintes. Parfois, traversée directe pour les Saintes... Billetterie à l'embarcadère de la marina : autour de 33-35 € l'aller-retour. Retour en fin d'après-midi avec le même arrêt. Attention, ça secoue pas mal !

🛥 *De Sainte-Anne :* au départ du port de pêche de Galbas, la vedette *Iguana Beach* (☎ 05-90-22-26-31. ▪ 06-90-50-05-09) assure quelques traversées hebdomadaires pour les Saintes. Départ tôt le matin (vérifier avant), avec escale à Saint-Louis de Marie-Galante. Compter 30 mn de navigation pour Marie-Galante, et ensuite 45 mn pour gagner les Saintes. Parfois, traversée directe pour les Saintes... Autour de 35 € l'aller-retour. Retour en fin d'après-midi avec le même arrêt.

🛥 *De Marie-Galante :* les bateaux pour Marie-Galante en provenance de Saint-François et Sainte-Anne desservent tous les Saintes. Ils se prennent donc à Saint-Louis, tôt le matin. Compter 45 mn de traversée.

En avion

✈ *De l'aéroport international Pôle-Caraïbes de Pointe-à-Pitre :* avec *Air Caraïbes* (☎ 0820-835-835. Fax : 05-90-82-47-48). Aérodrome des Saintes : ☎ 05-90-99-51-23. En général, 3 rotations quotidiennes. Moins nombreuses le week-end. Horaires variables. Attention à votre retour : s'il n'y a pas assez de monde, le vol peut être... supprimé ! Mieux vaut donc bien se le faire confirmer et aussi voyager léger (certains de vos bagages trop lourds pourraient rester en carafe !). Compter 130 € l'aller-retour.

TERRE-DE-HAUT

(97137)   1 800 hab.

> Pour le plan du bourg de Terre-de-Haut, se reporter au cahier couleur.

Le village principal. Installé au bord d'une baie superbe qui rappelle un peu celle de Rio (il y a même un Pain-de-Sucre !), mais en miniature. Avec ses trois-mâts ancrés dans le golfe, la beauté du panorama et l'harmonie du village, la baie des Saintes est classée « troisième plus belle baie du monde », après celles de Rio et d'Along. Le bourg s'étire tout en longueur. Au centre, une mairie et un square assez ombragé. À l'arrivée, au débarcadère, la gendarmerie nationale est tellement mignonne qu'on a presque envie de prendre l'uniforme ! L'église de campagne marque la limite entre le quartier du Mouillage et celui de Fond-Curé, où habitent les pêcheurs.

À partir du débarcadère, il est tout à fait possible de visiter l'île en une seule journée, entre le bateau de l'aller et celui du retour, mais c'est vraiment dommage. Il faut goûter à la tranquillité de fin d'après-midi, à la qualité de la nuit, et déguster la fraîcheur de l'aube pour les balades à pied ou les baignades au levant.

Adresses utiles

ℹ️ Office de tourisme (plan couleur B3) : 39, route de la Grande-Anse. ☎ 05-90-99-58-60. • omt@ter redehaut-lessaintes.com • omtles saintes.fr • À gauche juste après la mairie en venant du port. Théoriquement, ouv lun-sam 8h-12h, 13h30-16h30 ; dim 8h-12h. Plan de l'archipel gratuit et bien fait, liste des hébergements, horaires des bateaux et avions, etc. Accueil tout à fait charmant, quand il y a quelqu'un... malheureusement, souvent personne par manque de budget !

✉️ Poste (plan couleur B4) : rue Emmanuel-Laurent, qui part de la mairie vers le quartier de la Savane. Fermé sam ap-m et dim.

▪️ Distributeur de billets (plan couleur B3, 3) : un seul ! Collé au petit phare du débarcadère. On conseille néanmoins de se munir d'argent liquide sur le « continent », car le distributeur peut être à sec les jours de grande affluence.

▪️ Médecins : Dr Ballabriga (plan couleur B2, 1 ; ☎ 05-90-99-50-66). Dans la maison-navire pittoresque que l'on voit du débarcadère en regardant sur la droite. Également le Dr Bros (plan couleur B4 ; ☎ 05-90-99-51-33), dans le bourg, juste en face de la poste. Et le Dr Cassin (plan couleur B3, 5 ; ☎ 05-90-99-59-99).

▪️ Kiné : rue de la Poste. ☎ 06-90-49-66-60 ou 06-90-46-57-20. Seulement sur rendez-vous.

▪️ Pharmacie (plan couleur B2, 4) : rue Jean-Calot. ☎ 05-90-99-52-48.

@ Internet : point d'accès au Yacht Club des Saintes (voir ci-dessous).

@ Cyberc@fé (plan couleur B3, 6) : rue Jean-Calot, au rez-de-chaussée. ☎ 05-90-99-67-38. À partir de 2,50 € pour une connexion. Connexions internet, wi-fi, vente et services informatiques, jeux vidéo. Salle climatisée et petit snack pour les internautes.

@ Yacht Club Services (hors plan couleur par A4, 2) : plage de la Colline, à côté du club de plongée La Dive Bouteille. ☎ 05-90-99-57-82. ● yachtclub@wanadoo.fr ● *Pour les marins :* VHF canal 68. Jérôme et Valérie ont eu la bonne idée de penser aux marins. Ils ont monté une station d'eau qui fonctionne de 6h à 18h, et proposent une assistance technique. Ils soignent le bateau mais aussi les hommes : de 6h30 à 12h, livraison de nourriture à bord (pain, viennoiseries, poulet, pizza, jus de fruits, punch, glace, etc.). Sur réservation seulement, ils proposent aussi une table d'hôtes avec un menu langouste à 35 €. Également valable pour les « terriens » : borne wi-fi gratuite, fax, douches, service de laverie. Ils organisent aussi des journées à la Dominique, aux Grenadines ou aux îles Vierges.

■ *Location de masques et tubas :* à *Tropico Vélo* (voir la rubrique « Transports ») ; auprès du club de plongée *Pisquettes (plan couleur B2, 50)* et auprès de *Christian Maisonneuve* (voir « location de canots » dans la rubrique « Transports »).

■ *Chalet de nécessité (plan couleur B3, 8) :* juste avant le marché. *Toilettes et douche payantes, ouv lun-sam.* Un autre chalet près du 2e débarcadère.

Transports

🚢 La *navette L'Inter* fait la liaison entre l'embarcadère de *Terre-de-Haut* et l'île de *Terre-de-Bas.* Tous les jours, en moyenne 4 à 6 rotations. Attention, horaires parfois irréguliers, se renseigner sur le port. Compter 10 mn de traversée. Tarif aller-retour : env 6 €. Déconseillé d'embarquer son vélo ou son scooter, c'est cher et les engins ne sont pas assurés par les loueurs.

■ *Location de VTT et scooters :* pour un scooter, il vous en coûtera autour de 25 € la journée (permis voiture obligatoire) et 30 € pour 24h, assurance et essence comprises. Attention à l'état des bécanes et bien vérifier le contrat de location. Trop d'arnaques nous sont régulièrement rapportées. Les tarifs baissent et la qualité des engins s'améliore à mesure que l'on s'éloigne du débarcadère. Tiens, tiens... Nous faisons confiance à *Rodolphe* (☎ 05-90-99-50-42) en face de la mairie, sur la place et à *Édouard* (☎ 05-90-99-53-32), vraiment sympa, rue Emmanuel-Laurent, à deux pas de la mairie *(plan couleur B3).* Locations de vélos à *Tropico Vélo (plan couleur B3 ;* ☎ *05-90-99-88-78),* dans la galerie marchande *Sea-Side,* à côté de l'église. VTT autour de 10 € la journée ou 4 € l'heure ; vraiment pour les mollets musclés : ça grimpe sec du côté du Pain-de-Sucre !

■ *Les Saintes Travels services (plan couleur B3, 9) :* rue Emmanuel-Laurent. ☎ 05-90-99-56-77. 📱 06-90-37-55-42 ou 06-90-81-61-00. Agence de voyages qui représente *Air Caraïbes* aux Saintes. Locations de voitures, de bateaux, navettes pour l'aéroport, etc. Proposent également des balades en mer avec le *Max'ou,* (excursions, entre autres, à Marie-Galante et tours de l'île). Bon accueil et services efficaces.

■ *Tour de l'île en minibus :* plusieurs compagnies. Elles vous attendent au débarcadère. Compter 10 € par personne pour 1h ou la matinée, tout dépend de la prestation. Comparez ! On vous conseille le monsieur qui travaille pour *Les Saintes Travels services* (voir ci-dessus), très sympathique.

■ *Location de canots à moteur :* chez Christian Maisonneuve, rue Benoît-Cassin, à côté du resto Le Triangle *(plan couleur A4, 30).* ☎ 05-90-99-53-13 ou 59-82. Location à la journée de canots équipés de moteurs allant jusqu'à 9,9 CV : attention, au-dessus de 6 CV, permis mer obligatoire. La journée coûte entre 70 et 85 €, selon la puissance ; plein d'essence compris. Très sympa, pour une bande de copains, de partir une journée à la découverte des criques par la mer (mais on ne va pas loin).

Où dormir ?

De bon marché à prix moyens

▣ *Chez Gisèle et Philippe Maison-neuve* (hors plan couleur par B2) : route de Pompierre. ☎ 05-90-99-55-52. ▤ 06-90-50-58-18. ● chezgiseleet philippe@wanadoo.fr ● chezgisele etphilippe.com ● Passer le stade et continuer tout droit 200 m env, 1er chemin de terre sur la gauche (juste devant la boîte aux lettres jaune) et suivre la flèche Maison-neuve. Pour 2 pers, 55-75 € la nuit. Studios à partir de 65 € ; duplex (2 pers) à partir de 75 €. Également un studio climatisé en rez-de-jardin à partir de 55 € (mais sans vue). Compter env 17 € par pers supplémentaire et 12 € pour un enfant. Petit déj env 7 € et table d'hôtes à partir de 20 €. Réduc de 10 % à partir de 3 nuits et de 20 % à partir de 2 sem du 1er mai au 15 déc (sf 11-18 août et 25 oct-4 nov) sur présentation de ce guide. Chèques-vacances acceptés. Belle maison au calme, à seulement 100 m de la plage de Pompierre, une adresse qui grandit et que l'on apprécie toujours autant. Un ensemble de studios et duplex, tout confort avec salle de bains, cuisine équipée, AC, TV, et lave-linge commun. Le tout soigné et joliment décoré. Certains ont une belle terrasse avec vue sur Pompierre et Marie-Galante, les autres sur le Chameau et le fort Napoléon. Accueil de Gisèle qui ravit toujours nos lecteurs. Essayez la table d'hôtes, le soir uniquement et sur commande, avec notamment le délicieux plateau du pêcheur – métier de Philippe et de ses frères, bien connus aux Saintes. Balades matinales pédestres, organisées selon vos envies. Excellent rapport qualité-prix-gentillesse.

▣ *Chez Line* (plan couleur B3, **21**) : route de la Grande-Anse. ☎ 05-90-99-50-93. Sur la route du cimetière, dans la descente, sur la droite. Pour 2 pers, env 28-31 € selon taille et saison. Parmi les tarifs les moins élevés de l'île, 1 appartement de 2 chambres et 2 studios, corrects, pas très grands, mais très propres. Ce n'est

pas le grand luxe, mais le prix reste très honnête. Deux avantages : les chambres sont à l'écart de la rue (loin des scooters pétaradants pendant la sieste !) et Line saura bien vous pouponner.

▣ *Bungalows Là-Haut, chez Brigitte* (plan couleur B3, **10**) : rue du Marigot. ☎ 05-90-99-54-57. ● reser vation@bungalows-lahaut.com ● bungalows-lahaut.com ● Prendre la rue à gauche de l'église, monter 150 m (panneau à droite), ensuite ça grimpe raide par un escalier. Mais la vue, ça se mérite ! Résa très conseillée. Pour 2 pers, env 45-60 € la nuit selon logement ; env 10 € par pers supplémentaire. Demi-tarif moins de 12 ans. Juste au-dessus du village, une ravissante maison créole (2-4 personnes) en bois avec sa grande terrasse et une vue fantastique sur la baie et les bateaux qui font rêver. Équipement correct : chambre, salle d'eau, séjour avec coin cuisine. Également un bungalow (2 personnes), tout en bois, avec même confort et vue géniale ; un autre encore avec mezzanine (2-6 personnes), ventilation des alizés sur sur la Dominique. Confortable et plein de charme, l'ensemble a un cachet fou ! La gentille voisine confectionne d'excellents tourments d'amour (gâteaux traditionnels au coco) ; idéal pour le petit déjeuner.

▣ *Chez Jacques Boone* (hors plan couleur par A4) : plage de Pain-de-Sucre. ☎ 05-90-99-52-31. ● boone. jacques@wanadoo.fr ● http://perso. orange.fr/jacques.boone ● En direction de Bois-Joli, à 2 km du bourg, descendre le sentier vers la droite ; pour s'y rendre, prendre un taxi local, ou essayer de négocier avec la navette de l'hôtel Bois-Joli. Résa indispensable. Pour 2-4 pers, env 30-50 € la nuit selon la taille du logement (100 € l'appart pour 8 pers). Jacques Boone a construit de ses mains cet original repaire après avoir écumé les mers du globe en voilier. Il s'agit de deux ravissantes maisons créoles rustiques, comprenant chacune un bel appartement (2-4 personnes) avec chambre, salle de bains et vaste salon-salle à manger-cuisine ouvert aux alizés, sur la sublime Anse du Pain-de-Sucre. Chaque maison compte aussi un studio (2 personnes) et une chambre (2 personnes) à entrée indépendante et qui peuvent être loués séparément. Déco intérieure tout en bois brun, façon maison des îles. N'oubliez pas de faire le ménage avant de partir ; c'est l'usage de la maison, et puis la direction ne repassera pas derrière... Un endroit charmant, où Boone, qui a connu Hugo (le cyclone), dédicace volontiers ses récits de voyages. Accueil parfois bourru (quand on est bourlingueur, on ne se refait pas !), mais c'est un sacré personnage.

☐ **Gîte chez Daniel et Anne-Marie Bride** (hors plan couleur par A4) : 721, route du Bois-Joli, lieu-dit Pain-de-Sucre. ☎ 05-90-99-55-71. ● daniel.bride@wanadoo.fr ● À 2 km du bourg, vers le Bois-Joli. Chemin sur la droite à descendre à pied, juste avant Jacques Boone. Pour 2 pers, env 45 € la nuit, 300 € la sem ; pour 4 pers, env 60 € la nuit, 400 € la sem. Apéro maison offert sur présentation de ce guide. Dominant l'Anse du Pain-de-Sucre, gracieuse à souhait, un seul studio (2-4 personnes), propre et tout équipé, avec douche, w-c, cuisine, ventilo, moustiquaire et terrasse donnant sur le jardin fleuri d'hibiscus, la grande passion de madame. Très tranquille et atout majeur : l'accès direct à la magnifique plage du Pain-de-Sucre, qu'on aime tant. Accueil gentil.

☐ **Location de bungalows, chez Jacky** (plan couleur A4, **14**) : 125, rue Benoît-Cassin. ☎ 05-90-99-50-97. ☐ 06-90-62-38-77. ● simja@wanadoo.fr ● http://monsite.wanadoo.fr/lo cationdebungalows ● Pour 2 pers, env 50-65 € la nuit selon logement ; env 10 € par pers supplémentaire. Demi-tarif moins de 12 ans. Jacky gère plusieurs locations à Terre-de-Haut. Appartement confortable (4-6 personnes), avec mezzanine, cuisine équipée, terrasse sur la baie de Marigot (proche de l'UCPA, hors plan couleur par B2) et ses barcasses de pêcheurs. À 10 m de la plage de Pompierre. À côté, un gentil marchand de punchs, « Dow », met un peu d'ambiance... Également un beau studio (2-4 personnes), avec coin cuisine, ventilo, moustiquaire, petite terrasse dominant l'Anse Fond-du-Curé (à la sortie du bourg, direction Bois-Joli), ses bateaux à l'ancre et le fort Napoléon au loin. Mignon jardinet. Enfin, une maison (4-6 personnes) tout confort (2 chambres, TV, ventilo, barbecue, etc.), à deux pas du village, avec terrasse sur l'Anse du Bourg, ses yachts de rêve et la colline du Chameau. Lit bébé à la demande. Accueil prévenant de Jacky.

☐ **La Villa du Mas Sucré** (plan couleur B3, **18**) : route de la Grande-Anse. ☎ 05-90-99-67-38 ou 53-39. ☐ 06-68-95-18-21. ● nadege.euvrard 1@tiscali.fr ● http://guadeloupe.lo cation.free.fr ● Chez Nadège et Benoît Cassin. À 100 m du bourg, sur les hauteurs, petit chemin à gauche (à la hauteur du 133, route de la Grande-Anse) montée très raide. Studios et appart (2-8 couchages), 40-45 € la nuit pour 2 pers et 275-950 € la sem selon nombre de pers. Hors période scol, 10 % de réduc sur le prix de la chambre offerts sur présentation de ce guide. Dans une grande villa récente de style créole, sur les hauteurs (vous l'aurez compris). Magnifique vue sur la baie des Saintes de la terrasse et du toit. Petite piscine entourée d'un jardin exotique.

☐ **Gîtes, chez M. Péderne** (plan couleur A4, **13**) : rue de la Savane. ☎ et fax : 05-90-99-52-47. ☐ 06-90-72-59-82. À la nuit : studio (2 pers) env 42 € et bungalow (4-6 pers) env 69 €. Sur la hauteur du quartier de la Savane, au 1er étage de cette maison blanche à toit rouge, de style créole moderne, on trouve 2 studios propres et bien équipés : douche, w-c, cuisinette, ventilo, TV et superbe terrasse avec vue imprenable sur la baie. Également un bungalow F3 de la même trempe, sur le côté de la maison. Accueil très courtois. Ce sont les parents de Rodolphe, le loueur de scooters.

▲ *Villa Anse Caraïbe* *(plan couleur B4, **11**) : rue Emmanuel-Laurent. Contacter Françoise : ☎ 05-90-99-88-80.* 📱 *06-90-46-29-19. Rens en métropole : ☎ 04-67-22-55-88.* ● hexa com@wanadoo.fr ● grandbaie.com ● *En plein bourg (derrière la poste), mais au calme, un peu sur les hauteurs. À la sem, selon saison : studio (2-4 pers) 270-300 € et appart (2-4 pers) 428-595 € selon taille. Loc 3 j. min. Réduc de 10 % au-delà de 10 j. À l'écart du bruit, cette grande villa de style néocréole abrite de beaux appartements lumineux, neufs et confortables avec AC, barbecue et grandes terrasses bénéficiant du soleil couchant. Impeccable et fonctionnel. Livraison de repas créoles possible.*

▲ *Chez M. Nicol Cassin* *(plan couleur B4, **15**) : 1, allée des Bougainvillées, La Savane. ☎ 05-90-99-51-38. Pour 2 pers, env 50 € la nuit. Tarifs dégressifs à partir de 15 j. Les sympathiques propriétaires (Nicol est l'un des gardiens du fort Napoléon) proposent 2 jolis petits appartements (2 personnes), bien équipés (AC, cuisine, etc.), dans leur beau jardin.*

▲ *Chez Pierrot, chez Brigitte et Pierre Hajjar* *(plan couleur B3, **12**) : 22, route de la Grande-Anse, en face de l'office de tourisme. ☎ 05-90-99-52-97.* ● pierrot-jobripi@wanadoo. fr ● *Pour 2 pers 32 € la nuit, dégressif en fonction du nombre de nuits. Apéro, digestif ou café offert à partir de 2 nuits sur présentation de ce guide. En tout, 2 chambres dans la maison des propriétaires, avec entrée indépendante par l'extérieur : 1 double et 1 triple (à 41 €) avec mezzanine. Mini-coin cuisine (évier et frigo), salle de bains et w-c communs. AC et eau chaude. Très simple, mais efficace. Accueil familial et prévenant.*

▲ *L'Allée des Hibiscus, chez Mme Bonbon* *(plan couleur B3, **12**) : route de la Grande-Anse. ☎ et fax : 05-90-99-50-52. En face de l'office de tourisme. Doubles 32-35 € ; studios env 50-70 €. Petit déj en sus env 5 €. Dans une jolie maison bien tenue et entourée d'un jardinet tout fleuri, 5 chambres doubles au confort simple. Balcon sur le jardin pour cer-* taines et vue sur la baie pour d'autres ! Sanitaires communs à l'étage. Également 3 studios plus récents (2 à 5 personnes), avec kitchenette équipée, terrasse, et mezzanine pour quelques-uns. Accueil pittoresque, mais l'entretien n'est pas toujours à la hauteur.

▲ *La Petite Maison des Saintes* *(plan couleur B3, **22**) : 114, route de Marigot. ☎ 05-90-92-33-25.* 📱 *06-90-35-15-70.* ● albert.duflo@wanadoo. fr ● guadeloupe-lessaintes.com/ lapetitemaison.html ● *À 5 mn à pied du bourg. Pour 2 pers, env 350 € la sem, 150 € le w-e. Café offert sur présentation de ce guide. Beaux studios tout confort dans une jolie maison de style créole. Tous ont salle de bains, chambre et séjour avec cuisine. Le tout bien entretenu et joliment aménagé. Chacun possède sa terrasse, avec vue sur... la mer, bien sûr ! Ventilation naturelle des alizés.*

▲ *Centre UCPA* *(hors plan couleur par B1) : dans la baie de Marigot, à 1 km du village. Résa en métropole : ☎ 0825-101-305 (0,15 €/mn).* ● uc pa.les-saintes@wanadoo.fr ● ucpaauxsaintes.com ● *Sur place : ☎ 05-90-99-54-94. De Paris, la sem tt compris 850-1 720 € selon saison. ATTENTION : les stagiaires venant de métropole ont priorité sur les gens de passage ; c'est souvent complet, surtout en période de congés scolaires. Un village de bungalows tout confort, disséminés sur une grande pelouse au bord des flots. Cadre exceptionnel et façades repeintes pour certaines, mais qui s'abîment très vite, à cause de la mer, si proche. On pratique les sports à partir du centre nautique situé dans le bourg, à 1 km de là. Pour circuler dans l'île de manière autonome, on vous prête des vélos. Stages de plongée, catamaran, kayak de mer, et un cocktail de découvertes sympas (randonnée, kayak, catamaran, snorkelling) possibles en externat. Également des croisières de 3 jours, du windsurf et du kitesurf.*

▲ *Le Paradis Saintois* *(hors plan couleur par A4) : 211, route des Prés-Cassin. ☎ 05-90-99-56-16.* ● para dis.saintois@wanadoo.fr ● antilles-info-tourisme.com/guadeloupe/para dis.htm ● À 1 km du bourg, sur la gauche en montant vers le Pain-de-Sucre. À la nuit : double 51-62 € ; studio (2 pers) 75-93 € ; appart (2-6 pers) 100-131 €, selon taille, vue et saison, sur la base de 2 pers, pour 3 nuits min. Tarifs dégressifs à partir de la 4e nuit. Réduc de 20 % en basse saison. Apéro maison ou café offert sur présentation de ce guide. Mieux connue sous le nom Chez les Suisses, cette grande maison, joliment située sur les hauteurs, offre un bel ensemble d'appartements (5), de studios (3) et d'une chambre, pas très spacieux, mais bien aménagés, mignons, impeccables, et avec vue sur la baie pour les plus chers. Tout confort : kitchenette, salon, terrasse, piscine et terrain de pétanque. Accueil courtois et atmosphère sympa. Une bonne adresse.

▲ **Résidence Grand Baie** (hors plan couleur par A4) **:** route de l'Anse du Figuier, au-dessus du Yacht Club des Saintes. Infos et résas : mêmes contacts que Villa Anse Caraïbe (voir plus haut). La sem env 350-1 005 € selon nombre d'occupants (4-10 pers) et saison. Loc 3 j. min. Dans une grande villa récente, 1 F1 et 3 beaux appartements indépen-dants : deux pour 6 à 8 personnes (3 chambres, 1 séjour-cuisine, 2 salles de bains), et un très beau duplex pour 4 à 6 personnes (2 chambres, 1 séjour-cuisine et 1 salle de bains). Décoration de qualité, AC, TV, jardin, barbecue, immenses terrasses ouvrant sur la baie. Plages de Fond-du-Curé et du Figuier à 2 mn à pied. Livraison de repas créoles possible.

▲ **Résidence Iguann'la** (plan couleur B3, **16**) **:** 151, route de la Grande-Anse. ☎ 05-90-99-56-57. ● iguann la@wanadoo.fr ● geocities.com/iguannla2000 ● À 100 m du bourg, sur la gauche de la route de l'aéro-drome. Nuit à partir de 81 € env en studio (2-4 pers) ; env 95 € en appart de type F2 (2-4 pers) ; et à partir de 135 € en appart de type F3 (4-6 pers). Compter 11 € par pers supplémentaire. Loc 2 nuits min. CB refusées. Petite résidence récente comportant quelques appar-tements et studios, spacieux et d'un bon niveau de confort : AC, TV, ter-rasse, cuisine équipée. Nickel mais un peu cher quand même. L'appar-tement du bas donne directement sur la rue ; on peut y pendre un hamac. Plage de Grande-Anse à 300 m.

Plus chic

▲ **Auberge Les Petits Saints** (plan couleur B4, **17**) **:** La Savane, Les Anacadiers. ☎ 05-90-99-50-99. ● in fos@petitssaints.com ● petitssaints. com ● Sur la colline dominant le vil-lage, en direction de Grande-Anse et Anse Rodrigue. Doubles 100-250 € la nuit selon vue et saison ; petit déj compris. Table d'hôtes 32 € (le soir slt et sur résa). Planteur offert sur présentation de ce guide. Cet hôtel dominant la baie propose des cham-bres ou des bungalows (AC, douche et w-c). Partout, jusque dans le hall et sous la grande véranda, on décou-vre des antiquités, que l'on peut acquérir. Ici presque tout est à ven-dre ! La plupart des chambres ont vue sur la rade. Galerie de peintures (signées Didier Spindler, qui a reçu un prix lors d'un Salon des peintres d'Outre-mer), jardin tropical, piscine et joli solarium. Une adresse, à mi-chemin entre l'hôtel familial et le petit luxe. Fait aussi table d'hôtes, avec des menus complets vraiment savoureux (voir « Où manger ? »).

▲ **Hôtel Cocoplaya** (plan cou-leur A4, **20**) **:** rue Benoît-Cassin, Fond-du-Curé. ☎ 05-90-92-40-00. ● hotelcocoplaya@wanadoo.fr ● cocoplaya.com ● Doubles 81-120 € selon vue et saison ; petit déj com-pris. ½ pens possible. Apéro offert sur présentation de ce guide. Un hôtel de charme récent, à l'ambiance familiale, juste devant les bateaux de pêche au mouillage dans l'Anse Fond-du-Curé (pittoresques tran-ches de vie à observer !). Juste une dizaine de belles chambres, toutes décorées avec un goût raffiné et des thèmes différents (Afrique, Asie, marine...) dans une belle maison en dentelle de bois sur la plage. Très confortables (AC, TV, etc.), certaines ont vue sur la mer, comme la 5 et la 6 (baignade sur place déconseillée) ; et d'autres, les moins chères, sur la rue (plus bruyantes). Accueil très cordial. Le resto est également à conseiller.

â **Hôtel Bois Joli** *(hors plan couleur par A4) : après le Pain-de-Sucre, dans le Morne Bois-Joli (navette env 5 € depuis le port).* ☎ 05-90-99-50-38. ● *bois.joli@wanadoo.fr* ● *hotelboisjoli.fr* ● À la nuit : doubles 98-142 € selon saison ; bungalow (2-4 pers) env 200-306 €, en ½ pens, petit déj compris. Moins cher en basse saison. Au resto, compter 29 €

pour un repas complet ; menu-enfants à 14 €. Réduc de 10 % sur le prix des chambres sur présentation de ce guide. Vraiment paisible, le parc de cet hôtel est bordé d'une plage charmante et romantique à souhait. Les chambres sont situées dans un grand bâtiment sur la hauteur, entretenues avec soin et régulièrement rénovées. Tout confort : AC, douche, w-c, terrasse pour quelques-unes. Également des bungalows avec réfrigérateur disséminés dans le parc ; certains disposent d'une kitchenette. Grande piscine. Accueil cordial. Vous l'aurez compris : le site est vraiment chouette.

Où manger ?

Ne pas manquer de goûter aux tourments d'amour, la spécialité de l'île, savoureux gâteaux à la confiture de coco (ou de goyaves, de bananes, etc.). Des femmes, panier en osier sous le bras, vous les proposent dès l'arrivée du bateau. Le matin, idéal pour le petit déj quand ils sont encore chauds ! À l'origine, les Saintoises, en attendant leur mari pêcheur sur la plage, ramassaient des noix de coco pour confectionner ce fameux gâteau, fruit de toutes leurs inquiétudes.
Attention : ici, le service du soir s'arrête généralement vers 21h.

Bon marché

|●| **Le Fournil de Jimmy** *(plan couleur B3, 32) : à l'angle de la rue allant vers l'office de tourisme.* ☎ 05-90-99-57-73. *Tlj 5h-12h. Sandwichs env 3-3,50 €.* La viennoiserie du village, où déguster des petits déjeuners à une place stratégique, près du square. La vie s'anime peu à peu sous vos yeux le matin. Bons sandwichs copieux et frais, y compris au maquereau, paninis, parfait pour un pique-nique. Ça fait du bien pour commencer la journée.

|●| **Le Salako, chez Z'Amour** *(hors plan couleur par B2) : route de Pompierre. Dernière cabane à gauche juste avant la plage.* ☎ 05-90-99-59-82. *Ouv slt le midi. Fermé dim. Plats 7-10 €, sandwichs 2,80-3,50 €.* Petit snack très bon marché, idéal entre deux bains à Pompierre. Tables dehors à l'ombre des parasols en teck ou des arbres. Poissons et langoustes grillés ou sandwichs locaux. Simple et bon.

Prix moyens

|●| ▼ **Le Quai des Artistes** *(plan couleur B3, 19) : pl. de l'Embarcadère.* ☎ 05-90-92-70-98. ● *lequai desartistes@yahoo.fr* ● *Service tlj sf mar et mer à partir de 10h. Congés en juin, sept et oct. Pour le dîner, sur résa avt 18h. Plats 10-18 €, assiettes pleines d'imagination 5-8 €, tar-*

tes salées et salades 10-13 €. Après avoir œuvré, pour le plus grand bonheur de leurs clients, à l'*Auberge des Petits Saints,* qu'ils ont enrichie de leur goût et bonne humeur pendant 15 ans, Jean-Paul et Didier sont descendus sur le quai ! Au 1er étage de cette grande maison créole, jaune et vert pâle, ils ont recréé un autre lieu tout aussi charmant, mais différent. Décorée avec beaucoup de goût, la grande salle en L est meublée de toutes les antiquités chinées au cours de leurs voyages, et des tableaux de Didier. Si le coup de cœur vous prend, on peut tout acheter ! Dans l'assiette, Jean-Paul vous concocte une cuisine d'inspiration caribéenne, mâtinée de saveurs subtiles et de « petits grains de folie » comme ils disent ! Didier, lui, vous aura préparé de bons desserts (sa spécialité) et des tartes salées. En prime, ils vous prodigueront un accueil des plus chaleureux. Ils sont aux petits soins. Un moment sous le signe de l'originalité, assurément l'anecdote de vos vacances à ne pas manquer !

|●| **La Saladerie** (plan couleur B2, 33) : Anse Mire, au nord du port. ☎ 05-90-99-53-43. Tlj midi et soir sf lun et mar. Congés de mi-sept à mi-oct. Résa conseillée. Compter 6-14 € pour une grosse salade et 10-15 € pour un plat de viande ou de poisson. Un resto coquet, cerné par la mer et la végétation, et tenu par un Métro qui sait choisir les produits locaux. Nombreuses salades évidemment, mais aussi carpaccio de thon, requin, espadon... Pour un repas fin et décontracté, sur des airs de jazz (à noter, de ponctuels concerts de jazz live certains soirs). Peut-être aurez-vous la chance de voir Gaspard l'iguane et ses comparses qui viennent réclamer leur banane !

|●| **Le Triangle** (plan couleur A4, 30) : rue Benoît-Cassin. ☎ 05-90-99-50-50. ● pedro.foy@wanadoo.fr ● Face à l'Anse Fond-du-Curé. Ouv midi et soir (jusqu'à 21h), sf dim. Fermé en sept. Réservez ! Menu complet env 14 €, salades env 10 € ; à la carte env 25 € pour un repas complet. Digestif maison offert sur présentation de ce guide. Agréable terrasse au bord de l'Anse Fond-du-Curé, presque les pieds dans l'eau. Cuisine créole délicieuse et finement préparée. Fricassées de lambis, de calamars ou de chatrou, poisson grillé... Avec un bon assortiment de légumes : purée d'ignames, gratin de christophines et daube de banane. Service gentil, un peu lent peut-être. En tout cas, une adresse incontournable.

|●| **La Toumbana** (hors plan couleur par B3, 31) : rue de l'Aérodrome. ☎ 05-90-99-57-56 ou 51-96. Prendre la route de l'office de tourisme vers la plage de Grande-Anse ; c'est juste devant le cimetière. Tlj midi et soir sf dim soir. Congés 15 sept-15 oct. Menus env 12-16 €. Digestif maison offert sur présentation de ce guide. On aime bien le cadre de cette grande paillote au beau milieu d'un petit jardin bien fleuri. Dans l'assiette, de savoureuses spécialités créoles. Excellent rapport qualité-prix. Une bonne table à l'écart de l'agitation du centre et du vrombissement des scooters. Service prévenant.

|●| **La Paillote** (hors plan couleur par B1) : baie de Marigot, à 15 mn à pied du bourg. ☎ 05-90-99-50-77. ● lapaillote970@yahoo.fr ● ㄴ Ouv ts les midis, sf ven. Congés de mi-sept à mi-oct. Menus à partir de 14 € et formule langouste à partir de 25 € ; à la carte env 16 € pour un repas complet ; menu-enfants 9 €. Digestif maison en principe offert sur présentation de ce guide. Sous une grande paillote aérée, dressée sur la jolie plage de Marigot. Cuisine créole traditionnelle et familiale. Poisson et viande grillés au feu de bois, langouste sur commande, etc. Carte modeste, mais fraîcheur absolue des produits. Soirée zouk en été (se renseigner avant). Sympa.

|●| **Le 3 Boats** (plan couleur B3, 6) : rue Grand-Anse. ☎ 06-90-83-85-68. Tlj sf dim. Fermé 15 sept-15 oct. Compter env 15,50 € pour un repas complet. Surtout du poisson, mais aussi de la viande. Excellente cuisine créole améliorée des subtilités du chef. Très bon rapport qualité-prix.

|●| **Ti Kaz' La** (plan couleur B3, 37) : rue Benoît-Cassin ; entrée par la ruelle. ☎ 05-90-99-57-63. ● philippe.dade@wanadoo.fr ● ㄴ Tlj sf mer. Menu complet 18 € ; formule enfants 9 €. Un gentil resto aux couleurs pastel, dont la terrasse — les pieds dans l'eau — s'ouvre sur l'Anse Fond-du-Curé et ses bateaux de pêche. Spécialités créoles avant tout : fricassée de chatrou ou de lambis, colombo de

LES SAINTES

poulet, etc. Goûtez au tourment d'amour en dessert, la spécialité des Saintes. Service très souriant.

|●| _Le Palmier, Chez Pipo_ (plan couleur B3, **35**) : rue Emmanuel-Laurent (près de la poste). ☎ 05-90-99-57-46. ♿ Tlj midi et soir, sf dim. Fermé 1 sem en juil et en sept. Menu du jour 14 € (entrée, plat et dessert) ; à la carte env 20 €. _Café offert sur présentation de ce guide._ Après 15 ans en région parisienne, le patron, Pipo, a ouvert un resto sur son île natale. Cadre sans charme, mais cuisine traditionnelle, bien présentée et copieuse. Savoureuses rillettes de poisson et de bonnes salades, dont la « Pipo » bien sûr. Accueil chaleureux. Plats à emporter.

|●| _Le Génois_ (plan couleur B3, **36**) : rue Jean-Calot. ☎ 05-90-98-25-99. Tlj midi et soir, sf 25 déc et 1er janv. Fermé en sept. Formule 20 €, menu-enfants 10 €. Compter 20-25 € pour un repas complet à la carte. Salades et quiches env 10 €. _Café offert sur présentation de ce guide._ En bordure de l'Anse du Bourg, devant les navires qui ondulent gracieusement au mouillage, vous abordez cet ancien bistrot de plaisancier. Tablées communes ou individuelles. Déco récente et fraîche, aux murs photos des uns et des autres, connus ou non (pas tous marins d'ailleurs). Dans l'assiette, excellentes salades, poissons et gambas grillés, pêchés par le patron. De la mer à l'assiette, il n'y a qu'un pas. Ils ne connaissent pas la chaîne du froid. Belle terrasse devant les bateaux, où l'on peut aussi venir manger une glace ou boire un verre dans l'après-midi.

|●| _Solé Mio_ (plan couleur B2, **39**) : 33, rue Jean-Calot, à gauche en arrivant du débarcadère, tout au bout de la rue, juste avant la maison-bateau. ☎ 05-90-99-56-46. Tlj sf dim. Compter 15-30 € pour un repas très complet. _Apéro maison offert sur présentation de ce guide._ Spécialités de poisson, bien sûr. Cuisine métropolitaine rehaussée d'une touche antillaise. Dans un décor soigné, à dominante bleu et jaune, le tout les pieds dans l'eau. Terrasse sur la magnifique baie de Terre-de-Haut. Eh oui, on ne s'en lasse pas !

Plus chic

|●| _Café de la Marine_ (plan couleur B3, **38**) : 19, rue Jean-Calot. ☎ 05-90-99-53-78. Tlj sf sam, le midi slt. Congés de mi-juin à fin juil. À partir de 32 € pour un repas complet à la carte, sans le vin. Digestif maison offert théoriquement sur présentation de ce guide. Au bord de la baie qui nous fait tant rêver, ce resto au cadre feutré propose une cuisine raffinée et joliment présentée, selon la pêche du jour. Également quelques viandes. Cocktails réputés. Un peu cher quand même. Pour une table avec vue sur la mer, venir tôt ou réserver.

|●| _Auberge Les Petits Saints_ (plan couleur B4, **17**) : voir « Où dormir ? Plus chic ». Ouv ts les soirs sf lun sur résa. Fermé en sept-oct. Repas complet env 32 €. Attablé sous la véranda dominant la baie. Aux fourneaux, le chef concocte une cuisine raffinée d'inspiration caribéenne. Malheureusement l'endroit semble avoir perdu de son charme et nous le regrettons !

Où boire un verre ? Où déguster une glace ?

Malheureusement, pas grand-chose d'ouvert le soir. On ne va pas se coucher avec les poules quand même !

🍸 _Coconut's, Chez Cécile_ (plan couleur B4, **41**) : rue Benoît-Cassin, face au marché. Tlj sf lun, 10h-21h30. Boisson 2-5 €. Le bar à la mode. On le repère vite à l'ambiance animée dès le coucher du soleil. Après un farniente brûlant sur la plage, ou une balade sur les chemins escarpés de l'île, vous avez bien mérité un petit rafraîchissement. Direction la grande terrasse de *Chez Cécile* ! Excellents cocktails et jus de fruits frais. On peut aussi y grignoter quelques acras. Ambiance amicale, qui s'embrase facilement quand les jeunes Saintois jouent du *gwoka* (tambour traditionnel).

♦ *Tropico Gelato (plan couleur B3,*

42) : 5, rue Jean-Calot. ☎ 05-90-99-88-12. À 20 m de la place du Débarcadère. Tlj sf mer, 8h-19h. Fermé en sept-oct. Compter env 2,40-5,40 €. Grand choix de glaces et sorbets fabriqués maison (à l'italienne), aux saveurs toutes exotiques et originales. À découvrir absolument. Également sandwichs et paninis 3-4,50 €.

Achats

⊛ *Kaz An Nou (plan couleur B3, 60) :* rue du Marigot ; à 100 m à droite, après l'église. ☎ 05-90-99-52-29. 📱 06-90-43-13-09. • pascalfoy. com • Tlj 8h-12h, 14h-18h. Dans sa case-atelier, Pascal Foy expose de jolies façades miniatures de cases traditionnelles et des petites saintoises. Sur commande, il peut les fabriquer aux goûts et couleurs des clients. Il crée aussi des tableaux

d'« abstrait créole ». Très original.

⊛ *La Boutique (plan couleur B3, 61) :* 5, rue Benoît-Cassin. Pour les inconditionnels, la caverne d'Ali Baba, antiquités chinées au cours des voyages des propriétaires, Jean-Paul et Didier. Ce sont eux qui sont également à l'origine des trouvailles que l'on peut acquérir aux restaurants *Les Petits Saints* et au *Quai des Artistes* (voir plus haut).

LES SAINTES

À voir. À faire

🎎 *Le fort Napoléon (plan couleur B1) :* sur un promontoire, à l'extrémité nord-est de l'île. 📱 06-90-61-01-51 ou 06-90-50-73-47. • fort-napoleon.com • ♿ En principe, tlj 9h-12h30 (dernière entrée à 12h). Entrée : 4 € ; réduc, notamment sur présentation de ce guide. Fermé 1er janv, 1er mai, 27 mai, 15 et 16 août et 25 déc.

Essayez d'arriver dès l'ouverture. Grimpette assez longue (compter 25 mn) ; en scooter, on se gare à la chaîne. De là-haut, quelle vue ! À 119 m d'altitude, on embrasse la quasi-totalité de l'île. Construit de 1844 à 1867 à la place d'un premier fort du XVIIIe siècle, le fort Louis, dont il ne reste rien, ne servit jamais et Napoléon n'y mit jamais les pieds. Il fut utilisé jusqu'au début du XXe siècle comme pénitencier et, à l'occasion, comme lieu de détention pour prisonniers politiques durant la Seconde Guerre mondiale. La forteresse elle-même a été transformée en petit *musée d'Histoire et Traditions populaires.* Certaines salles présentent en vrac des maquettes de bateaux, des poissons naturalisés, photos et coquillages. Visite guidée assez intéressante à certaines heures (une cloche l'annonce).

Après la visite, se balader dans le parc transformé en jardin exotique. Quantité de cactus (les fameuses « têtes à l'Anglais »). Vue circulaire extra. En ouvrant l'œil, vous aurez toutes les chances d'apercevoir de superbes iguanes vert fluo entre deux plantes grasses. Ils sont aussi beaux qu'inoffensifs (tant qu'on ne les nourrit pas !).

🏖 *La plage de Pompierre (hors plan couleur par B2) :* à 1 km du bourg. Prendre la rue du Marigot qui grimpe derrière l'église. Belle crique presque fermée. Plage ombragée par les palmiers. Interdite au camping. L'une des plus agréables et populaires de l'île. En principe, propre, sauf parfois les lendemains de week-ends chargés. Il paraît que l'on peut y voir des hippocampes. À vos masques ! La plage est le point d'arrivée d'une randonnée pédestre sympa, la *petite trace des Crêtes.*

◿ *Anse du Figuier* (hors plan couleur par A4) : jolie et peu fréquentée, mais les eaux ne sont pas toujours claires. Pour s'y rendre, passer par la section Pré-Cassin, direction Bois-Joli. En revanche, à éviter pour la baignade.

◿ *Anse du Pain-de-Sucre* (hors plan couleur par A4) : pour y accéder, prendre la route vers Bois-Joli, puis à 2 km, un chemin défoncé qui descend vers la droite (on le fait à pied) comme pour aller chez Jacques Boone. Attention aux chevilles et aussi aux mancenilliers, arbres dangereux qui ne sont ici pas dégagés ! La plage est à 5 mn. Très agréable le matin, elle se transforme en fournaise l'après-midi. On aime bien son cadre superbe et ses jolis fonds marins. Mais, pour trouver moins de monde, en arrivant, suivre la clôture vers la droite en faisant le tour de la propriété. On arrive à une autre belle plage, bordée de cocotiers et moins fréquentée que la première. Sachez que le *snorkelling* autour du Pain-de-Sucre est fortement déconseillé, en raison du passage incessant des bateaux.

◿ *Anse Crawen* (hors plan couleur par A4) : plage *topless* uniquement (le nudisme est interdit aux Saintes) à l'extrémité ouest de l'île. Très sauvage. Accès par un petit sentier. Attention aux mancenilliers !

➢ *Balade à Grande-Anse et Anse Rodrigue* (hors plan couleur par B3) : à droite de la mairie, prendre la direction du cimetière marin. Pittoresque avec ses tombes immaculées ou soigneusement décorées de gros lambis. En lisant les noms, peut-être découvrirez-vous ceux d'ancêtres bretons, poitevins ou normands... Belle et longue plage de Grande-Anse : pas un seul arbre et très dangereuse, il est interdit de s'y baigner. En longeant ensuite la plage vers la droite, on parvient à l'agréable et superbe crique d'Anse Rodrigue (là encore, pas un arbre pour s'abriter du soleil). Jolis coraux à découvrir.

➢ *La petite trace des Crêtes* (hors plan couleur par B3) : jolie balade pédestre (éviter malgré tout d'y aller avec des enfants car le sentier balisé n'est pas sécurisé). Départ de Grande-Anse (à l'extrémité gauche de celle-ci). Durée : 1h aller en prenant son temps (sentier balisé) ; retour : 15 mn par la route. Prévoir de finir la balade avant la tombée de la nuit. En haut de la côte, il faut passer la barrière sur la droite (pensez à la refermer, le propriétaire en a assez de courir après ses vaches et cabris), mais surtout pas à gauche à angle droit, vous retourneriez directement au bourg de Terre-de-Haut. De ce fait, vous manqueriez la plus belle partie de la balade, avec des points de vue superbes. La trace aboutit à la plage de Pompierre (mais elle n'est pas toujours bien balisée à cet endroit) ; bonne baignade bien méritée à l'arrivée ! Conseil : mettez de bonnes chaussures à cause des cailloux. Apportez eau, chapeau et crème solaire, car le parcours est peu ombragé. Et surtout ne goûtez pas aux fruits tentants du mancenillier !

➢ *Balade au Chameau* (hors plan couleur par A4) : à faire de bonne heure le matin ou en fin d'après-midi pour voir le village sous une lumière superbe. Compter 2h aller-retour. Point culminant de l'île, à 309 m. Prendre d'abord la route de Bois-Joli jusqu'au carrefour pour le mont du Chameau. La route tourne sans cesse, grimpe pas mal, mais livre peu à peu le plus beau panorama de l'île. Dommage qu'il faille passer si près de la décharge... Tout en haut, une vieille tour militaire fermée et un point de vue unique sur toutes les îles environnantes : Terre-de-Bas (en entier), la Guadeloupe (bien sûr !), Marie-Galante, la Dominique, et parfois même la Martinique.

– *Location et cours de kayak de mer et catamaran Hobie Cat :* idéal et écolo pour partir à la découverte des criques sauvages de l'île. À la base nautique de l'UCPA (plan couleur A3). ☎ 05-90-99-54-94. ● ucpa.les-sain tes@wanadoo.fr ● ucpaauxsaintes.com ● Possible en externat (donc sans résider au centre). Attention : places limitées, les résidents étant prioritaires.

À la demi-journée : cours en groupe de 25 à 30 € environ ; location surveillée autour de 15 à 20 €. Également au *Yacht Club Services* (voir « Adresses utiles »). Dans les 15 € la demi-journée. Sac de pique-nique étanche fourni !

– *Croisières en voilier :* avec *Orion,* ☎ 05-90-99-50-56, ▯ 06-90-57-25-75. ● g.carruzzo@laposte.net ● voiles-aux-antilles.fr ● De 75 à 90 € par pers, repas compris. À bord de son bateau de 13 m tout confort, Gilles Carruzzo vous embarque pour un tour des Saintes, une virée à la journée en Dominique ou encore une croisière à Antigua ou aux Grenadines... Sérieux et sympa. Avec *Escales Caraïbes* (▯ 06-90-59-02-35), croisières en catamaran, Giloo vous emmène à la Dominique (compter 110 € par personne, visites, petit déj, déjeuner et boissons compris), à Petite-Terre et Marie-Galante... Le *Yacht Club Services* (voir « Adresses utiles ») propose des sorties à la carte et *Phil à Voile* (▯ 06-90-81-43-28. ● escalescaraibes@hotmail.com ●), des tours de l'archipel. En route, moussaillons !

Plongée sous-marine

Cet archipel de rêve est doublé d'un étonnant petit paradis sous-marin, absolument vierge et peu fréquenté. Ici, débutants et confirmés sont immédiatement envoûtés par les richesses et beautés sauvages des fonds marins. De belles plongées palpitantes en perspective, avec un coup de cœur particulier pour le fameux *Sec-Pâté,* considéré par beaucoup comme le spot phare de toutes les Caraïbes (mais réservé aux confirmés). Des moments de bonheur *first class* qui feront certainement les anecdotes de vos vacances. Sachez enfin que la visibilité excellente est due au courant qui oblige parfois à remettre la plongée à plus tard. À découvrir absolument.

Clubs de plongée

■ *La Dive Bouteille* (hors plan couleur par A4, **51**) *: plage de la Colline.* ☎ 05-90-99-54-25. ▯ 06-90-49-80-91. ● mail@dive-bouteille.com ● dive-bouteille.com ● *Fermé en juin. Baptême env 60 € ; plongée-exploration env 50 € ; forfaits dégressifs à partir de 3 plongées.* Un centre (FFESSM, CMAS, PADI) sympa et bien placé, animé par Luc et Sylvie Desplat qui proposent des prestations personnalisées : baptêmes, formations jusqu'au Niveau 3 et brevets PADI, et de bien belles explorations sous-marines sur les meilleurs spots du coin avec des exclusivités. Deux rotations par jour en comité restreint, à bord d'un bateau rapide. Également des sorties à la journée et en famille (non-plongeurs admis) avec 2 plongées. Plongée enfants à partir de 8 ans avec équipement et formation adaptés. Plongée de nuit, initiation à la biologie marine (pour 2 ou 3 personnes, avec diplôme à la fin), intéressante, anecdotique et ouverte aux enfants dès 10 ans. Formation de secouriste. Équipement complet fourni. Réservation conseillée, surtout pour les confirmés qui veulent plonger sur le *Sec-Pâté* (minimum Niveau 2 ou *advanced* PADI avec spécialité profonde).

■ *Pisquettes* (plan couleur B2, **50**) *: Anse du Bourg, devant la plage, entre l'école communale et la maison-bateau du médecin.* ☎ 05-90-99-88-80. ● plongee@pisquettes.com ● pisquettes.com ● *Baptême env 50 € ; plongée-exploration env 45 € ; forfaits dégressifs à partir de 3 plongées ; réduc enfants.* On aime bien l'atmosphère simple et tranquille de ce centre (FFESSM, ANMP, PADI), qui porte le nom d'un gentil petit poisson aux reflets argentés... Accueil chaleureux et très prévenant de Cédric Phalipon, moniteur d'État, qui guidera vos premières bulles avec beaucoup de délicatesse. Vous êtes entre de bonnes mains ! Avec une équipe sérieuse, il encadre aussi les formations jusqu'au Niveau 3 et brevets PADI, sans oublier de merveilleuses balades sous-marines, dont vous vous souviendrez long-temps, longtemps... Embarquement sur l'un des deux petits bateaux rapides du centre (respectivement 15 et 20 places), qui assurent 2 sorties quotidiennes (vers 9h et 14h).

Plongée de nuit et initiation enfants à partir de 8 ans. Pour les confirmés, exploration du fameux *Sec-Pâté* à la demande. Plongée au *Nitrox* également. Équipement nickel fourni. Hébergement possible.

Nos meilleurs spots

La pointe Cabrit *(carte les Saintes : nos meilleurs spots de plongée, 1) :* juste à l'ouest de l'îlet à Cabrit, à quelques encablures au large du bourg. Idéal pour les baptêmes. Une plongée fastoche sur un fond rocailleux très riche (- 5 m maximum), et peuplé d'une multitude de poissons colorés. Amusants poissons-trompettes nageant camouflés parmi les éponges aux formes étonnantes. De jolis poissons-papillons, anges, chirurgiens, coffres, mérous et des demoiselles qui deviennent chamailleuses près de leur nid. Également des poissons-perroquets familiers, de petites murènes mignonnettes, et souvent des tortues curieuses qui s'approchent au point de vous frôler. Une belle plongée qui plaira aussi aux confirmés.

La pointe du Gouvernail *(carte les Saintes : nos meilleurs spots de plongée, 2) :* à l'ouest de Terre-de-Bas. Pour plongeurs de tous niveaux. Mesdames les tortues sont ici de toutes les plongées. Peu farouches, elles prennent un plaisir fou à évoluer gracieusement au milieu des plongeurs. Quel émerveillement ! Le long de ce joli tombant (de - 5 à - 20 m), quelques barracudas curieux s'approchent du gros poisson que vous êtes (pas de panique !), alors que les papillons ont revêtu leurs plus belles couleurs, histoire d'épater les demoiselles en goguette. Mérous et langoustes dans les failles. Une plongée facile et des plus appréciées aux Saintes. Courant possible.

La Vierge *(carte les Saintes : nos meilleurs spots de plongée, 3) :* à l'est de Terre-de-Bas. Au pied d'un îlet qui ressemble à une *madonna con bambino* ! Pour plongeurs Niveau 1 et confirmés. Par 12 m de fond, bel enchaînement lumineux de canyons, arches et failles, où l'on observe avec émerveillement les tranches de vie des classiques poissons des Antilles... Parfois des compagnons de plongée inattendus, comme ces zawags, énormes poissons-perroquets de 10 kg ; ou encore ce groupe de tortues pas farouches du tout. Pas mal de langoustes et quelques jolis thazars et colas en appétit au milieu des bancs de pisquettes. Une belle plongée.

L'Aquarium *(carte les Saintes : nos meilleurs spots de plongée, 4) :* au pied de l'îlet de la Redonde, dans le sud immédiat de Terre-de-Haut. Pour plongeurs Niveau 1 et confirmés. Encore une plongée extraordinaire (- 12 m maximum), débutant par une enfilade de larges canyons aux parois enrobées d'éponges, de gorgones, et dont les failles cachent murènes, langoustes, mérous, serpentines. Quelques coups de palmes encore, et l'on débouche dans un grand cirque... Voici donc l'aquarium ! Gorettes, sergents-majors, balistes noires, toute la collection des poissons-anges (français, caraïbes, chérubins, royaux) et bien d'autres espèces encore. Luminosité exceptionnelle, mais attention, courant souvent fort.

Le Sec-Pâté *(hors carte les Saintes : nos meilleurs spots de plongée, 5) :* en pleine mer, entre les Saintes et la Basse-Terre. Pour plongeurs Niveau 2 confirmés minimum. C'est le spot phare de toutes les Caraïbes, et nombreux sont les plongeurs qui viennent aux Saintes uniquement pour lui. Immersion en eau limpide sur cette véritable montagne sous-marine remontée des abysses (185 m de fond maximum), et qui culmine à - 15 m. Au-dessus des trois beaux pitons rocheux formant son sommet, on assiste au manège des gros prédateurs : thazars, colas, pagres et carangues, alléchés

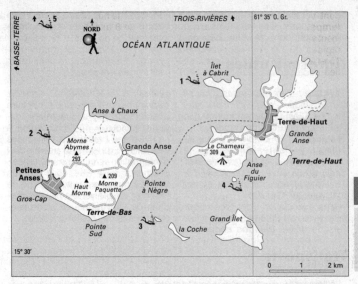

LES SAINTES : NOS MEILLEURS SPOTS DE PLONGÉE

par le menu fretin (balaous, fusiliers...). Quelques carangues noires – espèce rare très curieuse. Et déjà, un peu plus bas (de - 20 à - 40 m maximum), la silhouette majestueuse des éventails de mer se dessine sur le bleu de l'océan, comme si la roche était sculptée façon dentelle. Dans les failles, on débusque une profusion de langoustes, murènes tachetées, et parfois des murènes vertes énormes et très rares. Poissons-anges royaux, papillons, trompettes, perroquets, diodons, capitaines, etc., se donnent une réplique colorée harmonieuse et éblouissante, parmi les gorgones rouges... et, la chance aidant, rencontre du troisième type avec des tortues géantes qui habitent les lieux. Plongée très sauvage et d'une intensité extraordinaire. Attention, courant souvent très fort.

TERRE-DE-BAS   (97136)   1 300 hab.

Les bateaux accostent tous les jours à l'Anse des Mûriers, mais l'île en est encore à ses balbutiements touristiques et a surtout été sérieusement malmenée lors du séisme de novembre 2004 ; Petites-Anses a été particulièrement touchée, et le seul hôtel du village démoli. Résultat : pour la restauration et surtout l'hébergement, on compte les adresses sur les doigts d'une seule main. Précisons aussi qu'elle ne possède qu'une seule plage de sable facilement accessible et quelques criques sauvages. Au final, on y rencontre encore que peu de visiteurs, et c'est ce qui fait tout le charme de cette mignonne petite île qui nous a séduits. Ici, la végétation est plus dense, l'isolement complet et la tranquillité totale. Le centre, plus vallonné, rivalise avec la route côtière qui offre de jolis points de vue sur la mer, cette dernière possède encore les stigmates des dégâts causés par le tremblement de terre de novembre 2004. En outre, les plus beaux *salakos* sont fabriqués à Terre-de-Bas. Il reste une poignée de vieux fabricants mais la relève semble difficile à assurer. Ces véritables œuvres d'art peuvent paraître chères, mais elles demandent, en vérité, beaucoup de travail.

Adresses utiles

✉ **Poste :** à Petites-Anses. Ouv slt le mat, 7h30-12h30 (12h mer), sam 8h-12h. C'est le seul endroit où l'on peut espérer retirer de l'argent.

■ **Médecin :** Dr Colombani, rue de Mapou, à Petites-Anses, sur la droite, un peu avant le bord de mer. ☎ 05-90-99-82-01. ▯ 06-90-34-13-16. Consultations tte la sem, sf mer mat, sam ap-m et dim.

■ Une association s'est créée pour faire découvrir l'intérieur de l'île à travers de belles **balades accompa-** **gnées :** ☎ 05-90-99-85-47. ● gerard. beaujour-sebi@wanadoo.fr ● À faire absolument. Il y a quasiment toujours quelqu'un de l'association à l'arrivée des bateaux, à l'Anse des Mûriers. Également point d'information avec cartes et renseignements, à l'arrivée, sous l'abri en bois. Le mieux est quand même de réserver. L'asso vend aussi des produits de l'île, fabriqués artisanalement (visite de l'atelier possible).

Transports

⛴ **Navette entre Terre-de-Haut et Terre-de-Bas :** voir à Terre-de-Haut, la rubrique « Transports » dans les « Adresses utiles ».

➢ **À pied :** de l'Anse des Mûriers à Petites-Anses, compter 1h30 pour parcourir les 5 km. Prendre la route asphaltée du sud, plutôt plate. Balade sympa ; emporter de l'eau et un chapeau. Celle du centre de l'île (de vraies montagnes russes !) présente plus d'intérêt pour les paysages, mais après un ti-punch, elle est mortelle pour les mollets !

➢ **En scooter :** rien à louer sur l'île, il faut apporter son matériel de Terre-de-Haut. Le passage sur le bateau coûte env 12 €, mais il faut se renseigner au préalable, auprès du loueur, pour vérifier que le véhicule est bien assuré pour Terre-de-Bas.

🚐 **Des minibus** font la navette entre l'embarcadère de l'Anse des Mûriers et le bourg de Petites-Anses, en passant par le sud. On les trouve à chaque arrivée de navette, il suffit de leur faire un signe et ils s'arrêtent. Très pratique. Tarifs peu élevés (2 € pour un trajet simple).

Où dormir ? Où manger ?

⌂ Très très peu d'hébergements, hormis quelques **chambres chez l'habitant.** Le mieux est encore de se renseigner auprès de l'office de tourisme de Terre-de-Haut avant de traverser.

|○| On trouve des petites épiceries, à Petites-Anses, qui ont été relogées, après novembre 2004, dans des maisons particulières. Elles font également office de bars improvisés.

⌂ |○| **À la Belle Étoile :** plage de Grande-Anse, à 10 mn à pied du débarcadère. ☎ et fax : 05-90-99-83-69. Pour 2-4 pers, env 46 € la nuit ; petit déj en sus env 3 €. Au resto, menus à partir de 12 € ; menu langouste 35 €. Le super plan nature et tranquillité. Directement sur la plage, charmante, avec vue sur Terre-de-Haut. Dans une maisonnette en bois, blanc et jaune, très bien tenue. Un seul studio (2-4 personnes) simple, sans prétention, mais lumineux et propre (salle d'eau, ventilo...). Idéal pour jouer les Robinson. Fait aussi resto-bar de pêcheurs, avec des plats de la mer typiques. Accueil souriant de Luc et Maud.

⌂ |○| **Les Maracudj's :** à 5 mn à pied

du débarcadère, à l'entrée du bourg de Grande-Anse, sur la droite. ☎ 05-90-99-81-12. ● lesmaracudjs@hotmail.fr ● Ouv tte l'année. Compter 50 € la chambre pour 2 pers, 35 € la case dans le jardin (2 petits lits). Petit déj 6 €. Table d'hôtes sur demande env 20 €. Digestif maison offert sur présentation de ce guide. Trois chambres d'hôtes pour deux, avec bains. Également deux petites cases dans le jardin avec bains à l'extérieur. Bon accueil.

🛏 **Soleil Là :** en montant à pied sur la gauche, à 2 mn du débarcadère. ☎ 05-90-92-30-93. ● soleil.la@wanadoo.fr ● Ouv tte l'année. Un seul studio : 60-70 € la nuit selon nombre de pers (jusqu'à 5). Joliment décoré et soigneusement entretenu. Vue magnifique sur Grande-Baie. Possibilité de manger sur place, mais rapport qualité-prix élevé. Accueil un peu froid.

🍽 **Chez Eugénette :** plage de Grande-Anse. ☎ 05-90-99-81-83. Dans la petite pente en arrivant, sur la gauche. Ouv midi et soir, tte l'année, sf dim soir. Pas de carte, mais plat du jour et menus env 8-15 €. Menu langouste env 30 €. Café offert sur présentation de ce guide. Face à la plage, un resto à l'ambiance typiquement créole et qui propose une bonne cuisine familiale. Menus intéressants avec acras, plat et dessert ; également à la carte. Téléphoner (la veille si possible) pour être sûr de goûter à leur langouste grillée, si réputée aux Saintes. Un resto incontournable : nombreux sont ceux qui font la traversée de Terre-de-Haut à Terre-de-Bas uniquement pour déjeuner chez Eugénette.

Achats

🏺 **Maison de l'artisanat :** à Grande-Anse, dans le village. ☎ 05-90-99-85-63. Ouv tlj 9h-12h, 12h30-17h (16h30 dim). Un déluge de créations locales, colorées et soignées, qui vaut le coup d'œil.

À voir. À faire

⌂ **La plage de Grande-Anse :** à 10 mn à pied du débarcadère. Charmante petite plage de sable, quasiment l'unique de l'île. Très beau point de vue sur Terre-de-Haut. Assez sauvage quand même.

🎎 **La crique de Grande-Baie :** à 10 mn à pied du débarcadère, vers la gauche, une crique magnifique et déserte (enfin... mis à part la décharge de bagnoles). À proximité, les ruines d'une ancienne poterie. On y accède par la route du sud. On croise des pêcheurs en matinée. Possibilité de leur acheter du poisson. Accès libre. Classée monument historique, mais pas vraiment aménagée. Le site garde néanmoins un certain cachet.

🎎 **Le belvédère de la route du Nord :** au départ de Grande-Anse, compter 20 mn de marche, et ça grimpe, pour atteindre ce point de vue unique sur Terre-de-Haut et ses îlets.

➤ **La trace du Nord :** depuis la plage de Grande-Anse, compter 1h15 de marche. Balisage bleu. Belle balade dans les sous-bois (ça grimpe dur au départ), avec de magnifiques points de vue sur la baie et Terre-de-Haut juste en face. Possibilité de suivre en cours de route d'autres traces (blanche et mauve) et de descendre dans des criques abritées. Arrivé à la route du Nord, descente d'une demi-heure sur une route de dalles en béton pour rejoindre Petites-Anses.

⌂ **La plage de Petites-Anses :** c'est en fait un port, dont la jetée et le phare ont été détruits par un cyclone en 2001. Descente à pic pour y parvenir. Pas très pratique pour se baigner, fréquentée surtout par les pêcheurs, et leurs

LES SAINTES

barques. En revanche, la plage et les rochers grouillent d'iguanes que l'on peut approcher d'assez près.

🗡 *La mare de Grand-Trou :* devant le stade à Petites-Anses. À voir : des iguanes, bien sûr, mais aussi des poules d'eau à bec rouge et des tortues d'eau douce, qui se dorent la pilule ou batifolent gentiment. Il faut voir les iguanes se jeter dans l'eau du haut de leurs branches. Ambiance un brin *Jurassic Park,* mais là, on n'a pas peur.

MARIE-GALANTE

> **Pour la carte de Marie-Galante, se reporter au cahier couleur.**

Cette île presque ronde est la troisième des Antilles françaises par sa superficie (158 km², sensiblement la taille et la forme de Paris). Avec 204 m d'altitude (si l'on peut dire), son relief, simplement harmonieux et nuancé, n'a pas donné naissance à des contrastes vraiment spectaculaires comme aux Saintes. Souvent appelée « la grande galette », l'île compte aujourd'hui moins de 10 000 habitants, répartis sur trois communes : Grand-Bourg, Saint-Louis et Capesterre, reliées entre elles par un petit réseau routier qui permet de circuler facilement le long de la route côtière, mais aussi à l'intérieur des terres. Marie-Galante, c'est l'île de la canne à sucre par excellence. Elle y consacre la moitié de ses terres cultivables, et il reste trois distilleries fameuses pour leur rhum, réputé pour être le meilleur et le plus fort de toute la Guadeloupe : 59°. Mais ce n'est pas son seul atout : elle est aussi entourée par quelques-unes des plus belles plages de l'archipel guadeloupéen, de Capesterre jusqu'au nord de Saint-Louis, et abrite des fonds marins à faire pâlir les plongeurs avertis (ou non) que vous êtes. Injustement oubliée des circuits touristiques, Marie-Galante s'anime cependant tous les ans à la Pentecôte – en mai ou juin – à l'occasion de son festival de musique créole, *Terre de Blues.* Manu Dibango, Salif Keita, Ba Cissoko ou encore Myriam Makeba ont déjà fait le déplacement. Il est alors fortement conseillé de prévoir son hébergement. Espérons que la première édition de la *transatlantique Belle-Île-en-Mer – Marie-Galante* (qui a eu lieu au printemps 2007) soit la seule course au monde ralliant une île à une autre, évidemment inspirée (et même parrainée) par l'auteur de la chanson éponyme, Laurent Voulzy relancera le tourisme, qui en a bien besoin.

Si peu de touristes font le voyage (45 mn seulement en bateau), beaucoup voient pourtant en cette « île tranquille » la Guadeloupe d'il y a trente ans. Peu de voitures, un mode de vie quasi intact, une économie essentiellement rurale qui cherche à s'ouvrir au tourisme. Il n'y a pas d'hôtels qui poussent à tort et à travers : ici, les projets qui dépassent une centaine de chambres ne durent pas longtemps, on préfère un développement raisonné. Le niveau de l'hôtellerie pourrait apparaître à certains de moindre standing, mais c'est à ce prix que charme et douceur authentiques sont préservés, tout comme le patrimoine naturel exceptionnel de l'île. D'ailleurs, on trouve de très agréables sentiers, fort bien balisés et de longueur variable, adaptés à chaque durée de séjour...

Voilà une première esquisse, à vous d'aller voir de plus près. On aime bien cette île dont le parfum reste entêtant même après le retour à la maison, et l'on conseille vivement de passer au moins une ou deux nuits sur place afin de rencontrer les locaux et d'appréhender leur rythme de vie. Louer une voiture semble indispensable pour en faire le tour, les mollets des cyclistes quant à eux apprécieront la route côtière, assez plate, mais beaucoup moins le relief de l'intérieur !

UN PEU D'HISTOIRE

Pourquoi Marie-Galante aurait-elle échappé à Christophe Colomb ? Occupée par les Indiens Caraïbes, il s'en désintéresse, mais la baptise néanmoins *Maria-Galanda,* du nom d'une de ses caravelles. La petite histoire dit aussi que ses marins, trouvant que l'île a la forme d'un chapeau, la surnomment... *El sombrero !* Cent cinquante ans s'écoulent avant que l'île ne voit arriver les premiers colons français, en grande partie massacrés par les tribus Caraïbes jusqu'en 1653 (1660 : signature d'un traité de paix entre autochtones et colons). Plus tard, en 1676, une flotte hollandaise de 700 hommes y débarque. Ils pillent les habitations, emmènent les esclaves et les bêtes, et ruinent les colons. Son premier gouverneur est le marquis d'Aubigné, dont la fille, Françoise, va devenir célèbre sous le nom de Mme de Maintenon. Elle fait ses premiers châteaux de sable à Marie-Galante, avant d'aller habiter à Versailles...

L'île représente aussi l'enjeu particulier des guerres franco-anglaises. Elle est occupée par la perfide Albion en 1691, de 1703 à 1706, pendant la guerre de Sept Ans (sous Louis XV), et de 1808 à 1816. À partir de cette époque, l'Angleterre s'en désintéresse complètement.

Le célèbre épisode de la « mare au punch »

Un an après l'abolition de l'esclavage (1848), Marie-Galante est le théâtre d'affrontements, sans que l'on sache exactement à quel point ils sont meurtriers. Les 24 et 25 juin 1849 ont lieu les premières élections législatives pour lesquelles les anciens esclaves, devenus citoyens, ont le droit de vote. Mais face à une tentative de fraude des planteurs qui ne l'entendent pas de cette oreille (ils sont apparemment durs de la feuille), les esclaves de l'habitation sucrière Pirogue se révoltent et pillent la distillerie locale. Ensuite, les versions divergent. Y a-t-il eu des morts ? En tout cas, les nouveaux citoyens auraient fêté leur libération en déversant les réserves de sucre et de rhum de la distillerie dans la mare juste en face – ce gigantesque punch alimentant la joie et la frénésie de la fête pendant plusieurs jours. Selon les autorités coloniales de l'époque, les libations auraient dégénéré. Les insurgés auraient « mutilé les seins d'une sœur et obligé un curé à danser la bamboula » ! En tout cas, l'endroit, encore aujourd'hui appelé « la Mare au punch », est visible au lieu-dit Pirogue, au nord de Grand-Bourg (se reporter à la rubrique « À voir. À faire »).

LA GRANDE AVENTURE DU SUCRE

De la colonisation à nos jours, le destin de l'île est enchaîné à celui de la canne à sucre. Au XVIIe siècle, il n'existe que quelques moulins à sucre. Le tabac domine alors. Puis, grâce aux connaissances techniques des Hollandais chassés du Brésil et réfugiés en Guadeloupe, les champs de canne et les sucreries se développent.

L'âge d'or de la canne se situe dans la seconde moitié du XVIIIe siècle (l'apport de milliers d'esclaves y contribue grandement). De 1759 à 1763, durant leur occupation, les Anglais « importent » 18 000 esclaves en Guadeloupe. Chiffre effarant : en 1790, sur 11 500 habitants, Marie-Galante compte 9 400 esclaves !

Cet « âge d'or » se prolonge dans la première moitié du XIXe siècle du fait du rétablissement de l'esclavage en 1802, grâce à la construction des grands moulins à vent à partir de 1808, et au protectionnisme assuré par la France pour défendre son sucre contre les autres producteurs de la Caraïbe. Marie-Galante est surnommée « l'île aux cent moulins ». Cependant, la révolution de 1848, l'abolition définitive de l'esclavage et la concurrence du sucre de betterave mettent un sérieux coup de frein à la production de canne. Dans la seconde moitié du XIXe siècle, les petites sucreries-moulins à vent cèdent la place aux grandes usines (en 1885, il y en a cinq). À la fin du XIXe siècle, certaines d'entre elles ferment, d'autres se restructurent. L'immigration d'Indiens et de Chinois venant remplacer les anciens esclaves enraye un peu le déclin. En 1920, une famille de mulâtres prend la direction d'une sucrerie, puis, en 1924, une famille de Noirs en rachète une autre. C'est la première fois que des gens de couleur deviennent propriétaires à Marie-Galante. Faillites et calamités diverses (cyclones, épidémies de choléra, incendies) provoquent cependant une nouvelle crise.

Aujourd'hui, il ne reste à Marie-Galante qu'une seule sucrerie, celle de Grande-Anse, et trois distilleries : Bielle, Bellevue et Poisson (ou Père-Labat). Sur les 106 moulins à sucre de l'âge d'or, il n'en subsiste qu'environ 70, tous en ruine bien entendu et enlacés par les « figuiers maudits ». Jusqu'à récemment, celui de Bézard était l'unique moulin en fonctionnement dans les Caraïbes, depuis sa réfection en 1994. Il a été transformé en musée. Quant aux grandes sucreries, elles sont envahies par la nature, qui a repris ses droits.

LES CABROUETS

L'un des symboles de l'île, c'est le cabrouet (*kabwé*, en créole), la charrette locale tirée par deux bœufs. Il assure encore une grande partie du transport de la canne, et permet de maintenir de vieux métiers comme celui de charron. Même si, aujourd'hui, la « roue *Michelin* » gagne inévitablement du terrain, il reste encore une dizaine de charrons dans l'île.

Vous trouverez partout ces cabrouets, et c'est un vrai bonheur de les voir passer lentement sur la petite route ou sur le chemin, entre les champs de canne et sur fond de mer. Le dimanche avant Mardi gras, on peut même assister à un véritable défilé de cabrouets décorés. Mais Max Rippon, poète marie-galantais, en parle mieux que personne :

« Une charrette solitaire – roue gainée d'acier – avance – griffant la crête des roches – crac en avant – ami Saturnin – assis en tailleur – sur sa flèche lisse – polie par le temps – fouette la croupe galbée des bœufs – wach wach – Manmzelle Magritte – cousue de haillons – tire les bœufs par le nez – le zaganno s'allonge – et le bouva bave dans la trace – mheu mheu – un vieux chien nommé Kako – jappe les bêtes – waw waw waw. » (*Kabwétyé, Rékòt*, éditions Jasor.)

Arriver – Quitter

En bateau

Les bateaux en provenance de Pointe-à-Pitre débarquent généralement à Grand-Bourg, avec parfois une escale à Saint-Louis à l'heure du déjeuner. Mais Saint-Louis est plutôt une escale pour les bateaux en provenance de Saint-François et Sainte-Anne (Grande-Terre) sur la route des Saintes.

⌐ **De la gare maritime de Bergevin à Pointe-à-Pitre :** les compagnies *Brudey Frères* (☎ 05-90-91-60-87 et 05-90-90-04-48, ● brudey-freres.fr ●) et *Express des Îles* (☎ 0825-359-000 – 0,14 €/mn – ou 05-96-63-32-75, ● express-des-iles.com ●) assurent ensemble 6 traversées quotidiennes, dimanche compris, dans les deux sens. En général, 4 départs dans la matinée et 2 autres en fin d'après-midi. Compter 45 mn de traversée pour Grand-Bourg (ceux de midi font escale à Saint-Louis). Tarifs similaires : autour de 40 € l'aller-retour ; réduc. Toutefois, concurrence commerciale oblige, surveillez d'éventuelles promotions, notamment les forfaits Saintes-Marie-Galante.

◢ *De/vers Saint-François :* au départ de la marina, une liaison quasi quotidienne tôt le matin avec Saint-Louis, à bord de l'*Iguana Beach* ou de l'*Iguana Sun* (☎ 05-90-22-26-31. ▯ 06-90-50-05-09 ou 10). Compter 45 mn de navigation. Billetterie à l'embarcadère de la marina : autour de 35 € l'aller-retour. Retour en fin d'après-midi (attention, ça secoue pas mal ! Prévoir de la *Nautamine ®*).

◢ *De/vers Sainte-Anne :* au départ du port de pêche de Galbas, la vedette *Iguana Sun* (☎ 05-90-22-26-31. ▯ 06-90-50-05-09 ou 10) assure quelques traversées hebdomadaires vers Saint-Louis, principalement en haute saison. Compter 45 mn de navigation. Billetterie au village artisanal (au bout du port), autour de 35 € l'aller-retour. Retour en fin d'après-midi (encore une fois, ça secoue !).

◢ *De/vers les Saintes :* les bateaux de Saint-François et Sainte-Anne desservent Saint-Louis à l'aller et au retour des Saintes. Embarquement à Terre-de-Haut en fin d'après-midi. Compter 45 mn de traversée.

En avion

✈ *De l'aéroport international Pôle-Caraïbes de Pointe-à-Pitre :* avec *Air Caraïbes*. ☎ 0820-835-835. ● aircaraibes.com ● Aérodrome de Marie-Galante : ☎ 05-90-97-82-21. Fax : 05-90-97-51-01. Ou s'adresser à l'agence de voyages *Riverain Tours* (voir « Adresses utiles » à Grand-Bourg). En général, 3 vols par jour en saison, et 1 seul le dimanche. Seulement 15 mn de vol. Horaires variables. Attention : pour diverses raisons, les vols sont souvent annulés sans préavis et certains de vos bagages trop lourds pourraient rester en carafe ! Mieux vaut voyager léger. Si vous le pouvez, préférez le bateau.

MARIE-GALANTE

GRAND-BOURG   (97112)   6 000 hab.

> **Pour le plan de Grand-Bourg, se reporter au cahier couleur.**

C'est la commune la plus importante de Marie-Galante, de même que son port principal. Même si Grand-Bourg a brûlé au début du XXᵉ siècle, on est quand même sensible au charme tranquille de ses vieilles maisons créoles en bois, flirtant avec les édifices bétonnés construits par l'architecte Ali Tur, après le cyclone de 1928. Mais la ville est tellement assoupie que certains pourront trouver l'ambiance un peu molle et les touristes attardés sur la place de l'église ont parfois l'air de s'ennuyer... Sachez en tout cas que l'on trouve ici les principaux commerçants et services, banques, location de voitures. Et un conseil en arrivant : commencez par une visite aux... urgences de l'hôpital ! Du parking, en effet, vous bénéficierez d'une superbe vue à 180° sur Grand-Bourg, face à la Dominique.

Adresses utiles

🏢 *Office de tourisme (plan couleur A2) :* rue du Fort, BP 15. ☎ 05-90-97-56-51. ● info@ot-mariegalante. com ● ot-mariegalante.com ● Dans la 1ʳᵉ rue à gauche après le débarcadère, sur la place. Tlj sf w-e 9 h-16h. Possibilité d'ouverture prochaine le sam (renseignez-vous). Plan gratuit de l'île et de ses 3 communes, petit annuaire pratique gratuit des hébergements (ceux adhérant à l'office de tourisme), restos, commerces, services et curiosités ; également le *Guide du tourisme à Marie-Galante,* ainsi qu'un topoguide très bien fait sur les sentiers de randonnées pédestres (payants). Accueil charmant et très compétent.

✉ **Poste** *(plan couleur A2) : à l'angle de la rue du Dr-Marcel-Etzol et de la rue F.-Tirolien (rue de l'église).* ☎ 05-90-97-90-31. *Fermé mer ap-m, sam ap-m et dim.*

◼ **Distributeurs de billets** *(plan couleur A2, 1) : à la poste ; à la BFC et la BNP, face à face, rue F.-Tirolien (rue de l'église) ; au Crédit Agricole, à l'angle de la rue du Dr-Selbonne et de la rue Beaurenon.*

@ **Internet** *: des connexions chez MGSI (plan couleur A1, 4), 9, rue du Dr-Selbonne ; ELI (plan couleur A1, 5), lot. Grande-Savane ; France Telecom, rue de la Savane.*

◼ **Santé** *: hôpital Sainte-Marie (hors plan couleur par B2), section Ducos, par la N 9.* ☎ 05-90-97-65-00. *Liste des médecins et pharmacies de garde affichée sur la porte de l'office de tourisme et de la gendarmerie.*

◼ **Station-service** *(hors plan couleur par A1, 2) : sur la droite de la N 9 en direction de Saint-Louis, un peu après le cimetière. Ouv slt en journée.* L'île n'en compte seulement deux autres, à Saint-Louis et vers Capesterre. Attention, ne vous laissez pas surprendre.

◼ **Agence de voyages** *: Riverain Tours (plan couleur A2, 3), 3, rue F.-Tirolien (rue de l'église).* ☎ 05-90-97-94-00. *Fax : 05-90-97-98-72. Sur la droite en venant du débarcadère. Tlj sf mer ap-m, sam ap-m et dim.* Une agence sérieuse et débrouillarde pour trouver des hôtels à bon prix dans toutes les Antilles. Représente aussi les principales compagnies aériennes et maritimes.

◼ **Location de voitures et de scooters** *:* beaucoup de loueurs en sortant du débarcadère à droite ou dans le bourg. Attention, en période chargée, il arrive que le parc soit insuffisant. Prudent de réserver. Selon les loueurs, on vous demandera plus ou 21 ou 23 ans minimum et 2 ou 3 ans de permis. Sachez qu'ici on livre le véhicule sans faire le plein de carburant, donc rendez-le vide également au retour. Compter environ 35 à 50 € pour 24h selon le type de voiture choisi et la saison. On peut toujours essayer de négocier un peu, surtout à

la semaine. Certains louent des scooters (26 à 30 € environ la journée). Sachez enfin qu'il existe un tarif « journée touristique » pour une utilisation entre 8h et 17h seulement, pour ceux qui ne passent qu'une journée sur place (moins cher, évidemment). Enfin, regardez bien l'état du véhicule avant de partir et demandez à en changer s'il vous paraît trop juste.

– *Magauto :* ☎ 05-90-97-98-75 *ou 34-49.* ● *magauto.sarl.location@ wanadoo.fr* ● *magauto.com* ● *Sur présentation de ce guide, réduc de 10 % sur la loc de voitures et de scooters.* Parc de 80 véhicules environ.

– *Magaloc :* 📱 06-90-75-48-78. ● *ma galoc@wanadoo.fr* ● *magaloc.com* ●

– *Auto Grande-Savane :* ☎ 05-90-97-97-96. *Fax : 05-90-97-93-37.* Uniquement des voitures.

– *Défaut Location :* ☎ *et fax : 05-90-97-02-86 et 56-63.*

– *Auto Moto Location :* ☎ 05-90-97-19-42. ● *automoto-location@wana doo.fr* ● *automoto-location.com* ●

– *Hertz :* ☎ 05-90-97-59-80. 📱 06-90-69-69-65. ● *hertzantilles.com* ● Uniquement des voitures.

– *Locasol :* ☎ 05-90-97-76-58. ● *lo casol@wanadoo.fr* ● *locasol.net* ● Et il y en a encore d'autres au débarcadère...

◼ **Location de VTT** *: chez Auto Moto Location (voir rubrique précédente) ou chez Aventure Location (* 📱 06-90-58-52-47 ● *aveloc@wana doo.fr* ●*).* Même principe : livraison des vélos au moment où vous débarquez à Grand-Bourg (sympa, non ?). Compter 12 € environ par jour, et forfait semaine intéressant. Pas trop de côtes à Marie-Galante, sauf à l'intérieur des terres, mais le VTT s'y prête globalement bien.

🚌 **Arrêts des bus** *: 2 lignes de bus, Grand-Bourg-Capesterre (plan couleur A2) et Grand-Bourg-Saint-Louis (plan couleur A1) ; avec des liaisons en principe ttes les 15 mn le mat et ttes les 30 mn l'ap-m (sf mer ap-m, sam ap-m et dim).* Cela dit, les fréquences ne sont pas toujours respectées. Également des bus et minibus au débarcadère de Grand-Bourg, à chaque arrivée de bateau.

Où dormir ?

Peu d'adresses pour dormir dans le bourg même. En voici deux qui tiennent la route, à prix moyens.

🛏 **Le Cerisier Créole, chez M. Guy Frenet** (plan couleur A1, **10**) : lot. Grande-Savane, rue Saint-John-Perse. ☎ 05-90-97-93-54. 📱 06-90-50-24-85. Téléphoner avant de venir. Prendre l'allée des Poiriers, direction Saint-Louis, puis la route à gauche juste avant le cimetière (aller jusqu'au bout). Pour 2 pers env 50 € la nuit et env 300 € la sem. Dans le quartier résidentiel de Grand-Bourg, au 1er étage de la maison des gentils proprios, voici 2 appartements F2 (2-4 personnes) impeccables, mansardés, spacieux et très propres. Bon confort (AC, cuisine équipée et petit balcon), mais le quartier ne présente guère de charme. À seulement 10 mn à pied de l'embarcadère ; idéal pour attraper le bateau qui part à l'aube.

🛏 **Résidence L'Oasis** (hors plan couleur par A1, **11**) : 7, rue Sony-Rupaire, lot. Grande-Savane. ☎ 05-90-97-59-55. 📱 06-90-50-87-38. ● oasis.mg@wanadoo.fr ● Prendre à gauche après le cimetière en face de Shell, direction Grande-Savane, puis la 1re à droite. Pour 2-4 pers : 60-85 € la nuit ; 380-550 € la sem. Accueil à l'arrivée sur l'île et apéro de bienvenue offert sur présentation de ce guide. Voici 3 confortables appartements (F1 ou F2) : AC, cuisine équipée, TV... L'un est en duplex avec une superbe vue sur la mer, la Dominique et les Saintes, un autre (plus petit) possède une ravissante terrasse fleurie avec jacuzzi et le dernier, à l'étage, un studio en mezzanine avec cuisine américaine et terrasse, peut communiquer avec le duplex pour loger une grande famille. Lave-linge, coffre individuel, coffre à jouets. Location de VTT. Prêt de palmes, masques et tubas. Supermarché à portée de tongs. Excellent accueil.

Où dormir dans les environs ?

Bon marché

🛏 **Gîtes Au Bon Cocotier** (Gîtes de France ; hors plan couleur par B2) : à Ducos. ☎ 05-90-97-77-28. Fax : 05-90-97-98-37. 🦽 À 2,5 km au nord-est de Grand-Bourg par la N 9, vers Capesterre, sur la droite. Doubles à 40 € la nuit et 270 € la sem, petit déj compris. Gîtes (2-8 pers) 370-530 € la sem. Punch d'arrivée offert sur présentation de ce guide. Au bord de la route, dans une grande maison donnant sur un jardin. On le dit tout de suite, ce n'est pas le plus beau gîte, ni le mieux entretenu, loin de là, mais c'est sans doute l'un des moins chers. Chambres d'hôtes, au rez-de-chaussée ou à l'étage, tout juste honorables, avec salle de bains, ventilo, cuisine commune. Les gîtes (F3 et F4) sont vieillots, mais encore corrects, avec TV. Restauration sur commande (avec des produits du jardin). Gare aux moustiques le soir. Pour les routards qui souhaitent faire des économies.

🛏 **Domaine Bambara, chez Mme Thérèse Tirolien** (hors plan couleur par A1) : route de Latreille. ☎ 05-90-97-98-43. 📱 06-90-38-66-03. ● antilles-info-tourisme.com/guadeloupe/bambara.htm ● Première à droite après le cimetière, à 2 km au nord du bourg ; petite pancarte à droite. Pour 2 pers 55 € la nuit ; 7e nuit consécutive offerte ; petit déj 6 €. Apéro maison offert sur présentation de ce guide. Le grand plus de cette adresse – une charmante villa dominant tout Grand-Bourg et la mer – c'est son parc verdoyant et fleuri de 7 ha avec une vue superbe sur la Dominique. La gentille maîtresse des lieux est la femme de Guy Tirolien, célèbre poète marie-galantais aujourd'hui disparu. Figure

MARIE-GALANTE

emblématique de l'île, représentant de la France à l'étranger puis à l'ONU, il est toujours présent dans le cœur des enfants de Guadeloupe, qui se délectent en apprenant son fameux poème sur l'école... Les 3 chambres sont un peu désuètes, basses de plafond et visiblement pas faciles à entretenir seule. Cela dit, on peut tout de même y dormir correctement (de 2 à 6 personnes). AC, salle de bains, TV. Terrasse et cuisine communes (une chambre avec cuisine privée). On vient surtout ici pour la beauté des lieux et la gentillesse de l'accueil.

🛏 *La Kallina* (hors plan couleur par B2) : route des Basses. ☎ 05-90-97-01-35. ● lakallina@wanadoo.fr ● lakallina.com ● ⚒ En direction de Capesterre, un peu avant l'aérodrome, sur la droite (panneau). Double 50 € la nuit (sans le petit déj) ; bungalows (2-4 pers) 61-110 € selon saison. Réduc de 5 % sur présentation de ce guide. À deux pas de la mer (pas de plage), une poignée de bungalows proprets (2-4 personnes) en dur, bien tenus et plantés dans un jardinet fleuri. Fonctionnel avant tout : AC, TV, avec ou sans cuisine. Berceau à disposition. Petite piscine. Location de voitures. Pas mal pour les petits budgets mais gare aux moustiques. La maison possède également le *Sun 7 Beach*, vers Grand-Bourg, avec quelques chambres encore moins chères, mais banales et proches de la route (mieux vaut y boire un verre pour le coucher du soleil).

Prix moyens

🛏 *Gîtes Mango Napoléon, chez M. et Mme Choisi* (hors plan couleur par B2) : route de Ducos. ☎ 05-90-97-84-44. ● herve.choisi@mangonap. com ● mangonap.com ● ⚒ À 2,5 km au nord-est de Grand-Bourg, au bord de la N 9, sur la droite. Fermé en sept. Pour 2-4 pers : env 55-100 € la nuit selon taille et saison (2 nuits min) et 1 nuit gratuite pour 1 sem de loc. Apéro maison offert sur présentation de ce guide. Marceline tient cette microrésidence avec un sourire et un talent qui n'appartiennent qu'à elle. En plus, ses bungalows en bois et en dur sont spacieux (du studio pour 2 personnes à l'appartement pour 6 personnes) et impeccablement entretenus. Bon confort : cuisine, salle de bains nickel, belles chambres climatisées, mansardées, avec draps brodés pour certaines, s'il vous plaît, TV, radio-CD parfois et terrasse privative toujours. On a bien aimé également le studio avec sa cuisine extérieure. Le tout est planté dans un grand jardin tranquille et fleuri, d'où l'on aperçoit la Dominique et les bateaux de croisière. Curieusement, les médecins aiment beaucoup l'adresse ! Accueil à l'aérodrome et location de voitures possible. Excellent rapport qualité-prix-gentillesse.

🛏 *Mahogany, chez Mme Mouget* (hors plan couleur par B2) : section Beaurenom. ☎ 05-90-97-95-26. ● an nick.mouget@wanadoo.fr ● http://per so.orange.fr/bodiger/marie-galan te ● À 3 km. Prendre la D 203 vers Capesterre, puis, après Ti'Bulles, à gauche dans le chemin ; on croise ensuite un autre chemin ; la maison de Mme Mouget est presque au bout à gauche (entrée fleurie). Fermé de sept à mi-nov. Un studio : 528 € la sem en hte saison (dégressif dès la 2e sem) ou forfait 3 nuits env 250 €. Également une chambre séparée indépendante (salle d'eau et w-c) : 250 € la sem et 110 € les 3 nuits. Ti'punch offert sur présentation de ce guide. Grande qualité de confort dans ce studio attenant à la très belle maison des propriétaires. Kitchenette, AC, TV, téléphone, bibliothèque, barbecue et agréable terrasse sur jardin fleuri avec vue sur la mer. Calme garanti. Lave-linge et congélateur en commun. Frigo garni à votre arrivée et accueil à l'aérodrome ou au bateau. Excellent accueil. Une bonne adresse, qu'apprécient également les charmants petits (et gros !) lézards...

Isola Verde, chez M. et Mme Massias (hors plan couleur par B2) : corniche des Basses. ☎ 05-90-97-70-61. ● isola-verde@ wanadoo.fr ● location-villa-mariega lante.com ● À 5 km à l'est de Grand-Bourg par la D 203 ; prendre la route à gauche, vers Lalanne ; puis à droite en montant (c'est au-dessus des Balcons de Passiflora et de La Coulée d'Or). Ouv slt nov-mai. Pour 2-4 pers 550-1 100 € la sem selon confort. Séjour de 4 nuits possible. Quatre beaux bungalows en dur et en bois exotique disséminés dans un parc avec une vue magnifique à 180° sur les Saintes et la Dominique. Cuisine, TV, téléphone, AC, mobilier fabriqué sur place par le proprio, terrasse privative (avec hamac), barbecue, lave-linge et même une cabine téléphonique ! Accueil prévenant des propriétaires qui vivent en Dordogne hors saison. Transfert depuis l'aéroport et location de voitures possible. Sans compter les petites attentions qui font la qualité du séjour...

Gîte Cannelle (hors plan couleur par B2) : 15, Les Hauts-de-Port-Louis. ☎ et fax : 05-90-97-76-79. À 5,5 km au nord-est de Grand-Bourg par la N 9, puis direction Port-Louis ; prendre la 1re route à gauche en entrant dans Port-Louis (au niveau de l'épicerie Chez Denise). Compter 350 € la sem pour 2 pers. Une marche découverte organisée par Écolambda est proposée, sur présentation de ce guide. La propriétaire a transformé une partie de sa coquette maison en bois sombre en un agréable studio pouvant accueillir un couple. Bien décoré et confortable : cuisine équipée, ventilo, TV, radio-CD et terrasse avec hamac, donnant sur un jardin tropical bien ventilé et absolument ravissant. Piscine. Une adresse côté nature. Bien se faire préciser le prix à l'avance.

Village de Canada, chez

M. Manicord (hors plan couleur par A1) : section Canada. ☎ 05-90-97-86-11. ▯ 06-90-50-55-50. ● villa gedecanada@wanadoo.fr ● multima nia.com/villagedecanada ● À 7 km au nord de Grand-Bourg. Prendre la N 9 direction Saint-Louis, puis à droite à la hauteur de l'usine de Gran-de-Anse (panneau). Attention, ne pas confondre avec le Domaine de Canada un peu avant... Selon saison et nombre d'occupants : 60-90 € la nuit (2 nuits min), et 370-550 € la sem. Réduc de 10 % toute l'année et apéro maison offert sur présentation de ce guide. Au milieu des champs de canne à sucre et non perdu chez les bûcherons, ce petit village propose 5 gîtes (2-4 personnes), ainsi que 3 bungalows et 2 appartements (2-6 personnes) nickel et confortables, avec cuisine équipée, AC, TV, barbecue et terrasse donnant sur un gentil jardin fleuri que le proprio entretient avec soin. Déco bleu-blanc-vert. Belle piscine avec solarium et carbet. Bucolique et on ne peut plus au calme, avec vue sur les îles environnantes.

Grand Palm, chez Nicole et Régis Fraipont (hors plan couleur par B2) : pointe des Basses. ☎ 05-90-97-73-95. ● grandpalm.net ● À 5 km à l'est de Grand-Bourg, par la route côtière de Capesterre, sur la droite avant l'aérodrome. Nuit 60-95 € selon saison et taille (2 à 4 pers max) ; petit déj copieux et coloré 10 €. CB refusées. Un ravissant ensemble de 3 maisonnettes bien décorées, construites par les propriétaires eux-mêmes, dans un grand jardin fleuri donnant sur une crique où s'attardent parfois quelques tortues, mais où il n'est pas possible de se baigner. Bungalow avec cuisine, AC, ventilo, moustiquaire, et même des jacuzzis communs. Monsieur était cartographe (sa carte des îles du monde est unique !). Il offre d'ailleurs un sous-main original à nos lecteurs.

MARIE-GALANTE

Plus chic

Les Balcons de Passiflora, chez Catherine et Charly Ragoust (hors plan couleur par B2) : chemin Lalanne, Les Hauts-des-Basses, nº 2. ☎ 05-90-97-50-48. 📱 06-90-37-22-00. ● la-passiflora@wanadoo.fr ● residence-passiflora.com ● À 5 km à l'est de Grand-Bourg par la D 203, vers Capesterre ; petite route sur la gauche, direction Lalanne ; puis à droite dans la montée (panneaux). Pour 2 pers 125 € la nuit, petit déj compris (2 nuits min), et 600-770 € la sem selon saison. Plantées sur la colline enrobée d'une végétation luxuriante, voici deux splendides villas contiguës (2-4 personnes) et construites en bois exotique par les propriétaires eux-mêmes. Magnifique mobilier et confort irréprochable : AC, cuisine américaine bien équipée, lave-vaisselle, lave-linge, TV, barbecue et terrasse grandiose avec hamac, dominant les îles voisines. Très grand jacuzzi dans le patio séparant les deux villas. Un charme fou ! Très calme et accueil courtois. Le frigo est garni à votre arrivée.

🏠 *Gîte La Coulée d'Or, chez René et Jeanine Beaussier* (hors plan couleur par B2) : Les Hauts-des-Basses. ☎ 05-90-97-57-74. ● couledor972@wanadoo.fr ● villa-kouledor.com ● À 3,5 km à l'est de Grand-Bourg par la D 203, vers Capesterre, direction Lalanne, puis à droite en montant (juste au-dessus de Passiflora). Pour 2-4 pers, 580-900 € la sem selon saison. Apéro, fleurs, panier de fruits, petit déj et 1er repas offerts pour les séjours de plus de 1 sem sur présentation de ce guide. À flanc de colline, une charmante villa en bois avec 2 chambres indépendantes, cuisine ouverte, AC, ventilo, TV, barbecue et vaste terrasse dominant la Dominique, les Saintes et la jolie végétation tropicale du jardin. Quel bonheur de flemmarder dans le hamac sous le carbet ! Confortable et très calme. Le nom du lieu est tiré du bouquin éponyme d'Ernest Pépin, un ami de la maison.

Beaucoup plus chic

🏠 *Les Villas du Soleil* (hors plan couleur par B2) : Les Hauts-des-Basses. Pas de téléphone, contact e-mail. ● cp.mg@wanadoo.fr ● lesvillasdusoleil.com ● À 3,5 km à l'est de Grand-Bourg par la D 203, vers Capesterre ; petite route sur la gauche, direction Lalanne, puis à droite en montant (après La Coulée d'Or et Isola Verde). Un ensemble de villas luxueuses de 1, 2 ou 3 chambres de 1 500 à 1 800 € env la sem. Tarif dégressif à partir de la 2e sem. Très bien situées sur les hauteurs, les 9 villas ont toutes un jardin tropical de 2 000 m², une piscine et une vue plus ou moins étendue sur la mer et les îles. Certaines sont entièrement en bois, d'autres en bois et en dur. Beaucoup de charme dans l'ensemble, même si aucune n'a exactement le même cachet ni la même situation. On avoue qu'on a eu un gros faible pour la villa *Couleur des Îles*... Les tarifs comprennent l'accueil à l'aéroport, le 1er repas du soir, le 1er petit déj et un service de ménage chaque jour. Si vous le pouvez, ça en vaut la peine...

🏠 *Villa Cycas* (hors plan couleur par B2) : habitation Bielle. ☎ 05-90-97-28-69 ou 93-62. ● villa-cycas@wanadoo.fr ● im-caraibes.com/cycas ● 🐾 Sur la route de Capesterre, quasiment en face du resto La Charrette. À la sem : studio (2 pers) 630 € ; villa (6-8 pers) 1 800 € ; villa + studio 2 300 €. Une villa les pieds dans l'eau avec sa plage (quasiment) privée. Studio avec AC, téléphone et TV. La villa se compose de 2 chambres et d'une mezzanine pour 4 personnes. Salon, cuisine et lave-linge. Service de ménage inclus (1h30 par jour). Linge de maison fourni, frigo garni et premier repas offert. Le plus agréable reste sans doute cette grande terrasse et son deck face à la mer. Bref, une bonne situation pour les familles ou les bandes de copains.

Où manger ? Où boire un verre à Grand-Bourg et dans les environs ?

Bon marché

Pour ceux qui souhaitent faire leur cuisine eux-mêmes, il y a un supermarché *Bagg Cash*, route de Ducos, à la sortie de Grand-Bourg *(tlj sf sam ap-m et dim : 8h-12h30, 15h-17h30).* Supérette de la même enseigne en ville, avenue du Dr-Etzol *(plan A2),* juste derrière le port.

|●| **Le Filao, resto du lycée hôtelier** *(plan couleur B1, 22)* **:** *rue de la Savane.* ☎ 05-90-97-90-42 *(poste 127). Au lycée même.* Lunven, slt le midi, hors vac scol. Attention, obligation d'arriver entre 12h15 et 12h45 car fermeture à 14h ! Formule 2 plats 6,50 €, menu 9 € *(hors boissons).* Original : les repas des élèves hôteliers sont ouverts à tous les curieux (à condition d'arriver à l'heure car le service est rapide). Salle sans prétention mais climatisée. Pas cher : entrée, plat, dessert, service compris (soyez indulgents !). Menu affiché à l'office de tourisme.

|●| **Le Mango Rose :** *Morne Lolo, Grand-Bourg.* ☎ 05-90-97-83-05. 📱 06-90-40-31-80. *À 5 km par la route de Capesterre (N 9), sur le côté gauche, à côté de la route qui mène à la distillerie Bielle.* Ouv ts les soirs sf dim (et lun hors saison) 18h30-22h. *Cuisse de poulet env 2 €, ribs 4 €, menu express 6 €, salades et plats 6,50-8 €.* Une baraque qui ne paie pas de mine, et pourtant elle attire chaque soir tous ceux qui ont vent de la bonne affaire. Spécialités de grillades à emporter ou à manger sur place. Frais et excellent. Également du *bébélé* (tripes, fruit à pain, banane) chaque mercredi. Il y a parfois de l'ambiance le soir. Un très bon plan pour les routards.

|●| 🍷 **Le Soleil Levant** *(plan couleur A2, 20)* **:** *sur la petite place du Marché.* ☎ 05-90-97-71-72. *Tlj sf sam et dim ap-m.* Boulangerie-pâtisserie assez connue dans le centre-ville, un peu le rendez-vous de la jeunesse locale qui papote en terrasse. Viennoiseries, sandwichs, petite collection de gâteaux exotiques et jus de fruits locaux. Correct et pas cher mais pas notre adresse préférée pour autant.

|●| 🍷 **L'Ornata** *(plan couleur A2, 21)* **:** *pl. Félix-Éboué.* ☎ 05-90-97-54-16. ● bbsouquet@wanadoo.fr *Face au débarcadère. Tlj 8h-20h, mais resto ouv slt le midi.* Sandwichs env 3 €, plats 7-12 € sur place ou à emporter. Un snack sympa, installé dans une jolie maison créole en bois, avec une terrasse stratégique quasiment en face du débarcadère. Dans l'assiette, une bonne petite cuisine du jour, dont quelques plats aux intonations créoles. Également des petits déj, des cocktails de fruits et des glaces. Service aimable et rapide. Idéal pour attendre le bateau.

|●| 🍷 **Footy** *(plan couleur A2, 23)* **:** *bd de la Marine.* ☎ 05-90-97-99-19. *À droite après le débarcadère, en longeant la mer. Tlj sf dim.* Plats env 12 €. Installé dans une mignonne baraque du bord de mer, ce petit resto est tenu par un ancien joueur de foot, réputé pour ses *shoots* à travers toutes les Antilles. Dans l'assiette, d'honorables spécialités créoles, mais dommage que le riz et les acras soient parfois servis froids... Quant aux tarifs, ils ne sont pas toujours affichés. En revanche, il y a souvent de l'ambiance. Salle à l'arrière, mais on préfère celle à l'avant et la terrasse sur la rue, ventilée naturellement, avec vue sur la mer.

|●| 🍷 **La Brise de Mer** *(plan couleur A2, 26)* **:** *40, bd de la Marine.* ☎ 05-90-97-46-22. 🍴 *Sur le port. Tlj sf dim. Carte 15-18 €.* Repris récemment par un couple de Dunkerquois ayant jeté l'ancre à Marie-Galante. C'est d'abord un bar de marins et de copains avec une déco de récup' et de vieux cordages recyclés dans la courette à l'arrière. Un peu de monde le midi, ambiance plus apéritive le soir, sur fond de musique du monde

MARIE-GALANTE

appropriée. Cuisine familiale généreuse mais un peu inégale, peut-être
sommes-nous mal tombés ce jour-
là. On reviendra quand même car les
patrons sont vraiment très sympas.

De prix moyens à plus chic

|●| *Maria-Galanda* (plan couleur A2,
25) : 30, rue du Dr-Marcel-Etzol.
☎ 05-90-97-50-56. Dans le centre-
ville. Ouv slt le soir sf jeu. Congés
variables entre sept et nov. Menu
15 €, carte env 30 €, menu-enfants
10 €. Un havre de tranquillité, aux
allures de pont de bateau. Les tables
sont agencées autour d'un patio verdoyant et d'un bassin dans lequel
vous apercevrez quelques tortues.
Dans l'assiette, une excellente cuisine créole et du Sud-Ouest avec des
spécialités de poisson raffinées,
accompagnées de légumes locaux.
La bonne table de Grand-Bourg.
|●| *Le Sapotillier* (hors plan couleur

par A1) : route de Latreille. ☎ 05-90-
97-96-82. ⚓ À 3,5 km au nord du
bourg, sur la gauche. Tlj sur résa en
saison ; slt ven soir et sam soir hors
saison. Fermé en sept. Plats env
9-15 €. Apéro maison et acras offerts
sur présentation de ce guide. Une
excellente table d'hôtes tenue par
une gentille famille. Fabienne, la
chef, concocte de la cuisine marie-
galantaise et antillaise avec talent.
Spécialités de rôti de porc au sirop
de batterie, poisson et langouste au
curcuma, blanquette de lambis ou
encore ouassous à la crème de
banane. Hmm, un délice ! Service
souriant et dynamique.

Où sortir ?

🍸 🎵 *El Rancho* (hors plan couleur
par A1) : à la sortie de Grand-Bourg
sur la gauche, direction Saint-Louis.
▢ 06-90-00-90-40 et 06-90-63-26-
73. Entrée payante ; en général,

gratuit pour les dames. Le petit lieu
qui bouge à Grand-Bourg. Boîte de
nuit, soirées ciné + dîner et même
des cours de danse (salsa, rock) le
week-end.

À voir. À faire

🚩🚩 *La plage de Grand-Bourg* (hors plan couleur par B2) : en direction de
Capesterre. Bien pour ceux qui n'ont pas de véhicule et qui séjournent à
Grand-Bourg. La plus proche du bourg, avec la Dominique en face, rien que
pour vous.

– *Concours de bœufs tirants :* une tradition vivante à Marie-Galante et
l'occasion de fêtes animées (podium, musique, stands de cuisine...). À voir
absolument. Généralement le dimanche, de juin à février. Se renseigner
auprès de l'office de tourisme (☎ 05-90-97-56-51).

– *Gallodrome, élevage de coqs de combat :* restaurant du *Pitt, chez Jouab,*
chemin de Gagneron. ☎ 05-90-97-96-04. Allez-y pour voir l'élevage des coqs
et pour le propriétaire, Jouab, personnage étonnant qui a travaillé au *Carlton*
à Cannes. Quant aux combats de coqs, vous connaissez notre sentiment sur
la question, mais vous pouvez aller à ceux avec « gants de boxe ». Ce n'est
pas vraiment facile à trouver, mais la route est jolie : de Grand-Bourg, suivre
la direction de Ducos (N 9 qui va à Capesterre par l'intérieur) ; en haut du
morne, prendre à gauche la direction Gagneron-Saint-Marc (moulin de Saint-
Marc fléché). C'est une grande bâtisse jaune avec un toit rouge sur votre
gauche (Jouab a promis de faire une pancarte, mais « faut l'temps ! »). On
entend au passage le chant (pardon, le vacarme) des gallinacés. À l'intérieur,
Jouab a rouvert son restaurant, mais uniquement de janvier à juillet.

➢ *Randonnées pédestres :* Marie-Galante offre de nombreuses possibilités de randos tranquilles, sans dénivelées importantes et les pieds au sec le plus souvent. Topoguide très bien fait réalisé par l'Office national des forêts et l'office de tourisme, où il est d'ailleurs en vente, et proposant 11 sentiers de randonnée pédestre, de 1h à 6h.

– *Plongée sous-marine :* avec Ti'Bulles, un petit club, basé rue Beaurenom, sur la plage à proximité de Grand-Bourg, direction Capesterre. ☎ 05-90-97-54-98. ● tibulles-plongee.com ● Baptêmes 44 €, compter 50 € avec photo-souvenir et 110 € avec 2 plongées supplémentaires. Formules dégressives de 3 à 10 plongées. Location de palmes, masques et tubas (env 10 € la journée). Sorties avec 8 plongeurs maximum. Outre David, le boss, il y a 3 autres moniteurs. Formation jusqu'au Niveau 4. Sorties enfants possibles à partir de 8 ans.

➢ DANS LES ENVIRONS DE GRAND-BOURG

🎭🎭🎭 *L'habitation Murat* (Écomusée de Marie-Galante ; hors plan couleur par B2) **:** à 1,5 km vers l'est, sur la route de Capesterre ; bien indiqué sur la gauche. ☎ 05-90-97-94-41. Centre de documentation : tlj sf w-e et j. fériés 9h-13h, 14h30-17h30. Entrée gratuite et libre accès au domaine, même en dehors des heures de visite. Parfois une visite guidée quand il y a un peu de monde...

Ce fut, en 1839, l'une des exploitations sucrières les plus aisées de l'île (307 esclaves y travaillaient). Le château, ancienne maison de maître, date du début du XIXᵉ siècle et fut édifié dans un style néoclassique au milieu d'une immense pelouse. Il a été transformé en modeste *musée des Arts et Traditions populaires* (actuellement en rénovation), seul le petit centre de documentation présentant quelques panneaux historiques est accessible. À voir surtout pour le beau parc, bien entretenu, où s'étalent les vestiges des anciennes cuisines, des magasins à vivres et de la sucrerie avec sa belle et grande cheminée. Jardin médicinal intéressant. Moulin à vent de 1814 construit en pierre de taille (noter l'écusson gravé au-dessus de la porte), plate-forme ronde d'un ancien moulin à bêtes, etc.

➢ *Randonnée pédestre sur le sentier Murat :* de l'*habitation Murat,* balade de 2h30 environ. Laisser sa voiture au parking. Début du sentier au niveau du moulin. Suivre le chemin sur la droite (les balises sont rouges) : on est dans la coulée Ouliée, qui s'enfonce dans les terres sur 2,3 km. Arrivée à Pirogue (voir ci-dessous « La Mare au punch »). Le retour peut se faire par le chemin du Morne-Rouge. De la *Mare au punch,* suivre la N 9 vers Grand-Bourg, sur 100 m environ. Guide en vente à l'office de tourisme.

🎭 *La Mare au punch* (hors plan couleur par B2) : à *Pirogue,* à 4,5 km au nord-est de Grand-Bourg par la N 9. On peut encore y voir la mare où se serait déroulée, un an après l'abolition de l'esclavage en 1848, la fameuse *punch party* (voir « Un peu d'histoire » en introduction à Marie-Galante). C'est la petite mare à droite en venant de Grand-Bourg, juste avant Pirogue. Le matin, en saison, longue cohorte de cabrouets venant faire peser leur chargement à la balance.

🎭🎭 *La distillerie Bielle* (hors plan couleur par B2) : à 8 km au nord-est de Grand-Bourg, par la N 9, direction Capesterre (panneau). ☎ 05-90-97-93-62. ● rhum.agricole.bielle@wanadoo.fr ● En saison : lun-sam 9h30-13h, dim et j. fériés 10h-11h30 ; en sept-oct : tlj sf dim 9h30-12h30. Entrée et dégustation gratuites.

Au milieu des champs de canne, cette distillerie produit l'un des rhums les plus réputés de Guadeloupe. De plus, elle utilise un procédé original, écologique et économique à la fois, la phytoremédiation : un bassin naturel de

1,5 ha composé de jacinthes d'eau douce et de fougères, situé à proximité de la distillerie, agit comme une énorme éponge végétale en absorbant les matières organiques (les vinasses), ce qui évite d'autres procédés d'élimination polluants et plus coûteux. L'Institut Pasteur procède à un contrôle mensuel. Sachez que la maison produit environ 1 200 hectolitres d'alcool pur par an, soit 1 000 à 3 000 litres de rhum par jour et 200 000 litres annuels... Jetez donc un œil aux installations (surtout en fonctionnement entre mars et août) et notamment à l'ancienne *sucrotte*. La caféière du XVIIIᵉ siècle de la famille Bielle devint en effet une sucrerie au siècle suivant, avant de devenir la distillerie actuelle. C'est ce système de cuves en batterie qui a donné son nom au fameux « sirop de batterie », qui adoucit avec tellement de talent le ti-punch du soir. Ne pas manquer non plus, à l'arrière, l'exposition de vieilles machines à vapeur et les pompes en tout genre, bien restaurées. Enfin, évidemment, on peut déguster et s'offrir d'excellentes bouteilles à la boutique : rhum blanc à 59°, rhum vieux, liqueurs, chocolat, café, coco, shrubb... Noter que les prix pratiqués ici sont plus bas que dans les supermarchés de Guadeloupe.

– À côté, l'une des rares poteries artisanales de Guadeloupe, *Au Grès des Isles.*

DE GRAND-BOURG À SAINT-LOUIS

🏃 Par la N 9 (la route côtière), on longe d'abord l'ancienne **habitation Roussel,** une usine qui ferma en 1873. Notez les antiques canons plantés en terre et qui, à l'aide de cordages, permettaient de fixer les ailes quand on voulait arrêter le moulin.

🏃 À l'intersection de la N 9 et de la D 204, s'élève la **sucrerie de Grande-Anse** (☎ 05-90-97-86-39 ou 83-00), l'ancêtre des sucreries de Guadeloupe. Elle fut construite en 1845 et survécut à tous les coups de l'Histoire (abolition de l'esclavage et révolution de 1848, grandes grèves) et vicissitudes de la météo (cyclones, incendies, etc.). Aujourd'hui, élément moteur de l'économie de l'île, elle bénéficie de l'aide des autorités régionales, emploie environ 80 personnes (plus une centaine de saisonniers), et traite entre 100 000 et 150 000 t de canne annuellement. De mars à début juillet, quand l'usine tourne pendant la récolte, on peut assister au spectacle des cabrouets et des camions lourdement chargés se mettant en ligne pour la pesée. Le transport par cabrouet représente aujourd'hui un faible pourcentage du tonnage total (environ 12 %). Visite possible sur rendez-vous, pour les groupes uniquement.

🏃🏃 *Le domaine du Père-Labat (distillerie Poisson) :* à 4 km env., toujours sur la N 9, sur la gauche. ☎ 05-90-97-03-79. Visite slt le mat 7h-13h, quand la distillerie tourne (à peu près 3 mois par an, fév-mai).
À voir, une unité de production intéressante et vraiment authentique (chaudières, vieilles machines, etc.) qui fabrique le célèbre rhum du père Labat, culminant à 59°. Le père en question était un moine dominicain qui vulgarisa l'utilisation de l'alambic dans les Antilles françaises à la fin du XVIIᵉ siècle. Ah, ces moines ! Et dire qu'on leur doit aussi le procédé de la champagnisation (Dom Pérignon, vous connaissez ?). Demandez l'intéressant dépliant expliquant le procédé de fabrication du rhum avec un schéma très bien fait. Et puis ne manquez surtout pas la croquignolette buvette-boutique à l'ancienne *(ouv tlj le mat)* avec sa baraque en bois, ses bouteilles alignées au fond, et son responsable, un monsieur très gentil et très (très) disert sur le sujet.

◿ En reprenant la D 206 qui longe la côte jusqu'à Saint-Louis, étroite **plage des Trois-Îlets,** puis, plus loin, la grande **plage de Folle-Anse.** Bordée d'une forêt littorale protégée et accueillant beaucoup d'oiseaux migrateurs (ainsi que de vicieux yen-yens), elle est plus agréable et plus sauvage vers Grand-Bourg. On conseille la balade romantique, les pieds dans l'eau, mais vers Saint-Louis, la plage devient plus sale par endroits. Et évitez le coin proche du port industriel...

SAINT-LOUIS   (97134)   3 000 hab.

C'est la plus ancienne bourgade de l'île, berceau de la colonisation française à Marie-Galante... Saint-Louis s'étend en bordure d'une jolie baie agréablement arrondie, que les marins affectionnent particulièrement pour leurs escales. Entre maisons créoles en bois et constructions en dur style Ali Tur, ce village sympathique vit à son rythme indolent, un peu en dehors du temps. Rythme parfois troublé par les bateaux qui relient l'île à Pointe-à-Pitre, Saint-François, Sainte-Anne ou les Saintes. En revanche, les possibilités de restauration et d'hébergement sont plutôt limitées, sachez-le. Aux alentours, vous découvrirez la partie de l'île la plus accidentée et la plus sauvage... Les routards non motorisés pourront s'y rendre depuis Grand-Bourg en bus ou en taxi (prévoir 15 € environ).

Adresses utiles

🚹 Jusqu'à nouvel ordre, il n'y a plus d'*office de tourisme.* S'adresser à l'office de Grand-Bourg.
■ **Distributeur de billets :** AUCUN non plus ! Se rendre encore à Grand-Bourg...
@ *Internet :* à la MJC (plan B1, **1**), à l'angle des rues Schœlcher et Baclet. ☎ 05-90-97-10-89. Tlj sf sam ap-m et dim 8h-12h, 14h-18h.
🚌 *Arrêt des bus pour Grand-Bourg* (plan B1-2) : à côté de la poste.
■ **Station-service** (plan B2, **2**) : sur la droite de la N 9 en direction de Grand-Bourg. Ouv slt en journée. L'île n'en compte que deux autres, à Grand-Bourg et vers Capesterre. Ne vous laissez pas surprendre.
■ *Location de VTT : chez* Auto Moto

Location (☎ 05-90-97-19-42. ● *auto moto-location@wanadoo.fr* ● *auto moto-location.com* ●), Magaloc (☎ 05-90-97-01-70. Fax : 05-90-97-19-54). Env 12 €/j., tarif dégressif à la sem.
■ *Location de voitures et scooters :* les deux précédents assurent ces prestations. Également chez Magauto (☎ 05-90-97-15-97 ; réduc de 10 % sur présentation de ce guide), Le Refuge (☎ 05-90-97-02-95), Défaut Location (☎ 05-90-97-56-63 ou 02-86) et Locasol (☎ 05-90-97-64-50). Sachez aussi que les loueurs de Grand-Bourg peuvent vous livrer un véhicule à Saint-Louis (voir « Adresses utiles » à Grand-Bourg).

Où manger ?

|●| *Le Kayel (plan A1, 13) :* rue Hégésippe-Légitimus. ☎ 05-90-97-03-61. Ouv le soir lun-jeu, midi et soir ven-dim. Plats env 12 €. On s'assoit à une table avec la clientèle locale dans la petite salle colorée ou directement sur le sable, face à la mer. Puis on y mange de bons petits plats, tout simples mais savoureux, comme

le court-bouillon de poisson-chat ou le colombo de poulet. Et puis voilà. Bon rapport qualité-prix et service très gentil.
|●| *Le Plaisir des Marins (hors plan par B1, 12) :* quartier Chalet. ☎ 05-90-97-08-11. À 1 km au nord du bourg, sur la route de Vieux-Fort, côté mer. Ts les midis sf lun, le soir

sur résa. Plats env 10-25 €. En bord de plage, petit resto sympa tenu par une gentille famille de pêcheurs. Dans l'assiette, de bons plats typiques et copieux. Acras, langoustes (bien s'assurer qu'elles sont fraîches), poisson au court-bouillon...

|●| L'Assiette des Îles (Le Skipper ; plan A2, **14**) : av. des Caraïbes. ☎ 05-90-97-03-39. ⚡ Tlj sf dim soir. Fermé de mi-sept à mi-oct. Plat env 12 €. Les jours d'ouverture sont un peu fantaisistes dans la réalité, mais quand c'est ouvert (sic), on y sert des plats créoles très respectables. La carte fait la part belle aux produits de la mer, bien sûr.

|●| Le Coin Tranquille (plan A1, **10**) : rue Hégésippe-Légitimus. ☎ 05-90-97-09-35. En plein centre. Tlj sf lun. Plats env 14-17 €, formule entrée + plat 18 €. On accède par un étroit couloir à ce lolo de plage amélioré, du moins dans le décor, et tenu par une Marie-Galantaise revenue au pays. On y vient surtout pour manger les pieds dans le sable, sur la plage même. Joli cadre mais dommage que les portions soient un peu chiches pour les tarifs.

Où dormir ? Où manger dans les environs ?

🏠 Location Bellevue : section Romain. ☎ 05-90-97-00-57. 📱 06-90-83-74-75. ● gitesbellevue@wanadoo.fr ● Chambres et gîtes à la nuit 38-53 € pour 2 pers et env 70 € pour 4 pers. À la sem, réduc de 15 % et 1 nuit gratuite pour 10 j. de loc. Petit déj 4 €. Table d'hôtes autour de 17 €. Comme son nom l'indique, on vient ici pour la vue exceptionnelle sur la Dominique, les Saintes et la Guadeloupe, surtout depuis le balcon des chambres à l'angle de la maison (demandez-les à la réservation). Attention, les 2 gîtes n'ont pas de vue directe. Également un bungalow qui nous a moyennement séduits. Pour le confort, rien d'extraordinaire, juste des chambres fonctionnelles, sans charme particulier mais propres. Un rapport qualité-prix honorable. Bon accueil du couple d'agriculteurs qui produisent vanille et miel et proposent des visites guidées de l'île avec le car garé dans le jardin.

🏠 Habitation Bioche : section Saint-Charles. ☎ 05-90-97-00-39. 📱 06-90-76-14-25. ● info@habitation-bioche.com ● habitation-bioche.com ● L'adresse se trouve peu après Le Refuge sur la gauche, mais il vaut mieux s'adresser d'abord à l'épicerie (maison jaune) au carrefour avec la N 9. Nuit env 55-65 € pour 2 pers. On ne dort pas dans une véritable habitation à l'ancienne, faut pas rêver, mais dans 3 bungalows en bois récents dont le principal atout est leur relatif isolement et surtout leur beau point de vue sur la mer et les îles au loin. Aménagements assez coquets (couleurs vives) avec petite cuisine-séjour, chambre climatisée, douche, w-c, TV et petite terrasse. Grand jardin avec piscinette. Bref, l'impression de jouer un peu à la dînette. Paillote avec quelques jeux et bouquins. Location de voitures possible.

🏠 |●| Au Village de Ménard (hors plan par B1) : section Vieux-Fort. ☎ 05-90-97-09-45. ● magtour@outremer.com ● villagedemenard.com ● ⚡ À 8 km au nord de Saint-Louis. Pour 2 pers, 40-125 € la nuit selon confort et saison. Petit déj 8 €. Côté resto (L'Océanite, ouv le soir en sem ; midi et soir le w-e) : menus 18,50-28,50 €, plats env 15 €. Réduc de 5 % pour 2 nuits consécutives sur présentation de ce guide. Une petite résidence de vacances avec des studios et des grands bungalows en bois ou en dur, aux couleurs pimpantes pour certains, pour 2 à 4 personnes, avec kitchenette, AC, TV, piscine centrale ; le tout dans un agréable jardin, à proximité des plages de Vieux-Fort et de l'anse Canot. Tranquille et plutôt isolé, au pied d'un vieux moulin. Accueil très sympathique. Tarifs vraiment intéressants hors saison.

🏠 |●| Le Refuge : section Saint-Charles, route des Sources. ☎ 05-90-97-02-95. ● refugehulman@wanadoo.fr ● im-caraibes.com/refuge/ ●

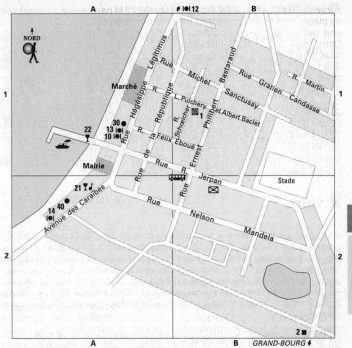

SAINT-LOUIS

Adresses utiles		

■ **Adresses utiles**

✉ Poste
⚓ Embarcadère
🚌 Arrêt des bus pour Grand-Bourg
@ **1** MJC
2 Station-service

🍴 **Où manger ?**

10 Le Coin Tranquille
12 Le Plaisir des Marins

13 Le Kayel
14 L'Assiette des Îles

🍸♪ **Où boire un verre ?
Où sortir ?**

21 Chez Henri
22 Feeling Plage

• **À faire**

30 CISMAG
40 Man'Balaou

À 2 km au sud de Saint-Louis par la N 9, puis à gauche (indiqué). Resto fermé en sept. Pour 2 pers, 50 € la nuit et 340 € la sem. Menu 20 €. ½ pens possible. Trois appartements mitoyens (F2) à l'étage de la maison des proprios (entrée indépendante), avec coin cuisine, TV, AC et petite terrasse. Équipements très vieillots, il faut bien le dire... On vient plutôt pour l'accueil familial chaleureux et pour la réputation du resto (sur résa mais ouvert aux non-résidents). Fortuna, autrement dit Mme Hulman, est appréciée dans l'île pour sa fine cuisine de terroir. Elle serait d'ailleurs la seule à concocter le flan de fruit à pain et la liqueur de mangue. Le flan coco n'est pas mal non plus !

Où boire un verre ? Où sortir ?

🍸 🎵 *Chez Henri* (plan A2, 21) : av. des Caraïbes. ☎ 05-90-97-04-57. ● *chezhenri.net* ● *Prendre à droite en venant du débarcadère. Fermé lun et mar (sf j. fériés).* Ce resto-bistrot très « métro » est le rendez-vous des skippers en escale. Décor intime et élégant à la fois, surtout le soir avec son éclairage tamisé. Tables dans le jardin au bord de l'eau ou bar cosy à l'entrée. Expose les artistes locaux et propose le week-end des petits concerts de musique *live* sur la plage. Pas mal de jazz. Fait aussi resto (spécialité d'omelette créole). Henri, le patron cuisto, a vécu à Toulon.

🍸 *Feeling Plage* (plan A1, 22) : au débarcadère. Tlj en journée sf dim. Une toute petite baraque face à la mer et à une statue commémorative de la guerre de 1914-1918. Boissons fraîches, crêpes et même quelques plats. Pour son aspect croquignolet et pour la gentillesse de l'accueil.

À faire

– Un petit *club de voile* à proximité de la jetée de Saint-Louis : CISMAG (plan A1, 30). ☎ 05-90-97-13-72. ● *cismag@wanadoo.fr* ● Location à l'heure, stages et différents forfaits possibles. C'est un centre qui pratique la réinsertion par les métiers de proximité et les sports nautiques (plan d'eau bien venté). Location de canoës-kayaks, Hobie Cat, planches à voile et Optimist de 12 à 20 € de l'heure environ. Cours particuliers environ 30 € de l'heure. Également une base à Vieux-Fort en face de la plage (location de pédalos et de canoës).

– *Balades à cheval :* avec Bellencroupe (hors plan par B1), section Littoral, au nord du bourg. ☎ 05-90-97-18-69. 📱 06-90-36-46-33 ou 06-90-82-18-03. ● *http://perso.wanadoo.fr/la.bellencroupe/* ● Les 2h env 40 € ; compter 60 € la demi-journée et 100 € la journée complète avec le pique-nique. De chouettes balades et randonnées côté nature en chevauchant la plus belle conquête de l'homme ! Des plages de sable blanc (baignade à cheval !) aux champs de canne à sucre, en passant par la forêt luxuriante... Idéal pour découvrir l'île en profondeur et flirter avec ses recoins cachés.

LA RÉGION NORD

Relief plus accidenté, nombreuses forêts, plages magnifiques, falaises abruptes, hameaux et routes de campagne pittoresques, chemins de randonnée... C'est ici que vous découvrirez la vraie Guadeloupe, au mode de vie hors du temps, mélange étrange d'âpreté et de douceur.

🏖 *La plage de Moustique :* 3 km après Saint-Louis. Belle plage, longée par la route, mais celle-ci est masquée par une épaisse végétation. ATTENTION : beaucoup de mancenilliers (cerclés de rouge), prudence !

🏖 *Anse Canot* (à 4,5 km) et *Anse de Vieux-Fort* (à 6 km) : celle d'Anse Canot est très mignonne mais assez petite, donc plus vite bondée et parfois un peu sale par endroits (ou par périodes). Celle de Vieux-Fort est immense et magnifique, sans doute l'une des plus belles de Guadeloupe, même si elle borde la route principale, contrairement à la précédente. Elle sert souvent de modèle à la campagne de pub pour l'archipel : le sable blanc fusionne littéralement avec le bleu de la mer. Quant au coucher de soleil sur la Soufrière, on vous laisse apprécier...

➤ Juste en face de la plage, possibilité de louer canoës et pédalos pour découvrir la mangrove sur la ***rivière de Vieux-Fort*** (qui démarre là), avec *CISMAG (voir à Saint-Louis, la rubrique « À faire ». Tlj 10h-15h. Env 8,50 € par adulte)*. Nous on préfère le canoë, il ne fait pas de bruit, et franchement ce n'est pas difficile du tout (pour les débutants). En 1h, on fait l'aller-retour sur ce bout de rivière tranquille. Quelques animaux à observer : le *kio* (petit héron), la *tortue Molokoy* (facile à voir) et le *pipirit*, un oiseau de la taille d'un merle. Côté flore, palétuviers rouges, blancs et gris (mais pour nous ils sont tous verts !) et roseaux coupants. Un conseil de marin d'eau douce, ne touchez pas à ces derniers, car ils portent bien leur nom. Bon, il ne s'agit pas d'une grande aventure au pays de la biodiversité, mais la balade vaut le coup. Au retour, *lolo* pour se rafraîchir.

➤ De la plage de Vieux-Fort à Trou-Massacre en passant par Anse Canot, avec un retour dans la campagne, charmant petit ***sentier de randonnée*** bien balisé (topoguide en vente à l'office de tourisme). Durée : 3h pour 9 km de rando. L'Anse Canot est peut-être la moins dangereuse pour les enfants.

🥾 ***Vieux-Fort :*** à 7 km ; hameau de cases dispersées. Point de départ de la colonisation sur l'île. Certaines présentent encore l'architecture traditionnelle dite en « gaulette » : un treillis de branches qu'on remplissait de torchis. Ce type d'habitat plutôt précaire était destiné aux esclaves. Malheureusement, il n'en reste plus guère, ou il s'agit de reconstitutions plus ou moins fidèles. C'est ici, au milieu du XVIIe siècle, que débarquèrent 30 colons envoyés par Charles Houël et qui se firent trucider en 1653 par les Indiens Caraïbes, en représailles d'un assaut perpétré par des Blancs contre des Caraïbes en Dominique. La *plage de Massacre* ou *de Vieux-Fort* rappelle ce sinistre épisode de l'histoire de Marie-Galante.

🥾🥾 ***Gueule Grand-Gouffre :*** moins de 5 km après Vieux-Fort, vers Sainte-Thérèse, petite route qui part à gauche et mène à une arche naturelle sculptée par la mer. Bien indiqué. Gouffre gigantesque et sombre dans lequel se jette la mer, lumineuse. Vue privilégiée sur La Désirade.

🥾🥾 ***Caye-Plate :*** juste avant l'Anse Bois-d'Inde, une route toute blanche et carrossable mène à un superbe panorama sur de hautes falaises (un panneau indique la route à prendre). Un sentier mal dessiné suit la falaise et mène en 20 mn à l'*Anse du Coq*. Il existe une petite boucle de randonnée de 3 km (balisage ONF) qui mène de l'Anse du Coq à la chapelle Sainte-Thérèse. On peut également faire tout le *sentier des Falaises*, qui mène de la chapelle Sainte-Thérèse au lieu-dit Borée, sur la D 201 (route qui relie Capesterre à Saint-Louis par les terres). Environ 10 km aller, compter 3h. Très belle balade qui permet de longer pointes et anses qui se succèdent, battues par les alizés. Faire très attention : certaines parties du sentier surplombent les falaises (à repérer dans le topoguide en vente à l'office de tourisme) et certains passages ne sont pas balisés.

🥾🥾 Si vous avez du temps, errez sur les petites routes du coin. C'est absolument charmant. Pas loin, le *moulin Agapy,* l'un des mieux préservés de l'île (éléments de la machinerie intérieure encore en place). De Borée, petit chemin de randonnée permettant de rallier *Anse Piton*. Plus au sud, une curiosité : la *centrale éolienne* de Petite-Place, qui produit une partie de l'électricité consommée sur l'île.

Une grande barre rocheuse découpe le tiers supérieur de l'île. Certaines portions de route livrent de beaux points de vue, notamment les D 205 et D 201. Il faut rouler suivant son inspiration. Sur la D 202, vers Capesterre, la *distillerie Bellevue,* perdue en pleine nature (voir la rubrique « Dans les environs de Capesterre-de-Marie-Galante »). Vue superbe sur Marie-Galante.

MARIE-GALANTE

🏃🏃🏃 *Écodécouverte de l'île :* avec *Écolambda,* section Saragot, à hauteur de la ravine Bois-d'Inde, au nord-est de l'île. ☎ 05-90-97-31-80. ● eco lambda.com ● *À env 15 km de Saint-Louis et de Capesterre. De Saint-Louis, quitter la D 201 au lieu-dit Borée pour la D 205 ; puis à Grand-Bassin, prendre direction Caye-Plate. De Capesterre, emprunter également la D 201.* Une association qui s'est donné pour ambition de faire connaître les secrets de la nature insulaire caraïbe : faune, flore (plantes médicinales) et géologie (n'oubliez pas que la terre peut trembler en Guadeloupe !) dans un joli site en amphithéâtre. Propose, le dernier dimanche du mois, une « écorandonnée ». Un puits d'infos auprès de vrais pros. Production unique de *rhum z'oliv,* que l'on ne trouve nulle part ailleurs (là aussi, ils assurent pas mal). On conseille de le bonifier 5 ans en cave. Enfin, c'est vous qui voyez...

Plongée sous-marine

Marie-Galante offre à ses rares plongeurs des sites absolument vierges et magnifiques. On en trouve quelques-uns devant Saint-Louis, mais aussi sur la côte sud, vers Grand-Bourg et Capesterre (voir la rubrique « Plongée sous-marine » à Capesterre). Selon la saison, on croise parfois des dauphins, et il arrive même que le chant des baleines résonne dans les profondeurs, sur toute la côte...

Club de plongée

■ *Man'Balaou (plan Saint-Louis A2, 40) :* 22, av. des Caraïbes ; une case créole sur la plage de Saint-Louis, à droite du débarcadère. ☎ 05-90-97-75-24 ou 17-94. ● manbalaou.com ● Résa conseillée entre 19h et 20h. *Baptême env 45 € ; plongée-exploration env 38 € ; forfait dégressif 10 plongées. Réduc de 10 % sur présentation de ce guide.* Embarquement immédiat sur le bateau jaune canari (facile à repérer !) de ce petit club (FFESSM, ANMP), où Jean-Luc Blanc et Christian Campillo, moniteurs d'État, assurent baptêmes, formations jusqu'au Niveau 3, et encadrent vos belles promenades sous-marines au large de Saint-Louis. Plongée de nuit et initiation enfants à partir de 8 ans. Équipement complet fourni. Ambiance club enjouée.

Nos meilleurs spots au large de Saint-Louis

🐠 *Tache à Cat (carte Marie-Galante : nos meilleurs spots de plongée, 8) :* au nord immédiat de Saint-Louis. Idéal pour les baptêmes. Bienvenue dans l'aquarium de Saint-Louis, où les poissons des Caraïbes batifolent dans l'allégresse ! Poissons-papillons, trompettes, perroquets, anges, diodons, barracudas, mais aussi murènes, poulpes, langoustes, nombreuses crevettes nettoyant les dents des prédateurs, gobies à tête bleue, appelés ici « poissons-marionnettes », qui s'enfoncent dans le sable par la queue à la première alerte... De belles tranches de vie sous-marines à observer.

🐠 *Le Petit Câble (carte Marie-Galante : nos meilleurs spots de plongée, 6) :* au nord-ouest de Saint-Louis. Pour plongeurs Niveau 1 minimum. Mesdames les tortues font la sieste sur ce joli plateau (15 m), couvert d'éponges et peuplé de bancs de poissons-maniocs. Barracudas et thazars nagent en cercle... La chasse est ouverte ! À proximité, un beau tombant corallien (jusqu'à - 45 m) pour plongeurs confirmés, où serpente un vieux câble, dans un méli-mélo d'éponges multicolores...

🐠 *Les Z'eling (carte Marie-Galante : nos meilleurs spots de plongée, 7) :* au nord-ouest de Saint-Louis. Pour plongeurs Niveau 1 et confirmés. Plongée sans souci sur cette pente douce (de - 20 à - 40 m) très poissonneuse et

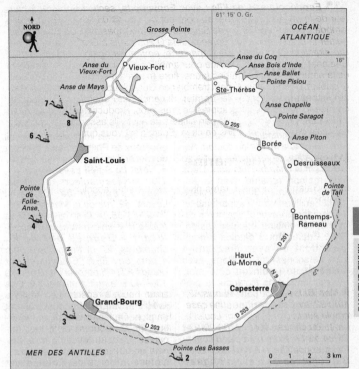

MARIE-GALANTE

MARIE-GALANTE : NOS MEILLEURS SPOTS DE PLONGÉE

couverte de jolis pâtés de corail, terrain de jeu favori des pagres et gorettes. Également pas mal de poissons coralliens classiques autour des belles éponges, et des murènes tachetées dans les failles. S'y rendre le matin pour bénéficier de la meilleure luminosité.

CAPESTERRE-DE-MARIE-GALANTE (97140) 3 600 hab.

On aime beaucoup ce petit bourg nonchalant et agréable où il fait bon se laisser vivre. En arrivant par les collines, on plonge littéralement sur Capesterre, son église, ses ruelles et ses jolies maisons, bordées par un lagon turquoise de toute beauté. Il devrait néanmoins changer un peu d'aspect après les travaux du front de mer en 2007... À proximité immédiate : splendide *plage de la Feuillère,* parmi nos préférées sur l'île ; puis, en direction de Grand-Bourg, la *plage de Petite-Anse,* et vers le nord, celle de *l'Anse Feuillard,* très belles aussi.

Adresses utiles

✉ *Poste (plan A2) :* rue C.-Rose-made.

🚌 *Arrêt des bus pour Grand-*

Bourg (plan A1) : rue de la Marine, à l'angle de la rue du Presbytère.

■ *Station-service (hors plan par A1,*

1) : sur la droite de la N 9 en direction de Grand-Bourg, au 2ᵉ croisement avec la D 202. Tlj sf dim jusqu'à 20h30 env. L'île n'en compte que deux autres, à Grand-Bourg et à Saint-Louis. Soyez prévoyants.

Où dormir ?

🛏 **Les Brisants de l'Atlantique** (plan B1, **14**) : 87, rue de la Marine. ☎ 05-90-97-41-30. ● lesbrisantsde latlantique@hotmail.fr ● Pour 2 pers, env 46-61 € la nuit selon confort. Sur présentation de ce guide, réduc de 10 % sur la chambre juin-sept. Dans une maison récente avec jardin, située à seulement 300 m de la plage de la Feuillère, voici 2 appartements (4 personnes) avec 2 chambres climatisées, cuisine équipée, salon, TV... Également 3 studios climatisés, dont un avec mezzanine (2-4 personnes) au 1ᵉʳ étage, avec balcon côté jardin ou côté mer. Accueil amical de Rolande, la propriétaire, qui tient parfaitement les lieux. Bon rapport qualité-prix-tranquillité.

🛏 **L'Étoile de Mer, chez M. et Mme Maës** (hors plan par B1, **12**) : section Les Caps, à l'est du village, sur la gauche de la route. ☎ 05-90-97-43-14. ● etoile-de-mer@wanadoo. fr ● im-caraibes.com/etoile-de-mer ● Pour 2 pers, 50-60 € la nuit selon saison et vue (mer ou non). Apéro offert et réduc de 10 % en mai, juin, sept et nov sur présentation de ce guide. Dans une maison blanche face à la mer, quelques chambres spacieuses (2-4 personnes), toutes pimpantes, avec salle de bains, w-c,

AC, TV et kitchenette pour certaines. Dans le jardin, cuisine commune sur une terrasse couverte et aérée, idéale pour les rencontres. Accueil généreux de Philippe Sena, pêcheur de métier. Une adresse très sympa.

🛏 **Hôtel Le Soleil Levant** (plan A1, **17**) : sur les hauteurs du village. Résa à l'épicerie-bar Le Soleil Levant, 42, rue de la Marine. ☎ 05-90-97-31-55. ● le-soleil-levant@wa nadoo.fr ● im-caraibes.com/soleil-levant ● Doubles env 45 € ; chambres, F2 et bungalows pour 4 pers env 65 €. Également des grands F3 (4-5 pers) et F4 (8 pers) à 130-140 € la nuit. Petit déj 7 €. Une toute nouvelle résidence hôtelière avec une vue carrément sublime et en plongée, s'il vous plaît, sur le village de Capesterre et la mer turquoise. Surtout depuis la belle piscine et son élégant deck en bois... Côté confort, la résidence est moderne et bien équipée. Certes, les chambres sont petites et proches des cuisines, mais elles sont rénovées et plutôt bon marché. En fait, ce sont surtout les appartements que l'on a trouvés d'un rapport qualité-prix intéressant. À suivre côté services mais l'accueil est sympathique. Remise de 5 % à l'épicerie du village (même maison).

Où dormir dans les environs ?

🛏 **Gîte Au Jardin Debeauséjour, chez M. Aubert Héron** (Gîtes de France ; hors plan par A1, **13**) : sur la D 201, à 2 km au nord de Capesterre, sur la droite. ☎ 05-90-97-34-22. ● debeausejour@wana doo.fr ● au-jardin-debeausejour. com ● ♿ Fermé 2 sem en juin et en oct. Env 58 € la nuit pour 2 pers en chambre d'hôtes (petit déj compris) et 350-1 000 € la sem en gîte ou en villa de 2 à 8 pers (3 nuits min). Apéro maison offert sur présentation de ce guide. Sur les hauteurs de Capesterre avec une jolie vue sur la campagne alentour, 5 grandes chambres doubles, triples ou quadruples, impeccables avec salle de bains et balcon. Également une villa avec une grande cuisine, 3 chambres, un séjour, 2 salles de bains et une grande terrasse. Jardin avec aire de

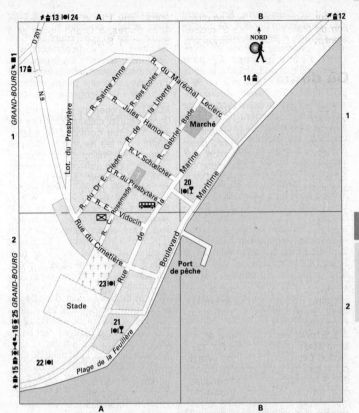

CAPESTERRE-DE-MARIE-GALANTE

■ **Adresses utiles**

⊠ Poste
🚌 Arrêt des bus
1 Station-service

🏠 **Où dormir ?**

12 L'Étoile de Mer,
   chez M. et Mme Maës
13 Gîtes Au Jardin Debeauséjour, chez M. Aubert Héron
14 Les Brisants de l'Atlantique

15 Le Repos,
   chez M. et Mme Montout
16 Le Touloulou
17 Hôtel Le Soleil Levant

🍽 🍷 ♪ **Où manger ?**
   Où boire un verre ?

16 Le Touloulou
20 Le Soleil Levant
21 La Datcha
22 La Braise Marine
23 Le Reflet de l'Île
24 Le Bon Temps
25 Auberge de la Roche d'Or

jeux pour les enfants. Table d'hôtes
(sur demande), sous une grande terrasse couverte. Location de voitures
possible. Bon accueil du volubile
patron.

🏠 **Le Repos, chez M. et Mme Montout** (Gîtes de France ; hors plan
par A2, **15**) : section Pichery. ☎ 05-
90-97-40-51. ● le.repos@caribanet.
com ● caribanet.com ● 🛁 À 4 km à

l'ouest de Capesterre. En arrivant de Grand-Bourg par la route du littoral, grimper à gauche face au Touloulou (panneau à droite en montant). Fermé en sept. F2 pour 2 pers, 55 € la nuit et 330 € la sem. F3 pour 2 pers 77 € la nuit, ou 92 € pour 4 pers (3 nuits min). Apéro maison offert sur présentation de ce guide. *Environnement très serein avec une belle vue sur la campagne tropicale, les champs de canne, la mer et, au large, la Dominique. Le sentier de rando des Hauts de Capesterre passe à proximité (8,5 km, faisable en 3h environ). Trois grands bungalows, dont un en bois (notre préféré !). Grande chambre double et une autre plus petite, avec AC, cuisine, séjour, salle d'eau et terrasse. Impeccable. Également 2 chaleureux appartements F2 à l'étage de la maison des proprios : une chambre climatisée, séjour avec TV, kitchenette et salle de bains. La vue sur la mer y est excellente. Accueil familial.*

▲ Le Touloulou *(hors plan par A2, 16) : plage de Petite-Anse. ☎ 05-90-97-32-63.* • *touloulou@wanadoo.fr* • *letouloulou.com* • *À 2 km à l'ouest de Capesterre. Bungalows 50-55 € (sans ou avec kitchenette) la nuit pour 2 pers ; 70 € pour 4 pers.* Sur la belle plage de Petite-Anse, ombragés par les cocotiers, juste quelques bungalows en bois, blanc et bleu, avec terrasse privative où il fait bon flemmarder au soleil couchant. Salle de bains, AC, TV et connexion wi-fi. Seul inconvénient : les bruits de la discothèque attenante, le week-end. Propose aussi une bonne restauration (voir « Où manger dans les environs ? »).

▲ Résidence La Louisiane *(hors plan par A1) : à Bézard, en face du moulin éponyme. ☎ 05-90-97-01-70.* • *magaloc@wanadoo.fr* • *magaloc.com* • *Accès par Étang-Noir et la D 202 puis à gauche vers le moulin de Bézard. Selon saison, 45-65 € la nuit pour 2 pers et 60-125 € pour 4-6 pers.* Une petite résidence de 3 gîtes en dur de couleur jaune, situés dans un jardin de 3 000 m² à la campagne. Tous avec cuisine, AC, terrasse, TV et téléphone (acheter une carte à code). L'ensemble est récent, propret et confortable. Tenu par un loueur de voitures de Saint-Louis, donc pas de souci pour obtenir un véhicule à l'arrivée, d'ailleurs indispensable ici. Peut aussi vous réserver des billets de bateau pour les Saintes (1 billet gratuit à partir de 1 semaine de location). N'oubliez pas la visite du moulin juste en face (voir « Dans les environs de Capesterre-de-Marie-Galante »). Piscine en projet.

Où manger ? Où boire un verre ?

Bon marché

▐●▐ ☉ Le Soleil Levant *(plan A-B2, 20) : 42, rue de la Marine. ☎ 05-90-97-38-36. Tlj sf dim ap-m 6h30-20h.* C'est la boulangerie-épicerie-bar du village. Viennoiseries le matin, sandwichs et poulets rôtis le midi (mais arriver tôt). Tous les produits de première nécessité également. Petite terrasse face à la mer à l'arrière, idéale pour le petit déj. Service à la fois drôle et indolent du personnel féminin.

▐●▐ ☉ La Datcha *(plan A2, 21) : plage de la Feuillère. ☎ 05-90-97-21-18. Tlj 10h-17h. Fermé en sept.* Salades et plats env 10-15 €. Une petite cabane plantée sur la sublime plage de la Feuillère, avec quelques tables et chaises sur le sable. Idéal pour siroter un jus ou casser une petite graine les yeux dans le bleu turquoise du lagon, entre deux baignades. Un poil cher néanmoins.

▐●▐ La Braise Marine *(plan A2, 22) : face à la plage de la Feuillère. ☎ 05-90-97-42-57. Tlj sf jeu 11h30-15h, 19h-22h. Plats 10-14 € ; formule enfants 7 €. CB refusées.* Digestif maison offert sur présentation de ce guide. Dans ce resto propret, tout en bois, il est précisé que « l'entrée fait partie du plat ». Même si celle-ci est un peu chiche, les plats sont bons et copieux. Court-bouillon de poisson,

colombo de cabri, poulet au lait de coco, etc. Une adresse plutôt constante et qui ne vous ruinera pas. Service plus ou moins souriant.

Prix moyens

|●| *Le Reflet de l'Île* (plan A2, *23*) : 3, rue de la Marine. ☎ 05-90-97-41-30. ● lerefletdelile1@aol.fr ● Sur la gauche à l'entrée du bourg. Tlj sf lun. Menu 16 € en saison (sf w-e et j. fériés) ; carte 25 € ; formule enfants 8 €. Digestif maison offert sur présentation de ce guide. Dans la jolie salle ou dans l'agréable courette à l'arrière, poissons et fruits de mer, burgots farcis (la spécialité de la maison), coquille farcie aux lambis et crèmes brûlées à tous les parfums. Accueil chaleureux. Une

adresse plébiscitée par nos lecteurs.
|●| *Le Petit Anacardier* (hors plan par A2) : de Grand-Bourg, sur la droite juste avant d'entrer dans Capesterre (par la côte). ☎ 05-90-97-34-48. Tlj sf mar et mer. Plats env 12-18 € ; menu langouste env 30 € ; menu-enfants 8 €. Agréable terrasse, parasols et vue sur la mer toute proche, idéal pour déguster un poisson grillé accompagné d'un gratin. Quelques chambres à louer.

Où manger dans les environs ?

Prix moyens

|●| *Le Bon Temps* (hors plan par A1, *24*) : section Bontemps-Rameau. ☎ 05-90-97-34-96. ♿ De Capesterre, prendre la N 9, direction Grand-Bourg, puis à droite la D 201 ; c'est sur la droite, à 3 km. Ts les midis sf lun et sur résa sam soir. Fermé en juin. Menu 18 €, carte 25 €. Café offert sur présentation de ce guide. Jolie petite maison perdue au beau milieu des champs de canne à sucre. Excellente cuisine créole (filet de vivaneau au lait de coco, tartes de poisson, cultivateur, au colentaine, etc.). Malheureusement, peu de

clients ces derniers temps et l'accueil s'en ressent un peu.
|●| *Le Touloulou* (hors plan par A2, *16*) : voir « Où dormir dans les environs ? ». Tlj sf dim soir et lun. Menus 20 € (28 € avec langouste) ; plats env 14-20 € ; menu-enfants 8 €. Un resto les pieds dans l'eau. Dans l'assiette, une bonne cuisine créole et marie-galantaise, le murmure de la mer en prime. Idéal pour grignoter entre deux baignades. Le midi, parfois des groupes, le service est donc très, très lent !

Plus chic

|●| *Auberge de La Roche d'Or* (hors plan par A2, *25*) : 2,5 km avant Capesterre, sur la gauche, vers la plage de Petite-Anse, direction Grand-Bourg. ☎ 05-90-97-37-42. Tlj sf mer ; le midi sur résa. Fermé 15 août-10 nov. Plats env 15-27 €, menu-enfants 8-12 €.

Apéro maison offert sur présentation de ce guide. Malgré le décor style auberge de campagne, c'est plutôt une table d'hôtes et mieux vaut réserver. Excellente cuisine avec notamment le filet de vivaneau aux ouassous et la fameuse langouste coco. Accueil très gentil.

MARIE-GALANTE

Où sortir dans les environs ?

🍸 🎵 *Le Touloulou* (hors plan par A2, **16**) *:* voir « Où dormir dans les environs ? ». Entrée : 20 € ; en général, gratuit pour les dames jusqu'à 23h. Fait bar-discothèque le week-end. Également des cours de salsa le vendredi de 20h à 23h.

🍸 🎵 *Le Sombrero :* section Étang-Noir. ☎ 06-90-46-11-33. Prendre la N 9 vers Grand-Bourg puis la D 202 jusqu'à Étang-Noir et tourner dans le village à gauche vers Sainte-Croix. Entrée : 20 € ; en général, gratuit pour les dames jusqu'à 23h. Une boîte classique mais qui attire les foules le week-end ou à l'occasion d'un concert.

À voir

🔺 *La plage de la Feuillère* (plan A2) *:* à l'entrée de Capesterre. D'une longueur impressionnante, c'est incontestablement l'une des plus belles plages de l'île et sans doute de toute la Guadeloupe. Cocotiers, eau turquoise, sable blanc de blanc et barrière de corail. Une vraie carte postale ! Et puis, après la baignade, on peut s'ouvrir une noix de coco comme Robinson ou aller boire un jus bien frais à *La Datcha*.

Plongée sous-marine

À cheval sur l'océan Atlantique et la mer des Caraïbes – entre deux mondes – Marie-Galante livre des fonds marins sauvages, d'une richesse inattendue. Peu de plongeurs le savent encore, chuuuut ! Ici, débutants et confirmés sont séduits par la profusion des éponges aux formes et couleurs étonnantes et variées. On y croise aussi les poissons classiques des Antilles, batifolant au-dessus d'un plateau corallien intact et encore pêchés de manière artisanale. En tout, une quinzaine de spots à découvrir avec un petit centre de plongée sympa, dont le patron est considéré comme *un bougwe à nous* par les pêcheurs du cru !

Club de plongée

■ *Ti'Bulles :* voir coordonnées dans la rubrique « À voir. À faire » à Grand-Bourg.

Nos meilleurs spots

🐚 *Le Sucrier* (carte Marie-Galante : nos meilleurs spots de plongée, **4**) *:* au sud-ouest de l'île. Idéal pour les baptêmes. Déluge de couleurs et de vie sur l'épave – sans surprise – de ce petit bateau coulé par seulement 6 m de fond. L'ensemble est tapissé de coraux, d'éponges et de gorgones majestueuses, et survolé par d'innombrables gorettes, poissons-trompettes, papillons, diodons et anges français. Parfois un barracuda solitaire pointe le bout de son nez sans franchement troubler cette harmonie subtile. Une chouette plongée, que les confirmés apprécient également pour se familiariser avec la faune locale.

🐚 *L'Anse Ballet* (carte Marie-Galante : nos meilleurs spots de plongée, **1**) *:* au large de la sucrerie de Grande-Anse. Pour plongeurs Niveau 1 et confirmés. « Troupeaux » de barracudas (pas de panique !) et tortues gracieuses nous ont accompagnés dans ce jardin corallien tout à fait paradisiaque (de

MARIE-GALANTE

18 à 23 m de fond), où s'épanouissent gorgones et éponges colorées. Et puis – oh ! surprise ! –, un couple de raies-léopards d'une beauté sans pareille, qui plane un moment avant de disparaître dans le bleu... Quelle émotion !

↘ *L'Hôpital (carte Marie-Galante : nos meilleurs spots de plongée, 3) :* face à l'hôpital Sainte-Marie de Grand-Bourg planté sur la colline. Pour plongeurs Niveau 1 et confirmés. Rendez-vous unique avec un barracuda solitaire vraiment « maousse », qui tourne gentiment autour des plongeurs. Pas de panique, vous êtes un trop gros poisson pour lui ! Également de mignonnes petites murènes « tout sourire » dans les failles de ce plateau bordé d'un tombant (de - 19 à - 27 m). Et puis impressionnants bancs de gorettes, poissons-chirurgiens, trompettes et pagres. Sur le sable, des aiguilles jardinières dardent leur tête comme de petits périscopes. Curieux, non ! ?

↘ *Les Basses (carte Marie-Galante : nos meilleurs spots de plongée, 2) :* devant l'aérodrome, à mi-chemin entre Capesterre et Grand-Bourg. Pour plongeurs Niveau 1 minimum. Encore plein d'éponges aux formes et couleurs étonnantes (mauves, vertes, roses...), sur ce grand plateau, bordé d'un joli tombant (de - 20 à - 22 m). Vos compagnons de plongée : un banc de platax très familiers, qui tournent autour des plongeurs, avant de s'évanouir dans le bleu... Également de gentils diodons qui se gonflent comme des ballons sous l'emprise de la peur, et peuvent mourir de stress (ne pas jouer à ça !) ; aussi quelques carangues et pas mal de raies pastenagues... Attention parfois au courant.

↘ *Trois-Îlets (carte Marie-Galante : nos meilleurs spots de plongée, 4) :* une très belle plongée facile sur 16 m, au milieu d'un jardin de corail et d'éponges. Trois grosses formations coralliennes, en fait, qui abritent la faune habituelle et quelques langoustes brésiliennes. Un peu plus loin, l'hôte de ce site, un (très) gros diodon débonnaire d'environ 60 cm, vous attend dans sa grotte. Quelques passages de thazards et de carangues en chasse, parfois une belle raie pastenague, pour les plus chanceux.

➤ DANS LES ENVIRONS DE CAPESTERRE-DE-MARIE-GALANTE

◿ *La plage de l'Anse Feuillard :* à *l'est de Capesterre.* Prendre d'abord le chemin-route qui passe par la pointe du Gros-Cap et les Galeries. Très beau point de vue en plongée sur la mer et la végétation ! Quelques accès à la plage, sauvage et découpée (attention aux rochers et aux courants). Ne rien laisser dans sa voiture. Pour l'Anse Feuillard, continuer la route qui longe la mer sur environ 6 km, puis tourner à droite ou se garer avant le virage à gauche. Garez votre voiture assez tôt, car le chemin est défoncé, et terminez à pied (encore une fois, attention à ne rien laisser d'apparent dans l'habitacle). Belle plage sauvage de sable clair, bordée de palétuviers, avec lagon et barrière de corail toute proche. Idéal pour du *snorkeling.* Veillez à ne pas sortir du lagon, courants violents et dangereux à l'extérieur. Autre plage sympathique, celle de l'*Anse Taliseronde* derrière le morne qui domine l'Anse Feuillard, mais attention aux récifs.

📷⚲ *Le moulin de Bézard (hors plan par A1) :* à 8 km au nord de Capesterre. *Prendre la N 9 puis la D 201 à droite ; à Tacy, Bontemps-Rameau, tourner à gauche, le moulin se trouve à env 3 km (face aux gîtes Louisiane). En principe, tlj 10h-13h. Entrée libre.* On entre comme dans un moulin, mais la visite guidée est fortement suggérée et d'ailleurs conseillée pour mieux comprendre l'histoire locale. Laisser un pourboire au guide dont c'est le métier, mais qui n'est malheureusement plus salarié...

Entièrement remis en état en 1994, ce superbe moulin du XIXᵉ siècle a conservé ses ailes toilées, sa machinerie à broyer la canne et sa charpente. Jusqu'à récemment, on le voyait battre les airs fièrement. À côté, des cases en gaulette ont été également reconstituées. Et pas loin, une manioquerie (on peut y jeter un œil). Boutique de produits et artisanat sur place.

🍴 **La distillerie Bellevue :** *à quelques km au nord de Capesterre par la N 9, puis la D 202 vers Étang-Noir.* ☎ *05-90-97-26-50.* ● *distillerie-bellevue.com* ● *La distillerie fonctionne de fév à juil 6h-13h. Visite et dégustation gratuites tlj 9h30-13h. Fermé en sept.*
Le domaine fut fondé au XVIIᵉ siècle puis une sucrerie vit le jour grâce à un moulin à traction animale devenu moulin à vent en 1821 et produisant de l'eau-de-vie de canne. En 1924, Gabriel Godefroy rentre des Indes et rachète la plantation ainsi que les deux alambics. Aujourd'hui, la distillerie produit jusqu'à 400 000 litres de rhum chaque année. Au milieu des champs de canne, visite des installations anciennes et modernes (qui désormais fonctionnent selon des procédés écologiques). Dégustation à la *Ti'boutik.*

LA DÉSIRADE (97127)

Pour la carte de La Désirade, se reporter au cahier couleur.

À peine 11 km de long sur 2 km de large. Voici la plus authentique et la plus naturelle des îles composant la Guadeloupe, restée à l'écart du développement et du tourisme, sauvage et battue par les vents de l'océan Atlantique. Une seule route goudronnée court d'est en ouest, au pied d'une barrière rocheuse. Une autre, praticable seulement en 4x4, grimpe jusqu'à la crête et traverse l'intérieur de l'île en sillonnant son plateau haut perché, d'où l'on a une vue magnifique. Une bonne rangée d'éoliennes assure la quasi-totalité des besoins en électricité, et l'eau courante n'est acheminée depuis la Guadeloupe que depuis 1991 ! Trois très belles plages, quelques hébergements attachants et une douce ambiance de farniente à goûter en famille...
Les 1 700 habitants, vivant surtout de la pêche, sont citoyens d'une seule commune divisée en plusieurs sections : *Beauséjour* (anciennement Grande-Anse), le bourg où accostent les bateaux ; *Les Galets* à la pointe ouest ; *Le Souffleur* sur la route (D 207) vers l'est et *Baie-Mahault,* encore plus loin, en guise de bout du monde. Dans l'île, tout le monde se connaît, au point que pour les mariages, aucun carton d'invitation n'est envoyé. On vient avec son cadeau, un point c'est tout !
Voilà pourquoi on adore La Désirade. Atmosphère décontractée, population accueillante, peu ou pas de béton, pas de normalisation touristique. L'île a d'ailleurs remporté la 3ᵉ place du concours « communes propres et fleuries » en 2006. Profitez-en ! Et surtout ne manquez pas l'étonnant punch aux olives confectionné dans certains coins de l'île.

UN PEU D'HISTOIRE

Christophe Colomb (ah, bon !) la découvrit le 2 novembre 1493, lors de son deuxième voyage au Nouveau Monde. Première île en avancée sur l'Europe, ce fut tout naturellement celle qui apparut aux marins épuisés et assoiffés. D'où son joli nom de « désirée ». Pourtant, l'île n'intéressa pas les colons, en raison de son manque d'eau. On se contenta, au début du XVIIIᵉ siècle, d'y expédier les lépreux « indésirables » (la léproserie n'a officiellement fermé ses portes qu'en 1952 !), rejoints plus tard par les « mauvais sujets » de la grande île, parfois même de France (le plus souvent « enfants terribles » des familles nobles). En effet, une ordonnance royale autorisait l'exil de ceux « dont la conduite risquait d'exposer l'honneur et la tranquillité de leur famille ». Cela permit d'ailleurs de se débarrasser de façon pratique d'encombrants héritiers (contre espèces sonnantes et trébuchantes aux autorités). Les uns et les autres ne risquaient pas trop de se mélanger puisqu'on les avait « parqués » à chaque extrémité de l'île. La sécheresse ne permettant pas la culture de la canne, La Désirade ne connut que de petites habitations cotonnières. Le pourcentage d'esclaves a donc été plus faible qu'ailleurs, et le nombre de « Petits Blancs » plus élevé.

Si les clivages sociaux sont réels dans les autres îles, ils semblent pratiquement absents ici. Ils existaient pourtant jusqu'en 1848 (entre Grands Blancs, Petits Blancs et Noirs), date de leur éclatement. Comment les habitants, pratiquement tous pêcheurs, isolés sur la même île, auraient-ils pu raisonnablement continuer à se haïr ? Depuis plusieurs dizaines d'années, il y a environ 80 % d'unions mixtes à La Désirade. Dans une même famille, on découvre toutes les nuances de couleurs possibles, même chose à l'école.

Enfin, sachez que La Désirade possède son propre héros, Philippe Danay de Marcillac, ancien maire et édile local qui récolta des fonds après l'incendie qui ravagea le bourg en 1922. Aujourd'hui, une place de Beauséjour porte joliment le nom de *place du Maire-Mendiant,* à sa mémoire.

Arriver – Quitter

En bateau

De la marina de Saint-François : 2 liaisons quotidiennes. Départs à 8h et 16h45 (plus 14h30 le samedi) ; pour le retour, navettes à 6h15 et 15h45, à bord du *Colibri II* (☎ 05-90-21-23-73. 📱 06-90-35-79-47). Compter 30 mn de traversée (ça secoue pas mal !). Billets en vente à l'embarcadère de la marina : autour de 22 € l'aller-retour. Sachez aussi que la vedette *Iguana Sun* (☎ 05-90-22-26-31) s'y rend parfois pour une excursion à la journée, couplée avec Petite-Terre (mais c'est très rapide). Un autre bateau de 300 places, *Archipel 1* (☎ 05-90-91-02-45), assure la navette le week-end.

En avion

✈ *De l'aéroport Pôle-Caraïbes de Pointe-à-Pitre :* avec Air Caraïbes (☎ 0820-835-835, prix d'un appel local ; fax : 05-90-82-47-48). Sur place, aérodrome des Sables-Grande-Anse *(fax : 05-90-20-08-16).* Compter environ 105 € l'aller-retour. Théoriquement plusieurs vols par semaine, mais ils sont la plupart du temps annulés sans sommation, pour nombre insuffisant de passagers. Certains de nos lecteurs sont scandalisés. Très honnêtement, ne comptez pas dessus.

Adresses utiles

À Beauséjour

🗏 *Office de tourisme :* dans le bâtiment de la capitainerie, sur le quai de débarquement, la bâtisse jaune aux volets bleus. ☎ 05-90-85-00-86. ● otladesirade @wanadoo.fr ● Les mar, jeu et ven 8h-12h, 14h30-18h ; mer 8h-12h30, 14h30-18h. Un w-e sur deux, sam 8h30-11h30, 15h-17h, dim 8h30-10h30.

✉ *Poste :* à gauche de l'église, près de la place du Maire-Mendiant.

■ *Distributeur de billets :* à la

LA DÉSIRADE

poste. Mais prenez quand même vos précautions avant d'embarquer à Saint-François...

■ *Location de vélos (pour les très sportifs) et de scooters :* au débarcadère. Location 2000 : ☎ 05-90-20-03-74 ou 02-78. À la journée : vélos autour de 10 € ; scooters 15 € env (de l'arrivée au départ du bateau) à 20 € env la journée de 24h. Attention : vérifier l'état général, le freinage et le niveau d'essence (pompe sur le port, souvent fermée) avant de louer. Penser à réserver.

■ *Location de voitures et minibus :* au débarcadère. Cap Caraïbes Holding : ☎ 05-90-85-63-96. 📱 06-90-50-69-15. ● *capcaraibeshdg@wanadoo.fr* ● Voitures climatisées pour env 30 €, 4x4 autour de 35 € et un minibus à env 60 € la journée. Bon état général et donc, résa nécessaire. Loue aussi des scooters (20 € la journée avec le plein, caution obligatoire) et des VTT (10 € la journée). Également *Villeneuve location* (☎ 05-90-20-04-26 ou 02-65) et *Carib location* (☎ 05-90-20-21-35. ● *carib-location. com* ●), 4x4 à partir de 30 € (arrivée et départ bateau).

■ *Pharmacie :* dans la rue parallèle à la mer, face au Huit-à-Huit.

■ *Médecin :* cabinet médical dans l'ancien collège, face à la cantine scolaire (et son iguane peint sur le mur). ☎ 05-90-20-01-93. 📱 06-90-58-23-55.

■ *Ravitaillement :* supérette Huit-à-Huit dans la rue principale, sinon, quelques épiceries sur la route qui traverse l'île.

Où dormir ? Où manger ?

D'ouest en est, juste assez d'hébergements pour être tranquille !

Aux Galets

🏠 *Chez Patrick et Mireille Porchon :* ☎ 05-90-20-04-01. ● *mireille. patrick3@wanadoo.fr* ● *http://plibelviela.free.fr* ● À l'extrémité ouest de l'île. Du débarcadère, prendre à gauche et faire env 3 km, c'est à la fin de la route sur la gauche. Pour 2 pers, env 55 € la nuit ; 350 € la sem. Apéro maison offert sur présentation de ce guide. Attenant à la maison des gentils proprios, un bungalow pour 2 à 6 personnes bien frais avec ses murs en lambris. Mais non, vous n'êtes pas dans un chalet ! Deux chambres spacieuses à la déco raffinée, avec 2 salles de bains (AC et TV). Barbecue et autres facilités (comme le prêt de palmes et tuba). Frigo rempli pour les arrivées tardives.

🏠 *Gîtes Amour d'Olivier :* ☎ 05-90-81-40-52. ● *c.cabrera1@ool.fr* ● Du débarcadère, prendre à gauche et faire env 3 km. Aux Galets, c'est à gauche avant d'arriver au bout de la route. À la nuit, env 63 € pour 2 pers et 70 € pour 4 pers. À la sem, compter 368-420 €. Ici, c'est un peu le bout du monde ! À l'extrémité ouest de l'île, avec vue sur l'azur de l'Atlantique, bungalows récents, côte à côte, entièrement équipés, avec petite terrasse. Des mezzanines et un gîte accessible aux personnes handicapées devraient être aménagés courant 2008. Piscine commune. Les petites criques charmantes sont à 5 mn à pied. Une adresse agréable.

À Beauséjour

🍽 *Black & White :* dans la rue principale, en quittant le débarcadère, c'est à 2 mn sur la gauche. ☎ 05-90-20-08-43. Tlj sf mer. Compter max 17 € pour un repas. Apéro maison offert sur présentation de ce guide. Petit resto qui ne paye pas de mine. Tenu par un pêcheur qui cuisine lui-même ses poissons tout frais pêchés du matin. Très bon rapport qualité-prix.

🛏 *Gîtes de la Payotte, chez Éliane et Gilbert :* quartier Désert-Salines. ☎ 05-90-20-01-29. Fax : 05-90-20-03-07. Du débarcadère, prendre à droite, en direction de Souffleur, puis à gauche vers le stade ; c'est un peu plus loin sur la gauche, juste devant les salines. Env 50 € la nuit pour 2 pers et compter 76-90 € avec 2 enfants en plus. Tarif dégressif à la sem. ½ pens ou pens complète possibles. Dans une ravissante maison créole vert et jaune sur pilotis, vous serez séduit par ces 5 beaux gîtes, décorés avec un goût exquis. Bien confortable : cuisine équipée sur terrasse privative, AC, TV. Vue sur les salines moyenne, mais excellent rapport qualité-prix. Fait aussi resto, mais pas sur place :

🍴 *La Payotte :* du débarcadère, prendre à droite, c'est à 200 m sur la plage Fifi. Même téléphone que les gîtes ci-dessus. Tlj sf dim ste 8h-20h (ou 22h en saison). Le soir, résa conseillée. Entre 12 et 20 € pour un plat principal et env 25 € pour le menu complet. Dans cette coquette cabane en bois aux couleurs pimpantes, jaune et bleu dominant, avec terrasse, on vous sert une excellente cuisine antillaise, relevée de quelques saveurs délicates. La meilleure table de l'île, à prix vraiment veloutés. Parfois des groupes le midi.

🛏 *Hôtel de l'Oasis :* quartier Désert-Salines. ☎ 05-90-20-01-00. ● lagran lag@wanadoo.fr ● oasisladesirade. com ● Du débarcadère, prendre à droite, en direction de Souffleur, puis à gauche vers le stade. Fermé en

sept. Nuit en chambre double env 48 € ; studio pour 4 pers env 60 €, petit déj compris. ½ pens possible à partir de 3 j., 52 € par pers. Un hôtel simple, mais propre, bien tenu et récemment repeint et redécoré. Fait également resto, mais pas sur place :

🍴 *Lagran Lag :* à la sortie de Beauséjour, direction Baie-Mahault, face à la gendarmerie. Même téléphone que l'Hôtel de l'Oasis. ♿ Tlj midi et soir sf lun et en sept. Menus à partir de 12 € ; 18-20 € à la carte. Apéro offert sur présentation de ce guide. Un resto joliment décoré, donnant sur la plage qui borde le port. Bonne cuisine créole, servie avec gentillesse. Fruits de mer frais toute l'année.

🛏 *Gîte de la Grande Ravine (chez René et Josie) :* quartier Désert-Salines. ☎ 05-90-20-02-71. ● berchel. josie@wanadoo.fr ● http://giteslagran deravine.site.voila.fr ● Après les gîtes de la Payotte, prendre le chemin à gauche, c'est l'une des dernières maisons en haut à droite. On la reconnaît à ses volets bleus. Pour 2 pers, 46-50 € la nuit ; pour 2-4 pers, 276-300 € la sem ; 12 € par pers supplémentaire et 8 € par enfant. Repas sur commande env 22 €. Apéro maison offert sur présentation de ce guide. Deux studios pouvant accueillir jusqu'à 7 personnes. Équipés chacun d'une chambre, d'un séjour, salle de bains, kitchenette et terrasse. Vue imprenable sur la mer. Le tout confortable, bien aménagé et bien tenu. Sans compter l'accueil charmant de Josie.

Au Souffleur

🛏🍴 *Club Caravelles, chez Ketty et Patrick Gauberti :* ☎ 05-90-20-04-00. ● clubcaravelles@desiradoo. com ● desiradoo.com ● ♿ À 400 m à droite après la plage du Souffleur, en allant vers Baie-Mahault. Pour 2 pers selon saison : 60-65 € la nuit ; 360-390 € la sem ; petit déj 5 €. Table d'hôtes 15-25 €, slt le soir et sur résa. Apéro maison ou café offert sur présentation de ce guide. Face à la mer, une charmante petite crique de sable clair borde le terrain verdoyant où

sont plantées 3 maisonnettes, *Niña*, *Pinta* (♿) et *Santa-Maria*, comptant chacune 2 studios avec mezzanine, pour 2 à 5 personnes. Confortablement aménagés : salle de bains complète, kitchenette sous la belle véranda privative, TV, ventilation avec l'air du large. Piscine. Accueil dès Pointe-à-Pitre et location de véhicules possible. Les propriétaires vous feront découvrir l'île, hors des sentiers battus… Notre meilleure adresse.

🏠 *Gîtes Alizéa, chez Vivianne et Patrice Carré :* ☎ 05-90-20-06-14. ● *v.carre@ool.fr* ● *http://gite-alizea. web.ool.fr* ● À 200 m à gauche après la plage du Souffleur, en allant vers Baie-Mahault (panneau). Pour 2 pers, 50 € la nuit ; petit déj à la demande env 5 €. Juste une rangée de bungalows en bois peint bleu et blanc ou orange et blanc pour 2 personnes, plantés sur la colline, avec jolie vue sur l'azur de l'océan. Bon confort : kitchenette équipée sur l'agréable terrasse, ventilo, clim' et barbecue. Petit mais très mignon.

Bien entretenu et très bon accueil.

🍴 *La Roulotte :* sur la plage. ☎ 05-90-20-02-33. Tlj sf lun. Fermé en juil. Menus env 10-20 € et langouste 28 €. Une part d'acras offerte sur présentation de ce guide. Petit snack directement sur la plage. Cadre très agréable. Passez donc commande avant d'aller vous baigner, pour déguster – en sortant de l'eau – des plats simples et bons, les pieds dans le sable : poisson grillé, assiette créole, crudités, frites... et aussi langouste grillée.

À Baie-Mahault

Attention : ne pas confondre cette section de La Désirade avec la ville du même nom en Guadeloupe.

🏠🍴 *Gîtes de la Grande Source, chez Mme Françoise Pioche :* rue du Souffleur, à Baie-Mahault. ☎ 05-90-20-09-64 ou 03-88. ● *antilles-info-tourisme.com/guadeloupe/source. htm* ● Ouv tte l'année. Prendre la route de la Montagne, puis 1re à droite ; c'est un peu plus loin à gauche en descendant. Pour 2-4 pers, compter 46-70 € la nuit et 300-380 € (sans ou avec clim') la sem. Table d'hôtes (cuisine créole), slt sur résa, env 20 €. Ti-punch offert sur présentation de ce guide. À 200 m de la plage de Petite-Rivière, 4 gîtes (2-4 pers), tout confort (3 épis), tenus par une patronne sympa, qui possède aussi une petite épicerie sur le bord de la route, au Souffleur. Joli jardin (avec 75 plantes médicinales). Randonnées avec guide possibles. Accueil chaleureux. Et quel calme ! Le fiston de Mme Pioche (☎ 05-90-20-09-64) propose aussi 2 grands gîtes (6-8 personnes) au Souffleur, derrière l'épicerie de sa maman et face à la mer...

🍴 *La Providence, chez Nou-noune :* Anse Petite-Rivière, sur la plage. ☎ 05-90-20-03-59. Ts les midis sf mer sur résa (avt 11h). Formule entrée, plat créole et dessert 16 €. Menu langouste 30 €. Apéro maison offert sur présentation de ce guide. Un petit moment de plaisir tout simple vous attend. Terrasse donnant sur la plage (la plus belle de La Désirade) et les cocotiers. Dans l'ordre : commande, baignade et... à table ! Accueil charmant.

🏠 *Gîtes des Remparts :* route du Phare. ☎ 05-90-20-08-01. 📱 06-90-38-61-72. ● *gite.remparts@wanadoo. fr* ● *location-vacances-antilles.com* ● À droite à la sortie du hameau en direction de l'ancienne station météo. La nuit pour 2 pers 47-54 € selon saison ; pour 6 nuits env 235-263 €. Apéro offert sur présentation de ce guide. Dans un jardin verdoyant avec vue sur mer, juste quelques studios (2-3 personnes) et un appartement F3 (4 personnes), spacieux, nickel et confortables. Lave-linge à disposition pour tout le monde, clim' en supplément. Belle déco. À proximité, jolie petite crique protégée par une barrière de corail.

À voir. À faire

🏖🏖 Étonnante *plage des Colibris* aux *Galets,* quasi à l'extrémité ouest de l'île. Couverte exclusivement de coquillages, elle ravira les amoureux de coraux ou ceux en quête d'un petit souvenir nacré. C'est ici qu'étaient reclus les fameux fils de famille indignes... dont la conduite troublait l'honneur de la famille.

Beauséjour *(le bourg) :* on aime bien. Il a conservé tout son naturel. Pas vraiment de charme en soi, mais on s'y sent bien. Voir le *cimetière marin.* Un des plus beaux qu'on connaisse, avec ses modestes sépultures encadrées de lambis. Monter par le chemin de croix à la chapelle sur les hauteurs du bourg. Splendide point de vue (surtout le matin). Dans la chapelle, noter l'intéressante position des bancs, en biais, et l'autel creusé dans un tronc de poirier.

Plage de Beauséjour, vraiment tranquille et très agréable. À la sortie du bourg, vers Souffleur, grande plage (appelée *Fifi*) bien ombragée aussi. Absolument sauvage.

Le Souffleur : section située entre Beauséjour et Baie-Mahault. Plage admirable avec sable blond et beaux cocotiers. Tables pour pique-niquer avec vue sur la barrière de récifs. C'est le coin des pêcheurs de l'île, on peut les apercevoir au retour de la pêche dans leurs barques colorées. Sur les hauteurs, ferme éolienne qui fournit une partie des besoins électriques locaux.

➤ **Balade vers la vallée de la Rivière :** à partir du Souffleur. Pour ce parcours, nécessité d'être guidé car il n'est pas balisé. Un sentier part dans la montagne et accède au « plateau », puis s'en va vers le nord, dans la vallée de la Rivière. Accès à la mer côté nord. Paysages sauvages. Peut-être verrez-vous, en cours de route, des agoutis (ou lièvres dorés), animal typique de La Désirade, ou encore des orchidées sauvages. Compter 4h aller-retour.

Baie-Mahault : village à 6 km à l'est de Beauséjour. Sur presque toute la longueur, la mer est peu accessible. Dans le hameau même, quelques maisons disséminées. Sympa. Les commerces ne sont pas légion : en plus des restos (voir « Où dormir ? Où manger ? »), une épicerie ouverte tous les jours. On trouve à l'est du village les ruines de la léproserie. Petit cimetière en bord de mer, où sont enterrés abbés et religieuses qui se dévouèrent aux lépreux. Ruines d'une cotonnerie qui fonctionna de 1918 à 1922.

Belle *plage de Petite-Rivière* (où débarqua Christophe Colomb). Tout au bout, le phare et la station météo, abandonnés au début des années 1970. Un projet d'*écomusée* mettant en valeur la domestication des éléments et de la nature farouche par les îliens (énergie solaire et éolienne, séismes, météo, etc.) ainsi qu'un projet de réserve naturelle géologique (La Désirade abrite les roches les plus anciennes de l'Arc Antillais) devraient voir le jour, mais il va falloir encore patienter. En continuant encore, paysages sauvages, dignes de la Bretagne. Plus au nord vers la *pointe du Grand-Abaque,* différentes espèces de cactus couvrent le site : d'abord les « têtes à l'Anglais », petites boules de piquants surmontées d'une inflorescence rougeâtre. Ce curieux cactus est malheureusement trop prisé des collectionneurs, lorsque ce ne sont pas les Désiradiens eux-mêmes qui fendent les plus gros spécimens, dont la moelle peut être mangée par les moutons. On trouve aussi des cactus appelés « raquettes à fleurs jaunes », ou encore « raquettes volantes » et aussi des fameux « cactus cierges ». Plus ou moins cachés dans cette végétation sauvage, de tranquilles iguanes.

➤ **Tour de l'île :** à faire en 4x4 ou à pied si l'on est très bon marcheur (une petite vingtaine de kilomètres, environ 5h ; ne pas oublier d'emporter son couvre-chef et beaucoup d'eau), et de préférence s'il n'a pas beaucoup plu récemment (car le chemin devient alors impraticable).

Longer la côte vers la pointe des Colibris à l'ouest. Au bout de cette route, on arrive aux Galets (voir plus haut) ; ici, en contrebas, face aux flots, iguanes se faisant dorer la pilule sur les mancenilliers. De là, un chemin grimpe vers le nord ; c'est le départ de la route de la Montagne, complètement défoncée et rejoignant Baie-Mahault par la crête. Végétation dépouillée et superbes points de vue, notamment celui aménagé au-dessus de Beauséjour (et accessible depuis le bourg par une bonne grimpette) avec sa table d'orientation à côté d'une petite chapelle en blanc et bleu. Surtout, ne pas manquer le spectacle qui s'offre au-dessus de Souffleur, au niveau des éoliennes, assez imposantes et jolies, dressées dans le ciel au milieu de nulle part. Vous remarquerez, à côté d'elles, un petit bloc EDF en dur. Y aller : juste derrière, panorama splendide, l'un des plus beaux des Caraïbes. On doit être à 280 m au-dessus de tout ; on n'entend que le vent et le précipice verse sur les plages, sur les maisonnettes de la côte sud et l'océan immense. Évidemment, ne pas s'approcher plus que de raison, surtout si l'on est sujet au vertige. Seuls s'y aventurent chèvres et cabris en liberté.

On continue. Quelques sentiers sur la gauche, mais difficiles et mal tracés, donnent sur des criques secrètes de la côte nord. Ne pas s'y engager à la légère, il faut vraiment connaître.

Enfin, on redescend sur Baie-Mahault. Là, on rejoint Beauséjour en longeant les plages. On se baigne un peu, et la boucle est bouclée.

– *La fête des Cabris :* le week-end de Pâques, sur la *plage Fifi* à Beauséjour. Dégustation de colombo (ragoût de cabri), artisanat, concours caprin et animations.

– *La fête des Marins :* tous les ans, le 16 août, les Désiradiens portent une statue de la Vierge et la maquette d'un bateau, *L'Étoile de Mer,* lors d'une procession guidée par M. le curé, dans les rues de Beauséjour. Une fête aux allures de pardon breton, qui rend un vibrant hommage aux marins disparus en mer... À voir si vous êtes dans le coin.

➤ *Visite guidée de l'île en minibus :* à partir du quai de débarquement, plusieurs guides proposent leurs services. Parmi ceux-ci, *Max* – guide officiel et déclaré – jouit d'une bonne réputation auprès de nos lecteurs, qui ont apprécié ses anecdotes. *Cap Caraïbes Holding* (voir les coordonnées dans la rubrique « Escapades dans les îles voisines » au chapitre sur Saint-François) propose aussi des journées découverte depuis Saint-François, comprenant le bateau, le déjeuner et la visite (75 €) ou uniquement la visite (25 € ; on vous attend au quai dans ce cas). Durant ces visites (8 personnes maximum), on vous parlera certainement des coquillages qui grimpent aux montagnes, du Diogène local, des tortues têtues, des pains qui poussent dans les arbres et d'autres anecdotes pas piquées des hannetons.

Plongée sous-marine

« Plonger avec les gros ! » : voici toute l'ambition de vos aventures sous-marines à La Désirade, où les poissons affichent la taille XXL. La vigueur de l'océan Atlantique garantit ici des spots particulièrement vierges, sauvages et d'une richesse absolue. Vraiment un must en Guadeloupe, mais réservé aux seuls plongeurs confirmés (Niveau 1 minimum). Attention, la houle trop forte peut annuler la plongée.

Nos meilleurs spots

⚓ *La Grotte à Requins* (carte Grande-Terre : nos meilleurs spots de plongée, *39*) : au sud de la pointe des Colibris (1h de Saint-François). Pour plongeurs Niveau 2 minimum. Plongée spectaculaire sous cette grande arche perdue par 22 m de fond, colonisée d'impressionnants bancs de barracudas et d'agutis « maousses-costauds ». Quelques coups de palmes encore à travers ce rideau de poissons, pour découvrir des requins (dormeurs ou de récif) – timides et tranquilles – littéralement affalés sous une dalle rocheuse ;

LA DÉSIRADE

véritable petit hôtel 4 étoiles... de mer ! Souvent des tortues et de majestueuses raies-aigles. Quelle émotion !

🐟 *Le Chaos (carte Grande-Terre : nos meilleurs spots de plongée, 40) :* à l'ouest de l'Anse des Galets (1h de Saint-François). Pour plongeurs Niveau 1 aguerris. Magnifiques tranches de vie sous-marine dans ce dédale de roches (de 15 à 20 m de fond) riche et très sauvage. Classiques compagnons des plongées caraïbes, mais dont la taille frise le gigantisme. Poissons-anges, balistes, agutis, pagres, etc., déchaînent ainsi leurs couleurs. Également de vieilles ancres de bateaux. On s'est régalés !

SAINT-MARTIN

Pour la carte de Saint-Martin, se reporter au cahier couleur.

Cette île, célèbre pour son sable et sa mer limpide, est avant tout remarquable pour son extraordinaire situation politique. La France et les Pays-Bas y cohabitent en effet depuis 1648 dans la plus parfaite harmonie, à tel point qu'il n'y a jamais eu de douaniers ou de contrôles policiers à la frontière. L'espace Schengen bien avant l'heure... Les Belges pourront même relever que, une fois n'est pas coutume, pour aller des Pays-Bas en France, ils ne seront même plus obligés de passer par chez eux !

Île surprenante à plus d'un titre en tout cas. Sur cette terre partagée entre Français et Hollandais, la langue la plus utilisée par les Noirs est... l'anglais, langue majoritairement véhiculaire dans les Caraïbes.

Saint-Martin est aussi un port franc. Les voitures ne consomment que du carburant détaxé. On y est exonéré de TVA et de tout droit de douane. En plus d'être une île aux plages paradisiaques, Saint-Martin est, vous l'aurez compris, un paradis fiscal.

Dans la partie hollandaise (Sint Maarten, qui draine 80 % de l'économie de l'île), l'influence anglo-américaine est prépondérante. Bien que la langue officielle soit le néerlandais, tous les habitants sont anglophones. Les plages sont moins nombreuses que dans la partie française. C'est donc les commerces qui s'y sont développés... Les paquebots débarquent quotidiennement leur cargaison de touristes (un million de croisiéristes par an !), en majorité américains, qui se répandent comme une marée dans les deux rues principales de Philipsburg où se succèdent en rangs serrés les boutiques hors taxes tenues, pour la plupart, par des Hindous. Bijoux et montres de grandes marques cohabitent avec les enseignes de magasins de parfums et de hi-fi. À proximité de l'aéroport, casinos et boîtes à l'américaine défigurent le paysage.

Il faut aller sur la côte nord, dans la partie française, pour trouver un peu de l'ambiance de farniente qu'on rattache légendairement aux îles cerclées de plages paradisiaques et bordées de palmiers. Beaucoup de lotissements et d'aménagements touristiques plutôt réussis attirent ceux qui cherchent le repos et les plaisirs balnéaires. On y retrouve là une douceur de vivre et un rythme plus indolent que dans le sud. Au centre de l'île, où peu de touristes s'aventurent, vit une population qui a gardé quelques traditions fortement identitaires et une vie sociale solidaire axée sur la communauté religieuse. On peut assister à une messe gospel ou fréquenter le gallodrome.

ABC DE SAINT-MARTIN

- **Superficie :** 75 km² (dont Saint-Martin, 43 km² et Sint Maarten, 32 km²).
- **Population :** 77 000 hab. (36 000 + 41 000).
- **Densité :** 1 026 hab./km².
- **Capitales :** Marigot et Philipsburg.
- **Monnaie :** l'euro, le dollar US et le *guilder* antillais.
- **Langue :** anglais, français, néerlandais, espagnol, créole papamiento.

- *Statut :* collectivité d'outre-mer de la République française pour la partie nord, et entité composante des îles du Vent faisant partie du territoire autonome des Antilles néerlandaises pour la partie sud.
- *Chef du gouvernement :* lieutenant-gouverneur nommé pour 6 ans par la reine des Pays-Bas pour la partie sud.
- *Heure :* heure de Paris - 5 en hiver et - 6 en été.

Adresses utiles avant le départ

🛈 *Office de tourisme de Saint-Martin :* 30, rue Saint-Marc, 75002 Paris. ☎ 01-53-29-99-99. ● otsxmparis@aol.com ● st-martin.org ● Site en français. Lun-ven 10h-18h.
◼ *IGN (Institut géographique national) :* 107, rue La Boétie, 75008 Paris. ☎ 01-43-98-80-00. Édite une carte au 1/25 000 (référence 4606GT), qui regroupe les îles de Saint-Martin et de Saint-Barthélemy. ● *edm.sxm.free.fr* ● Un site intelligent et ludique exclusivement consacré à l'environnement naturel de l'île de Saint-Martin : sa faune, sa flore et l'ensemble de l'écosystème.

Arriver – Quitter... Et liaisons inter-îles

Saint-Martin peut constituer un point de départ intéressant pour la visite des îles environnantes. Bien entendu, pour les liaisons inter-îles, vous pourrez panacher à votre guise les différents moyens de déplacement. Attention, si vous restez quelques jours à Saint-Martin pour vous rendre ensuite à Saint-Barthélemy ou dans une autre île française, demandez – lorsque vous faites votre réservation de la métropole – s'il est possible de partir de l'aéroport de l'Espérance à Grand-Case en zone française pour éviter d'avoir à payer la taxe d'aéroport dont on est redevable au départ de Juliana Airport (25 US$), partie hollandaise.

En avion

✈ *Aéroport international (Princess Juliana International Airport) :* situé en zone néerlandaise. ☎ (599-54) 67-549. ● pjiae.com ● C'est le seul aéroport de l'île qui accepte les gros porteurs, tout nouveau tout beau depuis juin 2006. Atterrissage spectaculaire sur une piste construite sur une étroite langue de terre. Nombreux vols en provenance d'Europe, d'Amérique du Nord et de la zone Caraïbe. Petit office de tourisme installé juste avant la sortie. ☎ (599-54) 22-337. Ouv de 9h à 21h selon les arrivées prévues. Infos sur Saint-Martin. Un autre office de tourisme (consacré à la partie hollandaise essentiellement) a été installé récemment dans l'aéroport.
➤ *Pour l'Europe :* Air France, ☎ (599-54) 54-212 ; KLM, ☎ (599-54) 54-747 et Corsair, ☎ (599-54) 54-344.
➤ Également, des vols *vers les États-Unis* par American Airlines, Delta Airlines, US Airways et Continental Airlines.
À savoir : au départ de l'aéroport, la taxe de départ obligatoire de 25 US$ est payable uniquement en espèces. Essayez de l'inclure à l'achat de votre billet d'avion.
✈ *Aéroport de l'Espérance :* situé en zone française, à Grand-Case. ☎ 05-90-87-53-03 ou 10-42. Petits avions pour les îles environnantes. Fréquence variable selon les besoins.
La zone Caraïbe est desservie par de nombreuses compagnies, dont :
– Air Caraïbes : ☎ 05-90-87-76-59, ● aircaraibes.com ● ;

– *Air Antilles Express* : ☎ 05-90-87-35-03, ● airantilles.com ● ;
– *Saint-Barth Commuter* : ☎ 05-90-87-80-73, ● stbarthcommuter.com ● ;
– *Liat* : ☎ 1-888-844-5428 *(depuis les Caraïbes)*, ● liatairline.com ● ;
– *Winair* : ☎ *(599-54)* 52-568 *(côté néerlandais)* ou 05-90-27-61-01 *(côté français)*, ● fly-winair.com ●

➢ Aucun transport en commun ne dessert les aéroports. Les taxis vous demanderont de 10 à 20 US$ suivant la destination. Mais renseignez-vous auprès de votre hôtel : certains assurent les transferts.

En bateau

Certains aborderont Saint-Martin sur leur propre voilier, le rêve, d'autres en bateau de croisière ou de location. Mais il existe aussi des liaisons régulières depuis Saint-Martin à destination d'Anguilla, de Saba et de Saint-Barthélemy.

⛴ **De Saint-Martin à Saint-Barthélemy** (1h de traversée) :
– Avec *Edge* : ☎ *(599-54)* 42-640. ● stmaarten-activities.com ● Départ de Simpson Bay-Pélican Marina Watersport (partie hollandaise) les mardi, mercredi, jeudi, vendredi et samedi, le matin (9h). Compter environ 55 US$ pour une journée (+ 12 US$ de taxes).
– Avec *Voyager* : ☎ 05-90-87-10-68 à Marigot ; ou ☎ *(599-54)* 44-096 à Philipsburg. ● voyager-st-barths.com ● Navettes rapides et confortables.
– Départ de Marigot lundi, mardi, jeudi, vendredi et samedi à 9h15 et 18h45.
– Départ d'Oyster Pond les mercredi et dimanche à 9h et 18h45. Tous les jours en haute saison, départs supplémentaires à 16h15 depuis Oyster Pond. Environ 1h15 de trajet pour Saint-Barth depuis Marigot et 40 mn depuis Oyster Pond. Compter 64 € pour un aller-retour dans la journée. Moitié prix pour les enfants jusqu'à 11 ans. Ajouter 27 € pour un retour effectué un autre jour. Aller simple à 56 €. Réservation conseillée (remise accordée si paiement à l'avance). Forfaits avec location de voiture et formule avec visite de l'île + déjeuner.

⛴ **De Saint-Barthélemy** (Gustavia) **à Saint-Martin :**
– Avec *Voyager* : ☎ 05-90-87-10-68. ● voyager-st-barths.com ● Départ pour Marigot les lundi, mardi, jeudi, vendredi et samedi à 7h30 et 17h15. Départ pour Oyster Pond le mercredi à 7h30 et 17h15, le dimanche à 7h30 et 17h30. En haute saison, départs supplémentaires tous les jours à 11h30 depuis Oyster Pond. Traversée de 1h15 de Saint-Barth vers Marigot et de 40 mn vers Oyster Pond.
– Avec *Edge* : ☎ *(599-54)* 42-640. Départ les mardi, mercredi, jeudi, vendredi et samedi, l'après-midi (16h) à destination de Simpson Bay – Pélican Marina Watersport (partie hollandaise). Compter 40 US$.

⛴ **De Saint-Martin à Anguilla** (Plum Bay) **:** au départ de Marigot, liaison vers Blowing Point toutes les 30 mn en journée de 7h30 à 17h. Compter 12 US$ l'aller (même tarif pour le retour). Taxe de départ : 3 US$. Se munir d'une pièce d'identité.

⛴ **De Saint-Martin à Saba :**
– Avec *Edge* : ☎ *(599-54)* 42-640. Départs Simpson Bay – Pélican Marina Watersport (partie hollandaise), les mercredi, jeudi, vendredi, samedi et dimanche. Départ le matin à 9h, retour à 17h. Compter 65 € pour un aller-retour le même jour et 45 € pour un trajet simple (+ 12 US$ de taxes).
– Avec *Dawn II* : ☎ 599-416-3671. ● sabactransport.com ● Départ de dock Maarten les mardi, jeudi et samedi à 17h. Deux heures de traversée. Le retour a lieu le matin à 6h30 de Fort Bay à Saba.

UN PEU D'HISTOIRE

Christophe Colomb a découvert cette île en passant au large le 11 novembre 1493, jour de la Saint-Martin... Le hasard fait bien les choses, car on se souvient de l'histoire de saint Martin de Tours qui coupa en deux son manteau pour réchauffer un mendiant. En effet, depuis 1648, Français et Hollandais se partagent l'île...

Au départ, l'île est peuplée d'Indiens Arawaks qui la nomment Soualiga (« l'île au sel »). Les Espagnols ne s'intéressent pas vraiment à cette île pauvre en eau douce, mais Français et Hollandais, au début du XVIIe siècle, commencent à en découdre pour prendre le contrôle d'une terre qui, avec ses salines, offre tout de même quelques perspectives économiques intéressantes.

Comme un peu partout dans l'arc caraïbe, l'économie de l'époque se développe ensuite autour du coton et du sucre. Mais les salines, nombreuses du côté français, contribuent à la prospérité des insulaires.

Du sel au sucre

Les Hollandais convoitent ce sel en raison de leur industrie du hareng. Le sel était également utilisé dans l'industrie du beurre et du fromage en Hollande et pour saler les vivres en vue de leur utilisation lors des longues traversées en mer.

Seul inconvénient : l'île n'offre pas d'eau douce et ce n'est pas un lieu idéal pour une colonie permanente. L'eau potable doit être acheminée depuis Saint-Christophe.

L'agriculture, elle, démarre dès 1629 lorsque 14 Français fuyant Saint-Christophe s'installent sur la côte nord-est de l'île dans la région connue sous le nom de Quartier d'Orléans. Ils se mettent à y cultiver du tabac. Saint-Martin en produit plus que toutes les autres îles des environs pour l'exporter aux Pays-Bas, dans les pays baltes et en Scandinavie. Les premiers colons cultivent toutes sortes de plantes, élèvent des volailles et du bétail qu'ils vendent à Saint-Christophe, mais ils vivent surtout des produits de leur jardin et de la pêche.

En 1658, la population de l'île compte seulement 300 personnes.

Au lieu de s'engager dans un conflit long et coûteux, Français et Hollandais signent, le 13 mars 1648, un traité de partage de l'île, le traité de Concordia. Pour fixer la frontière, la petite histoire raconte qu'on fit partir d'Oyster Pond un coureur de chacune des deux nationalités. Le Français prit la direction du nord, le Hollandais celle du sud. Lorsqu'ils se retrouvèrent, le Français avait parcouru un itinéraire plus long. Selon la légende toujours, le Français, dopé au vin rouge, n'aurait pas hésité à prendre des raccourcis bien peu catholiques (le Hollandais aurait, quant à lui, abusé du gin...). Voilà pourquoi la partie française fait les deux tiers de l'île.

Le coton commence à être cultivé à partir de 1700 et devient le produit dominant jusqu'à ce qu'il soit supplanté par la canne à sucre dans les années 1780, sans disparaître pour autant. En plus du coton, on fait aussi pousser des vivres, tels que cassave, patate douce, malanga, igname, pois de bois, et banane.

En partie hollandaise, on dénombre 95 plantations de coton et de vivres et seulement 35 à 40 petites plantations de canne à sucre.

Un autre produit de courte durée a été la culture d'un arbuste réputé pour sa teinture bleue : l'indigo, très demandé en Europe par l'industrie du vêtement militaire et de la Marine. On trouve à l'époque 22 jardins d'indigo sur la partie française.

L'introduction de la canne à sucre a lieu dès 1763. En 1775 on compte 17 sucreries. La plus grande plantation de canne emploie 31 esclaves. En 1784, un rapport recense 23 sucreries, et en 1786, la canne à sucre est devenue la ressource principale dans la partie française. Le sucre s'exporte surtout en Amérique du Nord, dans les colonies françaises et en France et le rhum en Guadeloupe.

Résultat, le nombre de Noirs importés comme esclaves augmente considérablement, et en 1786, on dénombre 24 sucreries et 2 572 Noirs, tandis que le nombre de Blancs diminue jusqu'à 431. Ainsi, dès 1770, Saint-Martin est une île à prédominance noire.

À partir de 1800, l'instabilité politique des guerres napoléoniennes provoque la diminution du nombre de sucreries, et en 1848, il n'en reste plus que 23 en territoire hollandais.

D'autres produits, tels que le dictame, le beurre frais, l'écorce du gommier et du *mauby,* les nattes faites de feuilles de banane séchées et de maïs constituent les ressources principales dont les autochtones tirent leurs revenus. Ils vendent ces produits ou les échangent contre d'autres biens dont ils ont besoin.

L'esclavage n'est aboli qu'en 1863 dans la partie néerlandaise, soit quinze ans après la partie française. Pour devenir libre, il suffit alors de franchir la frontière, déjà symbolique. Une fois l'esclavage aboli, la disparition des plantations modifie totalement l'économie de l'île : beaucoup d'habitants émigrent dans les îles proches pour trouver du travail. La dernière sucrerie cesse ses activités en 1895.

Il faut attendre la Seconde Guerre mondiale pour que Saint-Martin redécolle, entraînée par la partie néerlandaise où les Américains créent l'actuel aéroport international, désenclavant ainsi l'île. Des commerçants se constituent des fortunes avec le marché américain. On va même parler de colonisation US. L'électricité est installée en 1960 ! L'ère du tourisme peut commencer...

La partie française doit attendre la promulgation de la loi Pons sur la défiscalisation (exonération d'impôts pendant 5 ans pour les investisseurs) pour prendre le train de la prospérité en marche.

Les mauvais souvenirs

Septembre 1995 : les cyclones Luis et Marilyn ont « secoué et arrosé » Saint-Martin de façon considérable. Côté hollandais, les cases préfabriquées des Haïtiens ont volé ; les hôtels de Philipsburg ont éclaté... Côté français, le lagon de Marigot a été le témoin impuissant du naufrage de 1 500 bateaux. Triste spectacle. Toutefois le tourisme étant la principale richesse de ces petites îles, le nettoyage a été la préoccupation n° 1. Mais pas de chance : en novembre 1999, Lenny a eu la mauvaise idée de s'attarder sur Saint-Martin... Il faut à nouveau retrousser les manches.

Aujourd'hui, Saint-Martin, qui n'a jamais eu l'impression côté français d'être véritablement aidée par la Guadeloupe, a choisi de s'en éloigner : les habitants sont consultés le 7 décembre 2003. Ils ont à répondre par « oui » ou par « non » à la question suivante : « Approuvez-vous le projet de création à Saint-Martin d'une collectivité d'outre-mer se substituant à la commune, au département et à la région, et dont le statut sera défini par une loi organique qui déterminera notamment les compétences de la collectivité et les conditions dans lesquelles les lois et règlements y sont applicables ? » La même question est posée aux habitants de Saint-Barthélemy ; les Guadeloupéens et les Martiniquais sont également consultés.

Les habitants de Saint-Barthélemy plébiscitent une séparation avec l'archipel pour devenir une collectivité d'outre-mer. Ils votent à 95 % en faveur de la transformation de leur île en « collectivité d'outre-mer ». Le « oui » l'emporte également massivement dans la partie française de Saint-Martin, avec 76 % des votes (mais seulement 44 % de votants). Ce nouveau statut leur devrait permettre, en principe, de préserver les avantages fiscaux de fait, hérités de l'Histoire. Pour être complet, le « non » l'a emporté largement en Guadeloupe, mais de justesse en Martinique. C'est pourquoi seules les îles de Saint-Martin et Saint-Barthélemy changent de statut.

Malheureusement, la concrétisation de ces espoirs se fait attendre. Pendant que la machine économique se grippe, les services de l'État se montrent incapables d'opérer le transfert des compétences. Pendant ce temps-là, les investissements américains dopent l'économie de la partie néerlandaise. L'amertume et la fracture sociale s'installent...

ACHATS

L'artisanat traditionnel n'est vraiment pas le point fort de Saint-Martin, mais l'île reste le paradis du *shopping*. Côté hollandais, les vendeurs de photo-hifividéo, parfums et bijoux n'offrent plus de véritables avantages. Mais côté français, tous les produits proposés échappent à la TVA, ce qui veut dire en principe 20 % de moins qu'en métropole. Un conseil cependant : renseignez-vous bien sur les prix avant de partir, car ce n'est plus toujours aussi intéressant. Marigot ne reçoit la visite que de quelques bateaux élégants. C'est donc ici qu'on trouve le plus de boutiques chic. Petit plaisir qui ne gâche rien, on peut légèrement marchander, à condition de le faire avec distinction. Attention, ne vous chargez pas trop : au retour, les douaniers français veillent...
Ne pas oublier tout de même de rapporter du Guavaberry, la boisson locale. Caractérisé par sa bouteille carrée, ce breuvage saint-martinois est une liqueur fabriquée à base de rhum. La boutique officielle, qui propose toutes sortes de produits dérivés, se trouve à Philipsburg, mais on en trouve en vente un peu partout sur l'île.

ACTIVITÉS

Bien entendu, la grande majorité des activités à Saint-Martin tourne autour de la plage. Baignade, mais aussi planche à voile, jet-ski, croisières, parachute ascensionnel, kayak de mer (sous toutes ses formes) font partie des possibilités offertes (voir également ci-dessous la rubrique « Plongée sous-marine »).
Occasion également de faire du cheval, ou un peu de randonnée. La nature est devenue une préoccupation importante sur cette île assez aride. Grâce à l'initiative et au travail des Saint-Martinois, une quinzaine de sentiers de rando ont été balisés, notamment autour du pic Paradis. Cela vous permettra de faire le tour des hauteurs, d'apprécier la végétation et de découvrir divers points de vue sur l'île, tout en bénéficiant d'un peu de fraîcheur ! Ne pas vous attendre à de longs parcours : l'ensemble des sentiers offre une quarantaine de kilomètres à tout casser... Pour plus d'infos, consulter le site : ● http://sxm. rando.free.fr/sentiers-liste.html ● En chemin, vous apercevrez les restes d'une usine (il y en a eu jusqu'à 26 sur l'île), et vous croiserez sur la route de nombreux lézards. Demandez à l'office de tourisme la carte des sentiers ou le magazine de l'écotourisme *Saint-Martin nature*.

ARGENT

L'euro est la monnaie officielle, mais le dollar US est la monnaie la plus couramment utilisée. Contrairement aux chèques de voyage, les chèques de métropole sont rarement acceptés. Le cash et les cartes de paiement sont fréquemment utilisés. De plus, les distributeurs automatiques de billets sont relativement nombreux sur l'île. Côté français, ils vous permettent de retirer des euros, côté néerlandais des dollars. Mais attention, les distributeurs sont souvent vides quand arrive le week-end ! Le *guilder* antillais (florin) est aussi en circulation, mais on en voit peu.

BUDGET

Saint-Martin reste dans l'ensemble une destination assez onéreuse. Cependant, malgré le développement de grands complexes hôteliers, il existe toujours quelques petits hôtels et restaurants de charme à prix plus raisonna-

SAINT-MARTIN

bles. De même, en basse saison (de mi-avril à mi-décembre), le prix de l'hébergement chute de façon significative. Attention, les prix affichés ne comprennent pas toujours les 5 % de taxe de séjour que l'on doit acquitter.
À noter que vous trouverez dans les journaux et magazines des coupons de réduction pour toutes sortes d'activités : transports, achats et autres.

ÉLECTRICITÉ

– 220 volts dans la partie française.
– 110 volts dans la partie hollandaise.

ENVIRONNEMENT

Il faut savoir que l'eau est rare, faute de sources naturelles. L'eau produite par dessalement de l'eau de mer est parfaitement potable.
Saint-Martin s'est doté en 1998 d'une réserve naturelle de 2 900 ha en zone maritime et de 160 ha en façade littorale situées dans la partie nord-est de l'île. Elle est destinée à préserver trois écosystèmes essentiels : la mangrove, les herbiers de phanérogames marines et le récif corallien. La mangrove de Saint-Martin se localise du côté des salines d'Orient et de l'étang aux Poissons ; elle est constituée essentiellement de palétuviers rouges. C'est dans ce milieu protégé que se développent les alevins de nombreuses espèces de poissons et que nichent des oiseaux comme les hérons et les parulines. Par son effet de filtre, elle constitue aussi le meilleur rempart contre l'érosion des sols ou les dégâts des tempêtes et elle empêche les polluants de se répandre dans la mer.
Protéger le récif corallien et les herbiers marins permet la reproduction des espèces de poissons, des crustacés et des tortues de mer. Ils participent à leur alimentation en abritant de nombreux invertébrés et constituent pour les plages une protection contre l'érosion en retenant le sable et les fragments de coraux.
Autre objectif de la Réserve : préserver l'habitat naturel marin où une pêche intensive a dramatiquement contribué par le passé à réduire le nombre et la taille des captures.
Les rivages protégés de la réserve font office de garde-fou face à l'expansion de la construction immobilière tout en tenant lieu de sanctuaire à quelques espèces végétales menacées. Pour en savoir plus : ● reservenaturellesaint martin.com ●

FAUNE ET FLORE

La partie terrestre de la réserve de Saint-Martin s'étend tout au long de côtes rocheuses alternant falaises et plages qui hébergent de nombreuses espèces d'oiseaux marins : frégates, pélicans bruns, sternes et fous de Bassan. Des hérons nichent dans les palétuviers des mangroves. On peut également observer des iguanes se dorant au soleil sur les rochers ou se nourrissant dans les forêts.
Côté mammifères, le racoon et la mangouste se nourrissent d'œufs, de crabes et de petits poissons des mangroves et des massifs coralliens.
La partie maritime est composée d'herbiers de phanérogames marines et de formations coralliennes. Les herbiers sont d'une importance essentielle pour les hauts-fonds sablonneux. Comme oxygénateurs de l'eau de mer, ils freinent les courants et contribuent à la clarté de l'eau.
Tout comme les fonds coralliens, ils servent d'habitat et de garde-manger aux nombreuses espèces d'invertébrés et de mollusques : lambis, étoiles de

mer, langoustes, cigales de mer, oursins..., ainsi qu'à des tas de poissons : barracudas, poissons-coffres, chirurgiens, perroquets, tarpons et mérous. Au large, il n'est pas rare d'observer des baleines à bosse durant la période de reproduction, de février à juin, et de grands dauphins.

FÊTES

Le grand moment de l'année est évidemment le *carnaval,* en fait les carnavals : côté français il se déroule en février, comme en Guadeloupe, et se termine avec le mercredi des Cendres ; côté néerlandais, il dure 17 jours pendant la seconde moitié du mois d'avril, la parade principale coïncidant habituellement avec l'anniversaire de la reine Béatrice (le 30 avril).
En dehors de ce sommet festif de l'année, signalons la *régate Heineken* (début mars), l'*Emancipation Day* (1er juillet, côté néerlandais), ainsi que les jours fériés républicains côté français.

PLONGÉE SOUS-MARINE

Les cyclones Luis (1995) et Lenny (1999) ont durement secoué les fonds marins et beaucoup de coraux ont été arrachés. Éviter donc de programmer un séjour-plongée pendant la saison cyclonique (septembre-octobre) et se méfier de la période décembre-février, où des vents assez forts et bien établis sur plusieurs jours perturbent les conditions d'immersion. Patience, les coraux repoussent lentement mais sûrement. Et les fonds, colonisés par des gorgones-plumets en grand nombre, sont limpides de mars à août. Les paysages sont encore différents de ceux de Martinique, de Guadeloupe ou de Saint-Barthélemy. Contrairement à une idée reçue, la majorité des sites n'est accessible qu'à des plongeurs de Niveau 1 minimum. Seuls le Sec-de-Grand-Case, le Rocher créole et l'îlet Pinel (pointe sud) présentent une topographie adaptée aux évolutions des débutants. Les amateurs d'épaves pourront visiter avec plaisir le *Roro, The Bridge,* le *Grégory II,* le *Fuh Sheng,* la *Renée* et l'épave de *Tintamarre.* Saint-Martin est un bon point de départ pour plonger autour d'autres îles : Saba, réserve marine très réputée, dont la réglementation draconienne a préservé la faune et la flore ; Saint-Barthélemy, moins touchée par le cyclone Luis et dont les fonds rassemblent des espèces coralliennes plus variées qu'à Saint-Martin ; Anguilla, qui devient une destination prisée des plongeurs en mal d'aventure en raison des trois galions engloutis dans une zone houleuse, exposée aux vents, qui font rêver en raison d'hypothétiques pièces d'or...
Pour plonger malin, il est intéressant de se procurer la carte marine du coin que vous voulez explorer auprès du *Service hydrographique et océanique de la Marine,* au 13, rue du Chtellier, 29200 Brest. Ou, plus rapide, ● shom.fr ●

POPULATION

Les plus anciens habitants de l'île étaient les Indiens Arawaks. Ils construisaient des bateaux de pêche, cultivaient maïs, manioc et tabac et étaient d'habiles fabricants de paniers. Les traces de leur passage sont à présent conservées au musée de Marigot... Ils ont complètement disparu, décimés par les maladies importées par les *conquistadores.* Au XXe siècle, Saint-Martin a connu – et connaît encore – une véritable explosion démographique. En 1980, l'île ne comptait guère plus de 21 000 habitants (8 000 côté français, 13 000 côté néerlandais). Un quart de siècle plus tard, on atteint presque les 80 000 habitants pour l'ensemble de l'île et ses 75 km²... C'est le développement du tourisme qui est à l'origine de ce boom : jusqu'aux années 1960, beaucoup de Saint-Martinois s'exilaient dans les îles voisines

(Saint-Domingue ou Aruba et Curaçao), voire aux États-Unis, pour trouver du travail. Métropolitains vivant du tourisme ou venus pour couler une retraite ensoleillée, Haïtiens fuyant la misère, Dominicains (de Saint-Domingue), Dominiquais (de la Dominique) à l'étroit sur leur île et à la recherche d'une vie plus facile, ils sont nombreux à avoir choisi Saint-Martin. L'île compterait au total entre 70 et 80 nationalités, et on y entend donc parler pas mal de langues différentes. Il ne faut tout de même pas s'imaginer que l'île est un Eldorado aux richesses inépuisables... De nombreux quartiers accueillent les nouvelles populations immigrées, par exemple dans la Middle Region, à Sandy Ground ou à Quartier d'Orléans, contrastant fortement par leur pauvreté avec les résidences défiscalisées qui, de plus en plus, colonisent les pentes des mornes...

Au début 2006, on a craint une menace d'affrontement racial lorsque, au cours d'un contrôle routier, un gendarme venu de la métropole est mort percuté par un motard. Une poignée de jeunes du coin (qui se « sentent » très peu français) aurait alors accompagné son agonie de propos et quolibets à caractère raciste anti-Blancs. Les associations antiracistes se sont portées partie civile en compagnie de la veuve du fonctionnaire. L'affaire, montée en épingle dans un premier temps par les médias, s'est finalement révélée n'être qu'un triste mais banal accident. Si on a évoqué à ce sujet un climat tendu sur l'île, c'est avant tout la manifestation d'une misère sociale rampante au sein d'une population jeune dont les perspectives d'avenir restent désespérément bouchées (30 % de chômage chez les moins de 25 ans) à moins de se résoudre à un exil vers les autres îles Caraïbes (dont ils partagent la langue) ou vers les banlieues des villes américaines (dont ils partagent la culture).

TÉLÉPHONE

Ne pas oublier que l'île est partagée entre deux pays. Les appels entre les deux parties de l'île sont donc des appels internationaux.
– *Partie française → partie hollandaise de l'île :* il faut composer le ☎ 00-599-54 puis le numéro du correspondant.
– *Partie hollandaise → partie française :* il faut composer le ☎ 00-590-590 puis les six derniers chiffres du numéro de votre correspondant. Pour les portables : ☎ 00-690 puis le n° de portable.

Numéros d'urgence

– *Partie française :* gendarmerie : ☎ 17 ; ambulance : ☎ 18.
– *Partie hollandaise :* police : ☎ 911 ; medical center : ☎ 140.

TIMESHARING

Depuis quelques années, l'infrastructure touristique, côté hollandais notamment, s'oriente vers le *timesharing* (temps partagé, bref, la multipropriété). 50 000 familles ont opté pour ce système, paraît-il... À noter tout de même que tout engagement contracté sur la partie hollandaise ne permet pas de faire appel aux autorités françaises en cas de litige. Diverses méthodes sont employées pour mettre en contact le touriste avec ce produit. Refusez catégoriquement tout papier ou proposition que l'on vous fait dans la rue, ce sont des manœuvres pour vous faire signer, malgré vous, des contrats de *timesharing*. Même si vous vous sentez agressé ou coincé par un discours. Voilà pourquoi, dans la rue, surtout sur Front Street à Philipsburg, des démarcheurs ou des kiosques qui s'intitulent *Tourist Information* proposent contre une « visite d'information » des remises parfois substantielles sur diverses activités.

TRANSPORTS INTÉRIEURS

Les distances sont courtes, mais le nombre important de voitures, l'état des routes et le mode de vie local rendent la circulation dense sur la N 7, qui dessine plus ou moins le contour de l'île.

En bus

Dans la journée, des liaisons en bus (en fait des minibus avec, sur le pare-brise, la destination indiquée) sont assurées entre les villes et villages de Quartier d'Orléans, Philipsburg, Marigot et Grand-Case. Attention, horaires et fréquences très irréguliers, voire fantaisistes et sans points d'arrêt vraiment fixes. Il faut se mettre sur le bord de la route et faire signe quand le bus arrive. Compter de 1 US$ à un peu moins de 2 US$ selon la destination. Derniers bus entre 18h et 19h.

En taxi

Les taxis n'ont pas de compteur, le prix de la course est fixe (minimum de 4 US$). Compter un bon 12 US$ pour Marigot-l'aéroport.

En véhicule de location

Beaucoup de voyageurs opteront pour cette solution. Compter environ 40 € par jour pour une voiture économique.
– **Attention :** il est impératif de ne rien laisser dans les voitures, fréquemment « visitées ».
– **Soyez prudent :** les routes sont étroites et jalonnées de très nombreux ralentisseurs, la plupart du temps peu ou pas signalés. Et la priorité à droite n'existe pas du côté hollandais. N'oubliez pas, vous êtes en vacances !
– **Embouteillages :** il est préférable d'éviter les abords de Simson Bay Lagoon à certaines heures. En effet, les ponts se lèvent pour laisser sortir ou entrer les bateaux. À Marigot, côté Sandy Ground, cela se passe à 8h15, 14h30 (sauf dimanche) et 17h30 et dans la partie hollandaise (après l'aéroport) à 9h, 11h et 16h30 pour la sortie et à 9h30, 11h30 et 17h30 pour l'entrée des bateaux de décembre à avril et à 9h30, 11h30 et 17h30 dans les deux sens de mai à novembre.

■ **Location de voitures :** les grandes compagnies internationales (*Avis, Budget, Europcar, Hertz*, etc.) se trouvent aux deux aéroports de l'île. Vous trouverez aussi une multitude d'autres loueurs comme : *Caraïbes Car Rental (Howell Center, lot. 89,* ☎ *05-90-29-64-26) ; Esperance Car Rental (3, rue de la République, Marigot,* ☎ *05-90-87-51-09).*

■ **Location de scooters :** *Eugène Moto Scooter Rental, au bout du parking de l'office de tourisme et du musée.* ☎ *05-90-87-13-97.* ● *eugene moto@wanadoo.fr* ● *Réservation conseillée 24h avant. Également L2R, 4, rue Dolphin-Fish,* ☎ *05-90-87-20-59.* ● *contact@L2R-rentascoot. com* ● *Résa 2 semaines à l'avance.*

À vélo

Le relief de l'île et la densité de circulation ne sont pas très favorables... sauf pour les passionnés. Il existe plusieurs loueurs de VTT.

En stop

Fonctionne assez bien. La preuve, de nombreux autochtones l'utilisent.

SAINT-MARTIN

MARIGOT

> **Pour le plan de Marigot, se reporter au cahier couleur.**

La seule commune française de langue anglaise, mais le dollar n'y est plus roi. Les boutiques de luxe et les restaurants sont nombreux, la marina et le bord de mer sont deux zones particulièrement fréquentées. Entre les deux, il existe un quartier plus authentique où vous trouverez des maisons en bois de style caraïbe, mais où il vaut mieux éviter de se promener le soir.

Adresses utiles

🛈 *Office de tourisme (hors plan couleur par A3) : route de Sandy Ground.* ☎ *05-90-87-57-21 ou 05-90-51-05-30.* ● *info@st-martin. org* ● *st-martin.org* ● *Lun-ven 8h30-12h30, 14h-17h30.* Importante documentation. Service efficace.

– *Visites guidées :* ☎ *05-90-29-15-95.* ● *jabiru@domaccess.com* ● Sous le nom de *Jabiru,* nom totémique, un Français reporter-photographe et sociologue à ses heures, profondément amoureux de son île d'élection, se propose de vous faire découvrir les traditions locales en dehors des sentiers balisés. Pour une somme à convenir autour de 50 € par personne (réduction pour un couple) il vous conduit durant une journée à une messe gospel dans une église de la communauté caraïbe, à un combat de coqs, à une visite dans un atelier d'artiste, avec une halte déjeuner dans un petit resto tenu par des Colombiennes. Une autre façon de découvrir le cœur de l'île et ses facettes les plus étonnantes et authentiques.

✉ *Poste (plan couleur A2) : rue de la Liberté.* Lun-ven 7h (8h mer) à 17h30 et le sam de 7h30 à 12h. Distributeur automatique de billets. Les casiers de poste restante sont sur la droite.

■ *Banques avec distributeurs (plan couleur B1-2) :* sur la rue de la République, on en trouve trois (BRED, Crédit Mutuel, BDAF).
■ *Gendarmerie (plan couleur B2, 2) :* rue de Hollande. ☎ 05-90-52-21-90.
■ *Hôpital de Marigot (plan couleur B1, 3) :* ☎ 05-90-52-25-25.
■ *Pompiers :* ☎ 05-90-87-50-08.
■ *Air France – Air Caraïbes (plan couleur A3, 7) :* 1, rue du Général-de-Gaulle (en retrait de la rue). ☎ 05-90-51-02-02 (Air France) et 05-90-51-03-03 (Air Caraïbes). Pour les horaires des avions Air France : ☎ 36-54 (0,34 €/mn). Lun-ven 9h-16h30.
■ *Nouvelles Frontières avec Corsair (plan couleur A2) :* 21, rue du Général-de-Gaulle. ☎ 05-90-87-27-79. Lun-ven 8h30-17h, sam 9h30-12h30. ● saintmartin.nf@nouvelles-frontieres.fr ●
■ *Journaux (librairie La Presse ; plan couleur A2, 8) :* 32, rue de la Liberté. ☎ 05-90-87-53-23. Lun-sam 8h45-13h, 14h30-18h30.
@ *APS Cybercafé (plan couleur A3, 9) :* 72 B La Frégate, marina Royale. ☎ 05-90-29-20-51. Lun-ven 9h-21h, w-e 10h-17h. Compter 3 US$ la demi-heure. Une quinzaine d'ordinateurs bien serrés les uns contre les autres.

Où dormir ?

Près du centre

🏠 *Fantastic Guesthouse (hors plan couleur par A3, 11) :* rue Saint-James. ☎ 05-90-87-71-09. 📱 06-90-50-95-94. ● fantasticsxm@hotmail.

com • *Au-dessus de* Fantastic Car Rental, *dans un quartier populaire qui craint le soir... Compter 75 € la double avec cuisine et 55 € sans.* Parmi les 20 chambres, préférer celles qui donnent directement sur la grande terrasse avec minuscule piscine pour se rafraîchir et jolie vue sur la marina.

Dans le quartier de Concordia

Quartier calme, situé à 500 m de la ville en allant vers l'intérieur des terres, où se trouvent plusieurs petits hôtels-résidences à prix abordables.

🛏️ |●| *Les Frangipaniers (hors plan couleur par B2, 12)* : 66, rue Louis-Constant-Fleming (Concordia) ☎ 05-90-87-96-15. • *frangipaniers@orange.fr • Ouv tte l'année. À 800 m du centre de Marigot. De la chambre simple à l'appartement pour 6 pers. Compter 45 € la double ; studios pour 2 pers 55 € ; duplex pour 4 pers 65-75 €. Petit déj non compris, snack à côté.* Les chambres n°s 3 et 4 ont une terrasse. Certaines s'avèrent un peu humides. Dans un labyrinthe de cours intérieures, une résidence coquette avec sa piscine. Accueil sympathique. Également un resto à prix doux (environ 12 €) sous une tonnelle ombragée. Spécialités vietnamiennes et menu créole.

🛏️ *Domotel (hors plan couleur par B2, 12)* : *rue Tah-Bloudy, centre commercial* Nouveau Monde Concordia. ☎ 05-90-87-77-13. • *do motelsxm@orange.fr* • ♿ *Même direction que le précédent. Compter 45 € pour 2 pers et 56 € pour 3 pers. Appart 2 chambres 115-125 €. Petit déj 6 €.* Dans un quartier mi-résidentiel, mi-commercial, 13 chambres modernes, plutôt petites mais climatisées, avec TV et salle de bains. Une chambre au rez-de-chaussée est aménagée pour l'accueil des personnes handicapées. Forfait hébergement + location de voiture intéressant. Transfert aéroport gratuit.

Où manger ?

À ne pas rater, les *lolos (plan couleur A-B2, 29)* sur la place du Marché, très couleur locale. Encore plus sympa les jours de marché. En revanche, prudence nécessaire si vous traînez le soir dans le centre.

Dans le centre

|●| *La Parisienne (plan couleur A2, 20)* : *rue du Palais-de-Justice, à l'angle de la rue de la Liberté.* ☎ 05-90-87-25-21. *Lun-sam 6h-19h. Le dim, 6h-12h30.* Boulangerie-self avec quelques tables sur le trottoir. Quelques plats et pizzas dans les 8 à 10 €. Bonnes glaces.

|●| *Durreche (plan couleur A2, 21)* : *en face du marché.* ☎ 05-90-87-84-21. *Tlj sf dim. Fermé en août. Plats 9,50-17,50 €.* Grande case en bois brut, style « pirates des Caraïbes ». Tables de jardin en teck. Adresse sans prétention mais qui cale honnêtement un appétit raisonnable avec des plats d'inspiration basque, des salades, des sandwichs et des pâtes en portions suffisamment généreuses pour se contenter d'un plat. Service rapide et décontracté. Service traiteur également.

|●| *Claude Mini-Club (plan couleur A2, 22)* : *bd de France.* ☎ 05-90-87-50-69. *Tlj midi et soir sf dim. À la carte, env 35 € sans la boisson.* Le plus ancien resto de Marigot, réputé pour ses acras de morue et sa fricassée de lambis. Les mercredi et samedi soir, buffet créole avec langouste à volonté à 40 €. Belle vue sur la mer, musique d'ambiance (Piaf !), mais la cuisine a tendance à s'endormir un peu sur ses lauriers... Décor sans faute.

À la marina

|●| **La Petite Auberge des Îles** (plan couleur A3, 25) : 11, Auberge-de-Mer. ☎ 05-90-87-56-31. • petite-auberge-des-iles@wanadoo.fr • Sur la marina royale. Tlj sf dim. Congés début sept-fin oct. Menu 23,50 €, servi slt le soir ; à la carte, 30 € pour un repas complet. Menu-enfants 8 €. Accepte les tickets-restaurant. Rhum local offert sur présentation de ce guide. Petit restaurant pour un repas sans trop se ruiner, avec les bateaux à vos pieds. Sandwichs, omelettes, quiches et spécialités créoles préparées par un couple de Normands adorables. Daurade au beurre cajun, langouste grillée.

|●| **Le Chanteclair** (plan couleur A3, 26) : sur la marina. ☎ 05-90-87-94-60. Ts les soirs sf dim 18h-22h30. Congés en sept. Compter min 40-45 € le repas et 55 € pour le menu langouste. Décor jaune et bleu frais et de bon goût. Avec un plat comme la langouste rôtie en croûte d'herbes, sa réputation n'est plus à faire ; d'ailleurs, il est souhaitable de réserver, car c'est la meilleure cuisine de l'île. Au des-sert, un assortiment de crèmes brûlées au parfum des îles.

|●| **La Main à la Pâte** (plan couleur A3, 27) : sur la marina. ☎ 05-90-87-71-19. • marinaroyale@hotmail.com • Service tlj jusqu'à 22h30. Compter env 30 € pour un repas complet sans la boisson ; moins cher si l'on se contente d'une pizza. Apéro ou digestif maison offert sur présentation de ce guide. Grand restaurant sur la marina où service et accueil sont chaleureux. Cuisine antillaise et française : marmite du pêcheur, crevettes provençales (un peu abusivement appelées gambas). Bon rapport qualité-prix néanmoins.

|●| **Zee Best** (plan couleur A3, 31) : 🖳 06-90-88-22-36. Dans la marina, mais côté rue de la Liberté. Tlj 7h30-14h. Fermé juil-nov. Tenu par un Canadien très sympa, Zee Best sert les meilleurs petits déjeuners de toute l'île (compter de 5 à 8 €). Également des formules lunch autour de 8 €. Sa réputation n'est plus à faire, c'est toujours bondé. Essayez d'y aller au moins une fois.

Où manger dans les environs ?

Les adresses ci-dessous sont présentées de la plus proche à la plus éloignée du centre de Marigot. Voiture nécessaire.

|●| **Les Viviers de Marigot :** pont de Sandy Ground. Juste avant le pont à gauche en venant de la marina. ☎ 05-90-29-38-50. Tlj 8h-20h. Téléphoner la veille ou le matin pour le soir. À la carte de cette table d'hôtes toute simple, des langoustes cuisinées ou grillées, à emporter ou à déguster sur place. Compter 4 € les 100 g. Elles sortent directement du vivier – fraîcheur garantie – et sont vraiment bon marché.

|●| **Le Chalet :** route des Terres-Basses, Sandy Ground. Sur la gauche en venant de Marigot, 800 m après le pont. ☎ 05-90-27-16-98. Ts les soirs à partir de 17h30, sf lun. Résa conseillée. Plats de résistance env 25-30 €. Fondues à partir de 15 €. Les Alpes au niveau de la mer ! Ce restaurant de spécialités savoyardes propose fondues et tartiflettes...

|●| **Ma Ti Beach :** route des Terres-Basses, baie Nettlé. ☎ 05-90-87-01-30. Le dernier resto à droite tout au bout de la baie Nettlé en venant de Marigot. Situé directement sur la plage, au bout de l'hôtel Nettlé Bay. Juil-sept, fermé mar. Service 11h45-14h30, 18h45-22h30. À la carte, env 25-30 €. Menu-enfants 8 €. Carte orientée vers la mer, d'inspiration créole, mais faisant aussi honneur à la cuisine française. Vivier à langoustes. Très belle vue sur toute la baie et Marigot au loin.

Où boire un verre ? Où sortir ?

🍸 🎵 On peut boire un jus de fruits sur des tabourets à l'**Arh A Wak** *(plan couleur B2, 40)*. Sur la marina, la **Bodeguita del Medio** fait onduler les noctambules au rythme de la salsa et des standards des années 1970-1980.

À voir

Pas grand-chose hormis, vers le port, ces maisons en bois couvertes de toits rouges.

🍖 **Le marché du matin** *(surtout les mer et sam pour les fruits et légumes) : dans un nouvel aménagement tout à côté du port.* Il mérite une halte. Les bananes plantains, les melons et divers produits tropicaux sont étalés sous vos yeux. Les vieilles Antillaises surveillent leurs étals tout en papotant. Beaux poissons également. Et beaucoup d'ambiance dans les *lolos*... Malheureusement, malgré son pittoresque haut en couleur, l'accueil est parfois agressif.

🍖 **Le vieux fort Saint-Louis** *(plan couleur A-B1) :* achevé en 1789 (une des dernières réalisations de l'Ancien Régime !), il domine la ville de Marigot, en offrant une jolie vue sur la baie Nettlé et la péninsule de Terres-Basses. Les photographes y monteront le matin.

🍖 **Le musée « Sur la trace des Arawaks » :** *route de Sandy Ground.* ☎ 05-90-29-22-84. ● *museestmartin@wanadoo.fr* ● *Lun-ven 9h-16h, sam 9h-13h.* Il a rouvert en juin 2006 après travaux. Dirigé par Christophe qui en est aussi le fondateur, il retrace l'histoire de l'île, de l'époque précolombienne à nos jours, en passant par Christophe Colomb, les flibustiers et la colonisation. Vous remarquerez les outils en coquillage vieux de 3 800 ans, provenant du plus ancien site attesté (plaine de l'étang de Grand-Case).

Plongée sous-marine

Clubs de plongée

■ **Sea Dolphin :** *hôtel* Le Flamboyant. ☎ 05-90-87-60-72. 📱 06-90-62-15-73. ● *seadol@yahoo.com* ● Longer la baie Nettlé depuis Marigot, se garer sur le parking de l'hôtel Le Flamboyant *et se diriger vers la plage. Fermé en sept.* L'école de plongée est dans la case « Sports nautiques ». *Encadrement sérieux par des moniteurs d'État (ANMP, FFESSM, PADI, NAUI et SSI). Baptême env 50 € ; plongée env 40 € ; forfaits pour 3, 5 et 10 plongées. Sorties à 9h et 14h. Plongées de nuit à la demande et également sur les meilleurs spots de Saba et Saint-Barth, plus chères. Vedette pouvant embarquer 15 plongeurs (mais on ne part qu'à 10). Équipement complet fourni.* Plongées enfants à partir de 8 ans. Petite boutique sur place pour se ravitailler en matériel de plongée. Sites du côté hollandais et du côté français, accessibles en 15 ou 20 mn de trajet : *Le Pont, le Grégory, Proselyte Reef, le Fuh Sheng.*

■ **Blue Ocean :** *centre commercial baie Nettlé, BP 4079, 97064 Marigot Cedex.* ☎ 05-90-87-89-73. 📱 06-90-38-75-81. ● *blueocean@blueocean. ws* ● *blueocean.ws* ● À l'entrée de la baie Nettlé et de Sandy Ground. À droite, une succession de petites boutiques ; au fond se trouve Blue Ocean. *De l'autre côté de la route, petite route vers le lagon et le local technique à 100 m du magasin. Snorkelling 35 € (23 € pour l'accompagnant). Plongée autour de 42 € ; forfait pour 3, 5 et 10 plongées.*

SAINT-MARTIN

Formation FFESSM et baptême. Plongée de nuit. Possibilité de gonfler une bouteille pour plongeur de passage. Départ le matin pour une sortie 2 plongées à 9h. Autre départ à 14h pour débutants, plongée de réadaptation et randonneurs à la palme. Pas de plongée avant 8 ans. Trajet avec un bateau pour 12 plongeurs. Pour la sécurité, une personne reste toujours en surface sur le bateau. Structure PADI Center ne fonctionne qu'avec les normes PADI. Cela s'explique par la fréquentation du club par de nombreux touristes étrangers (beaucoup d'Américains et d'Argentins) envoyés par les hôtels et les navires de croisière. Très sérieux. Autres sorties pour les destinations plongées suivantes : Saba, Saint-Barth et Anguilla. Propose également des sorties à bord d'un bateau de pêche au gros. Bon à savoir : le club possède une autre base à Grand-Case, au resto Chez Martine.

■ ***Sea Horse Diving :*** *hôtel Mercure, baie Nettlé. ☎ 05-90-87-84-15. 📱 06-90-64-35-87. ● alain.lep@wanadoo.fr ● seahorsedivingtwo.com ● Hôtel situé sur la gauche en venant de Marigot. Se garer sur le parking, le plus loin possible au fond. École au sein d'une base nautique. Snorkelling 30 €. Formation PADI et CEDIP. Club SEA (matériel agréé et révisé fréquemment). Plongée env 45 € ; baptême 65 € ; forfaits 3, 5 et 10 plongées. Initiation en piscine et 1ʳᵉ plongée à - 6 m autour du Rocher créole. Sorties à 9h et 13h30. Deux bateaux pour la plongée, l'un pour 15 passagers, l'autre pour 6. Baptême enfants à partir de 8 ans. École assez peu fréquentée.*

Nos meilleurs spots

⚓ ***Le Banc de Médée*** *(carte Saint-Martin : nos meilleurs spots de plongée, 16) :* récif de - 8 à - 15 m. Dépression au milieu du banc à - 12 m. À faire par temps calme. La moindre agitation provoque une suspension de particules de sable, la visibilité devenant déplorable. Tous les bateaux-navettes pour Anguilla passent entre la bouée cardinale et le récif : difficile, alors, pour les cancres de la flottabilité... Pour plongeurs de Niveau 1.

⚓ ***La Renée*** *(carte Saint-Martin : nos meilleurs spots de plongée, 15) :* épave faisant partie des rares plongées profondes autour de Saint-Martin. Dans l'axe du canal d'Anguilla. Site exposé au vent de nord-est. Explo en dérive. Le courant est très sensible dans la descente, dès les 10 premiers mètres. Cargo long d'une centaine de mètres, échoué sur une plage de la baie Nettlé pendant le cyclone Luis de 1995. Il fut tiré et remis à flot. Les responsables des écoles de plongée ont alors demandé à ce qu'il soit coulé dans un site opportun, pour en faire une attraction supplémentaire. Il repose à - 43 m, parallèlement à un tombant éloigné de 120 m environ. À voir : l'hélice, un moteur très concrétionné, le château dans lequel on ne rentre que difficilement, bien que les portes aient été découpées ; des trappes avec des échelles vers les cales noires ; les chaînes d'ancres, les aussières. À la jonction de la coque et du sable, d'importantes niches à poissons. Site surtout exploité pour les plongées à thèmes. Endroit très fréquenté par les bateaux de pêche et de plaisance. Visibilité de quelques mètres à 30 m. Pour plongeurs de Niveau 3 minimum.

➤ DANS LES ENVIRONS DE MARIGOT

🏃 ***Le pic Paradis :*** au niveau du hameau de Rambaud, en allant vers Grand-Case, prendre à droite la petite route indiquée « pic Paradis ». Par une route pentue, vous atteindrez les dernières habitations. La route se termine aux installations de France Telecom. Puis, en moins de 15 mn de marche, vous serez au point culminant de l'île, le pic Paradis (424 m). Vue fantastique sur la totalité de l'île.

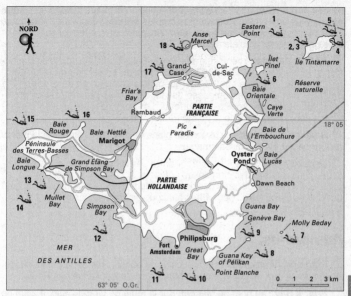

SAINT-MARTIN : NOS MEILLEURS SPOTS DE PLONGÉE

🕯️🕯️ 🕯️🕯️ En revenant, vous pouvez vous arrêter à la **Lottery Farm.** ☎ 05-90-87-86-16. Mar-dim 9h-17h. Entrée : 5 € ; gratuit jusqu'à 12 ans.
Entre montagne et forêt tropicale, la *Lottery Farm* recense des milliers d'espèces végétales (manguiers, papayers, goyaviers, acajou...). Les espèces animales ne sont pas en reste : iguanes, colibris, singes, mangoustes et perroquets. Loin des plages bruyantes et de l'activité qui règne sur l'île, on pénètre dans un lieu un peu en dehors du temps. Le maître des lieux, un Américain, a la volonté de préserver le site de toute activité qui nuirait à la paix qui y règne, notamment à la mémoire des 300 esclaves qui, dans les années 1720, travaillaient dans les plantations de canne à sucre. Un parcours aérien dans la canopée a été aménagé, des cours de yoga y sont donnés et des massages relaxants dispensés. Au départ de la randonnée, un cabret en bois abrite un restaurant où les marcheurs peuvent se restaurer, midi et soir du mardi au samedi, et le dimanche le midi uniquement. En haute saison, les samedi et dimanche, des musiciens de jazz viennent agrémenter l'heure de l'apéritif.

🕯️ *Le monument de la Frontière* (Boundary Monument) : au sud de Marigot, un petit monument symbolise la « ligne de démarcation cadastrale franco-hollandaise » et rappelle la bonne entente entre les deux nations.

Les plages

Après tout, on est là pour ça ! Sur les 36 plages de l'île, les plus belles ne sont pas dans les proches environs de Marigot, mais sans s'éloigner trop, on en trouve tout de même qui ne sont pas mal du tout.

À l'ouest

▷ *Baie Rouge :* tout au bout de la ligne droite de la baie Nettlé et bordée de belles villas. Très facile d'accès et très populaire. Sur la droite : la falaise percée, en nageant vers l'est on accède à une petite plage déserte après être passé sous une arche. Petits restos créoles sympas, dont *Chez Raymond,* juste à l'arrivée sur la plage. Faire attention, par contre, à fermer sa voiture et à ne pas apporter d'objets de valeur.

⚓ *Baie aux Prunes :* péninsule des Terres-Basses entre la pointe du Canonnier et la falaise aux Oiseaux. De la baie Rouge, en continuant vers l'aéroport, prendre une piste sur 2,5 km (quand elle se divise en deux, prendre à droite). Avant d'y arriver, on passe devant d'énormes propriétés bien protégées. Mer agitée, appréciée des surfeurs. Les bons nageurs peuvent s'aventurer jusqu'aux rochers de la pointe Plum, au nord.

⚓ *Baie longue :* c'est la plus longue plage de l'île, elle s'étend de la pointe du Canonnier jusqu'à la Sammana.

⚓ *Cupecoy Bay :* à la « frontière » entre partie hollandaise et partie française, juste au nord des complexes hôteliers. Accès par un petit chemin (se garer sur un terre-plein près des hôtels). Magnifiques petites criques au pied de falaises blanches ou ocre. Pas beaucoup de place et pas mal de courant. Maillot optionnel.

Au nord-est

⚓ *Plage des Amoureux :* un mouchoir de poche près de la pointe Arago. Accès par le port de commerce de Marigot ou depuis l'anse des Pères.

⚓ *Friar's Bay :* au nord de Marigot. Sur la route de Grand-Case, à 2 km de Marigot, prendre à gauche en direction de l'ancienne sucrerie (indiquée). Plage familiale. Plusieurs restos de plage dont *Kali's,* célèbre pour ses soirées les nuits de pleine lune. De là, suivre le sentier qui part du nord de la plage (10 mn de marche) pour découvrir le petit paradis tropical de *Happy Bay.*

GRAND-CASE (97150)

Le deuxième village français de l'île et le plus pittoresque. C'est dans le coin que semblent s'être installés les premiers habitants de l'île, sur le site de Hope Estate, dans la plaine de l'étang derrière le village (traces d'occupation humaine remontant à 1800 av. J.-C.). De superbes maisons en bois entourées d'hibiscus bordent l'unique rue. Jolie plage de sable fin, bizarrement assez peu fréquentée, alors que la mer, d'un bleu turquoise intense, est plutôt calme. Pour tout dire, notre endroit préféré à Saint-Martin, même si les restaurants chic ont envahi ce village de poupées, lui valant la réputation de « Gourmet capital of the Caribbean ». Rien que ça ! Choisir de dîner ici et profiter de l'animation du village, le soir.

Où dormir ?

Prix moyens

🏠 |●| *Chez Martine* (plan A2, **10**) : 140, bd de Grand-Case. ☎ 05-90-87-51-59. ● info@chezmartine.net ● chezmartine.net ● Cinq chambres de 60 € au rez-de-chaussée à 98 € à l'étage, petit déj compris, selon confort et saison. Une suite, 110- 160 € selon saison. Repas env 20 €, menu-enfants 10 €. Apéro maison et 10 % sur la chambre en basse saison offerts sur présentation de ce guide. Trois grandes chambres agréables (avec frigo et cuisine collective à disposition) à l'étage don-

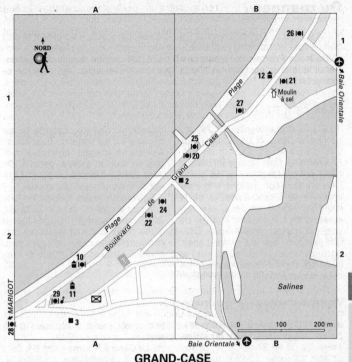

NORD

Baie Orientale

Plage

Grand Case

Moulin à sel

26 |●|

12 🏠

|●| 21

27 |●|

25 |●|

|●| 20

🔲 2

de

|●| 24

|●| 22

Plage

Boulevard

10 🏠|●|

MARIGOT

29 |●|⌐

11

⊠

🔲 3

28 |●|

Baie Orientale

Salines

0   100   200 m

GRAND-CASE

SAINT-MARTIN

🔲	**Adresses utiles**	|●|	**Où manger ?**

🔲 **Adresses utiles**
- ⊠ Poste
- **2** Police
- **3** Pharmacie

🏠 **Où dormir ?**
- **10** Chez Martine
- **11** Hévéa
- **12** Motel Guesthouse Les Alizés

|●| **Où manger ?**
- **20** *Lolos*
- **21** L'Hibiscus
- **22** Le Cottage
- **24** L'Auberge Gourmande
- **25** La Case à Rhums
- **26** Le Ti Coin Créole
- **27** Le Calmos Café
- **28** Enjoy
- **29** L'île flottante

nant sur une grande terrasse avec vue sur la mer, et deux au rez-de-chaussée, sans vue. Préférer celles donnant sur la mer. On mange sur une grande terrasse avec vue superbe sur la mer et Anguilla au loin. 🏠 *Hévéa* (plan A2, *11*) : 163, bd de Grand-Case. ☎ 05-90-87-56-85. ● hevea@outremer.com ● hotel-hevea. com ● Ouv tte l'année. Doubles 47-58 € en basse saison ; 65-76 € en hte saison. Digestif maison offert sur présentation de ce guide. Loc de chambres mais aussi de studios et d'appar-

tements pour 3 ou 4 pers (65-108 €). Charmantes maisons en bois dans le style colonial. Décor assez croquignolet peuplé de chats. Accueil adorable. 🏠 *Motel Guesthouse Les Alizés* (plan B1, *12*) : 10, allée des Escargots (ruelle vers la mer). ☎ 05-90-87-95-38. 🖥 06-90-49-75-57. ● alizes1@hotmail.com ● Doubles 50-75 € en hte saison. Douze chambres simples mais très bien tenues, avec ou sans cuisine. Huit bénéficient d'un petit balcon avec vue superbe sur la mer et Anguilla. Bon accueil.

Où manger ?

Manger n'est pas un problème à Grand-Case. On y trouve sûrement la plus grande concentration de restaurants de l'île. Ils forment une chaîne d'un kilomètre le long de la côte, et la plupart n'ont pas changé depuis des lustres. L'endroit le plus agréable et le plus typique à notre avis... même si on se répète un peu.

Très bon marché

|●| ♪ *L'île flottante* (plan A2, **29**) : bd de Grand-Case, ☎ 05-90-52-01-62. 📱 06-90-53-55-33. *Ouv tlj 6h-20h. Formule 9 €. Café ou digestif maison offert sur présentation de ce guide.* Une adresse bon marché à la fourche sud de Grand-Case, là où la route se sépare en deux, une terrasse toute simple avec chaises de jardin et nappes en plastique. Chaque jour que Dieu fait, *mama* Lopez, portugaise, est aux fourneaux, et avec sa copine dominicaine, elles vous mitonnent tous les vendredis un bacalau savoureux, comme on en déguste sur les bords du Tage. Sinon sandwichs, burgers, omelettes, crêpes sucrées et salées, paninis. On peut aussi y prendre un petit déjeuner. Animation musicale le soir.
– Également quatre *lolos* situés face à la mer à côté du ponton *(plan B1, 20)*. Symétriquement installés autour d'une petite place et tenus par des *mamas* bien en chair. Grillades (brochettes, *ribs*, etc.) de 2,50-5 €. Très sympa.

De prix moyens à plus chic

|●| *Le Ti Coin Créole* (plan B1, **26**) : bd de Grand-Case, route de Petite-Plage. ☎ 05-90-87-92-09. ♿ *Tlj midi et soir. Compter 10-25 € par pers. Digestif maison offert sur présentation de ce guide.* Impossible de manquer cette petite case créole colorée tenue par un cuisinier saint-martinois. Plats de poisson et de poulet et la spécialité locale : le Johnny Cake. Langoustes grillées, crabes farcis, pâtes aux fruits de mer, colombo de poulet. Nombreux punchs maison. Bon accueil et bonne humeur garantis.

|●| *Le Calmos Café* (plan B1, **27**) : 40, bd de Grand-Case. ☎ 05-90-29-01-85. ● alexbourdon@hotmail. com ● *Tlj midi et soir (non-stop ven-dim). Tapas 3,50-6,50 € ; plats 10-16 €. Digestif maison offert sur présentation de ce guide.* Reconnaissable à ses couleurs jaune et rouge, une case à la déco originale qui tranche avec les restos gastronomiques qui tiennent le haut du pavé à Grand-Case. Rien d'extraordinaire dans l'assiette, la différence est dans l'ambiance. Concerts reggae tous les dimanches soir. Clientèle plutôt jeune mais aussi familiale.

|●| *La Case à Rhums* (plan B1, **25**) : 58, bd de Grand-Case. ☎ 05-90-27-63-66. *Ouv midi et soir. Formule le midi 10 € ; à la carte env 28 € pour un repas complet. Langouste 22 €. Menu-enfants 10 €. Digestif offert sur présentation de ce guide.* Assiette créole, langouste grillée, poulet cajun et également quelques crêpes salées et sucrées, beaucoup à base de fromage. Petit resto vert et bleu. On mange sur une terrasse agréable qui surplombe la mer. Bon accueil et prix tout à fait honnêtes.

|●| *L'Hibiscus* (plan B1, **21**) : 15, bd de Grand-Case. ● hibiscus.sxm@orange.fr ● *Ts les soirs 18h30-23h. Fermé dim en basse saison (mai-nov), 2 sem en juin et 2 sem en nov. Menus 29-60 € ; carte 50 €. Menu-enfants 9 €. Rhum maison et petits-fours offerts sur présentation de ce guide.* Une dizaine de tables dans une maison créole agréablement décorée. Sûrement l'une des cartes les plus originales de l'île (plats traditionnels ou créatifs). Une cuisine aux saveurs exoti-

ques et insolites, à tonalité italienne parfois, jusqu'au dessert. Goûtez par exemple le parmentier de langouste et patate douce au bois de santal, ou le magret de canard rôti à la pulpe de mangue avec son gâteau d'igname et coco.

|●| **Enjoy** (hors plan par A2, **28**) : 242, bd de Grand-Case. ☎ 05-90-29-18-87. • enjoy.sxm@wanadoo. fr • Parking réservé en face du Petit Hôtel. Mar-ven 17h-22h30, w-e 9h30-22h30. Fermé lun. Repas env 30-40 € ; menu-enfants 8 €. Apéro maison offert sur présentation de ce guide. À l'entrée de Grand-Case, en venant de Marigot. Jolie situation en surplomb de la plage, salle ventilée par les alizés. Belle déco. On peut également déjeuner ou dîner les pieds dans le sable. Transat pour les clients. On vous sert une cuisine traditionnelle française. Bon rapport qualité-prix et bon accueil.

|●| **Le Cottage** (plan A2, **22**) : 97, bd de Grand-Case. ☎ 05-90-29-03-30. • cottage.stmartin@wanadoo. fr • Ouv 18h-22h30, tlj sf dim et en sept. Carte 45 € sans les boissons ; menu dégustation ou langouste 59 €. Déco intérieure de bon goût. On mange sur une jolie terrasse en bois donnant sur la rue. Cuisine de gourmets parfumée de toutes les épices du monde. Chaque plat, raffiné (par exemple, ravioles soufflées à la langouste, gambas rôties sur patates douces), peut être servi accompagné du verre de vin adéquat. Pour les amateurs, des assortiments fromage-vin sont également au menu.

|●| **L'Auberge Gourmande** (plan A2, **24**) : 89, bd de Grand-Case. ☎ 05-90-87-73-37. • floflodesiles@wana doo.fr • ♿ Ouv en soirée. Tlj 18h-22h30. Fermé de sept à mi-oct. Pas de menu ; compter env 45 € le repas. Ajouter 15 % de service aux prix affichés. Apéro ou digestif maison offert sur présentation de ce guide. Bar chilien et gambas sauce coco, Saint-Jacques sauce soja à l'huile de sésame, mahi-mahi au safran puis concerto de trois chocolats pour finir. Un peu plus cher que les précédents, mais ce restaurant, situé dans une superbe demeure ancienne en bois, mérite le détour.

SAINT-MARTIN

Plongée sous-marine

Nos meilleurs spots

🐠 **Le Sec de Grand-Case** (carte Saint-Martin : nos meilleurs spots de plongée, **17**) : sec en 3 parties qui s'emboîtent presque les unes dans les autres : une ovale, une oblongue, une triangulaire, séparées par des couloirs de sable, à - 5 m. Au-dessus de ces 3 morceaux de récif, toutes sortes de relief : petite estrade, dalles semblables à celles de béton, roches très plates et même un semblant de piste de bobsleigh ! Poissons-chirurgiens bleu foncé, poissons-trompettes, tortues sédentaires, gros banc de gaterins dans un décor de gorgones en éventail disséminées. Compter 50 mn de balade entre - 5 et - 2 m. Joli coin pour découvrir la plongée. Idéal aussi pour une plongée de nuit. Pour plongeurs de Niveau 1.

🐠 **Le Rocher créole** (carte Saint-Martin : nos meilleurs spots de plongée, **18**) : gros rocher hors de l'eau à la pointe d'un cap séparant l'Anse Marcel de la baie de Grand-Case. Site de ralliement de tous les randonneurs à la palme et des plongeurs néophytes de passage à Saint-Martin. Les premiers nagent dans 50 cm d'eau pour aller jusqu'à une piscine enclavée dans le rocher. Passage large de 2 m indiqué par le flux de poissons-aiguillettes. Les seconds se baladent à - 3 m, en slalomant entre les gros rochers qui forment tantôt des éboulis, tantôt des piliers. Tortues, poissons-empereurs, coffres, diodons et sergents-majors en bancs importants.

CUL-DE-SAC « FRANCE »

(97150)

Hameau au nord-est de l'île entre le nord de Baie Orientale et Anse Marcel. C'est le point de départ pour une escapade à l'îlet Pinel (en 5 mn !) ou encore à l'île déserte de Tintamarre.

Adresse utile

– En face du resto *Les 13 Travaux d'Hercule*, petit complexe commercial avec pharmacie, cabinet médical *(☎ 05-90-52-98-62)*, maison de la presse, distributeur de billets et téléphone international. C'est bien pratique !

Où dormir ? Où manger ?

🏠 *Hôtel-résidence Les Jardins de Chevrise* : 52, Mont-Vernon. À 300 m de la magnifique plage Orient Beach. ☎ 05-90-87-37-79. ● orientbay@orientbayhotel.com ● orientbayhotel.com ● ♿ Ouv tte l'année. À partir de 95 € la nuit en studio en basse saison et env 135 € en hte saison. Loc de villas (2-5 pers), 115-280 € selon standing et saison. Sur présentation de ce guide, réduc de 10 % sur le prix de la chambre. Préférer les chambres donnant sur la lagune plutôt que sur la rue, très bruyante. Piscine.

🍴 *Karibuni :* sur l'îlet Pinel. 📱 06-90-39-67-00. ● karibunisxm@wanadoo.fr ● Accès par la navette depuis Cul-de-Sac. Tlj 12h-16h. Repas env 15 €. Digestif maison offert sur présentation de ce guide. Un petit coin de paradis. Plage de sable blanc bordée de cocotiers, eau turquoise et limpide et restaurant les pieds dans l'eau dont le nom signifie « bienvenue » en swahili, hommage à l'enfance africaine du fondateur. Petites paillotes en bois flotté coiffées de palmes, barque transformée en bar sur la plage. C'est les pieds dans le sable, sur des tables en bois grossier, qu'on déguste des poissons grillés ou des langoustes tout juste extraites de leur casier. Et si vous aimez les poissons, rappelez-vous que Pinel est dans la réserve maritime de Saint-Martin. Finissez votre journée par un peu de plongée-snorkelling pour éprouver cette sensation de nager dans un aquarium géant.

🍴 *Les 13 Travaux d'Hercule :* route de Cul-de-Sac. ☎ 05-90-87-43-32. Tlj sf dim. En face de la pharmacie en allant vers l'embarcadère. Compter 11-15 €. Un ti-rhum créole offert après le repas sur présentation de ce guide. Hercule, c'est le patron, un Haïtien bien sympa. Cuisine créole simple et bien préparée : acras, lambis, christophine, langouste grillée (le soir)... Musique zouk et reggae. On peut y prendre une douche après la baignade pour 1 US$.

🍴 *Au Grain de Sel :* 97, route de Cul-de-Sac. ☎ 05-90-29-35-46. En face d'une pompe à essence. Fermé sam et dim et en juil-août. Plat du jour 8,50 € (avec verre de vin ou café). Cuisine simple mais savoureuse : côte de bœuf, entrecôtes, salades, pâtes et pizzas *king size*. Portions généreuses et accueil adorable. Rhum *arrangé* offert à la fin du repas. Un bon plan pour les petits budgets. Vente à emporter.

À voir à Cul-de-Sac « France » et les environs

🚶 ⚠ *Anse Marcel :* à 2 km de Cul-de-Sac. Grimpette sur une route très raide, avant que ne surgisse l'oasis d'Anse Marcel. Même si une barrière en contrôle l'entrée, elle n'enlève aucun charme à ce lieu où des hôtels de luxe se sont installés. Vous les traverserez (en admirant au passage les somptueux jardins) avant d'atteindre cette charmante baie, dont la plage est celle de l'hôtel *Méridien*. En fait, ce n'est pas une plage naturelle, mais faite de la main de l'homme... L'eau peu profonde convient bien aux enfants. Si l'envie vous prend de vous y installer, c'est bien entendu possible, le *Méridien* loue des transats, mais à un prix exorbitant.

△ *La baie des Petites Cayes :* il faut compter 25 mn de marche pour y accéder par le sentier partant de Cul-de-Sac, mais cela en vaut la chandelle : tranquillité assurée sur un mince croissant de sable. Le pied !

△ *Grandes Cayes :* familial et aisé d'accès en face de Tintamarre.

△ *L'île de Tintamarre :* compter une journée pour découvrir ces 100 ha de végétation encore vierge au cœur de la réserve. Penser à emporter pique-nique, boissons et chaussures de marche. Prendre la navette au ponton de Cul-de-Sac. Plage face à l'ouest.

△ *L'îlet Pinel :* à l'extrémité de la route, un bateau-taxi vous conduira sur cet îlet magique pour... 5 US$. L'eau est turquoise et limpide, le sable blanc immaculé, mais l'endroit n'est pas vraiment désert. Intéressant pour la plongée de surface (location de planches, kayaks de mer, pédalos, jet-skis, matelas...). Deux buvettes pour grignoter une belle salade. Ou, mieux encore, s'offrir une langouste au vivier du proprio... Probablement la plus belle plage de Saint-Martin.

Kayak de mer

■ *Kayak Tour Nature :* cabane au ponton de Cul-de-Sac. ☎ 06-90-47-76-72. ● sxmkayaktour@wanadoo.fr ● Pour suivre les traces des Indiens Arawaks, location de kayaks de mer pour explorer la mangrove (en tour guidé) et les abords de l'îlet Pinel. Compter 25 € pour une journée en mono et 45 € en kayak double. Location de palmes, masques et tubas : 10 €. Prévoir chapeau, eau et crème solaire.

Plongée sous-marine

Club de plongée

■ *Scuba Fun Caraïbes :* Anse Marcel, marina Carlson Port-Lonvilliers. ☎ 05-90-87-36-13. ● contact@scubafun.com ● scubafun.com ● Passer la 1re barrière sur les hauteurs du port, s'arrêter sur le parking avant le 2e poste de garde. Locaux à droite, derrière la brasserie Le Calypso. Snorkelling 30 €. Plongée 45 € ; double plongée 85 € ; baptême 75 € (2h30 dont 45 mn de plongée) ; forfaits 3, 4, 6 et 10 plongées. 10 % de réduc sur les plongées sur présentation de ce guide (en résa directe avec paiement online). 50 % de réduc sur les tarifs dès la 2e semaine de loc. Plongée de nuit pour plongeurs confirmés. Formations FFESSM/CMAS, ANMP/CEDIP du Niveau 1 au Niveau 3 et PADI jusqu'au niveau instructeur. Location de matériel. *Scuba Fun Caraïbes* est un PADI *Gold Palm Instructor Development Center*. Le club a également une base de plongée côté hollandais. Deux bateaux de 11 m et 9 m (pour 20 et 12 plongeurs). Sorties tous les jours à 9h et à 15h. Salle de cours avec TV et lecteur DVD. Normes françaises d'encadrement parfaitement respectées. Conditions de sécurité et de confort optimales. Langues parlées : anglais, espagnol et français. Excellente adresse pour plonger à Saint-Martin.

Nos meilleurs spots

🐠 *La Basse Espagnole (carte Saint-Martin : nos meilleurs spots de plongée, 1) :* haut-fond à - 3 m, au nord-est de Saint-Martin, non loin de l'île de Tintamarre. Balade en dérive ou à partir du bateau au mouillage. Canyon interrompu par des éboulis à plusieurs endroits. S'achève par un cul-de-sac sous une arche à - 15 m. Requin-nourrice, murène verte, tortue. Passer dans 3 vasques successives, de 3 à 6 m de diamètre chacune. Relief très accidenté. Pente externe couverte de roches et de coraux. Revenir au départ en explorant les abords d'une dizaine de rochers de 3 m chacun. Langoustes. Attention à la houle sur ce haut-fond. Courant moyen à fort. Dauphins-tursiops en hiver. Pour plongeurs à partir du Niveau 1. Plongée de nuit possible.

🐠 *L'Épave de Tintamarre* et *Le Récif (carte Saint-Martin : nos meilleurs spots de plongée, 2 et 3) :* ancien caboteur de 20 m de long, coulé depuis une quinzaine d'années. Repose sur un lit de sable à - 15 m, sur le côté de l'île le plus exposé au vent. Mouillage arrimé sur le guindeau de l'épave. Passer à côté de ce guindeau, puis du château supérieur et de l'hélice. Petite cale pleine de vase, ne pas y pénétrer. Par contre, monter absolument dans le château supérieur pour accéder au poste de pilotage. Vue panoramique tout autour. Plafond intérieur tapissé d'un semblant de « muguet » ras. Vue sur les moteurs par le pont dénudé. Poissons-anges dans la salle des machines. Descendre à la poupe : hélice à moitié ensablée. Parcourir une quarantaine de mètres pour rejoindre le récif de l'île. Site idéal pour une plongée de nuit. Quelques dauphins-tursiops présents une quinzaine de jours entre janvier et fin avril. Pour plongeurs à partir du Niveau 1. Gagner le rivage de l'île pour explorer les fonds composés tantôt d'éboulis tantôt de canyons à - 5 m dans le récif. Le dernier canyon avant la pointe de la baie Blanche est plus profond que les autres. Le bateau vient chercher les plongeurs en surface pour éviter le voyage retour. Pour plongeurs de tous niveaux.

🐠 *Circus (carte Saint-Martin : nos meilleurs spots de plongée, 4) :* l'île de Tintamarre forme une fourche dans sa partie nord-est. Circus est la partie comprise à l'intérieur des deux pointes de la fourche. En général, bateau non mouillé. Souvent de la houle : les plongeurs doivent être amarinés, sinon, les poissons seront copieusement nourris. Sous l'eau, vision lunaire. Grand cratère sablonneux à - 15 m. Spot de raies pastenagues, de requins-nourrices et, pendant l'hiver, de dauphins-tursiops. Zone de migration de langoustes avançant comme des fourmis, à la queue leu leu, en colonne de centaines de mètres à certaines périodes de l'année. Non loin du bord du récif, l'entrée d'un grand tunnel se présente à - 12 m avec des anfractuosités ouvertes vers le dessus du récif, donnant une lumière de cathédrale. Il se divise en 2 boyaux d'égale longueur avec une sortie à - 7 m. À proximité de chacune de ces embouchures, 2 autres couloirs. Un de 60 m de long, très lumineux. L'autre de 30 m retourne non loin du bord du cirque en forme de fer à cheval. Pour être récupéré par le bateau, s'éloigner du récif et se trouver au-dessus du cratère sablonneux. Courant moyen à fort. Pour plongeurs de Niveau 1 expérimentés.

🐠 *La Pointe (carte Saint-Martin : nos meilleurs spots de plongée, 5) :* partie externe de l'île de Tintamarre à explorer, bien exposée à la houle. Platier de - 16 m formé de sable. Raies-aigles et requins-nourrices. À la pointe du platier, entrée d'une grotte, haute de 2 m et large de 4 m. Elle sert de *nurserie* aux juvéniles anges-royaux. En se rapprochant du rivage, 2 plateaux avec des coraux et des gorgones en éventail. Entre côte et plateaux, succession de reliefs intéressants du nord au sud ; canyon, arche de 1,50 m de large, boyau. Relief mouvementé, travaillé par la houle. Pour plongeurs de Niveau 1 minimum.

🐚 *L'îlet Pinel (carte Saint-Martin : nos meilleurs spots de plongée, 6)* : jardin immergé au pied de la pointe sud de l'îlet. Plumets blancs, cerveaux de Neptune, gorgones et éponges. Beaucoup de petits poissons de récif avec demoiselles, sergents-majors, perroquets. Pente douce (de - 3 à - 7 m) très abritée de la houle. Zone balisée par des bouées pour éviter le passage des bateaux trop près de la pointe. Au pied du mouillage, herbier avec des lambis. Très bon spot pour la randonnée palmée.

LA BAIE ORIENTALE (ORIENT BAY) (97150)

Deux kilomètres de sable blanc, d'une finesse incomparable. La plage par excellence, donc l'une des plus fréquentées de l'île (surnommée le Saint-Trop' de Saint-Martin). Célèbre au début pour son club de naturistes l'Orient Bay (que l'on voit parfois déambuler sur la plage et que les Saint-Martinois nomment les « culs nus »), mais le grand nombre d'hôtels qui se sont installés dans la baie les ont noyés dans la masse de touristes et c'est devenu une plage également familiale. Très agréable pour nager, mais attention tout de même aux vagues parfois un peu fortes pour les plus petits. Location de chaises longues et parasols. Au large, l'île déserte de Caye-Verte.

Où dormir ?

🏠 *Hacienda Marylin, chez M. et Mme Touflet :* 78, parc de la Baie-Orientale, BP 5269, 97072. ☎ 05-90-29-50-63. ● jean-claude-janine@wanadoo.fr ● http://perso.orange.fr/hacienda-marylin/ ● À l'entrée de la baie en venant de Grand-Case. Pour 2 pers, de 350 € la sem en basse saison à 445 € en hte saison. Punch offert à l'arrivée sur présentation de ce guide. Dans le parc de la Baie-Orientale, à 5 mn à pied de Coco

Beach, 3 studios pour 2 personnes à louer à la semaine. Bien équipés, salle de bains, kitchenette, linge et serviettes de toilette fournis. Décor rose Provence, petite piscine à débordement, jolie vue sur la mer, l'îlet Pinel et le mont Vernon. En contrebas, maison (le petit mas provençal) pour 5 personnes à louer à la semaine avec 3 chambres et 2 salles de bains. De 820 à 1 050 € selon la saison.

Où manger ?

Le long de la plage, un grand nombre de cabanes en bois assez jolies abritent des restaurants de plage. Cinq d'entre eux se sont regroupés sous le nom assez pompeux de *The 5 Stars of Orient Bay*. Ils ont chacun leurs spécialités (une déco particulière, une fréquentation plus ou moins spécifique – les plus belles filles de l'île iraient ainsi au *Waikiki Beach* !) mais, côté tarifs, ils auraient plutôt tendance à se lancer dans une spirale inflationniste. Manger sur la plage devient un luxe. En plus, animation bruyante. Les pulsations de la techno secouent toute la plage.

|●| 🍸 *Bikini Beach :* sur la droite de la plage. ☎ 05-90-87-43-25. ● bikinibeach@wanadoo.fr ● 🍴 Tlj 8h-21h30 (17h sept-oct). Apéro maison offert sur présentation de ce guide. L'endroit est agréable et bien décoré, mais un peu plus cher que le précédent (de 25 à 30 €). Cuisine

correcte, principalement des produits de la mer comme la bouillabaisse antillaise. Côté musique, une soirée spéciale organisée chaque mois. Évidemment le « Monokini Beach » n'est pas loin...
|●| *Café La Plantation :* parc de la Baie-Orientale. ☎ 05-90-29-58-05.

Tlj 15 oct-31 août. Fermé le reste de l'année. Compter 30 € pour un dîner. Cadre romantique fait de petites tables avec bougies disposées autour de la piscine du lobby de l'*hôtel de la Plantation.* Cuisine savoureuse sans être renversante qui répond sans accroc aux attentes d'une clientèle internationale, tout en parsemant ses plats de petites touches exotiques. Ne pas manquer la soirée langouste le lundi. On peut aussi venir y prendre un petit déjeuner ou siroter un cocktail.

|●| *The Paradise View Point :* Hope Hill, sur les hauteurs. ☎ 05-90-29-45-37. *Ouv ts les midis.* Compter 15-25 € par pers. À Baie Orientale, on peut aussi prendre de la hauteur et regarder la plage d'un peu plus loin... Vue panoramique à 180° sur Orient Bay, Pinel, Galion, Tintamarre et Saint-Barth. Cuisine antillaise typique pour changer des restos de plage. Spécialité de *dombré* de morue à la sauce coco. Buffet le dimanche midi. Bonne ambiance.

À faire

🚶 🚶 *Club Nathalie Simon :* parc de la Baie-Orientale, ☎ 05-90-29-41-57. *Résa directe depuis la France :* ☎ 0826-881-020 (n° Indigo). ● info@ cnforientbay.com ● wind-adventures.com ● *Ouv 9h-17h. Fermé de début sept à mi-oct.* Nathalie Simon est une ancienne championne de planche à voile. Pour tous les fondus de glisse, c'est l'adresse rêvée où venir louer du matériel, prendre des leçons pour s'initier ou s'éclater sur les rouleaux de la baie : planche à voile, kite-surf... On peut aussi louer des kayaks, des voiliers et effectuer des sorties en catamaran.

À voir

🚶 🚶 *La ferme des Papillons :* après Baie Orientale, juste avant d'arriver à Quartier d'Orléans prendre à gauche vers la plage du Galion. ☎ 05-90-87-31-21. ● thebutterflyfarm.com ● *Tlj 9h-15h30.* Entrée : 10 € (visite guidée incluse) ; demi-tarif enfants.
Toutes les espèces de papillons du monde entier et de toutes les couleurs, dans un joli jardin tropical. Également des bassins habités par des poissons japonais. Apprécié des bambins.

⌂ En continuant après la ferme des papillons, on arrive sur la petite *plage du Galion* protégée de la houle par une barrière corallienne. Charmante et peu fréquentée – population locale le dimanche, elle est considérée comme l'un des meilleurs spots pour les véliplanchistes. Petit bar sur la plage, *Chez Pat,* pour grignoter ou se désaltérer. Loueur de planches à voile qui propose également des chaises longues et parasols.

OYSTER POND   (97150)

Petit port de plaisance situé au fond d'une baie partagée par la frontière administrative de l'île. Une belle réussite de promoteurs immobiliers qui ont créé l'agréable marina de *Captain Olivers'* avec ses beaux *cabin-cruise* immaculés et des voiliers aux cuivres astiqués avec amour. Quelques restos sur les pontons qui accueillent les équipages en polo pastel et *Docksides* aussi nets que les bateaux.

Où dormir ?

La Caravelle : *12, av. du Lagon.* ☎ *05-90-87-39-49.* ● *caravelle97 150@wanadoo.fr* ● *caravelle. net* ● Sept studios rénovés et climatisés (avec kitchenette, douche et terrasse) et chambres de 245 à 390 € la sem selon saison et taille. Sur présentation de ce guide, 10 % de réduc offerts du 15 av au 14 déc. Une lectrice assidue, Mireille, s'est installée ici, dans ce joli petit hôtel à la construction typiquement créole. Petite piscine. Bibliothèque à la disposition des clients. Téléphone à carte. Excellent accueil de Mireille, disponible et souriante.

Chez Mme Gachot : *lot. Le Coralita n° 16, Oyster Pond.* ☎ *05-90-87-41-50.* ● *gerard.gachot@wanadoo. fr* ● *http://perso.orange.fr/maryse.ga chot* ● En arrivant à Oyster Pond depuis Quartier d'Orléans, prendre la rue à droite avant l'épicerie, monter jusqu'en haut, c'est au n° 16. Chambres ou studios pour 2 pers env 39-43 € la nuit. Apéro maison offert sur présentation de ce guide. À côté de la maison des propriétaires, 2 ravissants studios (2-4 pers) à louer, l'un avec 2 pièces, kitchenette équipée et salle de douche. La déco de style mexicain, œuvre de la propriétaire, est une réussite. Terrasse et petit jardin avec vue sur la mer au loin. Barbecue. L'autre studio à côté, plus grand mais comportant une seule pièce (pour 2 pers), est très bien équipé également. Cuisine à dispo. Très bon accueil de Gérard et Maryse. Piscine. Également une chambre d'hôtes pour 2 personnes dans la maison des propriétaires, avec frigo et micro-ondes.

Villa Najro : *96, av. du Lagon.* ☎ *05-90-87-83-69.* ● *najro@caraibes-evasion.com* ● *caraibes-evasion. com* ● Situation idyllique en surplomb de la route qui contourne la marina. Viser où flotte un drapeau breton en haut à gauche du petit bar, c'est là ! Villa située dans une propriété de 1 400 m² avec parking privé et pouvant accueillir de 8 à 12 personnes. Superbe terrasse couverte avec piscine accessible à tous. L'ensemble est modulable et se compose de 6 chambres, 4 salles d'eau, 3 cuisines aménagées et 4 barbecues. Une occupation de 2 chambres lumineuses pour 4 personnes revient de 760 à 850 € par semaine selon la saison. Mais on peut aussi se contenter d'un studio pour deux de 380 à 460 € pour 1 semaine. Déco provençale, mobilier style marin, lits *king size,* TV avec Canal+, wi-fi. Accueil à l'aéroport et location de voiture.

Les Balcons d'Oyster Pond : *av. du Lagon.* ☎ *05-90-29-43-39.* ● *bal cons.stmartin@wanadoo.fr* ● *lesbal cons.com* ● Ouv tte l'année. À partir de 85 € la chambre double en hte saison et 55 € en basse saison. Prix avantageux à la sem. CB refusées. Taxe de séjour offerte sur présentation de ce guide. Copropriété gérée par un jeune couple de Métros ayant effectué des travaux de rénovation. Au milieu d'un cadre très fleuri, 18 studios pour 2 à 5 personnes meublés avec beaucoup de goût et super-équipés. Terrasse et vue exceptionnelle sur la baie, accès direct à la marina. Petite piscine agréablement située. À proximité, possibilité de navettes en bateau (1 US$) pour accéder à la plage.

Où manger ? Où boire un verre ?

L'Escale : *rue de l'Escale.* ☎ *05-90-29-58-49.* Juste au-dessus de Captain Olivers', à l'entrée de la marina. Ouv midi et soir, service 18h-22h30. Congés en sept. Carte 20-25 €. Pâtes env 10 €. Salades et plats de viande ou de poisson copieux, bon rapport qualité-prix pour le coin. Bon mahi-mahi sauce créole. C'est l'adresse des autochtones, plutôt bon signe !

● À droite sur la plage de *Dawn*

Beach, **MS B'S.** Il fait des sandwichs, du poulet, des hamburgers, des salades et loue également tout le matériel nécessaire pour la plage et la baignade.

|●| 🍸 Sur les pontons on peut s'arrêter pour manger une salade (chère) au **Blue Iguana Bar** ou siroter une *Frozen beer* au **Dinghy Dock Bar.**

À voir

🏃 **Les îlots sauvages :** entre baie de l'Embouchure et baie Lucas. Quelques îlots que vous pouvez atteindre à pied (eau jusqu'aux genoux maximum). Personne, seuls quelques cactus « têtes à l'Anglais » au sommet du plus grand de ces cailloux, et les vagues à vos pieds. Vous êtes le nouveau Robinson !

🏃 **Dawn Beach :** l'une des plus belles plages, sur la partie néerlandaise de l'île au sud d'Oyster Pond. Belle couleur turquoise de l'eau. Resto de plage et *snorkelling* sur le récif corallien.

PHILIPSBURG

C'est la capitale de la partie hollandaise de l'île. La ville s'étend tout en longueur entre Salt Pond (une ancienne saline) et la plage. À l'est de la baie, le port de Pointe Blanche où viennent s'amarrer les bateaux de croisière. Si vous vous rendez à Philipsburg en voiture, évitez le centre et garez-vous le long de l'étang. Deux artères principales : Front Street et Back Street, où se regroupent des magasins très colorés, des hôtels modernes et des demeures familiales.

Adresses utiles

🛈 **Office de tourisme :** Bunchanter Road, 33 Philipsburg ☎ (599-54) 22-337. ● st-maarten.com ●
■ **St Maarten Hospital :** ☎ (599) 543-1111.
@ **Cyberlink Internet Communication :** dans un passage qui donne sur Front Street, à l'opposé du Center Little Switzerland. *Lun-ven 9h-20h,* sam 9h-19h30, et dim 10h-16h. Compter env 4 US$ pour 1h.
@ **Axum :** 7, Front Street. ☎ (599-54) 20-547. ● axumart.com ● Presque en face du Guavaberry Emporium. *Lun-ven 9h-20h, sam 9h-18h et dim 10h-16h, quand un bateau de croisière est à quai.* Cybercafé qui fait également *Art Gallery.*

Où dormir ?

Mieux vaut aller côté français. La plupart des hôtels côté hollandais sont des complexes hôteliers abritant jusqu'à 600 chambres (pas vraiment le style routard). Néanmoins, une petite hôtellerie s'est développée ces dernières années.

Où manger ?

Quelques restos gastronomiques (assez chic) proposent une cuisine internationale (française, italienne, asiatique, etc.). Sinon, il y a de nombreux fast-foods et autres restaurations rapides à prix corrects.

|●| **Kangaroo Court :** Hendrikstraat. ☎ (599-54) 27-558. Tlj sf dim, le midi slt. Dans la rue qui part du tribunal, dos à la mer. Plats 8-13 US$ env. Boisson sans alcool offerte sur présentation de ce guide. Petite salle, où l'on est très serré, mais la cour intérieure, avec sa terrasse en bois et son banian, est sympa. « Doing justice to your appetite », dit une pancarte ! Bien pour le midi. Large choix de cafés.

|●| 🍴 ♪ **The Green House :** Kanal Steeg, sur Bobby's Marina, à l'extrémité est de Front Street. ☎ (599-54) 22-941. Ouv midi et soir, 10h-23h. Specials de 10 à 20 US$ en moyenne. Happy hours 16h30-19h. Le vendredi, journée langouste qui se termine en soirée dansante. Adresse très fréquentée (sur le chemin du terminal des bateaux de croisière) proposant une cuisine régulière, mais sans originalité particulière.

À voir. À faire

🏃 **Le palais de justice** (courthouse) : l'une des plus belles façades sur Front Street. Notez le toit orné d'un ananas !

🏃 **Old Street :** reconstitution d'un quartier à la hollandaise bordée de façades à pignons et de couleurs pastel. Joli mais un peu artificiel.

🏃 **Sint Maarten Museum :** 7, Front Street. ☎ (599-54) 24-917. Lun-ven 10h-16h. Fermé le w-e. Entrée gratuite, mais donations bienvenues.
Retrace l'histoire de l'île. Très nombreuses cartes d'époque. Les non-plongeurs apprécieront la salle consacrée au Prosélyte, ce bateau coulé que nombre de plongeurs ont eu (ou auront) la chance de voir de près.

🏃 **Pasanggraham Hotel :** 19, Front Street. Hôtel royal qui reçut, entre autres, la reine Wilhelmine des Pays-Bas. On peut y manger une cuisine de bonne tenue, plutôt classique.

🏃🏃 🚶 **Sint Maarten Zoo :** Arch Road, Madame Estate. ☎ (05-99-54) 32-030. ● sxmzoo@caribserve.net ● stmaartenpark.com ● Sortir de Philipsburg en direction d'Oyster Pond et tourner à gauche pour Madame Estate. Entrée : 10 US$; demi-tarif 3-12 ans. Ouv 9h30-18h (17h30 hors saison). Pas géantissime mais suffisant pour occuper les enfants. Animaux de la jungle amazonienne et des forêts tropicales essentiellement.

🏃 ⌂ **Guana Bay point :** en allant vers Oyster Pond. Parmi les plus beaux points de vue sur Saint-Barth. En vous promenant, vous remarquerez aussi les nombreux cactus « têtes à l'Anglais » sur les pentes plongeant dans la mer. Attention, sur la plage de Guana Bay, baignade peu recommandée, la mer y est dangereuse.

🏃 **Geneve Bay :** à 1h de marche à partir de Guana Bay. Pas de plage, pas d'ombre mais une superbe piscine naturelle, à l'abri des rouleaux de l'océan.

🏃 **Fort Amsterdam :** situé sur la presqu'île à l'ouest de Philipsburg (1,5 km). Quelques ruines et canons sans grand charme. Seule la vue sur Philipsburg est intéressante.

🏃 ⌂ **Little Bay :** au-delà de Fort Amsterdam, une plage protégée. Ses plantations en font un sanctuaire pour les oiseaux.

⌂ **Cay Bay :** difficile d'accès à pied, compter 20 mn de marche depuis le col de Cole Bay. Mais les fans de plongée en apnée y trouveront de superbes fonds marins.

Plongée sous-marine

Nos meilleurs spots (partie hollandaise de l'île)

Molly Beday Island (carte Saint-Martin : nos meilleurs spots de plongée, 7) : la partie nord de l'îlot rocheux est la plus intéressante à visiter. Le bateau est mouillé à - 16 m sur fond sableux. Palmer sur une quinzaine de mètres vers l'îlet pour débuter l'exploration du rivage immergé, en forme d'escalier très raide : une marche à - 6 m, une à - 10 m et le fond - 15 m. En levant le nez vers la surface, on peut voir la mousse occasionnée par la houle. Passer devant une succession de blocs rocheux alignés. Le passage protégé, dû au renfoncement de l'îlet, sera exploré au retour. Partir jusqu'à la pointe est de Molly Beday délimitée par deux gros rochers. Barracudas. Au retour, longer la longue alcôve, à - 8 m. Passer dans un cirque de 2 m de diamètre. Au fond, petit boyau remontant en cheminée, longue de 1,50 m. Pour plongeurs de Niveau 1 confirmés.

Poulets (Hen and Chickens ; carte Saint-Martin : nos meilleurs spots de plongée, 8) : trois îlets rocheux à la queue leu leu : le plus grand à + 7 m au-dessus de la surface, les deux plus petits à + 4 m. Platier sous-marin le long de la face nord. Exploration à la limite du récif et du sable, à - 15 m. Long surplomb à - 4 m dans la roche. Énorme barracuda solitaire. Petits coraux laminés par la houle. Sur le sable, raies pastenagues. Dauphins et requins gris. Ne pas jouer aux kamikazes : on ne passe pas entre les îlets à - 3 m, le courant s'y engouffre violemment. Pour plongeurs de Niveau 1 confirmés.

Pélikan Reef (carte Saint-Martin : nos meilleurs spots de plongée, 9) : explo en dérive de la partie nord-est. Îlot rocheux de 10 m au-dessus des flots. Paysage déchiqueté avec des aiguilles tranchantes. Nursery de poissons juvéniles. Pour plongeurs de Niveau 1 minimum.

Proselyte Reef (carte Saint-Martin : nos meilleurs spots de plongée, 10) : au sud de Saint-Martin. Grand récif remontant de - 22 m jusqu'à - 4 m à son sommet le plus haut. Proselyte Reef est entré dans la légende comme étant le plus beau récif de Saint-Martin, tant au niveau des couleurs qu'au niveau de l'histoire. En effet, une frégate anglaise y coula en 1801 et laissa trois ancres figées pour l'éternité dans le corail ainsi que 13 canons. Endroit si fréquenté par les bateaux de plongée que trois mouillages sont installés à 30 m de distance les uns des autres, sur - 16 m. L'un d'eux est au cœur des deux arêtes récifales qui se suivent. Un autre à côté d'une épave de bateau complètement disloquée. La frégate s'était échouée sur le récif le plus long et le plus haut. Canons alignés sur sa face sud, où l'un d'eux dans une large faille sur le dessus du récif. Grand cirque en forme d'arène sableuse à - 16 m. Requins pointes-noires. Beaucoup de coraux, quelques éponges. Multitude de plumets blancs. Petits requins-nourrices dans les trous. Très joli paysage vallonné et montagneux. Courant faible, visibilité de 30 m. Jolie vision des ancres piquées, comme des piolets, dans le corail. Pour plongeurs de Niveau 1.

Le Roro (carte Saint-Martin : nos meilleurs spots de plongée, 11) : épave d'un porte-conteneurs à - 20 m sur un fond de sable. L'arrière du bateau est tourné vers l'est. Deux tourelles donnent accès au puits de chaîne et à la salle de travail. Les deux guindeaux reposent encore au-dessus. Pont plat, immense, percé de trous (ce sont les trappes de visite). Au pied du château arrière, deux panneaux permettent l'accès aux moteurs, dans le noir. Deux échelles favorisent la remontée à l'intérieur du château. Visite des coursives au nombre de trois à chaque étage. De la timonerie, superbe vue. Tout autour du *Roro,* raies pastenagues dans le sable, certaines de 2 m à 2,50 m d'envergure. Pour plongeurs de Niveau 1 minimum.

MULLET BAY

À l'ouest de l'aéroport, dans les Low-Lands. La nuit, Mullet Bay devient, sur quelques centaines de mètres, un micro-Las Vegas avec lumières, casinos et tout ce qui s'ensuit. La plage est très fréquentée. Et sa houle du nord attire les surfers.

À faire

– Amoureux des greens, c'est ici que se trouve le seul *parcours de golf* de l'île (18 trous). Les alentours, très abîmés par le dernier cyclone, ne rendent pas le paysage particulièrement attrayant. Plusieurs *lolos* sur la gauche de la plage.

Dans la journée, les passionnés d'avions peuvent se rendre à *Maho Beach,* une petite plage de sable fin (où la mer est d'un bleu incroyable), avec sa buvette située à quelques mètres de l'extrémité de la piste. Idéal pour des photos chic (la mer bleue) et choc (les géants de l'air à l'approche). Moment de choix : l'arrivée du plus gros porteur à atterrir (celui d'Air France), vers 15h-15h30. Un spectacle unique, mais attention tout de même de ne pas imiter ces fous qui s'accrochent aux grilles et prennent le souffle des réacteurs en pleine poire ! Il n'est pas rare de voir s'envoler les parasols et les serviettes.

■ *Rudy's Deep Sea Fishing :* Simpson Bay. ☎ (599-54) 52-177 ou 🖷 (599-52) 27-120. ● info@rudys deepseafishing.com ● rudysdeepsea fishing.com ● *Pour les passionnés, 10 % de réduc accordés sur présentation de ce guide.* Le bateau se trouve côté lagon, à 100 m du Simpson Bay Bridge (côté aéroport), juste derrière un bâtiment qui abrite un loueur de vélos et kayaks *(Tri Sports)* et la salle de gym *Mega Gym.* Rudy, un Belge amoureux de la mer, propose des sorties de pêche au gros. De la demi-journée à la journée entière, pour 4 pêcheurs maximum. Ses tarifs sont parmi les moins élevés du coin.

SAINT-MARTIN

Plongée sous-marine

Nos meilleurs spots

⌐ *The Bridge* (carte Saint-Martin : nos meilleurs spots de plongée, 12) : vestiges de l'ancien pont de Simpson Bay jetés en ce lieu. Cet amas de béton représente 10 m de poutrelles et de blocs enchevêtrés. Récif artificiel de 2 m de haut concentrant sergents-majors, diodons, colas. Quelques murènes noir et beige. « Gros-yeux » tout rouges. Flore abondante sur cet espace. Éviter de plonger lorsqu'il y a du courant, la visibilité devenant nulle. On se perd entre trois épaves de bateaux. Pour plongeurs de Niveau 1.

⌐ *Le Grégory II* (carte Saint-Martin : nos meilleurs spots de plongée, 13) : barge d'environ 40 m de long qui gît retournée vers le sable. Mouillage préinstallé fixé à l'avant du navire à - 16 m, un autre installé sur l'arbre d'hélice. Comme elle est retournée, on voit bien deux hélices. Très joli point de vue à quelques mètres en arrière du bateau, face aux hélices et au gouvernail. Belles photos depuis le dessous de l'épave ou dans le château. Attention : bien tenir compte des indications du moniteur, car l'épave oscille avec la mer houleuse et le château peut alors s'effondrer. Visite de 15 mn. Le restant de la balade permet de parcourir l'immense récif. Éponges-cratères de 80 cm de diamètre et de 1 m de haut. Gorgones-plumets, éponges-cierges jaune et mauve. Faune hétéroclite. Récif formant une marche de 1 à 2 m pour se transformer en étendue sableuse, piquetée de gros pâtés coralliens. Pour plongeurs de Niveau 1 minimum.

Le Fuh Sheng (carte Saint-Martin : nos meilleurs spots de plongée, 14) : cargo transporteur réfrigéré, long de 80 m et large de 15 m sur la vase à - 35 m. S'enfonce petit à petit dans le sable. Seule une moitié de la coque est visible. Successivement, passer à côté du guindeau puis du mât de charge, couché. Château arraché partiellement du pont, pratiquement à angle droit. Jeter un coup d'œil à l'intérieur, mais sans y entrer. Lorsque la mer est houleuse, le château oscille seul, comme ivre. Sur le pont arrière, ouverture des cales sur les tubes réfrigérants. À l'arrière, le pont est un amas de ferraille. Avec du recul, admirer le galbe du bateau. Beau point de vue sur le gouvernail et sur l'hélice, avec un trou de 1 m en dessous. Revenir vers la proue en passant vers le flanc tribord à - 30 m. Un dernier regard pour l'étrave : le *Fuh Sheng* est plus enfoncé dans le sable à l'arrière qu'à l'avant, ce qui donne l'impression qu'il navigue encore. Ancre encore à poste sur la coque. Compter 20 mn de balade. Pour plongeurs de Niveau 2 ou *advanced*.

SAINT-BARTHÉLEMY

Pour la carte de Saint-Barthélemy, se reporter au cahier couleur.

Saint-Barthélemy, Saint-Barth pour les intimes, ne ressemble à aucune autre île des Caraïbes. Terre française, dont les habitants ne paient pas d'impôts et facturent souvent leurs services en dollars, aux visiteurs américains surtout. Paysages à peine tropicaux. Quelques cocotiers viennent tout juste troubler la ressemblance avec les hauts de Ramatuelle. L'île résiste à toutes les tentations du tourisme de masse. Pas d'immeubles, interdiction de bâtir une maison plus haute qu'un palmier, prix très élevés, certaines maisons se vendent sans difficulté au prix d'un million d'euros. Les Saint-Barths, qui ne souhaitent pas voir leur terre envahie par des hordes de touristes en mal de soleil, ont opté, dans les années 1960-1970, pour la sélection d'une clientèle plus fortunée. Pour le moment, le choix porte ses fruits. Devenue un véritable paradis pour milliardaires (depuis qu'un certain Rockefeller a débarqué en 1956), l'île ne fait aucune concession. Pour le plus grand bonheur d'un petit nombre de privilégiés, amateurs de calme, de sieste et d'une nature jalousement préservée.

Le tour de l'île est bouclé en moins d'une demi-journée : forcément, elle ne fait que 25 km² ! Rien à voir, à l'exception de deux petits musées. Ici, on se repose. On fait quelques achats (de luxe, mais *duty free*). Un programme qui en vaut bien d'autres quand la nature est aussi belle.

En septembre 1995, Saint-Barth a reçu une grosse claque du cyclone Luis, qui l'a dévastée durant 36h, malmenant ses principales richesses : les plages. Heureusement, les traces ont été vite effacées. À vous d'en profiter, à condition d'en avoir les moyens...

ABC DE SAINT-BARTHÉLEMY

- **Superficie :** 25 km², en incluant les îlets.
- **Altitude maximum :** 286 m.
- **Population :** estimée à 9 000 hab.
- **Densité :** 364 hab./km².
- **Capitale :** Gustavia.
- **Monnaie :** l'euro.
- **Langue :** français, anglais, créole.
- **Statut :** collectivité d'outre-mer de la République française.
- **Maire :** Bruno Magras.
- **Heure :** heure de Paris - 5 en hiver et - 6 en été.

Arriver – Quitter

À 24 km de Saint-Martin et à 230 km de la Guadeloupe (45 mn de vol), l'île de Saint-Barthélemy est bien desservie par air comme par mer. Vous pourrez donc combiner à votre guise les différents moyens de transport.

En avion

L'aéroport de Saint-Barth ne peut accueillir de gros porteurs ; le seul moyen d'y accéder en avion depuis la métropole est donc de faire Paris-Saint-Martin, puis de prendre un avion de 8 ou 18 places de Saint-Martin à Saint-Barth (10 à 15 mn de vol) ; ou encore, de faire Paris-Pointe-à-Pitre, puis Pointe-à-Pitre-Saint-Barth avec *Air Caraïbes* (40 à 45 mn de vol). Entre Saint-Martin et Saint-Barth, les rotations sont nombreuses. Les avions n'atterrissent que de 6h du matin au coucher du soleil.

L'arrivée est spectaculaire. On passe en rase-mottes entre deux collines, à 10 m au-dessus d'un carrefour routier pour piquer ensuite sur la piste d'atterrissage, longue seulement de 800 m, avec tout au bout... la plage. Petites émotions par grand vent, mais soyez sans crainte, les pilotes sont bien aguerris.

➤ *Au départ de Saint-Martin :* vols très fréquents au départ des aéroports de Juliana (partie hollandaise) ou de l'Espérance (à Grand-Case) avec des compagnies comme :
– *Air Caraïbes :* ☎ 0890-644-700, ● aircaraibes.com ● ;
– *Winair :* ☎ 05-90-27-61-01 à Saint-Barth, ou ☎ (599-54) 54-237 à Saint-Martin, ● fly-winair.com ● ;
– *St-Barth Commuter :* ☎ 05-90-27-54-54, ● stbarthcommuter.com ●
Important : si vous restez plus de 24h à Saint-Martin, sachez qu'au départ de l'aéroport de l'Espérance (dans la partie française) vous évitez de payer la taxe d'aéroport, plutôt chère.

➤ *Au départ de Pointe-à-Pitre :* avec *Air Caraïbes* (☎ 05-90-82-47-47). Quatre vols par jour.

✈ *Aéroport de Saint-Barthélemy :* ☎ 05-90-27-65-41.

En bateau

Voir la rubrique « Arriver – Quitter... Et liaisons inter-îles », au début du chapitre sur Saint-Martin.

Formalités

Pour les ressortissants de l'UE, la carte d'identité ou le passeport valide suffit.

Adresses utiles

Attention, certains établissements sont fermés le mercredi après-midi. En effet, c'est congé pour les enfants, et les parents en profitent pour être avec eux. Charmant, non ?

🛈 *Office de tourisme* (plan couleur Gustavia B1) : quai du Général-de-Gaulle, à Gustavia. ☎ 05-90-27-87-27. ● odtsb@wanadoo.fr ● Tte l'année, lun-ven 8h-18h, sam 9h-12h (en hte saison). Tenu par Élise, Marielle et Alexandra. Accueillantes et compétentes, elles vous enverront sur simple demande une documentation pour mieux découvrir Saint-Barthélemy.

✉ *Bureaux de poste*
– *À Gustavia* (plan couleur Gustavia B2) : à l'angle de la rue Jeanne-d'Arc et de la rue Samuel-Fahlberg (ex-rue du Centenaire). ☎ 05-90-27-62-00. Ouv les lun, mar, jeu et ven 8h-15h, les mer et sam 8h-12h. Distributeur de billets.
– *À Lorient :* à côté de l'école Saint-Joseph. ☎ 05-90-27-61-35. Lun-ven 7h-11h, sam 8h-10h. Attention :

pas de distributeur.
– *À Saint-Jean : au centre des Man-gliers, 300 m derrière la station-service de l'aéroport.* ☎ 05-90-27-64-02. *Ouv les lun, mar, jeu et ven 8h30-12h, 14h-16h ; les mer et sam 8h30-11h. Pas de distributeur.*
■ *Courrier Express : DHL Gustavia,* ☎ 05-90-27-61-84.
■ *Gendarmerie :* ☎ 05-90-27-11-70.
■ *Pompiers :* ☎ 05-90-27-62-31.
■ *Pharmacies*
– *À Gustavia (hors plan couleur Gustavia par A1, 2) : quai de la République.* ☎ 05-90-27-61-82. *Lun-ven 8h-19h30 ; sam 8h-13h, 15h30-19h ; dim 9h-13h, 15h30-19h.*
– *À Saint-Jean :* centre commercial de la Savane, *en face de l'aéroport.* ☎ 05-90-27-66-61. *Lun-sam 8h-20h, dim et j. fériés 9h-13h, 15h30-19h. Et centre Vaval (Island Pharmacie) :* ☎ 05-90-29-02-12. *Lun-sam 8h-20h. Fermé dim.*
■ *Hôpital De Bruyn (plan couleur Gustavia A2, 3) : à Gustavia.* ☎ 05-90-27-60-35.
■ *Médecin de garde (Association des médecins de Saint-Barthélemy) :* ☎ 05-90-27-76-03. *Tlj 19h-7h du mat.*
■ *Radio Saint-Barth :* 98.7 FM et 100.7 FM.
■ *Radio Transat :* 100.3 FM.
■ *Stations-service*
– *À l'aéroport :* ☎ 05-90-27-50-50. *Ouv 7h30-12h, 14h30-19h. Fermé dim (hors saison) et mar ap-m. Distribution par carte de paiement 24h/ 24.*
– *À Lorient :* ☎ 05-90-27-62-30. *Tlj sf jeu, sam ap-m et dim, 7h30-17h.*
❀ *Supermarchés*
– *À Saint-Jean :* Match, *en face de l'aéroport.* ☎ 05-90-27-68-16. *Lun-jeu 9h-13h, 15h-20h, ven-sam 9h-20h et dim 9h-13h, 16h-19h.*
– *À Gustavia :* libre-service Alain Magras, *quai de la République.* ☎ 05-90-27-60-09. *Lun, mar, jeu et ven 8h-19h, mer 8h-13h, sam 8h-17h.*
– Également des supermarchés à Lorient, dont Chez Jojo (☎ 05-90-27-63-53), très bien achalandé.
■ *Banques*
– *BFC :* aux galeries du Commerce,

à Saint-Jean. ☎ 05-90-27-65-88.
● bfc-ag.com ● En sem, 7h45-12h45, 14h-16h. À Gustavia, rue du Général-de-Gaulle. ☎ 05-90-27-62-62. Ouv lun-ven (sf mer ap-m). Distributeur de billets dans les 2 agences.
– *BNP :* rue du Bord-de-Mer, à Gustavia. ☎ 05-90-27-63-70. Lun-ven 7h45-12h, 13h15-15h30 (sf mer ap-m). Distributeur de billets.
– *Crédit Agricole :* rue Jeanne-d'Arc (face à la poste), à Gustavia. ☎ 05-90-52-42-83. Lun-ven 9h-12h, 14h30-16h30, sf mer ap-m. Bureau de change et distributeur de billets.
– *BRED :* La Savane, en face de l'aéroport, à Saint-Jean. ☎ 0820-336-166. Lun-ven 8h15-12h15, 14h-16h30. Distributeur de billets.
– *BDAF :* rue Jeanne-d'Arc (face à la poste), à Gustavia. ☎ 05-90-29-68-30. Lun-ven 7h45-15h15, sf mer ap-m.
■ *Agences de voyages :* si vous rencontrez des difficultés sur place pour des liaisons inter-îles, ou si vous cherchez des tuyaux pour voyager et combiner plusieurs îles, adressez-vous à l'agence :
– *Élan Voyages :* espace Neptune à Saint-Jean, à la sortie sur la gauche en allant vers Lorient. ☎ 05-90-27-59-60. ● elan.voyages@wanadoo. fr ● Lun-ven 8h-18h, sam 9h-12h30.
– Également *Saint-Barth Évasion :* à Saint-Jean, galeries du Commerce en face de l'aéroport. ☎ 05-90-27-77-43. ● st-barthevasion@wanadoo. fr ● Lun-jeu 8h30-12h30, 13h30-18h, sam 8h30-12h.
■ *Location de voitures :* toutes les agences ont un comptoir à l'aéro-port. Comparer les prix, mais c'est plutôt cher.
– *Avis :* ☎ 05-90-27-71-43. ● avis. sbca@wanadoo.fr ●
– *Budget :* ☎ 05-90-27-66-30. ● budgetsaintbarth@wanadoo.fr ●
– *Europcar :* ☎ 05-90-27-73-33 ou 74-34 (résas). ● europsbh@wanadoo. fr ●
– *Gumbs Car Rental :* ☎ 05-90-27-75-32. ● gumbs.car.rental@wanadoo. fr ●
– *Hertz :* ☎ 05-90-27-71-14.
En haute saison, il est impératif de réserver son véhicule, car on risque

de ne rien trouver sur place en arrivant. Les 2 500 véhicules à louer trouvent en général preneur pour les fêtes de fin d'année !

■ **Location de bateaux :** *Marine Service, quai du Yacht Club.* ☎ 05-90-27-70-34. ● *st-barths.com/marine. service* ● Toute la gamme des activités nautiques depuis les balades à la voile au coucher du soleil à la pêche au gros.

ACHATS

Dotée du statut de port franc par les Suédois en 1875, Gustavia est naturellement devenue le paradis du shopping. Les prix pratiqués à Saint-Martin ayant terriblement augmenté (voir « Achats » à Saint-Martin), notamment ceux des produits de luxe, il est plus intéressant de faire son marché à Saint-Barth. Pour les amateurs de griffes prestigieuses, on trouve, dans le désordre : Cartier, Hermès, Canovas, Souleïado, Gucci, Fauchon, Christofle, etc. Elles affichent toutes des prix inférieurs de 20 % environ à ceux pratiqués en métropole (et parfois davantage). C'est le moment ou jamais de craquer. Cela dit, même avec la TVA en moins, ça reste des produits de luxe.

ARGENT

La monnaie officielle de l'île est l'euro, mais le dollar US est accepté partout. La carte de paiement est un moyen très utilisé et les chèques de voyage sont également acceptés. En revanche, les chèques domiciliés en métropole ne le sont que très rarement. Les prix au resto sont service inclus.

CLIMAT

Climat tropical maritime avec une douceur des températures moyennes autour de 27 °C et une humidité bien ventilée par les alizés. Deux saisons sont à distinguer : de décembre à avril, la « sèche » appelée période de Carême, et l'autre, « pluvieuse » (de mai à novembre), dite « période d'hivernage ». Ces variations sont dues à la position de l'anticyclone des Açores. Durant la période d'hivernage, les courants humides peuvent se transformer en tempête tropicale, voire en cyclone lorsque les conditions sont réunies pour leur formation. L'ensoleillement est quasi permanent puisqu'on ne dénombre que 5 jours sans soleil par an en moyenne.

CUISINE

Encore une fois, pas grand-chose pour les routards. Le moins cher consiste à acheter sa nourriture dans les petits supermarchés (bien approvisionnés) de Gustavia, Saint-Jean, ou Lorient. On trouve aussi quelques traiteurs. La plupart des bungalows loués disposent d'une kitchenette.

Les restos de l'île sont surtout tenus par des métropolitains branchés qui vivent avec une clientèle très *in*. Quand l'addition arrive, on entend plutôt le bruit du coup de canon que du coup de fusil. À éviter, bien entendu. À part quelques (rares) tables abordables, on a essayé de dénicher quelques rares restos gérés par des Saint-Barths (mais pas seulement tout de même), mais ils ne sont pas si nombreux. L'atmosphère est plus intéressante et les prix plus sages. Heureusement !

DANGER

Attention ! On trouve sur l'île des *mancenilliers,* arbustes assez banals dont la sève contient de l'acide, pouvant provoquer de graves brûlures (les fruits sont également dangereux). Demandez donc conseil avant de vous abriter sous un arbre qui ne ressemble pas à un cocotier.

SAINT-BARTHÉLEMY

EAU

Ni rivière, ni fleuve, ni ruisseau sur l'île... L'eau venant du dessalement de l'eau de mer (ou de la récupération des eaux de pluie) est donc une denrée rare qui vaut de l'or : environ 12 € le m^3 ! C'est pourquoi vous ne verrez que rarement une baignoire dans les hôtels. Alors, un petit effort de civisme s'impose : évitez de laisser couler l'eau en abondance lors de votre douche et du brossage de vos ratiches. La situation devrait néanmoins s'améliorer : depuis août 2002, Saint-Barth s'est doté d'une usine d'incinération dont la particularité est d'utiliser l'énergie dégagée pour produire de l'eau potable.

ÉLECTRICITÉ

– 220 volts, 60 hertz.

FAUNE ET FLORE

Peu d'animaux en dehors des iguanes et de nombreuses variétés d'oiseaux, en particulier le pélican, dont les Saint-Barths ont fait leur mascotte. Les ornithologues chercheront à apercevoir les grands et petits paille-en-queue qui viennent sur l'île en période de nidification.

Côté flore, ne pas s'attendre, on l'a dit, à une végétation tropicale luxuriante, mais l'île n'est pas aride pour autant, en tout cas pas après les pluies de « l'automne ». On a planté un peu partout et les innombrables propriétés sont souvent nichées dans de beaux jardins. Plantes grasses (aloès), cactées (cactus cierge appelé localement « torche », des « têtes à l'Anglais ») ne manquent pas. Sur certaines plages, des raisiniers bord de mer (cocoloba). Et aussi des lataniers, de la famille des palmiers, qui ne sont pas originaires de l'île (un religieux, le père Morvan, est à l'origine de leur introduction à Saint-Barth en 1890) : les palmes servent traditionnellement à la fabrication de chapeaux, de balais et de corbeilles. Chaque village a conservé sa tradition de tissage.

FÊTES ET FESTIVALS

Bien que l'île soit très calme, de nombreux festivals et manifestations à caractère culturel, gastronomique, sportif ou nautique (comme la fameuse *Transat Lorient-Saint-Barth,* les années paires) ponctuent l'année.
– *Janvier :* Festival de musique (classique, jazz).
– *Février-mars :* carnaval.
– *Avril :* Festival du film caraïbe et Festival du théâtre.
– *Juillet-août :* fêtes des différents quartiers et villages de l'île. Régates et feux d'artifice. Tournoi de pêche au gros. Fêtes patronales.
– *Novembre :* marathon suédois Gustavialoppet (« marathon » miniature, de 12 km seulement, l'île est trop petite !).
– *Décembre :* Mondial de Billes (oui de billes !)
– Si vous êtes là pour le *31 décembre,* le port de Gustavia est envahi de yachts de milliardaires venant de partout uniquement pour le soir de la Saint-Sylvestre. Ils rivalisent les uns les autres..., et à minuit, c'est l'explosion des feux d'artifice et bouteilles de champagne.

GÉOGRAPHIE

Située à 25 km au sud de Saint-Martin et à 175 km au nord-ouest de la Guadeloupe, Saint-Barthélemy est incroyablement vallonnée sans avoir, par ailleurs, des massifs dépassant 300 m d'altitude. À ce propos, les marchands de vélos n'y ont jamais fait fortune, bien que l'on commence à voir quelques VTT arpenter l'île. La minuscule piste d'aéroport occupe un des rares endroits plats de l'île ! On peut avoir une pensée émue pour les chevaux qui étaient le seul moyen de locomotion jusqu'en 1951, date de l'arrivée de la première voiture sur l'île.

Sur un sol aussi ingrat, les habitants ont vite compris que le tourisme était bien plus rentable que l'agriculture. Fait significatif : aucune parcelle de terrain n'est aujourd'hui cultivée, sauf quelques jardins de particuliers ! Les murets de pierre, tradition irlandaise, ne délimitent que des arpents d'herbes sauvages. La prospérité est désormais assurée par ce sable si doux, si blanc qui recouvre les plages.

– Une *carte* au 1/25 000, référence 4606GT, est éditée par l'IGN (Institut géographique national), 107, rue La Boétie, 75008 Paris. ☎ 01-43-98-80-00. Elle couvre les îles de Saint-Barthélemy et de Saint-Martin.

HÉBERGEMENT

Vous vous en doutez, le routard n'est pas le premier client ciblé à Saint-Barth. Ni gîte rural ni camping (d'ailleurs, le camping sauvage est interdit, ce qui règle la question !), mais de nombreux hôtels de rêve de 3 et 4 étoiles, le plus souvent de petites unités puisque au total on dépasse tout juste les 600 chambres.

Toutefois, on indique de petites unités hôtelières ou des bungalows gérés directement par les gens du coin. Certains ont des tarifs équivalant à un 2-étoiles en métropole. N'oubliez pas qu'entre la saison sèche et la saison des pluies (haute et basse saison), les prix peuvent varier jusqu'à 40 %.

Possibilité aussi de louer des villas. Ce n'est pas très bon marché, mais on peut partager à 2 ou 3 familles. Vous pourrez vous renseigner par exemple auprès de :

■ *Sibarth :* BP 55, La Maison Suédoise, rue Samuel-Falhberg (ex-rue du Centenaire). ☎ 05-90-29-88-91. ● sibarth.com ● Également présent à l'aéroport. De la villa de luxe à louer au terrain à bâtir.

■ *Sprimbarth :* 6, Les Jardins de Saint-Jean. ☎ 05-90-27-70-19. 📱 06-90-53-77-13. ● http://locationsbh.jexiste.fr/ ●

■ *Saint-Barth Immobilier :* BP 710, rue du Général-de-Gaulle, à la sortie de Gustavia en allant vers Saint-Jean. ☎ 05-90-27-82-94. ● sbi.rentals@wanadoo.fr ● stbarthestate.com ●

■ *Les Vents Alizés :* à Marigot. ☎ 05-90-27-78-70. ● michele.alizes@wanadoo.fr ● st-barths.com/les-vents-alizes ● Vous apprécierez l'efficacité et le sourire de Michèle.

HISTOIRE

Découverte par Christophe Colomb en 1493, l'île porte le nom de son frère. Les Amérindiens, qui l'avaient occupée épisodiquement, comme en témoignent une quinzaine de sites précolombiens, l'appelaient « Ouanalao ». Longtemps refuge des corsaires, elle accueille au XVIIᵉ siècle une garnison française, envoyée depuis Saint-Christophe (l'actuelle Saint-Kitts, alors base des colons français). Des Normands et des Bretons particulièrement courageux s'y établissent, mais en 1656 les Indiens Caraïbes massacrent les Français. L'entêtement a toujours été la principale caractéristique du monde rural, et d'autres colons prennent la place des précédents. L'île n'a pas de ressources propres, mais les butins pris par les corsaires sur les galions espagnols et les navires de Sa Majesté pendant la guerre d'Indépendance américaine apportent un complément de ressource non négligeable. En 1784, Louis XVI vend l'île à Gustave III, roi de Suède à Paris, en échange d'entrepôts à Göteborg et aussi pour enrichir la dot de Germaine Necker (fille de son ministre des Finances) lorsqu'elle épouse l'ambassadeur de Suède à Paris, le baron de Staël-Holstein. Pour développer le commerce, le nouveau propriétaire déclare que le port, baptisé *Gustavia,* sera franc de toute taxe. Saint-Barthélemy connaît une première prospérité (en 1800 l'île compte presque autant d'habitants qu'aujourd'hui), avant d'entamer un lent déclin à partir de l'occupation anglaise entre 1801 et 1802.

L'île subit en effet une série de catastrophes : épidémies, cyclone, tremblement de terre... sans parler des revers d'ordre économique (avec la machine à vapeur, les bateaux n'ont plus besoin de faire escale dans l'île et, parallèlement, la concurrence des îles Vierges fait de l'ombre à Saint-Barthélemy). Elle devient alors un gouffre financier pour la couronne suédoise et, à la suite d'un référendum, repasse à la France en 1878, à la condition de conserver son statut de port franc. Ce qui est toujours le cas aujourd'hui. Les habitants sont français et fiers de l'être. Partout flotte le drapeau tricolore, mais les rues de Gustavia portent encore des noms suédois.

En revanche, ils se sentent différents de la Guadeloupe dont ils ont toujours été un peu à l'écart. Depuis février 2007, l'île est devenue COM (collectivité d'outre-mer), ce qui devrait leur permettre de s'affranchir de la Guadeloupe et de garder les privilèges fiscaux dans le cadre d'un nouveau statut qui reste à définir. Ils se plaignent aussi, à juste titre, des incessantes grèves qui paralysent le port de Pointe-à-Pitre et qui les privent de leurs approvisionnements qui passent par la Guadeloupe.

PLAGES

Saint-Barth compte 22 plages, toutes plus belles les unes que les autres. Leur accès est public, et le nudisme interdit (et pourtant pratiqué). En arrivant sur certaines de ces plages, vous verrez des canettes recyclées en cendriers, pour y déposer vos mégots : la préservation de l'environnement n'est pas un vain mot ! On distingue les plages au vent, à l'est, et les plages sous le vent, donc abritées, à l'ouest. Évidemment, de nombreuses activités nautiques sont possibles à Saint-Barthélemy. La plongée de surface est sûrement l'une des plus accessibles avec des lieux comme l'Anse de Colombier ou, plus simplement, Shell Beach, à quelques centaines de mètres de Gustavia.

PLONGÉE SOUS-MARINE ET PROTECTION DE LA NATURE

Avant 1960, Saint-Barthélemy coulait des jours paisibles. À partir de cette époque, l'île a commencé à être appréciée des plaisanciers pour son calme et sa beauté, et elle est devenue en quelques années un lieu touristique à forte fréquentation. En parallèle, la pêche s'est développée avec des moyens plus sophistiqués, dilapidant rapidement les ressources naturelles. En 1988, une fondation américaine, *New England Biolabs,* a vanté la richesse des fonds marins de l'île, tout en insistant aussi sur leur fragilité et les risques d'une dégradation rapide. Les fonds sous-marins souffraient considérablement de l'accroissement du nombre de touristes en raison de l'augmentation des infrastructures hôtelières, du parc grandissant des véhicules de location, des rejets toujours plus volumineux des eaux usées, des mouillages sauvages des bateaux de croisière... Les pouvoirs publics se sont alarmés de cette situation et ont décidé de mettre en œuvre des moyens de protection adaptés, à l'instar de certaines autres îles caribéennes, comme Saba, dont les fonds sont préservés de façon exemplaire. Une réserve marine a donc vu le jour en 1996, afin de protéger les ressources marines. Découpée en 5 zones de réserve distinctes, elle couvre environ 1 200 ha de mer tout autour de l'île, dans un périmètre de 500 m autour de l'île Fourchue, de l'île Frégate, de l'île Toc-Vers, autour des Gros-Îlets, de Pain-de-Sucre, de Colombier et de Petit-Jean. Seule l'observation de la faune et de la flore est autorisée autour des Grenadines et de l'île Tortue et... c'est super ! Une taxe de 1 € par plongée est perçue pour garantir la préservation des fonds.

Toute forme de pêche est prohibée dans la réserve, ainsi que la collecte de coquillages et de coraux. Le mouillage de bateaux y est interdit, sauf avec une autorisation préalable. Les pratiques du ski nautique, du jet-ski et du scooter des mers sont formellement proscrites. On applaudit des deux mains ! Les plaisanciers n'ont pas le droit de ramasser des lambis ou de pêcher des langoustes. Un partenariat tripartite a été élaboré entre l'*association Grenat* (organisme gestionnaire de la réserve naturelle), *SubProtect* (association protectrice de l'environnement sous-marin) et l'*Association des plongeurs professionnels* regroupant les responsables des écoles de plongée.

Deux types de milieux font l'objet d'une attention particulière :
– les récifs coralliens, de type frangeant, que l'on rencontre essentiellement en bordure des côtes et autour des petites îles (à Saint-Barthélemy, il n'existe pas de barrière de récifs) ;
– les herbiers de phanérogames marines, que l'on observe sur les fonds sableux et au large des récifs. Ces herbiers constituent des zones de nurserie pour les juvéniles de nombreuses espèces. Ils doivent être préservés des dégâts provoqués par les ancres des bateaux, principalement dans la baie de Colombier.

Vous pouvez découvrir les fonds de la réserve avec palmes, masque et tuba, mais aussi faire de la plongée sous-marine dans certaines zones. Une charte a été déterminée : ne pas nourrir ni toucher les animaux marins ; limiter l'utilisation des éclairages sous-marins ; gilet de stabilisation obligatoire afin d'éviter les palmages dévastateurs ; ramasser les détritus, quand on en rencontre ; ne pas utiliser de gants en plongée ; ne pas utiliser de scooter sous-marin sans encadrement par un moniteur breveté ; utiliser obligatoirement les bouées de mouillage pré-installées. Toute observation effectuée lors d'une plongée (manquement à la réglementation, casiers perdus, présence de filets, prolifération ou diminution de certaines variétés de la faune ou de la flore) doit être signalée à la réserve. À court terme, la réserve ne sera accessible qu'aux plongeurs titulaires du Niveau 1 (car le diplôme est un gage, en principe, de bon comportement) et aux bateaux de moins de 12 m embarquant un maximum de 10 plongeurs. Seuls les moniteurs brevetés d'État ont le droit d'officier sur les sites de plongée faisant partie inhérente de ces zones protégées. ATTENTION : vous ne pouvez être en possession d'objets dérivés de la tortue, et il est nécessaire d'obtenir un permis pour exporter les conques vides.

Pour en savoir plus :

■ **SubProtect :** *BP 270, 97096 Saint-Barth.* ☎ 05-90-27-70-31. ● *stbarth.cetaces@wanadoo.fr* ● *saint-barths.com/subprotect* ● L'association a pour but de préserver l'environnement sous-marin.
■ **Association Grenat :** *contacter Jean-Claude Plassais.* ☎ 05-90-27-88-18. ● *reserve-naturelle-stbarthele* *my.com* ● L'association œuvre, entre autres, au suivi écologique de la réserve, à la maintenance des équipements et à la sensibilisation du public.
– La réserve dispose également d'un petit bureau sur le port, près de l'office de tourisme.

La meilleure période pour plonger à Saint-Barth s'étend du 15 avril à la fin août, avant que ne commence la période cyclonique. Heureux plongeurs, cela correspond à la basse saison... Les touristes se ruent en effet plutôt sur l'île l'hiver. Il y fait 25 °C, mais, à cette période, les alizés atteignent force 4 ou 5, et ce, pendant plusieurs jours. La mer est brassée et les fonds sableux sont agités (particules en suspension et visibilité moindre). À partir d'avril, plus de problème et la température de l'eau avoisine les 28 °C.

– Pour plonger malin, il est intéressant de se procurer la carte marine 7471S auprès du *Service hydrographique et océanique de la Marine (13, rue du Châtelier, 29200 Brest)* ; ou, plus rapide, par Internet : ● *shom.fr* ●

POPULATION

Autre originalité de l'île : ses 7 000 habitants sont essentiellement des descendants des Normands, des Bretons et des Vendéens qui s'installèrent ici sous l'Ancien Régime. Si les Suédois y furent présents durant près d'un siècle, ils n'ont laissé que peu de traces dans les mœurs et dans les gènes des Saint-Barths. L'île s'est retrouvée en 1878 avec les mêmes grandes familles aux patronymes inchangés : les Gréaux, les Bernier, les Aubin, les Magras... De leur région d'origine, en tout cas, les colons ont gardé la langue (avec quelques touches créoles) et la blondeur des cheveux. Naguère, les femmes revêtaient la *quichenotte*, coiffe portée autrefois en Vendée, sur l'île d'Yeu. De longs rebords cachaient les joues afin de tenir les hommes entreprenants à distance (d'où son nom, issu de l'anglais : *« kiss me not »*). Aujourd'hui, avec leur bermuda, les jeunes ont plutôt le look des surfeurs californiens.

Ici, tout le monde est cousin (avec quelques inconvénients consécutifs à la consanguinité), ce qui n'empêche pas les rixes familiales sans fin. Ni chômage ni syndicat ne perturbe la vie sociale. De plus, ce petit morceau de France est allergique aux impôts et aux taxes. Et le vote de décembre 2003 a confirmé le rejet viscéral des Saint-Barths pour toute tentative de « normaliser » la situation. Saint-Barth reste une affaire de famille. Excepté Gustavia, les habitants, n'ont pas d'adresse postale : anonymat garanti ! La terre étant pauvre, aucune grande plantation n'a été installée et l'esclavage exista relativement peu sur l'île, contrairement aux autres îles antillaises. Voilà pourquoi la population est encore blanche à 95 %. Résultat, aucune tension entre communautés raciales. Saint-Barth est vraiment différente des autres îles antillaises. Aujourd'hui, les ex-métropolitains sont devenus petit à petit plus nombreux que les Saint-Barths (la population a presque triplé entre 1974 et 2004 !).

SITES INTERNET

● *st-barths.com* ● Le site généraliste incontournable pour découvrir l'île. Pratique également pour avoir des infos récentes sur l'île.

● *micmag.fr* ● Le site d'information culturelle de Saint-Barth.

● *st-barths.com/jsb* ● Le site du journal local, tous les potins de l'île.

TRANSPORTS INTÉRIEURS

Il n'y a pas de transports en commun à Saint-Barth.

La voiture et le scooter sont donc les moyens de locomotion les plus fréquemment utilisés. Pour le scooter, il faut impérativement être à l'aise sur deux roues, les pentes sont raides et en cas de pluie les routes sont vite glissantes. Le stop fonctionne assez bien également. Il n'est pas inutile de savoir que la circulation sur l'île est particulièrement dense. Les routes sont étroites, et comme le 4x4 a remplacé la mini-Moke, on n'est pas loin de la saturation. La Smart a bien fait son apparition, mais on en voit beaucoup moins que des 4x4, qui constituent près des trois quarts du parc automobile.

■ *Location de motos et de scooters :* | – *Dufau La Boutique Harley-Davidson : domaine de la Retraite,*

Saint-Jean. ☎ *05-90-27-54-83.* 📱 *06-90-59-03-84.* ● *etsdufau@yahoo.fr* ● *Tlj sf sam ap-m et dim. De 25 à 30 € env selon la cylindrée.*
– *Béranger : rue du Général-de-Gaulle, à Gustavia.* ☎ *05-90-27-89-00. Fax : 05-90-27-80-28. Tlj sf dim.*
■ *Location de voitures :* la plupart des agences de location se trouvent à l'aéroport. Et en particulier :
– *Soleil Caraïbes :* ☎ *05-90-27-67-18.* ● *Soleil.Caraibe@wanadoo.fr* ● *st-barths.com/soleil-caraibe* ● Yvette assure un après-service de première qualité et propose une assurance tous risques, sans franchise. 10 % de réduc sur le prix de location sont offerts aux détenteurs de ce guide.

Si elles n'ont plus de voiture à vous proposer, adressez-vous au box en face :
– *Maurice Car Rental :* ☎ *05-90-27-73-22. Fax : 05-90-29-63-60.* ● *fsm2@wanadoo.fr* ● Frank et Sophie vous trouveront toujours une voiture ! De 40 à 80 € selon la saison.
■ *Taxis :* ils se trouvent à l'aéroport de Saint-Jean (☎ *05-90-27-75-81)*, ou au port de Gustavia (☎ *05-90-27-66-31)*. Certains proposent des circuits pour découvrir l'île, de 60 à 85 € environ. Compter entre 50 mn et 1h30 (tarif pour un groupe de 2 à 8 personnes).

GUSTAVIA
(97133)

Pour le plan de Gustavia, se reporter au cahier couleur.

Un port naturel d'une qualité exceptionnelle sur la côte sous le vent, donc à l'abri des tempêtes. Pas étonnant que depuis les corsaires, tant de nations se soient intéressées à cet endroit. En haute saison, on peut y voir ancrés au bord à bord les plus beaux yachts, venus du monde entier.
Siège de la mairie et de la sous-préfecture, il reste encore quelques jolies maisons en bois dans le style caraïbe, mais peu de monuments spectaculaires.
Quelques rares vestiges de l'époque suédoise, comme le vieux clocher et le Wall House. Toutefois, sous les noms de rue français, on a mis les anciennes plaques suédoises.

Adresses utiles

Voir aussi les « Adresses utiles » au début des « Généralités » de Saint-Barthélemy.

@ *Centre @lizés (plan couleur B1, 4) :* quai de la République. ☎ *05-90-29-89-89.* À l'étage. Lun-sam 8h30-19h30, dim et j. fériés 15h30-19h30. En basse saison, horaires un peu plus restreints. À dispo, une bonne vingtaine d'ordinateurs (ADSL). Compter 2 € les 15 mn.
@ *L'Odyssée du Jeu (plan couleur B1, 5) :* rue du Général-de-Gaulle. ☎ *05-90-27-95-33.* Connexion ADSL et jeux en réseau.

Où dormir ?

Pas grand-chose d'intéressant, d'autant plus que les principales plages sont ailleurs.

🏠 *Sunset Hotel (hors plan couleur par B1, 10) :* rue de la République. ☎ *05-90-27-77-21.* ● *sunset-hotel@wanadoo.fr* ● *st-barths.com/sunset-*

hotel • *En arrivant à Gustavia, quand on vient de l'aéroport, juste après la pharmacie. Suivant confort, chambres doubles 69-75 € en basse saison et 95-135 € en hte saison. Petit déj en plus. CB acceptées. 5 % sur le prix de la chambre offerts sur présentation de ce guide.* Entièrement rénové. Prix raisonnables pour Gustavia. Dix chambres (doubles et triples) avec une grande terrasse pour prendre le petit déjeuner et vue imprenable sur le port. Idéal pour assister au coucher de soleil somptueux sur le port et les bateaux amarrés juste en face.

🛏 *La Presqu'île (plan couleur A1, 11) : à la pointe de Gustavia.* ☎ 05-90-27-64-60. • *hotellapresquile@wanadoo.fr • Chambres doubles env 60 €.* Hôtel très simple face au port de plaisance, un des moins onéreux de Saint-Barthélemy. Pas vraiment le genre d'établissement où l'on voudrait passer sa lune de miel, mais, vu les prix sur l'île, les tarifs pratiqués à *La Presqu'île* sont sans concurrence. C'est bien la seule raison pour l'indiquer. Vue également privilégiée sur le port de Gustavia.

Où manger ?

Les restos ne manquent pas à Gustavia. Pour manger sur le pouce, on peut faire un saut à la *boulangerie-pâtisserie Choisy,* rue du Roi-Oscar-II *(plan couleur B1).* Ouvert tous les jours jusqu'à 13h. Sandwichs, fougasses à prix modiques. Ou bien à *La Petite Colombe,* en face de la poste *(plan couleur B2).* Ouvert le matin, jusqu'à 13h. En plus de la boulangerie-pâtisserie, rayon traiteur avec plat du jour. Quelques tables. Pas mal de restos proposent aussi des sandwichs le midi. Enfin, rue du Roi-Oscar-II *(plan couleur B1),* un petit *marché créole* où l'on peut trouver, du lundi au jeudi, fruits et légumes, en quantité limitée.

Assez bon marché

|●| *Crêperie de Gustavia (plan couleur B1, 20) : rue du Roi-Oscar-II.* ☎ 05-90-27-84-07. • *joeldantonio@wanadoo.fr • Service continu 8h-22h. Fermé dim (sf nov-avr). Congés de début sept à mi-oct. Formule 10 €, menus 13-18 €. Digestif maison offert sur présentation de ce guide.* Service rapide et petits prix sont les principales qualités de cet endroit. Parmi les plats, cuisse de canard aux olives, salade de magrets fumés au melon et aux noix... mais aussi, paninis, gaufres et glaces. Spécialité de crêpes et de galettes, évidemment !

|●| *Do Brazil (plan couleur B2, 23) : sur la plage* Shell Beach. ☎ 05-90-29-06-66. Resto ouvert par Yannick Noah et son vieux pote Boubou. Pré-

férez le snack *Zen (tlj 9h-18h),* sous le resto : jus de fruits frais, sandwichs, paninis et salades rapides pour moins de 10 €. Au resto *(ouv tlj),* c'est tendance *world cuisine.* Compter dans les 25-30 €. Connexion wi-fi.

|●| *L'Entracte (plan couleur B1, 21) : rue du Bord-de-Mer.* ☎ 05-90-27-70-11. • *JLB971@hotmail.com • Tlj sf dim 12h-15h, 19h-23h. Congés sept-nov. Plat du jour 10 € ; env 25 € pour un repas. Apéro maison offert sur présentation de ce guide.* Restauration rapide, style sandwichs améliorés, à des prix défiant toute concurrence. Apprécié par les jeunes, bonne ambiance. Déco sympa avec ouverture sur le quai. Également des plats à emporter. Le meilleur rapport qualité-prix de l'île dans le genre.

De prix moyens à plus chic

|●| 🍷 *Le Repaire... des Rebelles et des Émigrés (plan couleur B1, 24) : quai de la République.* ☎ 05-90-27-72-48. • *ceric3@wanadoo.fr* • ♿ En

face du port. *Tlj sf dim 7h-1h, service au resto 12h-22h30. Petit déj jusqu'à 11h. Carte 30-50 €. Pour tout repas, digestif offert sur présentation de ce guide*. Adresse multiforme, où l'on se donne volontiers rendez-vous. Hamburgers le midi, plat du jour et spécialités de poisson. Du petit déjeuner au dîner exotique, simple mais raffiné. Bar à cocktails, jus de fruits et glaces. Terrasse agréable sur le port. Connexion wi-fi.

|●| *La Saladerie (plan couleur A1, 22)* : 6, rue Jeanne-d'Arc. ☎ 05-90-27-52-48. ♿ Tlj sf mer et dim midi. Fermé 1re quinzaine de mai et fin août-début oct. Carte env 50 € ; menu-enfants 14 €. Digestif maison offert sur présentation de ce guide. Salades, pizzas à pâte fine, poisson grillé, quelques spécialités créoles comme le poulet-coco. Un régal ! Très bonne ambiance, terrasse sur le port.

|●| *Le Pipiri Palace (plan couleur B1, 25)* : rue du Général-de-Gaulle. ☎ 05-90-27-53-20. Congés de mi-juin à début août. Quelques plats servis slt le soir, tlj sf dim, sur résa. Plats env 23-27 €. Les propriétaires des maisons les plus chic se retrouvent ici autour d'une carte qui mélange allègrement plats créoles et européens. Les *ribs* au barbecue font leur réputation. Décor rigolo avec jardin tropical et souvenirs de la jet-set. Jacky Kennedy, au temps de sa splendeur, et quelques célébrités internationales, ont eu leur rond de serviette ici. Au fait, n'attendez pas le menu, il est inscrit sur une ardoise au mur. Au dessert : moelleux au chocolat.

|●| *Le Wall House (plan couleur A1, 28)* : à la pointe, quai du Wall-House devant les bateaux de croisière. ☎ 05-90-27-71-83. ● info@wall-house-stbarth.com ● Ouv tlj sf dim midi. Fermé juin-fin sept. Formule 14,50 € le midi ; menu 29 € le soir. Carte env 20 € le midi et 55 € le soir. Petit déj

9,50 €. Digestif maison offert sur présentation de ce guide. Accueil chaleureux de Denis et Franck pour ce resto qui offre le meilleur rapport qualité-prix de l'île. Le contenu des assiettes et la richesse de la carte en font un lieu incontournable : soufflé à la langouste, carpaccio de Saint-Jacques, voilà déjà de quoi vous allécher.

|●| *Eddy's Restaurant (plan couleur B1, 26)* : rue Sadi-Carnot et entrée par la rue Samuel-Fahlberg. ☎ 05-90-27-54-17. ♿ Tlj sf dim 19h-minuit. Congés sept-oct. Carte 30-36 €. Menu-enfants 8 €. Ti-punch maison offert sur présentation de ce guide. Une petite porte sans enseigne s'ouvre sur un sompteux jardin, superbement décoré. Le soir, l'ambiance est vraiment magique. On est ici chez le fils de Marius, grande figure de l'île (voir plus loin *Le Sélect* dans « Où boire un verre ? »). Carte d'inspiration créole : colombo, poisson grillé ou au gingembre, poulet au curry et lait de coco, gâteau au chocolat exotique. Service pro.

|●| *Au Port (plan couleur B2, 27)* : rue Samuel-Fahlberg (ex-rue du Centenaire). ☎ 05-90-27-62-36. ● au portrestaurant@wanadoo.fr ● En face de la poste, à l'étage. Ouv slt le soir, 18h30-22h. Fermé dim et de juil à mi-août. Excellent menu créole 35 €, carte env 50 €. Rhum-vanille ou rhum-gingembre (maison) offert en digestif sur présentation de ce guide. Le plus ancien resto de l'île avec une cuisine essentiellement créole, dont la bonne réputation n'est pas usurpée. Parmi les spécialités : crème de giraumon vanillée ou christophines farcies à la langouste, massalé de cabri et son gratin de banane plantain avec, en prime, une très belle déco des assiettes.

Où boire un verre ?

🍸 *Le Sélect (plan couleur B1, 40)* : rue de France. ☎ 05-90-27-86-87. Tlj sf dim 11h-14h30, 18h-22h. La halte obligée de Saint-Barth. Bizarrement, l'un des rares endroits de l'île où la décoration n'est pas léchée et où rien

n'a bougé depuis des années (c'est d'ailleurs le premier bar à avoir ouvert à Gustavia, en 1949 !). Et pourtant, à la tombée du jour, tout le monde s'y retrouve, dans un joyeux désordre. L'ancien patron, Marius Stakelborough, a contribué au renforcement des liens entre la Suède et Saint-Barth. On imagine un grand Scandinave à la crinière blonde... eh bien, non ! Marius est grand, certes, mais Noir ! Aujourd'hui, c'est son fils Garry qui a repris le flambeau. Les Rockefeller des yachts voisins viennent volontiers y écluser un gorgeon, feignant d'ignorer les deux ou trois pochards accrochés au bar. Propose aussi une restauration rapide et bon marché. Goûter absolument au « Marius », le meilleur cheeseburger de Gustavia ! Parfois des musiciens le soir.

L'Oubli (plan couleur B1, 41) : au centre de Gustavia, en face du Sélect, mais son antithèse. ☎ *05-90-27-70-06. Tlj 7h-minuit. Fermé en août.* Passage obligé de toutes les voitures (carrefour stratégique oblige), c'est donc le meilleur moyen pour voir, être vu... et plus si affinités ! Attention, les consommations sont assez chères (5-8 € en moyenne).

La Cantina (plan couleur B1, 42) : sur le port. ☎ *05-90-27-55-66. Tlj sf dim 7h15-22h (minuit en saison).* Moins convoité que les précédents et beaucoup plus agréable pour le coucher du soleil. Déco chaleureuse. Quelques salades et plats entre 7 et 19 €. Certains soirs, tapas à partir de 19h. Et en saison, « Pink Love Party » organisée une fois par mois.

La Bête à Z'ailes (plan couleur B2, 43) : sur le port, à côté de la poste. ☎ *05-90-29-74-09. Tlj sf dim. Fermé fin mai-début oct.* Un peu à l'écart des autres, plus au calme. Pour boire un verre bien installé dans de jolis fauteuils balinais en bois en regardant les marins s'affairer sur leur bateau. Bien également pour manger, en particulier le soir avec un bon choix de sushis à prix modique. Des groupes de jazz et de blues s'y produisent régulièrement (en principe tous les soirs en saison), faisant du *BAZ* une institution pour tous les amateurs de bonne musique.

Où danser ?

Les *clubbers* assidus trouveront sans doute Saint-Barth bien calme, par rapport à Saint-Martin. En fait beaucoup d'hôtels organisent eux-mêmes leur animation nocturne et les fêtes les plus folles se déroulent dans les villas, bien à l'abri des curieux. Là il faut donc connaître du monde et montrer patte blanche. Pour les autres, sachez qu'il existe deux bars propices aux virées nocturnes :

♪ *Le Hot Café, sur les hauts de Lurin, à 2 km de Gustavia.* ☎ *05-90-27-88-67. Ouv le soir ven-sam, et veille de j. fériés.* Programmation de musique. La route pour y accéder est étroite, tortueuse et ponctuée d'à-pics sur la mer dans les virages. Alors, boire ou conduire... il faut choisir !

♪ Ceux qui préfèrent rester en ville iront au *Casa Nicky (derrière la rue Fahlberg, plan couleur B2 ;* ☎ *05-90-40-03-40).* Ou encore au *Yacht Club* où la musique est plutôt internationale (☎ *06-90-49-23-33)* ; et le *Bubbles* (☎ *06-90-48-81-80 ; ouv slt en saison),* tous les deux à Gustavia.

À voir

On peut se balader en ville, où, même s'il ne reste pas beaucoup de témoignages historiques (une partie de la ville a brûlé en 1852), quelques traces du passé suédois subsistent encore, comme l'ancienne mairie, maison verte aux volets blancs (rue du Roi-Oscar-II) et l'hôtel du Gouvernement, où l'acte de rétrocession de l'île à la France fut signé *(plan couleur B1).* Bâtiment plutôt austère qui servit aussi d'école, de tribunal et de caserne de pompiers !

L'église Notre-Dame de l'Assomption *(plan couleur B2)*, qui date de la première moitié du XIXe siècle a, comme à Lorient, son clocher construit un peu plus haut. Elle domine l'église anglicane qui, elle, est au niveau de la mer. Autre trace de la période suédoise : rue Gambetta *(plan couleur B2)*, le campanile *(Swedish Belfry)* d'une ancienne église luthérienne détruite ; aux deux tiers en pierre, il a résisté à tous les cyclones.

Pour s'orienter, demander à l'office de tourisme la brochure « Visite de Gustavia ».

🍴 **Wall House** *(plan couleur A1)* **:** à la pointe. ☎ 05-90-29-71-55. Lun-ven 8h30-12h30, 14h30-18h (mais fermé mer ap-m), sam 9h-12h30. Entrée : 2 € ; réduc sur présentation de ce guide ; gratuit jusqu'à 12 ans.
C'est la belle bâtisse en pierre, de style suédois. Le musée abrite de nombreux documents, photos, objets, costumes, outils, instruments de navigation, témoins de l'histoire de l'île. N'hésitez pas à demander des informations complémentaires au conservateur, Eddy Galvani, véritable passionné, qui vous éclairera sur l'histoire de son île. À l'étage, bibliothèque municipale.

🍴 **Le fort Gustave** *(hors plan couleur par B1)* **:** à la sortie de Gustavia, par la rue Nyman (se garer au niveau des dernières maisons et monter par un chemin qui passe à gauche du phare). De l'un des trois forts qui ont défendu la ville, il ne reste aujourd'hui que quelques ruines et deux canons. En 1961, un phare a été érigé sur ce site. On y vient avant tout pour la vue imprenable sur la rade de Gustavia (table d'orientation).

🍴 **Anse de Grands-Galets** *(plus connue sous le nom de **Shell Beach**, plan couleur B2)* **:** la plage de Gustavia, à deux pas du port. De superbes voiliers viennent parfois y jeter l'ancre.

Plongée sous-marine

Clubs de plongée

■ **Saint-Barth Plongée :** au début du quai de la République, BP 46, 97095 Gustavia, Saint-Barthélemy Cedex. ☎ 05-90-27-54-44. 🖷 06-90-41-96-66. ● *birdy.dive@wanadoo. fr* ● *st-barthplongee.fr* ● Résa par téléphone de préférence. Baptême 75 € ; plongée-exploration équipée 60 € ; forfaits 5 et 10 plongées. Plongées à 9h, 11h et 14h (plus 15h en haute saison). Plongées au Nitrox. Plongée de nuit sur demande. Bateau à bords plats et larges, on peut s'asseoir. Toit pour se protéger du soleil. À l'avant, petite cabine pour stocker le matériel, ce qui évite la manutention. Le patron est haut en couleur, anticonformiste, drôle et hâbleur (ANMP/CEDIP) ; il s'investit beaucoup dans la protection de l'environnement, fait venir des personnalités du monde de la photo sous-marine, élabore des stages de photo. Ambiance garantie. Plongées sur des sites extra, en dehors des chemins battus, avec Bertrand, au banc de Katouri : requins-dormeurs, langoustes et balistes royaux ; la caye à Pissa (parce qu'un jour un Saint-Barth s'est soulagé à l'arrière du bateau et a constaté *de visu* la présence d'un haut-fond !) ; le banc Alexis, ainsi que tous les sites de la réserve marine. Entre janvier et juin, possibilité de plonger pour entendre le chant des baleines à bosse !

■ **West Indies Dive :** BP 434, 97097 Gustavia. ☎ 05-90-27-70-34. ● *contact@westindiesdive.com* ● *westindiesdive.com* ● École de plongée et magasin Marine Service *dans les mêmes locaux, sur le bord du quai du Yacht Club, à côté du resto Jao. Fermé du 31 août à mi-oct. Baptême 75 € ; plongée-exploration pour plongeurs certifiés 60 € ; plongée de nuit 75 €. Un bon centre PADI Gold Palm et CEDIP/ANMP. L'esprit de l'école privilégie la qualité de la sortie et le confort des plongeurs. Pas de por-

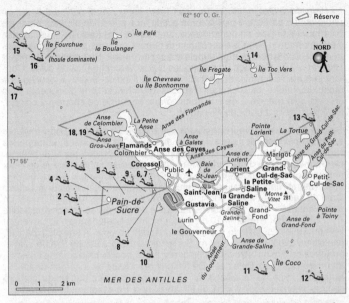

SAINT-BARTHÉLEMY : NOS MEILLEURS SPOTS DE PLONGÉE

tage ; le matériel est équipé sur le bateau par l'équipe. Plongées sur les sites de la réserve naturelle de Saint-Barth. Lorsque le temps le permet, accès aux sites de Roches-Rouges, Groupers, Baril-de-Bœuf. Ambiance conviviale, prestations haut de gamme. Beaucoup de tenue et de discrétion de la part de l'équipe de moniteurs vis-à-vis du client plongeur : ça compte !

■ *La Bulle :* Océan Must, *à la pointe de Gustavia, 97133 Gustavia.* ☎ *05-90-27-62-25.* 📠 *06-90-73-77-85.* ● *char*

ly.celine@wanadoo.fr ● *Congés sept-oct. Petit bureau le long du quai, partagé avec* Océan Must, *magasin de location de bateaux. Baptême (longue durée) 70 € ; plongée-exploration 60 € ; forfait pour 5 plongées 285 €. Sorties de nuit à partir de 2 participants. Sorties quotidiennes à 9h et 11h. Sur une vedette conçue pour 15 plongeurs mais qui en embarque 5. Plongées enfants à partir de 8 ans. Le club se veut l'antithèse des « usines à plongeurs ».*

Nos meilleurs spots à l'ouest de Gustavia

🐟 *Pain-de-Sucre sud (carte Saint-Barthélemy : nos meilleurs spots de plongée, 1) :* grand îlot rocheux pointu qui semble crever le ciel. Descendre le long du mouillage pré-installé à - 3 m. À gauche et à droite, deux longues arêtes s'enfoncent vers le large sur une vingtaine de mètres, créant une fourche. Grosse concentration de poissons autour de l'une d'elles, dès qu'il y a du courant. En remontant le long de la face ouest de Pain-de-Sucre, après le passage d'une zone d'éboulis assez déserte, des raies-léopards. Se tourner vers le large : très beau point de vue sur le Bleu. Au sud du mouillage, piton qui remonte de - 27 à - 15 m, exposé au courant. En hiver, seuls les plongeurs confirmés peuvent (à la rigueur !) venir se balader ici. En effet, le courant, les vagues et la houle se fracassent contre Pain-de-Sucre, créant des conditions difficiles. En été, l'endroit est accessible aux plongeurs de Niveau 1 et aux *Open Water Divers*.

🐚 **Pain-de-Sucre nord** (carte Saint-Barthélemy : nos meilleurs spots de plongée, 2) : partie sud plus colorée que la face ouest. Un plateau, abrité du courant, dégringole en pente douce, du pied de l'îlet jusqu'à - 15 m. Jardin d'algues marron avec petits requins-dormeurs ou raies pastenagues. Très joli point de vue vers le large depuis le bord du massif. Puis chute du tombant jusqu'à - 24 m. Passage de carangues à gros yeux et bancs de colas. Courant important : il arrive de part et d'autre de Pain-de-Sucre. À gauche et à droite du plateau, deux cirques d'éboulis délimitent la zone plongeable avec un petit coin réservé à de superbes coraux en forme de chapeaux chinois. Pour plongeurs à partir du Niveau 1.

🐚 **Les Baleines de Pain-de-Sucre** (carte Saint-Barthélemy : nos meilleurs spots de plongée, 3) : deux rochers émergent de la surface. Lorsque les vagues s'y brisent, le jet d'eau ressemble à celui produit par une baleine. Derrière la barrière de la surface, la partie immergée se transforme en deux petites montagnes couvertes de concrétions ou de coraux. Dans les premiers mètres, fines dentelures de corail de feu partout. Le mouillage du bateau étant au sud, le but du jeu consiste à passer au nord des rochers. Passer un petit plateau à - 12 m, puis suivre une épine dorsale qui se détache du sable. À - 17 m, rocher d'environ 10 m. À - 24 m, raies pastenagues. En revenant vers les Baleines, face au nord, paroi rocheuse abrupte. À son pied, parfois, une tortue aventureuse à - 10 m. Sur le versant sud, faille de 6 m de long et profonde de 3 m qui s'ouvre sur 80 cm de large, positionnée comme un nez... au milieu des deux Baleines ! De timides repousses de « cornes-de-cerf ». Surplomb, près du mouillage, à - 3 m, avec un vieux barracuda couturé comme un ancien légionnaire, de 80 cm de long. Pour plongeurs de Niveau 1.

🐚 **L'épave du Kayali** (carte Saint-Barthélemy : nos meilleurs spots de plongée, 4) : belle épave dont la proue est dirigée vers le nord et qui repose par - 30 m. Elle est couchée sur son côté tribord. Une grosse chaîne semble l'arrimer au sable. Ses deux mâts sont toujours en place. Entrer, avec l'instructeur, dans la grande cale vide, par les écoutilles du pont et sortir par la poupe. Carangues à la sortie. Tortues autour du pont et barracudas à l'affût. À notre (humble) avis, la plus jolie épave de Saint-Barth, bien que la plus récente. Elle a été coulée pour servir de récif artificiel.

🐚 **Les Cayes de Pain-de-Sucre** (carte Saint-Barthélemy : nos meilleurs spots de plongée, 5) : gros massif corallien s'étendant à l'est de Pain-de-Sucre et s'étalant d'est en ouest. Courant parfois nul, mais qui peut aussi être si violent que le site devient alors impraticable. Le long du versant sud, très jolie colonie de coraux mauves en forme de chapeaux chinois et, dans le sable, une ou deux raies pastenagues ne laissant dépasser que les yeux ! Sur la face nord, trois longues veines de sable reposent les unes à côté des autres, semblables à des pistes de ski. Plus loin, champ de sable d'où sortent des gorgones-plumets. En direction du nord, une caye de 30 m de large et de 150 m de long vous barre la route. La survoler pour découvrir une épave datant d'une vingtaine d'années. Balade accessible aux plongeurs de Niveau 1, voire en formation.

🐚 **Le Marignan** (carte Saint-Barthélemy : nos meilleurs spots de plongée, 6) : se trouve à la sortie du port de Gustavia, aux abords de Gros-Îlets. Au mouillage, à Corossol, le cyclone Luis a traîné ce bateau avec son corps-mort de 5 t jusqu'aux Gros-Îlets, où il s'échoua le 5 septembre 1995. Plusieurs autres cyclones ne l'ont pas fait bouger, mais, en 1998, Georges l'a soulevé et fait tourner à 180°. Une petite partie du mât en forme de croix dépasse de l'eau. Cet ancien chalutier de Concarneau, qui effectuait du transport de fret, a failli être déclaré monument historique, les anciens de Concarneau se souvenant encore avoir navigué dessus. Couché sur son flanc tribord, il allonge ses 25 m à - 10 m. Visibilité de 30 m selon les courants. Ne pas entrer à l'intérieur de l'épave. La balade débute par le gaillard avant, vers le château central. Coque couverte de concrétions sur le tribord avant. Du côté de l'hélice, grosses langoustes. Les poissons transitent, sans hésiter, du récif (le Recor) de Gros-Îlets à l'épave. Balade idéale pour plongeurs débutants.

◄ *Le Dakar (carte Saint-Barthélemy : nos meilleurs spots de plongée, 7) :* autre victime de Luis, en 1995. Son vaillant capitaine, accompagné de son fils, alla affronter le cyclone en pleine mer, décidé à sauver son bateau. Un combat de 36h contre des vagues de 10 m de haut pour cet ancien crevettier de Guyane... qui dériva jusqu'à Barbuda puis vers Nevis. Lorsque l'équipage exténué pénétra dans la rade de Saint-Barth, ce fut la liesse. Le capitaine prit tout de suite la direction du lagon de Saint-Martin pour se porter au secours des nombreuses victimes du cyclone (Géromine Pasteur raconte dans son livre *Ouragan* comment un « bateau rouge » aida bénévolement les naufragés). Le bateau a coulé au passage du cyclone Bertha, alors qu'il était au mouillage. Il est actuellement sur son flanc bâbord dans une faible profondeur d'eau. Pour plongeurs débutants.

◄ *Les Gros-Îlets (carte Saint-Barthélemy : nos meilleurs spots de plongée, 8) :* peu profonds et abrités pour y accueillir des plongeurs débutants et assez lumineux pour satisfaire les amateurs de macrophotographie. Balade entre les deux Gros-Îlets les plus au sud. Grand plateau de 200 m de long recouvert de coraux. Raies pastenagues ou requins-nourrices. Vers l'îlet intermédiaire, le décor change : des roches de 10 m de haut se dressent tout autour par - 15 m. Banc de pisquettes (petits poissons argentés blanc et bleu). Tortue caretta, assez sédentaire. En revenant vers le Gros-Îlet le plus au nord, le Marignan. Une bouée de repérage est accrochée sur le bastingage vers la poupe du bateau.

◄ *Le Non-Stop (carte Saint-Barthélemy : nos meilleurs spots de plongée, 9) :* ce yacht de luxe, équipé d'une piscine sur le pont, est l'une des rares victimes à Saint-Barth du cyclone Hugo (1989). Le bateau prit l'eau, s'enfonça petit à petit dans la mer et se retourna en coulant. Dans la salle de bains, on retrouva le proprio du navire, à l'envers dans la baignoire ! En 1990, la Lloyd décida de faire renflouer le navire mais, mal mouillé, il partit à la dérive toute une nuit. Il fut ramené plus près de la côte et... les parachutes se sont vidés de l'air qu'ils contenaient. Le bateau est reparti vers le fond. Luis, en 1995, a brisé les superstructures qui le tenaient surélevé. Ne se visite plus. Suivre la longue coque d'où surgissent les hélices posées sur le sable. Langoustes dans les restes des débris aux alentours.

◄ *Les Petits Saints (carte Saint-Barthélemy : nos meilleurs spots de plongée, 10) :* 3 rochers alignés du nord au sud, deux mouillages pré-installés de part et d'autre du dernier îlet et un banc de tarpons de belle taille, qui atteint les 60 spécimens en hiver. Grand plateau à - 15 m avec des éboulis d'un côté ; coraux de feu dans les premiers mètres. Contourner l'îlet pour passer sur la face est ; roches sur le sable avec une profusion de coraux et de petits poissons : perroquets, poissons-trompettes, demoiselles. Champs de coraux en forme de cornes d'élan, d'environ 50 cm, faisant ensuite place à des coraux ressemblant à des... brocolis ! Pour plongeurs de tous niveaux.

SAINT-JEAN

(97133)

C'est ici que se trouve l'aéroport. Le village s'étend à l'est de la (courte) piste d'atterrissage. Le lieu est assez commercial, mais la plage, dans une baie bien plus calme que celles de la côte nord, est parfaite pour les enfants. Entre Gustavia et l'aéroport, le col de la Tourmente : l'endroit des sensations fortes, surtout si l'on s'y trouve lorsqu'un avion approche de la piste... même si la route a été déviée de quelques mètres, pour ne plus passer juste sous le train d'atterrissage.

Où dormir ?

Chic

🏨 **Le Tropical Hôtel :** sur les hauteurs de Saint-Jean, BP 147. ☎ 05-90-27-64-87. • tropical-hotel.com • En venant de l'aéroport, monter la rampe sur la droite au carrefour du Kiki-é Mo (voir « Où manger ? »). Fermé 1er sept-15 oct. Chambre env 120-230 € selon saison et confort, petit déj compris. Compter de 350 à 380 € la nuit pendant les vacances de fin d'année. Forfait chambre + voiture 145 € en basse saison. Une vingtaine de chambres (dont presque la moitié ont vue sur mer, les autres donnant sur un joli jardin tropical), grandes, claires, avec climatisation et petit frigo. Petit déjeuner servi sous la varangue. Terrasse privée et piscine. Calme et tranquille, idéal pour le repos. Et la mer n'est qu'à 100 m.

Très chic

🏨 **Le Tom Beach Hôtel :** sur la route qui longe la plage à droite de la piste en regardant la mer. ☎ 05-90-27-53-13. • tombeach@wanadoo.fr • tombeach.com • Chambres doubles à partir de 290 € la nuit et jusqu'à 895 € en fin d'année ! Douze bungalows autour d'une piscine, à deux pas de la magnifique plage. Grandes chambres décorées avec goût, dans des tons naturels, et terrasse pour chacune d'elles. Déco extérieure des bungalows très colorée. Les nos 8 et 9 donnent directement sur la plage... ce sont les plus chers. Un hôtel pour ceux qui aiment faire la fête. DJ ou groupes le soir au resto.
🏨 🍷 **L'Eden Rock :** au centre de la baie de Saint-Jean. ☎ 05-90-29-79-99. • info@edenrockhotel.com • edenrockhotel.com • Pour y dormir, sachez que les prix de base commencent à un peu moins de 500 € hors saison et plus ou moins 600 € en haute saison. On ne vous parle même pas des fêtes de fin d'année ! Le plus ancien hôtel de l'île (1954) dont une partie est construite sur le rocher. Récemment refaits, 4 bungalows différents, de style colonial. Pas vraiment une adresse pour les routards : c'est désormais un Relais & Châteaux ! Le soir, allez boire un verre et goûter aux tapas, ne serait-ce que pour profiter du magnifique panorama d'une des nombreuses terrasses qui épousent parfaitement le rocher. Petits prix pour une super qualité. Le restaurant gastronomique du haut est beaucoup plus cher.

Où manger ?

Prix moyens

🍴 **Kiki-é Mo :** en face de la plage. ☎ 05-90-27-90-65. • kikiemo@wanadoo.fr • Tlj 9h-21h30. Fermé en sept. Compter 15 € le midi et 20-30 € le soir. Café offert sur présentation de ce guide. Petite épicerie-rôtisserie italienne avec quelques tables à la terrasse d'une toute petite case jaune et vert. Pizzas, salades composées, antipasti et paninis. Un endroit abordable pour grignoter. Salades au poids, on choisit ce que l'on veut y mettre. Les paninis sont très bons et bien moins chers qu'à côté. Également des desserts. Bon accueil.

I●I *The Hideway* : ☎ 05-90-27-63-62. *À l'intersection de la route qui monte vers Salines. Tlj sf dim midi et lun.* Pizzas, à manger sur place ou à emporter. Pas vraiment typique comme menu, mais c'est l'une des adresses les moins chères de l'île. Cuisine créole et française, avec viande et poisson en pierrade, pâtes et salades également à prix raisonnables. Bon accueil.

Plus chic

I●I ▼ *La Plage* : *juste après l'aéroport, à gauche en allant vers Saint-Jean.* ☎ 05-90-52-81-33. *Ouv dès 7h30 pour le petit déj et jusqu'à 22h (22h30 en hte saison). Fermé lun soir en basse saison. Accès aux non-résidents mais résa conseillée. C'est le resto du Tom Beach Hôtel. Plats 18-35 €.* Le resto donne directement sur la plage : grande terrasse en teck abritée pour ceux qui souhaitent de l'ombre et tables directement sur le sable pour les autres. Couleurs chatoyantes pour la déco, à dominante rose et parme. Déjeuners thématiques. Cher, mais bon et plutôt copieux. Salades, carpaccio, tartares. La situation de ce resto et son cadre sont déjà deux bonnes raisons de venir au moins y boire un verre à l'heure où le soleil se fait trop intense. Location de transats et serviettes.

LORIENT (97133)

Un de nos endroits préférés à Saint-Barth. Petite bourgade le long d'une belle plage, avec ses maisons de poupées, coiffées de toits rouges. Au centre, une épicerie et un joli cimetière. Les tombes portent des bouquets en plastique, car les fleurs sont rares sur l'île en raison du manque d'eau. Particulièrement coloré, ce cimetière en bord de route n'a rien de lugubre. Dans un carré à part, des tombes de la famille suédoise des Norderling. Derrière le cimetière, une belle église (très fréquentée le dimanche) dont le clocher a été construit en hauteur.

Ce Lorient-là n'a rien à voir avec la ville bretonne ni avec le point cardinal. Il s'agit d'une déformation d'« Orléans », venant de l'ancien découpage administratif de la ville.

Où dormir ?

De bon marché à prix moyens

🛏 *La Normandie* : *sur la route de Salines.* ☎ 05-90-27-61-66. *Fax : 05-90-27-98-83. Chambres doubles 55-75 € selon saison (quelques chambres moins chères sans TV).* Hôtel familial, l'un des meilleurs rapports qualité-prix de l'île. Très bon accueil et bien entretenu. Dans une micro-forêt tropicale, une piscine de poche, mais c'est toujours agréable pour se rafraîchir. Plage de Lorient à 150 m.

🛏 *Les Mouettes* : *en venant de Saint-Jean, à gauche face à la mer, juste avant la route pour Salines.* ☎ 05-90-27-77-91. ● *hotel.lesmouettes@wanadoo.fr* ● *st-barths.com/hotel-les-mouettes* ● ♿ *Fermé en sept. En hte saison, studio pour 2 pers à partir de 168 € (105 € en basse saison).* Sept petits bungalows sur pelouse donnant sur la plage. Kitchenette et salle de bains privées.

Plus chic

🏠 **La Banane :** sur la gauche en arrivant à Lorient, derrière le K'Fé Massaï. ☎ 05-90-52-03-00. ● info@labanane.com ● labanane.com ● Fermé de début sept à mi-oct. Chambres doubles 320-450 € suivant saison, petit déj inclus. Cocktail de bienvenue offert sur présentation de ce guide. Les 9 pavillons avec terrasse privée portant des noms de fruits mêlent exotisme, couleurs tendres et naturelles. La déco zen, presque japonisante, est très réussie : lignes épurées, essences précieuses. Salles de bains à ciel ouvert au milieu de la végétation. Un immense patio-salon-bibliothèque fait le lien entre les chambres, le bar et les deux piscines. Le tout dans un superbe jardin clos où tout semble pousser tout seul. Un lieu exceptionnel, on vous le garantit. Service aux petits soins.

Où manger ?

Bon marché

🍽 **La Petite Colombe :** en face de la poste. ☎ 05-90-27-88-62. Ouv le mat jusqu'à 13h45. Boulangerie qui propose quiches et sandwichs ainsi qu'un plat du jour + boisson à 10 € et un service traiteur. Possibilité de manger sur place.

🍽 **Jojo Burger :** ☎ 05-90-27-50-33. Ouv 6h-14h. Fermé dim et en oct. CB et chèques-restaurant acceptés. De 10 à 15 € env pour un repas complet, mais on peut aussi y manger une cuisse de poulet délicieuse et des frites. Parmi les meilleurs hamburgers de l'île ! Fait également des salades et omelettes. Poulet-frites réputé. Café offert pour un repas pris. Supermarché juste à côté. Produits américains et français.

Prix moyens

🍽 **Le Bouchon :** centre commercial de l'Oasis, en face du K'Fé Massaï. ☎ 05-90-27-79-39. Tlj 9h-22h. Compter 15-25 € env. Dans une jolie case en bois aux couleurs acidulées. Plats du jour, pizzas, hamburgers, sandwichs, salades à consommer sur place ou à emporter. Déco de plaques publicitaires émaillées, quelques tables sur la terrasse. Une des rares adresses où l'on peut manger pour pas cher à Saint-Barth.

🍽 **Le Wok :** route des Salines, à 300 m de la mer. ☎ 05-90-27-52-52. Ouv ts les soirs à partir de 18h, sf lun. Env 28 € pour un repas. Apéro offert sur présentation de ce guide. Petit resto asiatique de spécialités évidemment asiatiques. Dorures, bouddhas et lampions rouges. Bonne cuisine à prix doux. Plats à emporter.

Plus chic

🍽 **K'Fé Massaï :** sur la gauche en arrivant à Lorient, devant La Banane. ☎ 05-90-29-76-78. Ouv en soirée. Fermé mar en basse saison. Congés en sept. Résa conseillée. Menus à 29, 39 et 49 €. Carte 35-60 €. Oui, c'est cher, mais à Saint-Barth c'est un pléonasme. Si vous ne deviez vous payer qu'un seul resto cher, c'est celui que nous vous conseillerions. En effet, trois raisons à cela : la cuisine excellente et raffinée, tendance fusion food ; le cadre original (déco tendance africo-moderne un poil sophistiquée), et enfin l'accueil irréprochable. À la carte, surtout du poisson. Le tout au milieu d'un salon-jardin à la végétation luxuriante. Grand choix de vins (en bouteille ou au verre).

Achats

◈ **Ligne de cosmétiques, la ligne Saint-Barth :** *dans le village de Lorient, prendre la route qui mène à Salines ; l'atelier est juste à droite.* ☎ 05-90-27-82-63. ● lignestbarth. com ● Hervé Brin, descendant d'une des plus vieilles familles de l'île, laborantin de formation, est intarissable sur les vertus des plantes qui lui servent à fabriquer ses produits. Ses huiles, crèmes, shampooings et onguents se vendent dans le monde entier. À essayer absolument : son après-soleil mentholé qui a également des effets cicatrisants et l'huile à bronzer à base de roucou (graines rouges dont les Indiens Caraïbes se servaient pour se protéger de tout : soleil, moustiques, etc.). On trouve également ces produits dans la boutique de Gustavia, rue du bord de mer.

DE LORIENT À GRAND-CUL-DE-SAC

🚶 À la sortie de Lorient, jetez un coup d'œil à l'école Saint-Joseph. Ne pas manquer non plus l'étal à poisson où l'on trouve jusqu'à 13h le produit de la pêche du petit matin. Le terrain de tennis de l'association AJOE se transforme à l'occasion, environ une fois par mois, en « salle obscure ». Y aller car c'est vraiment unique, fréquenté par la population locale essentiellement. Choisir sa chaise parmi toutes celles empilées et l'installer où l'on veut. Là, lever la tête... Moteur ! Ça tourne... Et si un grain vient troubler la séance, la chaise vous servira d'abri... authentique ! Le Festival du cinéma caraïbe se déroule ici également, chaque année au mois d'avril.

🚶 Après Lorient, grimper à Camaruche. En haut, à droite, c'est *Vitet,* le morne le plus haut de l'île. Rien à voir, sauf la pépinière... Quartier très résidentiel, où l'on devine de belles villas cachées dans la végétation. Superbe vue sur l'île de la Tortue et le lagon de Grand-Cul-de-Sac.

🚶 Un peu plus loin, sur la gauche de Camaruche, la *pointe Milou,* l'un des quartiers les plus résidentiels de Saint-Barth. On peut y voir des maisons de rêve qui sont accrochées à la falaise par on ne sait quelle prouesse technique.

🚶 Juste avant Grand-Cul-de-Sac, *Marigot,* minuscule port bordé d'une cocoteraie dépouillée depuis le dernier cyclone. Un peu plus haut sur la gauche, pénétrer dans le Guanahani ; au rond-point, aller en face et là, descendre l'escalier qui mène à l'*Anse Maréchal,* l'une des jolies plages de cette partie de l'île. Si vous n'avez pas encore commencé votre collection de coquillages, c'est le moment ou jamais.

GRAND-CUL-DE-SAC   (97133)

Grande baie de sable blanc admirablement protégée, où se sont installés des complexes hôteliers. Sa barrière de corail en fait sans doute la plage la plus sûre pour les jeunes enfants et les débutants en planche à voile.

Où dormir ?

🏠 **La Résidence du Bois de l'Angélique :** ☎ 05-90-27-92-82. ● ange liq@wanadoo.fr ● st-barths.com/ bois-de-angelique ● 🏃 À la sortie de Grand-Cul-de-Sac, 150 m après le tennis, prendre sur la gauche une piste sur env 400 m, ensuite ça grimpe fort. Bungalow (2 pers) 100-150 € selon période (et 280 € pdt les fêtes de fin d'année). Sur présen-

tation de ce guide, 10 % de réduc sur une loc de 7 nuits min. Perchés sur la colline, 5 bungalows pour deux, avec cuisine extérieure. Rien de luxueux, mais quel emplacement ! Vue magnifique (et imprenable) sur le lagon Grand-Cul-de-Sac. Piscine sur la terrasse..

Où manger ?

|●| ♟ *Le Cocoloba : au bout de la route qui mène à la plage de Grand-Cul-de-Sac (à droite de l'hôtel El Sereno).* ☎ 05-90-27-75-66. ● albert. balayn@wanadoo.fr ● *Ouv 11h-16h et 19h-22h, mais préférable de téléphoner avant. Fermé de sept à mi-oct. Plat du jour 18 € ; env 25-30 € pour un repas. Bar ouvert 10h-18h. Pour tout repas, digestif offert sur présentation de ce guide.* Large choix de cocktails, jus frais, glaces, salades, sandwichs (paninis, bagnats) ou hamburgers. Idéal pour déjeuner avec les enfants : ils peuvent jouer à Tarzan sur les cocolobas (raisiniers de bord de mer) pendant que leurs parents se posent à l'ombre généreuse de ces mêmes cocolobas et profitent de la beauté du paysage !

À faire

– *Planche à voile, kitesurf et plongée sous-marine... :* après avoir déjeuné dans l'un des restos du lagon, les amateurs d'exploits digestifs s'adresseront à *Ouana Lao Dive* (☎ 05-90-27-61-37 ; ▯ 06-90-63-74-34 ; ● ouanalao-dive. com ●), à côté du restaurant des *Pêcheurs*. À l'hôtel *El Sereno Beach*, location de planches à voile, etc. (▯ 06-90-59-66-06).

Plongée sous-marine

Nos meilleurs spots

⚓ *Les Grenadins (carte Saint-Barthélemy : nos meilleurs spots de plongée, 13) :* îlet rocheux tout en longueur. La mer passe à de nombreux endroits en le traversant, laissant émerger quatre roches que l'on pourrait croire isolées, mais qui possèdent les mêmes fondations. Elles délimitent au sud un côté sous le vent où deux grands plateaux s'érigent de - 3 à - 10 m et de - 12 à - 20 m, comme deux gigantesques marches. Zone d'évolution des plongeurs débutants et de Niveau 1. Corail à profusion en forme de boules, de doigts, de cerveaux piquetés à maints endroits par des plumets. Le côté nord des Grenadins est caractérisé par une succession de marches de 10 m de large à - 5 m, - 8 m, puis à - 15 m. Très beau point de vue au pied vers le massif. Houle sur le haut de ces marches, à la base même des Grenadins. L'hiver, site impraticable. L'été, site accessible aux seuls plongeurs confirmés.

⚓ *L'îlet Toc Vers (carte Saint-Barthélemy : nos meilleurs spots de plongée, 14) :* au nord de Saint-Barth. Succession de rochers émergeant comme un chapelet de perles. Sous la surface, cela ressemble plutôt à une montagne avec des pics. La mer passe par des « cols », créant l'illusion en surface de rochers isolés. Explorer les fondations. Au sud de cet archipel immergé, les débutants évoluent sans problème (ni houle ni courant). Au nord, seuls les plongeurs plus expérimentés s'aventurent. Platier creusé par une succession de petits canyons. Visite autour des pâtés coralliens de 1 m de haut, eux-mêmes encerclés par un petit mur. À l'intérieur de l'enceinte : entrée des canyons et d'un tunnel de 7 m de long où 2 plongeurs pénètrent de front. Au sud, platier à partir de - 5 m qui ressemble à une estrade devant une pente douce de roches et de cailloux, s'achevant par un cirque dont les montants sont creusés de petites cavernes. Fond pavé de galets. Pour plongeurs de tous niveaux selon le lieu du mouillage.

➤ DANS LES ENVIRONS DE GRAND-CUL-DE-SAC

🎣 Quitter Grand-Cul-de-Sac pour Grand-Fond, en passant par **Petit-Cul-de-Sac.** Coin très résidentiel assez sauvage, plusieurs beaux points de vue sur la mer. La route se rétrécit et le paysage prend un aspect sauvage. On retrouve la mer, sur la côte sud. Grande baie mais la baignade est interdite. C'est par là, vers le bout de la pointe Toiny, que Rudolf Noureïev avait acquis une somptueuse demeure reconnaissable à son immense terrasse en teck (avis aux amateurs : elle se loue... On n'ose pas vous dire combien).

🎣 **Grand-Fond :** image du Saint-Barthélemy d'autrefois. Cases typiquement de Saint-Barth, murets de pierre délimitant la route et les propriétés... Ça ressemble drôlement à la Bretagne ! On est tout au bout de l'île et pourtant Gustavia n'est qu'à 6 km... ! Les baignades y sont interdites, mais la balade est belle. À l'Anse de Grand-Fond, laisser la voiture à côté de la plage de galets, traverser cette plage et aller en direction de Morne-Rouge. Après environ 30 mn de marche, vous trouverez des piscines naturelles : calme assuré ! On se prendrait presque pour Robinson...

SALINES   (97133)

Partagée entre les hameaux de *Petite-Saline* et de *Grande-Saline,* cette zone est l'une des plus sauvages de l'île. L'endroit commence à être fréquenté par des gens qui veulent être au calme loin de l'agitation (relative) de Gustavia. On a exploité la grande saline jusqu'en 1972, aujourd'hui rendue à ses occupants naturels, les oiseaux.

Où manger ?

Bon marché

|●| **Le Grain de Sel :** à gauche juste avant le parking de la plage de Grande-Saline. ☎ 05-90-52-46-05. Tlj sf lun 9h-22h30. Fermé de sept à mi-oct. Le midi env 25 €, le soir env 35 €. Menu-enfants 12 €. Carte limitée. Grande terrasse aérée, face à la Grande-Saline. Cuisine abordable : salades, grillades, tartare de thon. Le soir, spécialités créoles. Idéal pour se restaurer pendant une journée de plage, déguster une glace maison ou boire un verre aux heures trop chaudes. Spécialité de *piña colada.*

À voir

△ **L'Anse de Grande-Saline :** après la saline, c'est la fin de la route. De là, vous atteindrez à pied (150 m) l'une des plus belles plages de l'île par sa longueur, son sable blanc et la couleur de l'eau. La plage principale est plutôt familiale, celle qui se trouve au nord, après les rochers, est plus isolée et moins habillée. Prudence, l'endroit est idéal pour cramer : aucun arbre pour se protéger.

🎣 Pour rejoindre Gustavia, prendre la route au carrefour du *Tamarin* et, à la hauteur du restaurant *Santa-Fé,* quitter la route principale pour descendre vers la **plage de Gouverneur.** Au passage, vue unique sur la baie de Saint-

Jean et Salines. La descente sur Gouverneur, sur près de 2 km, a un côté magique et attractif. On a l'impression de basculer dans un rêve, d'entrer dans la carte postale ! Attention quand même, la chaussée est pas mal défoncée. Ne pas se laisser impressionner par les panneaux disposés sur la route, il y a bien un parking à l'arrivée à la plage. Plage moins familiale qu'à Salines (davantage de courant).

Plongée sous-marine

Nos meilleurs spots

⌇ *L'île Coco* (carte Saint-Barthélemy : nos meilleurs spots de plongée, **11**) : île rocheuse émergée comme un dôme minéral de 20 m de haut, à - 10 m à sa base, du côté sud-ouest. Architecture intéressante. Gros blocs rocheux à ses pieds, créant ainsi beaucoup de volumes. Sorte d'île sous-marine, en parallèle avec l'île Coco. Semblable à une arête de 3 m de large qui s'arrête à - 5 m. Pente externe couverte de coraux. S'achève à - 20 m sur le sable. L'île Coco abrite ce site de la houle et du vent. Pour plongeurs de Niveau 1 suffisamment amarinés pour résister à la houle de surface.

⌇ *Les Roches-Rouges* (carte Saint-Barthélemy : nos meilleurs spots de plongée, **12**) : deux roches émergeant d'environ 2 m au-dessus de la surface se trouvent au sud de Saint-Barth. Bateau mouillé sur - 12 m sur un tapis de coraux façonnés par la houle. L'îlet rocheux le plus au nord présente de part et d'autre deux surplombs. Beau point de vue pour des photos. Celui qui est au sud jouxte un tunnel de 15 m de long. À l'intérieur, parfois, un requin gris caraïbe. Un autre canyon, de 10 m de long, permet, par son architecture, de réaliser des photos au grand-angle ou, grâce aux gorgones qui en tapissent la paroi, de réaliser de la macrophoto. Gros barracudas, tortues carettas ou olivâtres, raies-aigles. Tarpons nombreux en hiver, lorsque la mer agitée soulève des particules. Requin-nourrice vautré sur le fond à - 18 m. Pour plongeurs de Niveau 1 expérimentés.

ANSE DES FLAMANDS

(97133)

À 2 km de l'aéroport et à 3 km de Gustavia, parmi les plus belles baies de l'île. Assez peu fréquentée, sinon par les quelques clients des hôtels voisins. Plage de sable fin bordée de cocotiers, un avantage par rapport à Gouverneur et Salines, mais beaucoup plus ventée aussi. Sur la plage même, belle brochette de villas à louer, les pieds dans l'eau ; le long de la route qui passe derrière la plage, petit quartier assez populaire avec son épicerie.

Où dormir ?

🛏 *Auberge de Terre Neuve :* à gauche, sur les hauteurs avant d'attaquer la descente vers la baie des Flamands. Loc et résa auprès de l'agence Gumbs Car Rental à l'aéroport de Saint-Jean. ☎ 05-90-27-75-32. ● gumbs.car.rental@wanadoo.fr ● Forfait tt compris, bungalow + voiture, 80-160 € par jour selon confort et saison. Réduc de 10 % en basse saison sur présentation de ce guide. Une dizaine de bungalows tout confort avec kitchenette, salle de bains et terrasse. Le tout très bien entretenu dans un jardin fleuri. Belle vue en prime. Une des adresses les moins chères de Saint-Barth. 🛏 *Auberge de la Petite Anse :*

BP 153, sur le chemin qui mène à la plage de Colombier. ☎ 05-90-27-64-89. ● apa@wanadoo.fr ● Fermé de sept à mi-oct. Chambres doubles 80-160 € la nuit selon saison, ménage inclus. En basse saison, forfait bungalow + voiture de loc à 100 € par jour. Résa 2 nuits min. Huit petites bâtisses construites au bout de la route, dans un cul-de-sac. Tranquillité garantie. Au total, 16 studios avec chambre à lit double, AC, salle de bains privée et kitchenette. Terrasse surplombant la mer (réserve maritime). Plage isolée en contrebas idéale pour les enfants.

Où manger ?

|●| **La Langouste :** à peu près au milieu de la baie. Resto de l'hôtel Baie des Anges. ☎ 05-90-27-63-61. Ouv midi et soir sf lun en basse saison, fermé en sept. Env 45 € pour un repas ; sam soir, menu langouste (sortie toute fraîche du vivier) env 50 €. Digestif maison offert sur présentation de ce guide. On mange au bord de la piscine, face à la baie. Cuisine de bonne qualité à des prix (encore) raisonnables pour Saint-Barth.

Balades à pied et à cheval

➢ Après l'*Auberge de la Petite Anse,* au bout de la route, un sentier longe la mer pour atteindre la *plage du Colombier.* Une balade agréable à flanc de falaise et au milieu des cactées. Compter 20 mn de marche pour atteindre cette superbe baie (intéressante pour la plongée de surface). Admirer également les voiliers au mouillage.

➢ *Balades à cheval sur la plage :* sur la droite avant d'arriver à l'Anse des Flamands. Attention, ça grimpe raide. Tous les jours. Le *Ranch des Flamands :* ☎ 06-90-39-87-01. Réserver. Compter 2h de balade, débutants à confirmés. Groupes jusqu'à 10 personnes.

COLOMBIER

Petit village qui s'étend sur les hauteurs. Au bout de la route qui continue vers le nord-ouest, après le village, une table d'orientation avec une vue inoubliable sur la côte nord et sur les îles Pelée, Le Boulanger, Chevreau, Saint-Martin...

Où dormir ?

⌂ **Le P'tit Morne :** BP 14, Colombier. ☎ 05-90-52-95-50. ● hotel@timorne.com ●timorne.com ● ♿ Fermé en sept. Selon saison, 80-170 € le studio standard pour 2 pers, pour ceux de luxe 150-230 €. Petit déj en sus. Min 2 nuits en hte saison. On offre une bouteille de vin sur présentation de ce guide. Quatorze studios avec kitchenette et terrasse, construits à flanc de colline, à 100 m au-dessus de la mer. Deux belles suites rénovées (plus chères *of course*). Vue splendide sur les petites îles. Piscine. Possibilité de location de voitures.

SAINT-BARTHÉLEMY

À voir. À faire

➢ *La plage du Colombier :* amateurs de plongée de surface, à vos masques ! Après la table d'orientation, prendre le sentier pentu qui descend (assez sec) à travers une végétation de sous-bois. Vous atteindrez en 20 mn la plage du Colombier. Accessible seulement à pied ou en bateau, c'est dans ce lieu calme que Rockefeller avait construit son pied-à-terre. Tout ce qu'il y a de plus simple, bien entendu. Il accapare toute une presqu'île !

Plongée sous-marine

Nos meilleurs spots

➢ *Le Tombant de Colombier (carte Saint-Barthélemy : nos meilleurs spots de plongée, 18) :* tombant au pied d'un des trois îlots rocheux qui caractérisent l'Âne-Rouge. Seul véritable « mur » immergé plongeable autour de Saint-Barth. Réservé aux plongeurs confirmés. Bateau mouillé à - 13 m. Grand plateau sous-marin en pente douce de - 5 à - 15 m qui forme une longue pointe droite vers l'ouest. Trois îlets rocheux minuscules posés sur ce plateau émergent de l'eau. Exploration autour du plateau surélevé de 25 m par rapport au fond sableux. Joli point de vue : deux pitons de 8 m de haut remontent d'un fond sableux, comme deux aiguilles. Base avoisinant 3 m. Leur sommet dépasse à peine 1 m. Banc très volumineux de lutjans. Pénétrer à l'intérieur du banc, les poissons s'écartent et se resserrent après votre passage. La paroi du tombant forme un mur superbe à admirer à contre-jour. Près de la pointe du récif, raies pastenagues ou, plus rarement, raies-aigles. Très beau point de vue à la pointe, vers le large. Plus loin, roche culminant à - 24 m, hérissée de gorgones-éventail. De l'autre côté de la pointe, sur la face nord, trois jolis surplombs successifs. Petite faune récifale. Au retour, vers le versant sud, deux grottes. La première, large de 6 m et haute de 3 m, présente une forte concentration d'éponges, tubulaires jaunes ou mauves, marron en forme de cratères... La seconde grotte, plus petite, arbore moins de couleurs. Se mettre au fond et regarder l'énorme banc de sergents-majors passer sur le fond bleu. Photos au grand-angle adaptées à ce site. Pour plongeurs à partir du Niveau 1 selon la profondeur et la météo.

➢ *L'Âne-Rouge (carte Saint-Barthélemy : nos meilleurs spots de plongée, 19) :* départ de la balade au sud-ouest de l'île Petit-Jean, au pied des deux îlots rocheux qui émergent respectivement à + 10 et + 20 m. Visibilité de 15 à 50 m en fonction de la saison. Paysage varié. Partir de l'amphithéâtre à - 5 m, suivre un canyon. On rencontre un bloc rocheux de - 13 à - 17 m, avec une grotte, laissant juste la place à un plongeur, et deux niches aux parois couvertes d'éponges encroûtantes. Après un court trajet palmé, à - 16 m, énorme roche vers l'ouest où un surplomb de 2 m de haut abrite un banc d'au moins 400 spécimens de pagres. Banc de carangues de 60 spécimens. En contournant cette énorme roche, à - 21 m, découverte de raies-aigles lorsque l'eau est trouble. Niches de tortues carettas au nord de ce rocher. Balade pour plongeurs débutants avec bateau mouillé sur - 5 m et pour confirmés lorsque la descente le long du bout de l'ancre s'effectue sur - 12 m.

Nos meilleurs spots au nord-ouest de Colombier

➢ *L'île Fourchue – l'Îlette (carte Saint-Barthélemy : nos meilleurs spots de plongée, 15) :* pointe nord de l'île s'achevant par un gros îlet détaché de l'île Fourchue, émergeant de 20 m au-dessus de la surface. Explo des soubassements de cet îlet satellite. La partie la plus à l'est fait encore partie de la baie de l'île Fourchue. Zone d'une grande richesse corallienne, préservée du cyclone Luis en 1995. Une bande du platier de 60 m de large entoure l'îlet.

Tortues souvent vers - 6 m. Beaucoup de gorgones-plumets. Banc d'une quarantaine de barracudas très curieux. Raies pastenagues ou raies-léopards en escadrille au-delà de la zone corallienne. Vers la sortie de la baie, amoncellements de blocs rocheux de 6 m de haut, créant des passages assez larges pour deux plongeurs de front. Sur le sable, à - 17 m, requins-nourrices. Paysage assez différent sur le versant extérieur de l'îlet, du côté haute mer (Luis ne l'a pas épargné). Coraux moins hauts, moins épanouis : relief déchiqueté, aride. Entre - 18 et - 25 m, souvent du gros : requins et raies. Le tour de l'îlet peut s'effectuer en 10 mn en se laissant porter par le courant, sans palmer. Il faut s'arrêter et chercher la bête rare dans les anfractuosités. Endroit très abrité de la houle de nord-est. Pour plongeurs à partir du Niveau 1. Randonnées palmées et initiation à l'intérieur de la baie.

⚓ **L'île Fourchue – la Baleine** (carte Saint-Barthélemy : nos meilleurs spots de plongée, 16) : vue d'avion, elle ressemble à une baguette de sourcier, avec ses deux branches. Les deux extrémités sont à explorer. La pointe sud est constituée par la pente de l'îlet et s'enfonce directement jusqu'à - 12 m. Aspect lunaire, à cet endroit, avec de gros blocs coralliens sur le sable et des requins-nourrices. Cent mètres plus loin, une montagne à deux pics émerge respectivement de 40 cm et de 1,5 m. Entre ces pics nichent les tortues. Paroi couverte de gorgones-plumets et de coraux en forme de cerveaux. Au pied du piton, sur la zone de sable, raies-léopards et raies pastenagues. Le courant ressenti en surface est moins fort au fond. À faire par temps dégagé, car sans luminosité l'aspect du fond est vraiment dépouillé. Le site est aussi dénommé « la Baleine de l'île Fourchue », car les pics émergents apparaissent comme une masse sombre sur laquelle la houle casse en geyser lorsque la mer est agitée, ce qui ressemble au jet effectué par les mammifères qui viennent respirer en surface. Pour plongeurs à partir du Niveau 1.

⚓ **Groopers** (hors carte Saint-Barthélemy : nos meilleurs spots de plongée, 17) : poignée d'îlots rocheux perdus au nord-ouest de Saint-Barth, qui font tellement rêver les plongeurs que l'endroit est visité par les Saint-Martinois ! Présenter un diplôme de Niveau 1 avant d'embarquer ! Ces îlets protègent mal de la houle. Seul Petit Grooper se visite sous la surface de l'eau. Trois îlets rocheux émergent de 4 à 5 m au-dessus de la mer. L'espacement entre eux crée un effet « Venturi », d'où un courant très important. Platier étendu uniquement vers le sud à - 15 m (où le bateau est mouillé) et parsemé de pâtés coralliens creusés à leur base par des anfractuosités. Il s'achève à - 25 m. Présence de langoustes. À la jonction galets-sable, requins-nourrices. Zone suffisamment brassée pour servir de réserve de chasse aux requins. Le reste de l'exploration s'effectue près de l'îlet à - 12 m. Passer le canyon entre les îlots à - 7 m. Coraux râpés, usés par le passage intense du courant. Joli passage sous un rocher à la partie de l'îlet au vent.

ANSE DES CAYES
(97133)

Petite baie peu fréquentée, sauf par les surfeurs. La plage est exposée aux alizés. On peut continuer par la route jusqu'à Anse des Lézards.

Où dormir ?

🏠 **Le Nid d'Aigle :** Anse des Cayes, BP 532 sur la route de l'Anse des Lézards. ☎ 05-90-27-75-20. ● lenidaigle@wanadoo.fr ● saint-barths.com/niddaigle ● Après Chez Ginette, prendre la 2ᵉ rampe à gauche et monter tout en haut. C'est très raide. La seule chambre d'hôtes de l'île. Chambre double env 80-90 €, draps et linge compris. Apéro maison offert sur présentation de ce guide. Petit coin cuisine équipé. Préférer une location à la semaine (de 450 à 550 €). Villa proposant 3 chambres.

Petite piscine avec vue magnifique sur la mer et les baies de Saint-Jean et Lorient. Ventilation naturelle grâce aux alizés.

Où manger ?

Assez bon marché

|●| *Chez Ginette :* ☎ 05-90-27-66-11. Pas d'enseigne, repérez le toit vert et le drapeau breton. Ouv ts les soirs sf dim. Repas env 20 €. CB acceptées. Digestif offert sur présentation de ce guide. Nombreuses spécialités créoles (ouassous flambés, colombo de poulet, etc.). Propose 73 punchs différents. Les vendredi et samedi, soirée zouk.
|●| *Chez Yvon :* ☎ 05-90-29-86-81. ♿ Ouv midi (sf dim) et soir. Fermé

15 juin-15 juil. Un peu après Chez Ginette, *sur la droite quand on va vers l'hôtel* Manapany Cottages. *Plat du jour 10-12 €. CB refusées. Digestif maison offert sur présentation de ce guide.* Salades, hamburgers, omelettes, spécialités créoles. Une adresse sans façons, aux antipodes de la branchitude gustavienne, fréquentée par les habitants du quartier.

COROSSOL
(97133)

Petit village de pêcheurs, près de Gustavia, et dont la population s'apparente le plus aux Normands qui débarquèrent voici trois siècles. C'est le quartier de l'île où la coiffe traditionnelle a été portée le plus longtemps. Les vieilles femmes proposent de superbes chapeaux (les panamas) et divers objets artisanaux fabriqués à partir des fibres de latanier séchées au soleil.
Grande fête patronale le 25 août (régates, feux d'artifice). Messe au pied du rocher avec la statue de saint Louis.

Où manger ?

|●| *Au Régal :* à l'entrée du village en venant de Gustavia. ☎ 05-90-27-85-26. Fermé jeu et dim. Plats 10-18 €. Digestif maison offert sur présentation de ce guide. Café-snack simple et sympa, bon accueil. Grillades, langoustes grillées et assiettes créoles sont au menu. C'est le bar du village, temple du football (déco uniquement constituée de photos de joueurs, de bannières de clubs), idéal pour les

contacts.
|●| *La Saintoise :* à Corossol, à droite après le pont. ☎ 05-90-27-68-70. ● caraibescocktail@yahoo.fr ● Tlj sf mar 17h-22h. Env 9,50-13,50 €. Sur présentation de ce guide, 10 % de réduc sur l'addition. Bon rapport qualité-prix. Pizzas à emporter uniquement, originales avec lambi, langouste, etc.

À voir

🎣 *Saint-Louis :* en arrivant à la mer, sur la droite, une statuette du bon vieux saint Louis (patron de Corossol) trône sur un gros rocher. Faites-vous expliquer l'histoire par les anciens du village, ils en sont fiers.

🎣 *Inter Oceans Museum :* ☎ 05-90-27-62-97. Mar-sam 9h-13h, 15h-17h, et lun sur demande. En arrivant sur le port, aller à gauche vers la jetée. Entrée : 3 €.

Musée international du coquillage, créé par Ingénu Magras, un vieux monsieur pittoresque, passionné de ces merveilles marines depuis l'âge de 8 ans... Une collection de plus de 9 000 pièces de toutes les mers du monde avec deux records mondiaux (*Porcelaine valentia* et *Gloria maris*), des originalités comme une huître perlière en formation, mais aussi des mâchoires de requins de toutes tailles, un superbe poisson-lune, la reconstitution d'un fond de coraux, et plus de 1 000 échantillons de sables. Excellentes explications, prodiguées par le fondateur lui-même. Quelques coquillages sont à vendre.

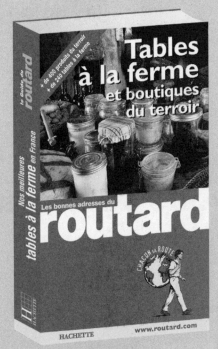

La Chaîne de l'Espoir

Ensemble, sauvons des enfants !

Chirurgiens, médecins, infirmiers, familles d'accueil… se mobilisent pour sauver des enfants gravement malades condamnés dans leur pays.

Pour les sauver nous avons besoin de vous !

Envoyez vos dons à
La Chaîne de l'Espoir
96, rue Didot - 75014 Paris
Tél. : 01 44 12 66 66 - Fax : 01 44 12 66 67
www.chainedelespoir.org
CCP 3703700B LA SOURCE

COMITE DE LA CHARTE
donner en confiance

La Chaîne de l'Espoir est une association de bienfaisance assimilée fiscalement à une association reconnue d'utilité publique.

Espace offert par Le Guide du Routard

yellowstone

NON
aux mutilations

sousmunitions.org

NON AUX
BASM
BOMBES À SOUS-MUNITIONS

Chaque année, les bombes à sous-munitions tuent
et mutilent des milliers de civils. Mobilisez-vous pour
leur interdiction sur le site www.sousmunitions.org

HANDICAP
INTERNATIONAL

INDEX GÉNÉRAL

– A –

– B –

INDEX

– H-I-J-K –

– L –

– R –

– S –

– T –

– V-W –

– Z –

OÙ TROUVER LES CARTES ET LES PLANS ?

INDEX

Les **Routards** parlent aux **Routards**

Faites-nous part de vos expériences, de vos découvertes, de vos tuyaux.
Indiquez-nous les renseignements périmés. Aidez-nous à remettre l'ouvrage à jour.
Faites profiter les autres de vos adresses nouvelles, combines géniales... On adresse
un exemplaire gratuit de la prochaine édition à ceux qui nous envoient les lettres les
meilleures, pour la qualité et la pertinence des informations. Quelques conseils cependant :
– Envoyez-nous votre courrier le plus tôt possible afin que l'on puisse insérer vos
tuyaux sur la prochaine édition.
– N'oubliez pas de préciser l'ouvrage que vous désirez recevoir.
– Vérifiez que vos remarques concernent l'édition en cours et notez les pages du
guide concernées par vos observations.
– Quand vous indiquez des hôtels ou des restaurants, pensez à signaler leur adresse
précise et, pour les grandes villes, les moyens de transport pour y aller. Si vous le
pouvez, joignez la carte de visite de l'hôtel ou du resto décrit.
– N'écrivez si possible que d'un côté de la lettre (et non recto verso).
– Bien sûr, on s'arrache moins les yeux sur les lettres dactylographiées ou correctement écrites !
En tout état de cause, merci pour vos nombreuses lettres.

Le Guide du routard : 5, rue de l'Arrivée, 92190 Meudon

e-mail : guide@routard.com
Internet : www.routard.com

Le Trophée du voyage humanitaire ROUTARD.COM s'associe à VOYAGES-SNCF.COM

Parce que le *Guide du routard* défend certaines valeurs : Droits de l'homme, solidarité,
respect des autres, des cultures et de l'environnement, il s'associe, pour la prochaine
édition du Trophée du voyage humanitaire routard.com, aux Trophées du tourisme
responsable, initiés par Voyages-sncf.com.
Le Trophée du voyage humanitaire routard.com doit manifester une réelle ambition
d'aide aux populations défavorisées, en France ou à l'étranger. Ce projet peut concerner les domaines culturel, artisanal, agricole, écologique et pédagogique, en favorisant
la solidarité entre les hommes.
Renseignements et inscriptions sur ● www.routard.com ● et ● www.voyages-sncf.com ●

Routard Assistance 2008

Routard Assistance et Routard Assistance Famille, c'est l'Assurance Voyage Intégrale
sans franchise que nous avons négociée avec les meilleures compagnies, Assistance
complète avec rapatriement médical illimité. Dépenses de santé et frais d'hôpital pris en
charge directement sans franchise jusqu'à 300 000 € + caution + défense pénale +
responsabilité civile + tous risques bagages et photos. Assurance personnelle accidents : 75 000 €. Très complet ! Le tarif à la semaine vous donne une grande souplesse.
Tableau des garanties et bulletin d'inscription à la fin de chaque *Guide du routard* étranger. Pour les départs en famille (4 à 7 personnes), demandez nous le bulletin d'inscription famille. Pour les longs séjours, un nouveau contrat *Plan Marco Polo « spécial
famille »* à partir de 4 personnes. Enfin pour ceux qui partent en voyage « éclair » de 3
à 8 jours visiter une ville d'Europe vous trouverez dans les Guides Villes un bulletin
d'inscription avec des garanties allégées et un tarif « light ». Pour les villes hors Europe
nous vous recommandons Routard Assistance ou Routard Assistance Famille mieux
adaptés. Si votre départ est très proche, vous pouvez vous assurer par fax : 01-42-80-
41-57, en indiquant le numéro de votre carte de paiement. Pour en savoir plus : ☎ 01-
44-63-51-00 ; ou, encore mieux sur notre site : ● www.routard.com ●

Photocomposé par MCP - Groupe Jouve
Imprimé en Italie par Legoprint
Dépôt légal : août 2007
Collection n° 13 - Édition n° 01
24.4097-2
I.S.B.N. 978.2.0124.4097-5